Fabrizio Gatti

BILAL

Il mio viaggio da infiltrato nel mercato dei nuovi schiavi

Rizzoli

I nomi di alcuni protagonisti, quando necessario, sono stati cambiati oppure sono stati omessi. Se qualcuno si riconosce in loro, lo fa solo perché ha molta fantasia.

*Un viaggio verso la libertà non può che lasciarci liberi
di prendere la rotta che più ci rassicura.*

a Impi e ai suoi fantastici nonni

Stazione della metropolitana.
Milano, Italia

La testa è già in cammino da qualche mese. Lo stomaco e le sue paure anche. Ma ogni partenza ha il suo momento nello spazio e nel tempo. Lo spartiacque tra il prima e il dopo. Questo viaggio comincia davanti al grigio capolinea della metropolitana. Un pomeriggio che promette pioggia. Sotto il peso gonfio dello zaino, una decina di chili, qualche maglietta, le macchine fotografiche, i rullini, tre carte geografiche del Sahara perché, delle piste laggiù, ciascuna dà informazioni diverse. Lei risale in macchina dopo un saluto senza parole. S'allaccia la cintura di sicurezza. Accende il motore e si volta per l'ultimo sguardo. Delicatamente porta la mano destra al cuore, alle labbra, alla fronte in un dolce movimento che termina con il palmo completamente aperto. È l'addio più elegante che i popoli del deserto ci abbiano tramandato. Vorresti parlare ancora. Vorresti fermarti. Vorresti tornare indietro.

Ormai non si può più.

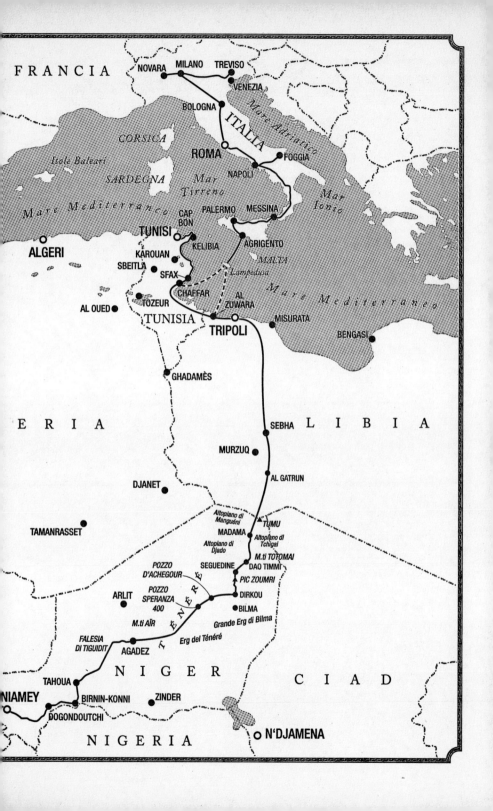

1

Dal Senegal al Mali

L'aeroporto di Dakar galleggia nell'oblò sotto una cupola di luce bianca. Poche decine di metri separano i piedi dall'Africa. Intorno, il buio è di un nero fitto. Il grande viaggio è appena cominciato e ha già imposto le sue prime tre ore di ritardo. A Milano era tutto pronto per la partenza. Cinture allacciate, portelloni chiusi. E a metà aereo è scoppiato il finimondo. Un passeggero si è messo a urlare, ha tentato di togliersi la maglietta blu con la scritta «Italia» sul petto. La hostess continuava a invitarlo ad allacciarsi la cintura di sicurezza. Lui stava per sfilarsi perfino quella dei pantaloni. Un ragazzo alto, enorme, sui trent'anni. Chissà da quanto tempo aveva lasciato l'Africa. Lo stavano rimandando al mittente, con un foglio di identificazione consegnato al comandante. Come si fa con i trasporti di valore o con gli animali in gabbia imbarcati nella stiva. Nel Monopoli della sua vita, da qualche parte aveva pescato l'imprevisto, la giocata perdente che per un immigrato è il decreto di espulsione. Quando è entrato nella lunga fusoliera dell'Md11, è stato l'unico momento in cui si è accorto di avere un potere in Europa. Un intero aereo, l'equipaggio, più di duecento passeggeri. Tutti nelle sue mani. Lui ha capito. Ha aspettato. Dalla sua poltrona non vedeva i piloti, ma ha intuito. E quando è arrivato il via libera al decollo, ha puntato sulla sua ultima carta.

La sceneggiata ha bisogno dei suoi tempi. Prima accorrono le hostess: «Per favore, si calmi». Poi arrivano gli steward, un po' più robusti: «Se non la smette, avvertiamo il comandante».

Ed ecco il comandante, giacca impeccabile e fregio d'oro sul berretto: «La prego, o saremo costretti a chiamare la polizia». Dopo un'ora di tira e molla sale a bordo la polizia. Ma cosa vuoi dire a un ragazzo di trent'anni che sta perdendo tutto quello su cui aveva investito? Che se non fa il bravo lo arresti?

In prima classe, su una poltrona della fila tre, è seduto un uomo che qualcosa per calmare quel ragazzo la potrebbe anche fare. Karamoko El Hadji è un famoso marabutto del Senegal. Durante l'imbarco i passeggeri senegalesi l'hanno riconosciuto, si sono inchinati e, stringendogli la mano, hanno augurato ogni bene a lui e alle due mogli che ha lasciato a Banjul in Gambia e a Dakar. El Hadji porta al petto un gris-gris, un cilindro di cuoio legato al collo e alla vita. Dentro, su un foglio arrotolato, è scritto un versetto del Corano. Dal suo sottile anulare destro torreggia una capsula d'argento piena di polvere verde. «Questo» spiega Karamoko El Hadji indicando il gris-gris, «è contro il male. Ti protegge se ti sparano o ti accoltellano. L'anello invece dice che hai potere. E la gente te lo riconosce.»

«Ma a uno come voi, chi dovrebbe sparare?» «Non si sa. Se vai in giro afterhours, la notte ad esempio, può succedere.» «Il titolo di El Hadji significa che avete già fatto il Pellegrinaggio?» «Un Hadji? Io? No, non ancora» sorride abbassando le palpebre: «Costa tanto andare alla Mecca. Ma perché non partiamo?»

I marabutti sono grandi viaggiatori. Non hanno nemmeno bisogno di spostare il corpo. Ogni giorno, a ciascuna delle cinque preghiere, ovunque siano, vanno e tornano dalla Mecca. La legge di Dio non chiede di mostrare passaporto e visti. La legge degli uomini sì. E così a Karamoko El Hadji sfugge completamente il motivo della baraonda, intorno a quel sedile, una ventina di file dietro la sua poltrona.

«Basta! Stai fermo o ti facciamo sbarcare dall'aereo» urla un agente là in fondo. Nessuno di solito vuole andare in galera. Non lo desidera la persona rispettosa della legge, nemmeno il criminale più sanguinario. Ma per quel ragazzo stasera il mondo sta girando proprio al contrario. E finalmente viene accon-

tentato. Tempo trascorso: tre ore e dodici minuti. Sono tutti felici. Il concetto di autorità è stato appagato, i passeggeri italiani
applaudono i poliziotti, il comandante può ridare potenza alle
turbine. Si parte. Il colpevole di tanto oltraggio resterà in Italia
qualche giorno ancora. Fino al prossimo tentativo di rimpatrio.
E, forse, al suo prossimo arresto. Eppure, ciò che gli impedisce
di rimanere in Europa è un pezzo di carta: venticinque centimetri per quindici, una fototessera, qualche goccia di inchiostro, un timbro. Nell'Italia della mafia, dei corrotti e corruttori
diventati ministri e parlamentari, delle loro leggi salvaladri, guai
per uno straniero non avere quel pezzo di carta. Ma quanto è
costata stasera la sceneggiata? Tre agenti in servizio notturno, la
macchina con i lampeggianti blu sotto bordo, un aereo con le
turbine al minimo per tre ore, gli straordinari per piloti ed equipaggio, il biglietto già pagato, il giudice che celebrerà il processo, l'avvocato d'ufficio a spese dello Stato, la burocrazia, i giorni in cella, le carte per il nuovo rimpatrio e forse un altro volo
da bloccare a terra. Consegnare un permesso di soggiorno costerebbe molto meno. Ma la politica ha bisogno di preziose sce-
neggiate. Altrimenti come giustifica il suo consenso?

Pensieri in libertà. Come le immagini ancora fisse nella mente del volto spaventato di quel ragazzo, stretto da un agente davanti e due dietro. Lo spingono gentilmente tra i sedili verso
l'uscita della fusoliera. Impossibile sapere chi sia, chiedergli
della sua storia, cosa abbia sbagliato e che cosa si aspettasse di
trovare. È un clandestino. Una nuova classe sociale nell'Europa
del ventunesimo secolo. Un uomo invisibile, non conta, non esiste. Quando gli passa accanto, nemmeno Karamoko El Hadji lo
degna di uno sguardo.

Ora che siamo atterrati, il ricordo di quegli occhi arrossati
dalle lacrime e dalla tensione è ancora qui davanti: immobile,
nel buio che cancella volti e paesaggio non appena si esce dalla
cupola di luce dell'aeroporto di Dakar. Occhi grandi, smarriti,
in mezzo ai pensieri rallentati dalla stanchezza. Il vecchio taxi
illumina la strada con due deboli fari. Dopo meno di un chilometro, accosta a destra, siamo fermi. Si apre una portiera. Sale

una donna scura come la notte e grande come un giocatore di pallacanestro. Soltanto la voce, le mezzelune del suo seno enorme, la minigonna stretta sulle cosce ne tradiscono la femminilità. «Andiamo al tuo albergo» ordina senza dire altro.

«Cosa?» «Dì all'autista qual è il tuo albergo. Andiamo» insiste lei. Il tassista si volta e aspetta una risposta. Sono sicuramente d'accordo. «Allora?» chiede il tassista. «Io non vado in nessun albergo. La faccia scendere per favore.» Parlano in wolof tra loro. Poi lei ci riprova. Guarda in silenzio. La sua è una presenza invisibile, nel buio nero se ne intuiscono i profili. La macchina ondeggia a ogni movimento. I suoi polmoni sbuffano lentamente. La pelle esala un profumo dolciastro di essenze e sudore. La sua mano bagnata all'improvviso si materializza sul collo: «Vengo a dormire da te stanotte. Digli l'indirizzo, per favore» aggiunge in francese.

«Non si va a dormire da nessuna parte. Io vado alla stazione.» «Alla stazione? Mio Dio, e dove vai? A quest'ora non ci sono treni.» «Se vuoi, ti porto alla stazione. Oppure dimmi tu dove vuoi andare. Ti offro un passaggio.» «Al tuo albergo.» «Non ho albergo.» Lei impreca in wolof. Se la prende con il tassista adesso. Dice che le ha fatto perdere tempo. E lui la obbliga a scendere.

«Queste ragazze» commenta dopo qualche chilometro di silenzio: «Il loro è un lavoro indecente». La mancanza di qualsiasi replica lo convince che è meglio cambiare argomento. È quasi l'alba e l'albergo regala poche ore di sonno.

La stazione di Dakar è un abbaglio di colori. Se ne sta nascosta all'interno di una curva, sulla strada intasata di traffico e smog che scende al porto mercantile. Il parcheggio riflette il giallo di una ventina di taxi. La facciata splende nel bianco tipico delle architetture coloniali. L'orologio segna l'una del pomeriggio. La stretta via a sinistra è un groviglio di gente, grida, stoffe e bancarelle. È venerdì, giorno di festa. Ma l'atrio della stazione è completamente deserto. Sotto le sue volte sono passati eserciti francesi, mercanti di schiavi e un giovane Ernesto Che Guevara

14

partito da questo capolinea con l'ambizione di sollevare le masse africane. Oggi però i binari non hanno treni, niente passeggeri, niente bagagli. Anche le biglietterie sono chiuse. Soltanto il bar all'ingresso è aperto. Un lungo bancone impolverato davanti a bicchieri e tazze in attesa su scaffali quasi vuoti. Il galateo richiede un paziente saluto.

«Buongiorno, come va?» «Bene, se Dio vuole. E voi?» «Bene, grazie.» «E la salute?» «Bene, se Dio vuole.» «E il lavoro?» «Bene, se Dio vuole.» «E la famiglia?» «Bene, e la vostra salute?» «Bene, se Dio vuole.» «E il vostro lavoro?» «Bene, se Dio vuole.» «E la famiglia?» «Bene, come vuole Dio.»

«In cosa vi posso aiutare?» chiede finalmente il barista. «Devo andare a Bamako. Domani mattina c'è il treno?» «Oh, Bamako. No, non ci sono treni domani.» «E quando c'è?» «Il treno arriva lunedì, se Dio vuole. Forse.» «Arriva lunedì. Forse. E quando riparte?» «Mercoledì. Oppure sabato, se Dio vuole.» «Ma oggi è venerdì. Fino a sabato prossimo senza treni per Bamako, cosa è successo?»

«Un treno è deragliato a Kidira e qualcuno deve rimetterlo sui binari. Venite lunedì.» «Ma quando è deragliato?» «Quando? Boh. Comunque ci hanno detto che domani non arriva. Venite a chiedere lunedì.» «E come ci si arriva a Kidira senza treno?» Il barista si consulta in wolof con due aiutanti. «C'è un autobus» dice poco dopo, «ma è partito ieri. Il prossimo è giovedì. Forse.»

«E se uno ha fretta di arrivare a Bamako?»

«Amico mio, in Africa nessuno ha fretta di arrivare. Ma se proprio non potete aspettare a Dakar, potete prendere un alhamdulillah.» «Un grazie a Dio?»

Ride il barista davanti alla perplessità che quella parola araba ha suscitato. «Sì, un grazie» risponde «per ogni volta che ci portano a destinazione sani e salvi. Gli alhamdulillah sono i taxi collettivi, partono dal mercato. Non so se vanno fino a Kidira, se Dio vuole. Ma potete chiedere.»

«Certo, posso chiedere. Se Dio vuole.»

In rue Alpha Hachamiyou Tall, nel quartiere residenziale, una lunga fila di uomini e donne attende che accada qualcosa davanti al muro e al filo spinato di una grande villa. Visti da lontano, i colori della pelle e dei vestiti si impastano sul bianco calce dell'intonaco da sembrare un gigantesco murales. Aspettano il loro turno e sudano sotto il sole. Molti premono la lingua contro i denti e spruzzano sull'asfalto getti di saliva. Bisogna osservarli un po' per scoprirne il meccanismo. Sicuramente non bevono da prima dell'alba, è il mese di Ramadan qui. E il caldo, la sete e la fame del digiuno provocano un eccesso di salivazione. Attraverso una fessura sotto il vetro blindato della portineria, un impiegato senegalese in divisa cachi ritira fogli e fotografie. Poi chiama il prossimo. L'attesa dura una mezz'ora. Dagli orari scritti su un avviso incollato allo sportello, mancano pochi minuti alla chiusura.

«Buon pomeriggio, come va?» chiede l'impiegato in francese. «Bene, se Dio vuole.» «Ma siete italiano?» «Sì, vorrei...» «Prego, prego, voi potete entrare» dice subito dopo.

Uno scatto metallico apre il portone sotto l'obiettivo di una grossa telecamera. Tutto è sorvegliato elettronicamente in questo avamposto della fortezza Europa. Tre gradini portano dentro l'ufficio immigrazione dell'ambasciata italiana. La cortesia è quella tipica delle sedi diplomatiche. Un'impiegata avverte subito il primo segretario.

«Quanta gente in coda là fuori.»

Il giovane console sorride come davanti a un'ovvietà. La bandiera nazionale e quella europea accanto alla scrivania, la foto del presidente appesa sopra la sua testa. Sembra di stare in un qualsiasi ufficio pubblico europeo: ordinato, pulito, fresco. «Dunque, cosa l'ha portata qui?» chiede alzandosi dalla sedia per stringere la mano.

«Loro in fila là fuori.»

Il primo segretario si volta verso la finestra alla sua destra. «Ogni settimana, ogni giorno è così. Accogliamo settimanalmente circa centocinquanta domande di visto. Moltiplicato per cinquantadue settimane all'anno, faccia lei il conto.» «Solo cen-

16

tocinquanta visti a settimana: sono meno di ottomila visti all'anno. Credevo fossero molte di più le persone che desiderano venire in Europa da qui.» «Infatti sono molte di più. Quelle sono solo le domande che accogliamo. La maggior parte viene scartata perché è incompleta o inaffidabile.»

«Quindi concedete ottomila visti all'anno, più o meno.» «No, no, no» risponde deciso il giovane console: «Non tutte le domande che accogliamo, pur essendo complete e, diciamo, affidabili, si trasformano in un permesso di ingresso. Alla fine non diamo più di duemila visti all'anno. La metà per mogli o figli che raggiungono i parenti già in Italia. Il resto sono visti brevi per affari e turismo. Il ricongiungimento familiare segue procedure relativamente lunghe, ma in questo caso, per i riscontri, le autorità locali collaborano nella verifica dell'effettiva appartenenza alla famiglia. Spesso c'è chi tenta di ottenere il visto con attestazioni o certificati falsi. Qui il tasso di natalità è altissimo e molti cercano di attribuire i propri figli a parenti già in Italia. Per legge, però, nipoti o cugini non possono ottenere il ricongiungimento.»

«E in quanto tempo si può ricevere un visto per affari o turismo?»

«I visti brevi li concediamo in pochi giorni, ovviamente se ci sono tutte le garanzie: autosufficienza economica, motivazioni valide, insomma devono darci garanzie perché alla scadenza del visto tornino indietro.»

«Quindi ogni anno ci sono almeno seimila senegalesi delusi. Più tutti gli altri, sicuramente migliaia, le cui domande non vengono accolte per i motivi che ha detto lei. Più le decine di migliaia che non riescono nemmeno ad arrivare all'ambasciata. E sarà così per ogni ambasciata europea. Una roulette, insomma.»

«La chiami come vuole, ma è così purtroppo. Non si tratta solo di senegalesi. Alla nostra ambasciata fanno riferimento anche Mauritania, Mali, Guinea Conakry. Non si possono dare permessi a tutti, ovviamente. Ma lo sa che ci sono turisti italiani che vengono qui in vacanza e vogliono tornare in Italia con l'amico che magari ha fatto loro da guida? Si affezionano e vogliono aiutarlo.»

«E voi cosa fate?»

«Noi di solito rifiutiamo questi visti, ovviamente» risponde il giovane console. «Ovviamente. Ma nessuno chiede di venire in Italia per lavoro?»

«Per lavoro e studio, bisogna entrare nelle quote. Si passa in base ai flussi di ingresso decisi di anno in anno dal governo. Il problema è che il Senegal non ha diritto a quote, rientra, diciamo, nel numero con tutto il resto del mondo. L'ambasciata accoglie comunque le domande e non appena si raggiunge il massimo, il ministero degli Esteri ci comunica l'esaurimento dei posti disponibili.»

«E quanti posti riesce ad aggiudicarsi l'ambasciata di Dakar?» Il primo segretario sorride: «Oh, sono pochi. Se va proprio bene qualche centinaio. Mai più di quattrocento in un anno. Prima vengono i Paesi con cui l'Italia ha accordi diretti, come l'Albania o la Tunisia. Come può immaginare, il resto va esaurito in pochi giorni. Direi ore».

«Quindi, da qui si può entrare soltanto se si ha già un marito, un padre o un figlio in Italia, visto che l'emigrazione dal Senegal è soprattutto maschile. Oppure se si hanno soldi per trascorrere una vacanza. Oppure se si ha già un lavoro ben pagato qui al punto che si è imprenditori, commercianti o rappresentanti con interessi internazionali...» «È così.»

Il sorriso del giovane console sottolinea ancora una volta l'ineluttabilità del mondo e delle sue leggi. «Ora la devo salutare. C'è stato un tentativo di colpo di Stato in Mauritania e devo occuparmi della sorte di una quarantina di connazionali. Comunque quest'anno la pioggia è stata generosa» aggiunge «faccia buon viaggio.» «Scusi, in che senso la pioggia è stata generosa?» «Nel senso che è piovuto dopo due anni di siccità. La pioggia è molto importante in queste cose. La siccità, ogni volta che il raccolto salta, spinge migliaia di famiglie a migrare dalle campagne verso Dakar. Intorno a Dakar le condizioni di vita peggiorano, così aumenta il numero di persone che, diciamo, tenta un'ulteriore migrazione dall'Africa verso l'Europa. Magari sono gli stessi che erano arrivati qui dalle campagne, tre, quattro, cinque anni fa. L'economia poi sta andando male. Il quaranta per cento del prodotto interno lordo dei Paesi dell'area francofona si basava sulle ricchezze della Costa d'Avorio. E laggiù la situazione è ormai disastrosa. Dobbiamo sperare solo nella pioggia.»

«Speriamo nella pioggia.»

Il problema però non è stato risolto. Come si arriva a Kidira?

Da una baracca costruita tra l'oceano e la strada costiera che porta a Capo Verde, salgono fumo e odore di pesce fritto. Pochi tavoli di plastica esposti al vento, padelle annerite e unte su una stufa di ferro arrugginito. Un banco di legno inchiodato su quattro tronchi di acacia e il frigorifero di seconda mano decorato da uno sciame di adesivi colorati, stemmi di squadre di calcio francesi. La cameriera ha i capelli stirati e raccolti in una coda che le libera il lunghissimo collo, camicia bianca consumata, golfino blu e un telo scuro fasciato alla vita che le copre le gambe fino ai piedi. Il suo abbigliamento parla da sé, rivela intenzioni segrete, ambizioni, decisioni già prese. Se la parte bassa del suo corpo è ancora avvolta nella tradizione, quella più vicina alla testa ha già sposato la moda europea.

«Francese? Inglese?» chiede girando intorno al tavolo. «Italiano.» «Oh, italiano. Benvenuto.» «Mi spiace, so che è il mese del digiuno. Ma sono in viaggio, non mangio da ieri sera.» «Ah, non c'è problema» risponde lei, «nemmeno io faccio il digiuno.»

Prende le ordinazioni e sparisce dentro la baracca. Dopo una decina di minuti dal retro arriva sbadigliando un adolescente a piedi nudi. I suoi pantaloni sono logori. Indossa un pesante maglione di lana a collo alto tagliato sul petto, sulle spalle, sulla schiena: strappi simmetrici, misurati, come se servissero a far circolare più aria sulla pelle. Il ragazzo impugna un ventaglio di rami intrecciati. Con un gesto secco fa alzare dal loro riposo qualche decina di migliaia di mosche nerissime. Si stavano godendo l'ultimo sole della giornata aggrappate alle schiene di una ventina di grossi ciondoli lucidi e brillanti come fusi d'argento, trafitti con un chiodo alla coda e appesi ad asciugare su un telaio di legno. Potrebbero essere merluzzi. Il lancio di uno di quei pesci fin dentro la padella solleva una nuvola di vapore, accompagnata dal fragore delle gocce d'acqua che schizzano tutt'intorno al contatto con l'olio bollente.

«Ecco la limonata con lo zenzero» dice la cameriera posando un grosso bicchiere sul tavolo: «Non ti preoccupare per le mosche, è pesce pescato stamattina. La frittura disinfetta tutto». «Non mi preoccupo.» Lei accoglie la risposta con una smorfia che le increspa le guance. Ma non se ne va, resta immobile, forse in attesa del momento giusto per sfogare la curiosità. «Che cosa fa un italiano al tramonto sulla strada di Capo Verde?» «Cerca un mezzo di trasporto per arrivare a Kidira.» «Uh, Kidira? Ma è lontano.» «Ci sei mai stata?» «No, ma so che è lontano. Aspetta che chiedo a mio fratello.» Il ragazzo impegnato alla frittura del merluzzo risponde alla domanda in wolof alzando le spalle.

«Quanto vuoi per portarmi con te?» chiede all'improvviso la ragazza. «A Kidira?» «No, in Europa. Tornerai a casa un giorno, no?» «Ma io torno a casa passando da Kidira.» Lei mi guarda, con le mani appoggiate al tavolo. E non capisce. «Andrò a Kidira, a Bamako, ad Agadez, nel deserto fino alla Libia. E dalla Libia fino in Italia. Questo è il mio viaggio di ritorno.» La ragazza continua a guardare senza capire, forse perché il deserto è un'idea ancor più lontana e irraggiungibile dell'Europa. Poi sparisce nella baracca. Quando torna con il piatto di merluzzo, racconta quello che sa anticipando pensieri e domande.

«A Dakar c'è un boss del commercio» rivela «che per tre milioni di franchi africani dichiara che lavori per lui e ti fa avere il visto italiano.» «E come fa a farti avere il visto?» «Non so come faccia» risponde «ma il visto lo ottiene. Così vai in Italia e una volta che sei lì, resti. I miei amici hanno fatto così. Ci sono senegalesi che vengono in Italia a comprare vestiti per rivenderli qui. E senegalesi che in Italia ci restano. Sarei già partita, ma tre milioni sono tanti, anche con un prestito dei parenti.» «Sono quasi cinquemila euro, sono tanti sì.» «Con tutto questo che vedi, la baracca, il caicco, la pesca di mio padre e dei miei fratelli, con tutto questo la mia famiglia guadagna a volte quarantamila franchi, a volte, quando ci siete voi turisti, centomila franchi al mese. Quanto fa in euro?» «Tra 60 e 150 euro.» «Hai visto? Adesso poi» la mano affusolata della ragazza indica una schiera di grandi caicchi colorati con le chiglie affondate nel letto di sabbia, sassi e cumuli di alghe strappate dal fondale, «adesso anche la pesca sta andando male. Siete arrivati voi europei con le grosse navi-luisine.» «Luisine?» «Sì, navi grandi come fabbriche. Pescano con le reti tutto quello che c'è da pescare e ve lo portano in Europa. I nostri pescatori sono preoccupati, non c'è più pesce. Qualcuno ha trovato più conveniente vendere il suo caicco agli arabi del Marocco.» «E che se ne fanno gli arabi del Marocco?» «Vogliono riempirli di immigrati e spedirli fino alle isole Canarie.» «Ma da qui alle Canarie sono più di mille chilometri di oceano, come fanno ad arrivare vivi?» «Non lo so, da quello che si conosce non è partito ancora nessuno. Ma mio padre ha già detto che se la pesca va avanti così non resta che vendere ai marocchini oppure mettersi a lavorare per loro. Io ho 24 anni, dimmi tu, che futuro ho?»

Faton, così ha detto di chiamarsi la ragazza, parla ormai senza timore. Dice che la rotta del deserto costa molto meno di tre milioni. Ora che la Spagna ha chiesto al Marocco di fermare i clandestini, si va a Tripoli. E da Dakar a Tripoli il viaggio costerebbe 165 mila franchi. Sono 254 euro, più gli eventuali 800-1000 euro per la barca, dalla Libia all'Italia.

La baracca di Faton non è soltanto un ristorante sulla spiaggia. La ragazza conosce troppe cose. È il momento di provare a saperne di più: «Senti, mi fai parlare con quel boss del commercio?». Lei non si aspettava la domanda. È sorpresa, abbassa lo sguardo. «Io non lo conosco» risponde «quello che ti ho detto non l'ho verificato di persona. Si dice così di lui e basta.» Inutile insistere, meglio tornare sugli altri binari del discorso. «Cosa ti aspetti di trovare in Italia?» «Un lavoro. Lì si guadagnano più soldi facendo lo stesso lavoro di qui. Quanto prende una cameriera in Italia? Ma senza i tre milioni di franchi, no, non si parte.» «E perché non provi ad attraversare il deserto?» «Ma sei matto? No, no» ripete e si porta una mano aperta davanti alla bocca, «attraversare il deserto è una cosa da uomini. Io lì avrei davvero paura.»

Il sole si sta spegnendo dentro l'acqua dell'Atlantico. Bisogna pagare e muoversi prima che faccia buio. La mano di un uomo si appoggia all'improvviso sulla spalla. Allo scatto, il suo volto sorride. «Scusate se vi ho spaventato. Mi chiamo Seydina. Il fratello di Faton mi ha detto che cercate un passaggio per Kidira. Il mio taxi parte domattina per Tambacounda, se Dio vuole. È sulla strada. Ma se vi serve, vi porto fino a Kidira. Adesso devo andare alla preghiera. Vi vengo a prendere alle cinque di domani in albergo o nella casa dove dormite. Affare fatto, amico mio?»

La sua mano aperta attende finalmente una stretta. C'era un problema, l'hanno risolto senza che venisse loro richiesto. Qui, sulla linea di confine tra l'Africa e l'oceano, nessun viaggiatore è straniero.

Già all'alba, la periferia di Dakar è indaffarata come all'ora di punta. Quando si vive in una baracca, non c'è nessun motivo per intrattenersi a casa. Gente a piedi lungo la strada, biciclette con le ruote sghembe ovunque e, su tutto, l'odore autunnale del legno secco che brucia nelle stufe. Appena fuori città si incontrano i primi assaggi di Europa. A Thiès si fa avanti un ragazzo con la polo rossa della Ferrari e la faccia di Michael Schumacher sul petto. Poco dopo una maglia del Real Madrid cammina accanto alle strisce rossonere del Milan. Enormi baobab si alternano agli ombrelli delle acacie. Qualche campo di mais con le pannocchie magrissime. Il cartello di benvenuto a Diourbel è sponsorizzato dalla Coca Cola. Un chilometro prima, la gigantografia su sfondo giallo del Dado Maggi fa camminare un gruppo di donne sopra uno slogan di significato universale: «Dame de fer, un côr d'or». Il centro di Diourbel è bloccato dai pezzi di un vecchio camion letteralmente crollato sul cedimento del suo semiasse. Nei campi fioriscono milioni di sacchetti di plastica che splendono nelle loro sfumature di azzurri e bianchi sulle macchie ocra della sabbia.

Durante una sosta a Kaolack, tre ore e mezzo dopo la partenza, i bambini chiedono l'elemosina parlando un misto di italiano e spagnolo. Ogni famiglia di Kaolack ha almeno un parente in Italia o in Spagna, più tutti gli altri partiti per la Francia. Davanti alla grande moschea in stile marocchino Aziz, 21 anni, vende felpe con la faccia stampata di Eminem e di altri cantanti della sua generazione. Fuori città le saline sono un ristagno di acqua nera putrefatta dove gli avvoltoi setacciano la spazzatura. Altre cinque ore di viaggio tra campi ingialliti e panciute foreste di baobab. All'improvviso il cofano bianco e arrugginito del taxi si ferma a pochi metri da cinque bambini e due badili. Lì davanti la strada, già in pessime condizioni, è come se fosse stata appena bombardata. Seydina, l'autista, 43 anni, otto figli da 1 a 23 anni, versa qualche moneta nella mano di un bambino. Gli altri quattro si mettono subito al lavoro. Due bimbi riempiono le buche impugnando maldestramente i badili che, con i manici, sono alti quasi il doppio di loro. Gli altri due pigiano la terra rossa compattandola con la pianta scalza dei piedi. Le buche più profonde sono tre o quattro. Non appena l'auto passa oltre, i due bambini con i badili le svuotano e tutti insieme si siedono ad aspettare i prossimi viandanti. Il traffico non è generoso da queste parti. Un camion al giorno e una decina di auto, forse meno. Ma senza quei bimbi e i loro badili saremmo ancora lì a riempire le buche con le mani.

Tambacounda appare finalmente nell'ultima ora di luce che prepara il tramonto. I primi 780 chilometri sono alle spalle. La sera è afosa e bagnata. Sotto la tettoia di un piccolo bar, grazie alla tv a colori che trasmette la partita Nantes – Paris Saint-Germain, sembra di essere in Francia. Solo che qui il borbottio del generatore a gasolio copre la voce del telecronista. Cimici, zanzare e altri misteriosi insetti si contendono i pochi centimetri di pelle lasciati scoperti dal lenzuolo bollente, nella minima stanza di una pensione con arredamento anni Settanta. È come una notte di febbre alta. Le ore passano con la velocità dei mesi. Ancor prima che il sonno prenda la sua rivincita sul mondo, un coro di baritoni sale dal buio oltre la finestra e copre il suono dei grilli nell'aria. «Alzatevi e mangiate» dicono le parole, «preparatevi al Ramadan.» Sono i cantori di Baye Fall, la confraternita di Tambacounda. Hanno voci così potenti da dare la sveglia a tutta la città. Le lancette fosforescenti dell'orologio segnano le cinque. Mezz'ora dopo il muezzin grida che Dio è il più grande, e da questo momento fino al tramonto riprende il digiuno. Seydina ha trovato altri passeggeri da portare a Kidira.

Al distributore di benzina, i bambini più poveri raccolgono offerte in natura in un barattolo d'olio vuoto e tagliato a metà. Il più fortunato ha racimolato soltanto una manciata di miglio, zollette di zucchero, una noce di cola, un boccone di pane. Un imam in viaggio stende il tappeto da preghiera, si siede e legge il Corano. La sua veste è bianca immacolata nella polvere rossa che copre strade, facciate, alberi, persone dando a tutto e tutti un aspetto arrugginito. L'Europa è un'ossessione da indossare ogni giorno. I colori più diffusi sono quelli del Milan. Ma si vedono anche maglie del Manchester United e un vecchio Batistuta cucito sulla schiena viola di un improbabile tifoso della squadra di Firenze. Superate le ultime case, una folla di donne circonda un camion frigorifero. La puzza di pesce, forte e invadente già a cinquanta metri, rivela qualche guasto all'impianto di raffreddamento. Appena fuori città la strada è perfetta. Un manto d'asfalto intatto diviso a metà da strisce bianche intermittenti. Si corre lungo la ferrovia Dakar-Bamako. Qua e là accanto ai binari, piccoli caselli coloniali sopravvivono all'abbraccio mortale di buganvillea e rovi. Nei loro mattoni rosa, sembrano portati qui ieri dal Sud della Francia. Dopo qualche decina di chilometri, in mezzo alla savana, un vecchio in caffettano nero e turbante cammina con una grossa radio appesa al collo.

La qualità dell'asfalto finalmente senza buche la si può misurare dalla quantità di brandelli di battistrada abbandonati ai margini della strada: i camion sovraccarichi accelerano e gli pneumatici surriscaldati esplodono. Più avanti la via è occupata da una mandria di mucche legate tra loro per le lunghe corna. La guidano pastori peul, uomini e donne, i volti niloti, la tracolla di cotone con acqua e semi di cola, l'immancabile radio al collo, l'antenna estesa. Marciano con le braccia appoggiate a un bastone a sua volta sorretto da spalle magrissime, nella posizione crocifissa tipica di tutti i pastori del mondo. Un cartello arrugginito indica 90 chilometri a Kidira. In cielo evaporano le ultime nuvole dell'oceano, vinte ormai da un azzurro accecante e dal sole sempre più caldo. Un camion è finito fuoristrada, forse qualche anno fa. Su una fiancata, la scritta in italiano «Traslochi». Le poche capanne dei villaggi peul qui circondano giganteschi baobab. Perché lì sopra, tra i rami scapigliati dell'albero simbolo dell'Africa, riposano gli spiriti.

Seydina toglie dal mangianastri la cassetta del concerto di Youssuf N'Dour. Stava girando da ieri. Forse è il momento di un po' di silenzio, visto che quasi tutti i passeggeri dormono. No, errore, è il turno di un coro di donne. L'impatto di quelle grida e il battito di mani a tutto volume suonano fastidiosi come una sveglia il lunedì mattina. «È il coro Baye Laye, la confraternita di Capo Verde» spiega Seydina che non vedeva l'ora di far ascoltare a tutti la sua musica preferita, «Mame Baye Laye woote na, dicono: le donne di Baye Laye si appellano a Dio. Bello, no?» Nessuno osa rispondergli.

A una trentina di chilometri da Kidira, un intero treno merci giace rovesciato sul fianco sinistro. Era pieno di sacchi di cemento, ora disseminati per oltre cento metri lungo la linea. Una grossa gru sta sollevando i rottami. Una volta deragliate, le ruote dei carrelli hanno agganciato le rotaie e le hanno attorcigliate come tagliatelle sfondando la massicciata di ghiaia. Una squadra di operai si riposa sotto un baobab, un altro gruppo sta svuotando il treno passandosi i sacchi di cemento con una catena di braccia. Gli ordini vengono dalla voce di due bianchi che parlano inglese con un inconfondibile accento del Texas. Non c'è tempo per le presentazioni. «Forse si riparte stanotte» spiega uno dei due «ma fino a mercoledì prossimo viaggeranno soltanto i merci.»

«Di che ditta siete?» La risposta dei due bianchi è un sorriso, senza parole. I vagoni rovesciati sono dodici. Soltanto gli ultimi due sono ancora sulle rotaie. A 20 chilometri da Kidira, dopo il solito cartello smerigliato dal vento e dal calore, spariscono anche i baobab. L'orizzonte si apre su una distesa di erba secca disseminata di cespugli. Comincia il Sahel: in arabo significa «sponda», la riva meridionale del Sahara. Una terra identica, monotona, affamata, ma ricca di vita e di fatica lungo tutto il parallelo. Dal Senegal al Sudan.

Kidira più che un paese di confine, è un grande parcheggio. Una schiera di piccoli cubi di cemento con porte in lamiera si affaccia sul piazzale. Alcuni sono negozi, altri case. A destra una lunga fila di camion attende l'apertura della dogana. Gli autisti si sono sdraiati sotto le ruote dei rimorchi. Qualcuno ha steso un'amaca legando le corde ai semiassi. Il taxi si ferma davanti a una sbarra rossa. «Alhamdulillah» dice sottovoce Seydina per ringraziare Dio, abbassando lo sguardo. Con un gesto nascosto dentro il palmo della sua grande mano, gira la chiave e spegne il motore. «Alhamdulillah» ripetono uno dopo l'altro tutti i passeggeri pigiati sui sedili sudati. «La macchina devo lasciarla qui. Ma ti accompagno» annuncia Seydina, «il Mali è sull'altra sponda.» Prima di superare a piedi la sbarra, bisogna far timbrare il passaporto. L'ufficio di frontiera è in una casupola quadrata, una sola stanza. Sotto quel soffitto, con i tre poliziotti, si riparano dal sole tutte le mosche del circondario. Subito oltre, un lungo ponte in cemento armato scavalca un quadro di colori spalmati a caso sull'erba. Le tinte vivaci di stoffe e vestiti messi ad asciugare lungo le rive da un centinaio di donne a loro volta dipinte da vesti e veli. Tutte chine a lavare il bucato nell'acqua rossastra del Falémé. La corrente scende da destra a sinistra, densa e lentissima verso il grande fiume Senegal. La loro intersezione, pochi chilometri a valle, segna confini che dall'invasione europea in poi hanno separato l'Africa. Lì si dividono il Mali, la Mauritania, il Senegal. Ma soprattutto si incontrano due mondi: le genti della sabbia a Settentrione e gli abitanti dei campi a Meridione. I nomadi del Sahara e i coltivatori del Sahel.

Seydina saluta con una forte stretta di mano. «Che Dio ti protegga» dice e se ne ritorna al di là del ponte. Sulla carta geografica, il primo villaggio dopo il Falémé è Diboli. Ma da questa parte del fiume non ci sono soldi per stampare cartelli, nemmeno per costruire case o asfaltare strade. Uno sciame di baracche di legno e fango circonda la piazza. Commercianti con gli scaffali vuoti cercano di vendere quel poco che hanno a passanti con le tasche vuote. Le lunghe contrattazioni non sono soltanto una tradizione degli affari, sono un modo inconscio per salvare la dignità. I prezzi inarrivabili all'inizio fanno sentire i mercanti più ricchi e i clienti meno poveri. Almeno per qualche battuta, perché, fino a quando si contratta, si è tutti uguali. Ricchi o poveri. Non importa che la trattativa riguardi un ceppo di insalata o un camion. La differenza la fa l'accordo finale: l'acquisto oppure la rinuncia. Comprare un pacco di biscotti, o un pezzo di pane, un melone, o due pesci, qualsiasi cosa, grande o piccola che sia, richiede tanta pazienza. Il tempo qui non è denaro. È una dimensione che ancora appartiene all'umanità, non agli orologi. Così, anche per uscire da Diboli, bisogna aspettare. Oggi, dicono nella piazza, parte un solo taxi, una Peugeot familiare grigia, modello anni Settanta, ammaccata su ogni lato, già carica. Nove persone su cinque sedili, pacchi, pentole, qualche gallina. Il grosso autista mette i soldi in tasca e, senza dire altro, lancia lo zaino nel bagagliaio. «Devo prendere il treno per Bamako, mi hanno detto che parte stasera da Kayes. Arriveremo in tempo?» L'autista alza le spalle: «Non so se parte stasera. Ma se parte stasera, arriveremo in tempo, se Dio vuole».

Dio evidentemente non vuole. Perché non appena ci si muove, un sasso si infila nel battistrada e fa uscire tutta l'aria che gonfiava la gomma anteriore destra. La sostituzione della ruota richiede una buona mezz'ora. Durante l'attesa, il grosso autista si rivela meno insofferente del suo aspetto. Si presenta e racconta un po' di sé. Ousmane, 40 anni, deve il sostentamento suo e della sua famiglia a quella decrepita Peugeot. La mantiene in vita con un estenuante accanimento terapeutico, nonostante la determinazione dell'auto a farla finita a ogni viaggio. Ousmane fa parte di quel gruppo di africani che non ha in programma di partire per l'Europa. Ma sa bene che le sue scelte future potrebbero dipendere da un semiasse definitivamente spezzato, un pistone grippato o una qualsiasi riparazione troppo costosa per le sue tasche.

«Migliaia di senegalesi passano di qui ogni mese» racconta Ousmane. «Vanno a Bamako a vendere abbigliamento, è la loro specialità. Molti hanno messo da parte qualche soldo e si sono pagati il viaggio fino in Europa. Poi ci sono i liberiani ai quali la guerra ha preso tutto. Gli emigranti del Gambia, della Sierra Leone, della Guinea. Ogni settimana ne porto sempre qualcuno alla stazione di Kayes.»

«Passano dal deserto?»

«Ah sì, amico mio, se non hai i documenti a posto, l'unico modo resta il deserto. Adesso che il Marocco ha chiuso le frontiere, si dice che l'unica via sia la Libia. Così si dice. Ma finché ho lei» sorride l'autista e accarezza il cofano della vecchia Peugeot, «io a queste cose non ci penso.»

Si riparte a mezzogiorno, o almeno ci si riprova. La rotta per Kayes sale e scende tra gole e colline, fino ad arrampicarsi per sempre sui dolci pendii che si affacciano alla grande valle del fiume Senegal. Quassù è piovuto tutta la notte e adesso, imprigionata nei solchi di fango rosso, una folla di occhi d'acqua riflette il blu del cielo. Ousmane evita con precisione che le ruote calpestino gli occhi più grandi. Perché potrebbero nascondere le buche più profonde. La Peugeot caracolla e scricchiola sulle pietre dei guadi. E sembra rilassarsi quando la strada s'ammorbidisce attraversando le foreste di baobab. Dopo un'ora di viaggio, appaiono le sagome di alcuni Tir. Sembrano camion fantasma, abbandonati lungo la pista. Ma il quarto rivela il mistero. Gli autisti ci sono. Stanno aspettando ore più fresche mentre dormono su amache appese tra la motrice e il rimorchio. L'ultimo Tir della serie ha spaccato il mozzo di una delle ruote. Il giovane autista ha dovuto rinunciare al riposo. Sta saltando con tutti e due i piedi sul manico di una enorme chiave inglese. Il ritmo e il suo peso dovrebbero sbloccare e svitare i dadi che stringono il cerchione al semiasse azzoppato. Ma il primo bullone, arrugginito e incrostato di sabbia e polvere, ancora non ha ceduto.

Quindici chilometri più avanti, un pulmino stracarico fino al tetto di viaggiatori e merci si è inclinato su un fianco di una trentina di gradi. L'autista e due passeggeri si sono pericolosamente sdraiati sotto le ruote per scoprire la ragione del tradimento meccanico. Quello di Ousmane non era dunque l'unico taxi in partenza da Diboli. La Peugeot arranca a zigzag tra buche e pozzanghere blu e dopo una decina di chilometri uno dei passeggeri seduto dietro diventa inaspettatamente impaziente. Vuole sapere se sarà a Kayes prima del tramonto, a che ora arriverà, quanto tempo manca, «perché di solito si arriva che il treno è già partito e le pensioni a Kayes costano troppo».

Ousmane alterna momenti di estrema attenzione alla strada a improvvise distrazioni. A volte si gira completamente per rispondere alle domande dei suoi clienti accovacciati sui sedili posteriori e nel bagagliaio. «A Kayes arriveremo tra un'ora, se Dio vuole» prevede Ousmane guardando dietro di sé per alcuni secondi. Così non vede cosa ci aspetta in mezzo alla pista. È una piccola gobba, verdastra come certe rocce metamorfiche. Una schiena di pietra semisommersa nel fango rosso: emerge proprio nel punto più basso di un avvallamento. La Peugeot ci entra decisa. Il tachimetro segna trenta chilometri all'ora. Le sospensioni appesantite dal sovraccarico lasciano strisciare la pancia della macchina sul terreno. Il colpo è deciso, sotto i nostri piedi.

«Cosa è stato?» grida Ousmane. Basta guardare dal lunotto posteriore per capire. Una scia nera, come fosse sangue, macchia la strada. La vecchia Peugeot accosta a sinistra e si ferma. Dal cofano anteriore sale uno sbuffo di vapore azzurro. Ousmane apre la portiera, scende e sparisce dal parabrezza. Scendono tutti i passeggeri. Nessuno parla più. Il grosso autista si è sdraiato sotto il radiatore a pancia in su e finisce per scottarsi le mani con l'olio che gocciola dal motore. Ma è già ferito nell'anima per sentirne il dolore. Si alza e mostra a tutti quello che ha raccolto là sotto. Apparentemente è solo un pezzo di ferro. «Questo è grave» ripete Ousmane, «questo è davvero grave.» Chissà quante ne ha passate con la sua Peugeot immortale sulla rotta tra Diboli e Kayes. Ma questa volta la pietra verdastra, apparsa per un istante tra le immagini inquadrate dal parabrezza, ha centrato la coppa dell'olio e l'ha spaccata in due come fosse il guscio di una noce. Anzi, i ruoli andrebbero ribaltati. Perché la pietra era ed è rimasta al suo posto. A sbatterci addosso è stato lo scudo del motore, la scatola cranica della Peugeot, sconfitta mortalmente nel suo punto più vulnerabile. Come sempre in Africa, il paesaggio vince. Prima o poi impone il suo crudele dilemma agli uomini e alle cose degli uomini: o si adattano, o soccombono.

Arriva una moto guidata da un ragazzo con il fucile a tracolla. Legato muso e zampe sul fianco sinistro, tra il motore e la marmitta, sbuffa un piccolo coccodrillo appena catturato. Ousmane parla con il motociclista. Poi spiega il suo piano: «Qui avanti c'è il villaggio di Ambidédi. Mi faccio portare fin lì, cerco una macchina per il traino e vengo a riprendervi. Questo signore è un agente di polizia. Lui va in moto fino a Kayes. Intanto avverte i suoi colleghi. Così se io non trovo nessuno, qualcuno da Kayes ci aiuterà». Il proprietario della Peugeot appoggia sul sedile di guida il pezzo di ferro caduto dal motore. Ma prima di salire sulla motocicletta, anticipa la risposta alla domanda che tutti stiamo per fargli: «Io comunque, con il passaggio o a piedi, ritorno qui. Devo riportare la mia macchina a Kayes» promette Ousmane.

Non appare più nessuno lungo la strada di fango rosso. Il sole si sta inesorabilmente abbassando sulle alture che marcano il confine con il Senegal. E tra invisibili fischi e acuti ululati, già si annunciano gli animali della notte. Ritorna Ousmane. Se ne sta seduto dietro il parabrezza di un furgone verde che si ferma a pochi metri dalla Peugeot morente. Con lui scendono altre due persone. Si presentano come il proprietario del furgone e il suo socio. «Hanno scaricato tutti i loro passeggeri per venirci a prendere» spiega Ousmane. Sembra una cortesia tra colleghi in difficoltà. Invece è un'estorsione. «Vogliono duecento dollari, altrimenti ci lasciano qui» aggiunge subito dopo Ousmane. Duecento dollari in Mali sono più di dieci mesi di stipendio di un funzionario statale. Più di un anno di paga di un dipendente della ferrovia. Perfino più del doppio delle tariffe di soccorso stradale su un'autostrada tedesca, francese o italiana. I passeggeri della Peugeot commentano a voce alta. Ousmane però non ha detto tutta la verità. «I duecento dollari sono per il traino della mia macchina» ammette dopo un po'. «E senza traino dell'auto, quanto costa?» Ousmane non risponde. Il proprietario del furgone guarda il socio e rivela come stanno le cose: «Se vengono soltanto i passeggeri, mi pagate il costo del biglietto fino a Kayes. E voi che siete europeo, mi date venti dollari in più per il fatto che siamo tornati indietro a prendervi». Non appena sentono la proposta, gli altri passeggeri decidono immediatamente con chi stare. In pochi secondi, sono già tutti seduti sul furgone. Questo vorrebbe dire abbandonare la Peugeot al suo destino. E con la Peugeot, Ousmane e tutta la sua famiglia.

«Ousmane, sei bravo a trattare quando sei tu il cliente?» Lui si è inginocchiato ancora una volta a guardare i danni sotto il monoblocco del motore. Si rialza con gli occhi lucidi. Forse sono le esalazioni di olio bruciato. Forse lacrime.

«Cosa vuoi che faccia?» chiede stando in disparte dagli altri. «Devi scendere a trenta dollari per il traino. Se è così, te lo posso pagare io.» La contrattazione dura una ventina di minuti. Ci si accorda per cinquanta euro, pagamento anticipato. Dal passaggio di mano in mano delle banconote, il sospetto è che anche Ousmane abbia avuto la sua percentuale di cresta. Ma almeno si riparte.

Ousmane comunque non è convinto, ha paura di essere abbandonato lungo la pista. La sua forza sono i suoi passeggeri che ancora devono pagare. Così li fa scendere da dove si erano sistemati e li obbliga a salire sulla Peugeot. Il furgone alla fine si allontana con uno scatto. Il cappio infilato nel gancio di traino si tende. Un'onda percorre il cavo di ferro arrugginito e sfilacciato, schiocca come una frustata e trasmette il suo moto al paranco agganciato chissà come sotto la pancia della vecchia auto. La Peugeot si risveglia con un balzo, che schiaccia tutti i corpi sull'imbottitura logora dei cinque sedili. Avanza per una trentina di metri, affonda le ruote in una buca piena d'acqua arrossata dal passaggio del furgone. Sembra voglia sorpassarlo, invece rallenta. Si ferma. Il cappio si tende di nuovo. Il furgone si allontana troppo in fretta. L'onda gonfia il cavo di ferro. La frustata ritorna fin sotto la pancia dell'auto e lo strattone fa sobbalzare tutti per la seconda volta. Un'altra trentina di metri, come proiettili lanciati dal cucchiaio di un'antica catapulta. L'arresto è improvviso. Si ricomincia. «Ousmane, così è pericoloso. Siamo troppo pesanti, lascia salire i passeggeri sul furgone. E poi devi dire a quei due di andare più piano.» Inutile gridare, non risponde nemmeno. Figuriamoci se un europeo può saperne più di lui di trasporti in Africa. «Ousmane, se il cavo si spezza, entrerà come una bomba nel parabrezza. Voi davanti finirete decapitati.» Ousmane sorride e sussurra soltanto: «Non c'è problema». Tra gli altri passeggeri, nessuno parla. Meglio accovacciarsi dietro lo schienale dei sedili anteriori per evitare, almeno, gli eventuali schizzi di sangue.

Dopo un'ora di sofferenze, è la Peugeot a decidere la fine del viaggio. Ripartendo da una delle tante soste, con contorno di urla tra Ousmane e i due sul furgone, il cavo di ferro si tende e si allenta con l'ennesima frustata. Stavolta l'auto va a sinistra. Ousmane gira il volante a destra convinto di rimanere sul tracciato. Lei insiste nella direzione opposta. Sembra voglia suicidarsi rovesciandosi con tutti noi in un avvallamento che costeggia il lato mancino della pista. Ousmane tiene duro. Il volante è a fondo corsa. La Peugeot testarda continua a girare a sinistra, si mette quasi di traverso sulla strada. E il furgone si allontana. Ormai è lontano. Il doppio della lunghezza del cavo di traino. Il triplo. Se ne va. È soltanto a questo punto che Ousmane e i suoi passeggeri capiscono cosa è successo. Ciò che insegue il furgone, rimbalzando e scintillando sulle pietre, è il frontale della Peugeot. Il paraurti, i fari, la calandra, il radiatore, i tubi dell'impianto di raffreddamento, la ventola, i parafanghi anteriori si sono staccati in un unico blocco. A forza di strappi, il cavo metallico ha decapitato la vecchia auto. Adesso il cofano termina dritto come la visiera di un berretto su un pezzo di macchina che non esiste più. Ousmane si inginocchia per valutare gli ulteriori danni. Scuote la testa. Mette le mani agli occhi per nascondere l'emozione. Questa volta sono lacrime. I passeggeri, intorno a lui a semicerchio, lo guardano. Nessuno ha il coraggio di dirgli qualcosa.

Il furgone non ritorna. È scomparso. Forse i due soci non stanno guardando negli specchi retrovisori, oppure hanno deciso di liberarsi di noi. I due ricompaiono dopo quasi mezz'ora. Scendono e ridono. Hanno legato sul portapacchi il quarto di Peugeot che si sono portati via e sono andati a caricare altri passeggeri. Ora il cavo di traino viene annodato al braccio dello sterzo. Scelta ancor più pericolosa di prima. Ma è inutile dare consigli. Finalmente si riparte con maggiore prudenza.

L'ultima luce del giorno illumina un parcheggio polveroso. Dovrebbe essere la periferia di Kayes, anche se non c'è nessun cartello a confermarlo. Arrivano e ripartono vecchie auto, camion, furgoni, autobus. Ousmane apre il bagagliaio e dice la prima frase dopo ore di silenzio: «L'accordo era di portarti fino al treno, ma con la macchina distrutta non posso farmi trainare in centro città. Adesso trovo qualcuno che ti dia un passaggio, la stazione non è lontana».

«Ousmane, mi spiace per quello che è successo. Pensi che a Kayes si possa riparare?» «Non lo so» dice sollevando le spalle come se questo fosse il meno grave dei guai che dovrà affrontare: «Ormai penso che sia buona solo per smontarla e ricavarne pezzi di ricambio. Ma senza macchina, io e la mia famiglia siamo senza lavoro. È meglio che tu vada o rischi di non trovar più biglietti». Non c'è tempo per dirsi altro. Qualcuno avverte che il Mistral, il treno per Bamako, sta per partire. Nonostante l'indipendenza del Mali lo chiamano ancora Mistral, come ennesimo ricordo dell'occupazione e come il vento che dalla Francia soffia sul Mediterraneo. Alle sette di sera il buio è totale. Sette ore ci sono volute per percorrere i 105 chilometri tra Diboli e Kayes. Il viaggio attrae a sé i protagonisti lentamente, come un cacciatore che si permette di giocare con la sua preda.

La stazione è un ammasso di persone, zanzare e caldo. Non si vede nulla. Soltanto la buona fede fa credere che lì in mezzo il Mistral ci sia ancora e non sia già partito. L'unica luce, un piccolo bulbo da 40 watt, illumina a malapena lo sportello della biglietteria. Si fa avanti un uomo di cui, nell'oscurità, si intuisce solo il berretto da capostazione.

«Dovete partire? Ho ancora qualche posto a sedere» dice «seguitemi sul treno.» «Seguire voi?» «Sicuro, non volete vedere se il posto esiste davvero? Il biglietto potrebbe essere falso.»

Impossibile in quella calca star dietro al passo del capostazione. Si deve fermare più volte ad aspettare. Meglio prendergli un polso e lasciarsi trainare. Lui si fa strada con una torcia elettrica. Volti e mani sudate passano sacchi e scatoloni dentro i finestrini. «Ecco qua, carrozza tre, posto cinquantasette» esclama dopo aver illuminato le etichette numerate sopra i sedili dello scompartimento. Bisogna scendere per contrattare il prezzo. Al costo del biglietto va aggiunta la prenotazione e l'accompagnamento a bordo, ma il totale è comunque ragionevole. Sul marciapiede i venditori ambulanti offrono torce elettriche, bottiglie di plastica riempite d'acqua, uova sode, baguette, biscotti alla crema, bustine di tè, datteri secchi, bibite in lattina. C'è soltanto il tempo per appartarsi in una toilette improvvisata in mezzo a un campo. Appartarsi per modo di dire perché le sagome di almeno cento persone, uomini e donne, hanno avuto la stessa idea. I gabinetti a bordo saranno intasati. Qua fuori il buio è un sufficiente separé.

2

Carrozza 3
posto 57

Ora che il treno sta per partire davvero, per raggiungere lo scompartimento bisogna scavalcare sacchi di farina, valigie, scatoloni, borse, un televisore giapponese ancora imballato, secchi pieni di pesce e mosche, bambini nudi intontiti dall'afa, passeggeri seduti lungo i corridoi. Un ragazzo si fa luce e largo nel buio con una pila stretta tra le labbra. Vende carne di montone arrostita e spezzettata dal coperchio di un bidone che tiene in equilibrio sulla testa. Quando qualche viaggiatore nella penombra lo ferma, lui avvolge la porzione in un foglio di carta pesante strappato da un sacco su cui c'è ancora la scritta in francese «cement». A ogni strappo, la torcia elettrica nella sua bocca rivela una piccola nuvola di polvere grigia. Nel Mali tutto si ricicla.

Il locomotore diesel del Mistral suona la sirena due volte. E per due volte l'eco risponde. La stessa nota baritonale dei transatlantici che lasciano il porto. L'identica colonna sonora di milioni di italiani, francesi e irlandesi salpati per le Americhe. Ci si muove alle otto in punto. «La partenza è sempre alle 18,45, ma con il Ramadan è stata spostata per consentire la preghiera e la rottura serale del digiuno» spiega un passeggero nel corridoio, al vicino salito all'ultimo momento.

L'aria, umida e densa, la si può masticare. Il sole è tramontato da quasi due ore e dentro queste lamiere roventi ci saranno almeno 40 gradi. Il sedile però è abbastanza morbido per provare a dormire. Ma anche a occhi chiusi, la mente continua a vedere un'immagine sola, precisa. Le lacrime di Ousmane che brillano sulle sue guance nere. Una moviola impietosa manda e rimanda la stessa sequenza. Mi sono sempre chiesto cosa stia accadendo intorno a una persona nel momento in cui la sua mente decide di partire. Mesi o anni prima che il corpo si metta in viaggio o ne sia solo consapevole, quale sia il fatto, l'istante, il motivo per cui il ragionamento s'accorge che non restano alternative. Il punto di non ritorno in cui la testa comincia silenziosamente il percorso. L'affiorare delle intenzioni segrete, delle ambizioni, delle decisioni già prese. Lo spartiacque. Muoversi o soccombere. E soccombere qui non significa necessariamente morire. C'è di peggio alla morte. C'è una vita di stenti. Di elemosina. Di fatica a scaricare camion o a selezionare rifiuti nelle discariche e rivenderli per pochi spiccioli. C'è il pianto affamato dei figli più piccoli, tutti i giorni e tutte le notti. C'è l'immagine portata dai viaggiatori, dai giornali, dai radiocronisti dei programmi internazionali della Bbc che rivela l'esistenza di un mondo ricco e irraggiungibile. C'è la sconfitta personale e intima davanti alle fidanzate, alle mogli, ai propri padri. E davanti alle proprie ambizioni. Ali Farka Touré, il grande musicista maliano intervistato dal regista Martin Scorsese nel film *Dal Mali al Mississippi*, riassume più o meno così quel meccanismo naturale che spinge uomini e donne a migliorarsi. Lui che è credente dice che l'ambizione è un dono di Dio: «E ci appartiene come diritto». Non c'è stato tempo per scoprire quali fossero le ambizioni di Ousmane. Forse era soddisfatto di fare il tassista. Ma la definitiva distruzione del suo luogo di lavoro deve aver smosso qualcosa nei suoi ragionamenti. Oltre al muso dell'auto, quel cavo di traino ha strappato le radici che legavano Ousmane a una vita dignitosa in Africa. Il taxi diviso in due e due occhi bagnati. Quello è stato il momento di non ritorno. Altrimenti mai un uomo del Sahel avrebbe pianto davanti a uno sconosciuto arrivato dall'Europa.

Eppure a Ousmane basterebbero meno di cinquemila euro per una macchina usata e un po' malmessa. Cinquemila euro per salvare Ousmane dalla povertà e impedirgli di entrare nella roulette che porta in Europa. Soltanto cinquemila, per aggrapparsi alle pareti del baratro in cui sta scivolando. Meglio alzarsi, farsi largo in corridoio. Allungare collo e testa fuori del finestrino e respirare a pieni polmoni.

Il Mistral si infila come un pugno nel buio della savana. Undici carrozze fradicie di sudore. Almeno tremila passeggeri, uomini e donne inscatolati. Là davanti un'aureola luminosa precede i fari del vecchio locomotore. Di tanto in tanto è come se scattasse fotografie istantanee all'orizzonte nero. Appare un baobab e scompare. Poi un'acacia. Un cespuglio. E di nuovo il nulla. Il Mistral sta volando verso le stelle. Lo sciame del cielo trema, oscilla, ruota improvviso a ogni curva. Lo sferragliare delle ruote cambia spesso tonalità. Dipende dalle rotaie. Se voltano a destra o a sinistra. Salgono o scendono. Oppure se scorrono sui tralicci in ferro dei ponti. Ogni passaggio è una nota diversa. I fiumi non si vedono con gli occhi, ma con la pelle. Quando passano di traverso sotto i nostri piedi, milioni di insetti, falene, zanzare, cimici si avventano sui vagoni e sui corpi come se fossimo fatti tutti di carta moschicida. Ciascun treno ha il suo ritmo musicale. Questo ripete all'infinito «tamàtatamàta». Si sbanda di brutto. I binari a scartamento ridotto non riescono a smorzare le oscillazioni delle carrozze. E a volte la botta è così violenta da aspettarsi un immediato deragliamento.

La prima sosta del Mistral in un villaggio accende voci, grida, commerci. Non si vedono stazioni, né marciapiedi lungo le rotaie. Quando il macchinista spegne il motore per risparmiare gasolio, se ne va l'unica debole illuminazione alle estremità del corridoio. Nello stesso attimo, il rettangolo del grande finestrino si riempie di anime tremolanti. Lumini di cera. Braci ardenti portate dentro scodelle o barattoli di conserve riciclati. Candele. Lampade a olio. Lampadine di piccole pile moribonde, così deboli da spegnersi e riaccendersi come lucciole. Quasi ogni passeggero arrivato o in partenza, ogni venditore ambulante, ogni curioso porta con sé un lumino. Non serve a far luce ma a segnalare la propria presenza nel buio, che qui è ancor più fitto che a Kayes. Il finestrino opposto,

37

lungo il corridoio, si illumina con un'intensità quasi dolorosa per gli occhi dilatati da ore di oscurità. Al di là del vetro abbassato appare un vassoio rotondo pieno di mele. Sembra galleggi nell'aria, in mezzo a due mani femminili, curate, che si muovono indaffarate. Una impugna la grossa torcia elettrica che ci ha risvegliati dal torpore. L'altra, con mosse precise, passa le mele a dita protese dai finestrini, afferra gli spiccioli, scompare, riappare. Sono decine i vassoi come quello sui due lati del treno. Ondeggiano sulle teste di altrettante donne. In modo che i passeggeri possano servirsi e pagare senza scendere dalle carrozze. Trasportano frutta. Patate dolci. Banane. Carne arrostita. Zucche. Le donne fanno il loro commercio senza nemmeno vedere chi compera. Si guidano con le voci. Di sottofondo, le grida di centinaia di bambini: «Gilimeré, gilimeré» ripetono in lingua bambara. Annunciano e offrono sacchetti trasparenti pieni d'acqua, grosse arance, recuperano bottiglie di plastica vuote oppure rivendono quelle riempite con latte e menta. Uno di loro alza verso i finestrini acqua ghiacciata dentro pacchetti di cellophane, indizio di qualche frigorifero funzionante nella zona. La sirena del locomotore fischia due volte. Decine di porte sbattono in lontananza, poi vicine, poi ancora lontane. Quei colpi offrono una stima acustica della lunghezza del Mistral. Si riparte.

La parola gilimeré, urlata dai bambini lungo le rotaie, risveglia i passeggeri ancor prima che il treno si fermi negli altri villaggi. Per il resto della notte un passaparola preoccupato percorre il corridoio. Raccontano che durante due soste siamo stati attaccati dai banditi. Nessuno sa con precisione dove. Forse nelle carrozze di mezzo. Oppure in fondo. Dicono che in un caso, uno dei due poliziotti a bordo ne abbia inseguito uno. Ma non è riuscito a raggiungerlo. Perché, spiegano, i banditi avevano buone scarpe ai piedi. «Scarpe da corsa» aggiunge un ragazzo. Nel mondo industriale, la differenza tra guardie e ladri la fa la potenza delle auto usate negli inseguimenti. Qui conta la robustezza delle suole. E spesso l'uniforme dei poliziotti si ferma alle caviglie. Ieri il sottoufficiale al posto di

38

frontiera di Diboli oltre alla divisa blu calzava un paio di ciabatte infradito.

Non bisognerebbe dormire. Per non perdersi nulla del viaggio. Dei protagonisti. Delle comparse che appaiono nei finestrini e se ne vanno. E forse anche del proprio bagaglio. Ma questa è la terza notte di fila senza riposo. Gli occhi sono troppo pesanti per rimanere aperti.

Le grida risuonano improvvise. Come quelle di chi è sorpreso da qualcosa di spiacevole. Riaprire gli occhi è praticamente inutile. Il buio è quasi totale. Il treno è fermo. Fuori, le solite cantilene dei bambini. Dentro scoppiettano schiocchi nitidi. Uno ogni tre, cinque secondi. Sembrano schiaffi. Il corridoio affollato è attraversato da un'onda di spavento. Un uomo si fa largo spingendo con forza chi gli si trova davanti. Oppure scaricando il palmo della sua mano destra su guance e teste. È altissimo, il bianco dei suoi occhi risalta ben al di sopra dei passeggeri più grandi. Le grida si fanno concitate. Tra spinte e schiaffoni, un ragazzo viene scaraventato come un sacco dentro lo scompartimento. Bisogna aiutarlo a rialzarsi. Non si capisce chi le stia dando e chi le stia prendendo. È una questione di secondi. All'inizio, soltanto una sensazione. Una minima, invisibile variazione nel disordine delle cose che stanno intorno. Lo zaino grande, con il cambio, le medicine, la scorta di batterie e penne per scrivere, è al suo posto sulla rete portabagagli, tra una valigia e uno scatolone legato con la corda. Ma raccontare un attimo richiede più tempo che viverlo. Perché ci vuole un attimo per rendersi conto: è scomparso lo zaino piccolo. La parte più importante del bagaglio. Era ancora sul sedile nel momento in cui, in corridoio, decine di facce venivano prese a schiaffi e quel corpo è piombato nello scompartimento. È rimasto incustodito soltanto nell'istante in cui è stato necessario aiutare il ragazzo a rialzarsi. Gli altri nello scompartimento si sono rimessi a dormire. Fuori sembra tornata la calma. Tranne le grida, che continuano ad attraversare l'oscurità della carrozza. Una voce di donna reclama i sacchi di farina che aveva comprato a Kayes. Una vecchia cerca disperata la sua valigia. Un ragazzo tasta con tutte e due le mani i borsoni che incontra, ma non trova il suo. Due uomini avanzano e puntano il cono di luce di una torcia in faccia ai passeggeri. Forse contano, chissà come, di riconoscere i banditi. Unirsi a loro può essere utile. Fa ancora più caldo che alla partenza. La porta della carrozza è aperta su un ammasso di persone che vendono di tutto ai finestrini del treno. Non c'è marciapiede. Si salta dai gradini direttamente sulle pietre della massicciata.

La mezzaluna rischiara debolmente il cielo. Davanti s'innalza la sagoma di un grande albero e accanto una casupola di fango e paglia. Qualcuno cucina qualcosa sulla brace sopra un bidone tagliato a metà. Ogni lumino nel buio è una persona. Ma intorno ai lumini si muove una bolgia oscura che non stringe alcuna luce in mano. Questa stazione in piena notte è affollata come la metropolitana di Londra all'ora di punta. E la mente si fa subito saggia. Più saggia della rabbia che cova nel corpo. È come un suggerimento: dove credi di trovare lo zaino qui in mezzo? L'orologio al polso indica pochi minuti alle cinque. A questo punto sperduto del percorso, potremmo essere in uno dei villaggi tra Bafoulabé e Kita. Ogni viaggio nasconde un luogo familiare. Meglio ritornare sul treno. Perché stanotte non c'è nulla di più familiare e protettivo della carrozza 3, posto 57. Subito dopo la sirena suona ancora due volte. Sbattono le porte.

Il furto sarà anche una forma di ridistribuzione sociale. A queste terre l'Europa ha rubato venti milioni di uomini perché lavorassero come schiavi nelle Americhe. Intere generazioni annientate. Un taglio netto alla continuità demografica, culturale, economica di tutto il Sahel. Di questi benefici il mondo ricco ne gode ancora. Oggi probabilmente non sarebbe così ricco. E non ne ha mai pagato il prezzo. Al confronto, che cos'è uno zaino? Il danno, però, non è da poco. Là dentro c'erano la macchina fotografica, gli obiettivi, una trentina di rullini nuovi, quelli con le foto già scattate, una parte dei soldi, i taccuini da riempire di racconti. E soprattutto uno strumento di valore inestimabile per attraversare il Sahara: le carte geografiche con l'indicazione a matita di tutti i pozzi, le distanze in giorni per raggiungerli, la profondità delle falde freatiche dove l'acqua scorre poche spanne sotto lo strato di sabbia arida. Quattro mesi di studio e ricerche cancellati in un attimo di disattenzione. La parte più pavida della mente comincia ad accampare scuse per accorciare il viaggio: se è così dopo soltanto tre giorni, cosa succederà tra tre settimane?

Verso le sette del mattino, il Mistral entra nella stazione di Kita, la città più grande prima della capitale del Mali. È già chiaro da un'ora. Un poliziotto tiene per un braccio e trascina giù dal treno un ragazzo con addosso la maglia blu della nazionale francese di calcio. Lui si agita. Ha le mani dietro la schiena, bloccate dalle manette. La gente si affaccia ai finestrini. Dicono sia uno dei banditi della notte. «Vai a vedere, magari è lui che ti ha preso lo zaino» suggerisce un passeggero in inglese. Non servirebbe a nulla. Nessuno sa quanti ladri abbiano fatto rifornimento su questo treno stanotte. È troppo alto il rischio che quel ragazzo finisca per scontare reati che non ha commesso. Il passeggero insiste. Un leggero movimento della testa lo convince che è meglio lasciar perdere. «Giusto così» dice lui. Si presenta con un sorriso e una stretta di mano energica. Mohamed, 31 anni. Arriva da Banjul, Gambia. «Vado in Svizzera» ammette. Con semplicità, come se fosse sul rapido Parigi-Ginevra. «Ma questo treno va a Sud, la Svizzera è a Nord.» Sorride ancora e risponde: «Ora vado a cercare lavoro a Bamako. Qualunque cosa. Poi, se avrò soldi, chiederò il visto per la Svizzera». Inutile spiegargli che il visto svizzero è più raro dell'oro. «Non me lo danno? Nessun problema» commenta, «troverò qualche modo.» «Puoi sempre attraversare il Sahara.» «No, sei pazzo? Il deserto è pericoloso. Con i camion andrò solo se non avrò alternative.»

Gli altri passeggeri in corridoio ascoltano in silenzio. Qualcuno capisce l'inglese. Lo si vede da come ci guarda. Mohamed mette la mano in una delle grandi tasche dei suoi jeans ed estrae una tessera con la sua foto. «Questa è la mia carta d'identità a New York» rivela. Ha più capelli di adesso. Il volto non è magro e affaticato. «Ci sono stato nel 1999, poi il visto è scaduto.»

«Lavoravi?» «Facevo il carpentiere, ma non avevo un contratto regolare. Così non ho potuto rinnovare il visto.» La sua mano destra torna a rovistare nei tasconi. Mostra un'altra foto. È sempre lui, con la faccia impolverata dalla calce: «Ecco qua, non ci credevi che facevo il carpentiere?».

Come il monologo di un prestigiatore. Lui parla. Gli altri continuano ad ascoltare la sua voce baritonale, anche quelli che non capiscono. E guardano i trucchi roteare nelle sue mani. Adesso, da una delle tasche lunghe cucite sui pantaloni, spunta un metro da muratore. Mohamed lo apre a metà, mostra le macchie di cemento e i segni dell'usura. «Cos'altro nascondi nelle tasche?» Non sorride più. «È tutto.» Non ha bagaglio, Mohamed. Soltanto un metro da muratore. Un'inutile carta d'identità americana. Una foto del suo passato. E, infilato nel taschino della camicia a righe verticali, il passaporto del Gambia che, per le sue ambizioni, è inservibile tanto quanto la carta d'identità scaduta.

Dentro il grande finestrino continuano a danzare vassoi colmi di mele, banane, una grande zucca. I bambini annunciano acqua congelata nei sacchetti e lattine di bibite al grido di «gilimeré, gilimeré». E il ragazzo con la maglia blu della Francia è sempre ammanettato, davanti al poliziotto che lo sta rimproverando. L'opposizione delle loro vite non la vedi nei volti, nelle mani, nell'intonazione della voce. Bisogna guardare i loro piedi. Due grosse scarpe da jogging di una famosa marca americana, per il ladro. Due ciabatte di plastica, per l'agente.

«Hai fatto bene a non accusare di furto quel ragazzo» dice Mohamed con il mento e le mani appoggiati sul bordo del finestrino abbassato, «in fondo non ne avevi le prove.» «Chissà, forse quel ragazzo se ha rubato, l'ha fatto per necessità...» «No» interrompe con disapprovazione Mohamed, «è sbagliato pensare che se uno è povero, abbia il diritto di rubare. Vuol dire considerare ladri tutti i poveri. No, è proprio sbagliato questo. Io, Mohamed, non sono un ladro. Se io a New York avessi rubato, ora forse sarei ricco. Invece sono povero, sono ritornato in Africa, ma resto un uomo libero. Non ho nulla di cui vergognarmi davanti alla gente, né davanti a Dio. Questi qua sono banditi e vanno puniti senza indulgenze, perché rubano alla gente povera per diventare ricchi... Guardagli le scarpe.»

A mezzogiorno la cappa di fumo e l'odore di smog annunciano Bamako. La sirena del locomotore suona più volte per farsi largo tra le persone che attraversano i binari. Una curva interminabile porta il Mistral sotto una tettoia liberty dipinta di verde come le sue lamiere. I freni stridono verso gli ultimi metri di rotaie e Mohamed è già scomparso tra la massa di corpi che spinge per scendere al più presto. Non appena il treno è fermo e i passeggeri se ne vanno, salgono anziani con gli indumenti lacerati e bambini a piedi nudi. Rovistano negli scompartimenti. Prendono fogli di giornale, bottiglie di plastica vuote. Un bimbo raccoglie dal pavimento una buccia di banana. Nascosto tra le pieghe, c'è ancora un moncone annerito di polpa. Lui si siede sul sedile e lo mangia lentamente, tenendolo delicatamente tra le sue piccole dita.

Il viaggio fino a Bamako durava 30 ore nel 1990. Oggi occorrono almeno tre giorni per percorrere i 1420 chilometri. Come il mare che silenzioso si insinua nello scafo di una barca prima del naufragio, anche questa regressione è il sintomo del costante affondamento del Titanic africano. Poteva andar peggio. A volte si resta bloccati a Kayes e bisogna aspettare settimane affinché gli europei possano giocare sugli sterrati della regione. È successo ogni volta che da queste parti è arrivato il rally più amato dai francesi, la Parigi-Dakar e le sue successive varianti. Le auto e i camion 4x4 della gara e del seguito si succhiano tutta la benzina e il gasolio disponibili. E dopo il passaggio della corsa, nel Nord non si trova carburante per un intero mese. Senza calcolare il costo umano. Il 75 per cento delle vittime della competizione non sono i piloti strapagati. Sono abitanti del Sahel investiti nei villaggi. Eppure la questione più dibattuta dai capi di Stato europei quando vengono in visita da queste parti non è il naufragio africano, ma la fuga dei passeggeri. Cioè l'emigrazione.

Il centro culturale francese è una delle mete quotidiane di chi a Bamako può permettersi studi superiori. Un giardino tranquillo davanti a una costruzione moderna, sulla strada che porta ai ministeri. Decine di ragazzi e qualche ragazza vengono qui anche soltanto per leggere i giornali. E per respirare il clima europeo. I quotidiani aperti sui banchi dell'emeroteca scrivono ancora dell'incontro, avvenuto qualche giorno fa, tra Att, acronimo di Amadou Toumani Touré, presidente del Mali, e il collega francese, Jacques Chirac. Non hanno parlato della lenta agonia delle ex colonie. Del rischio che la guerra civile in Costa d'Avorio faccia tornare a casa in poche settimane 400 mila emigranti maliani, un disastro: in proporzione ai dieci milioni di abitanti del Mali, è come se in Italia rientrassero dal mondo due milioni e 240 mila emigranti in un colpo solo. Nemmeno hanno discusso delle scorribande delle case automobilistiche europee e giapponesi nei villaggi del Nord. Le cronache raccontano che Jacques Chirac ha chiesto più impegno al Mali per fermare i clandestini che attraversano il Sahara. E nella solennità della cerimonia a Koulouba, Att ha risposto ai rimproveri di Chirac con l'ironia esistenziale che la vita del Sahel impone: «Anche il primo francese entrato nella nostra Timbouctù è arrivato da clandestino. Ha perfino detto di essere musulmano e di chiamarsi Abdallah». Il pubblico di funzionari e ambasciatori ha riso pensando al travestimento di René Caillié, primo europeo a entrare e uscire vivo da Timbouctù nella primavera del 1828. E anche al volto plastico del presidente francese è scappato un sorriso. La richiesta dei francesi qui suona come una barzelletta. Perché fermare l'emigrazione clandestina significherebbe per il Mali poter controllare 4434 chilometri di deserto. Una successione di confini rettilinei inventati dai colonialisti europei. Tutti in zone disabitate, in pieno Sahara. Il presidente Toumani Touré ha invece ricordato quanto sia vitale l'emigrazione per la faticosa economia. Perché ogni anno vale in rimesse verso il Mali 60 milioni di franchi africani, 92 milioni di euro.

Appena oltre l'uscita dell'emeroteca, su una bacheca dove tutti possono vedere, è appeso un lungo avviso. Una specie di avvertimento sul costo della vita per uno studente in Francia. Così maniacalmente pignolo da elencare il prezzo di una serata al cinema o di una uscita con gli amici al fast-food:

«Iscrizione annuale all'università 130-695 euro. Residenza universitaria 137-380 euro. Residenza privata 305-687 euro. Mensa universitaria 129 euro. Assistenza medica 46 euro. Un pasto in mensa 3 euro. Un pasto al fast food 5 euro. Cinema 6 euro. Lavanderia automatica 4,50 euro. Ingresso ai musei 6 euro. Abbonamento mensile ai trasporti di Parigi 45 euro. Un sandwich 3 euro. Un caffè 2 euro. Minimo budget di vita mensile: 600-900 euro. Gli studenti possono lavorare per un massimo di 884 ore l'anno. Durante il periodo di studi non devono superare 19,5 ore a settimana e 84,5 al mese. Durante la pausa estiva possono lavorare a tempo pieno ma senza superare le 884 ore all'anno. La Prefettura dà le autorizzazioni di lavoro. Per studiare in Francia per più di tre mesi, serve un visto di studio di lunga durata. Gli studenti presentano il piano di studi al servizio culturale dell'ambasciata di Francia. Le domande si presentano dal primo settembre al 15 ottobre. Lo studente deve indicare le due università preferite. Entro aprile, risponde la prima indicata, entro maggio la seconda. Se non c'è risposta, è lo studente che deve contattare le università. In caso di rifiuto da due università, gli studenti possono scrivere al ministero dell'Educazione nazionale per una terza università. Studenti selezionati: Cisse Moussa, Sidibe Saydou, Dabo Cheick, Abdelrazic Hassane...».

Il vento anima i fogli attaccati al pannello con nastro adesivo e puntine. Gli studenti scelti per emigrare sono sedici, quindici ragazzi e una sola ragazza. Un'invisibile goccia nell'oceano che, accompagnata da tutte le informazioni sulla vita quotidiana, dovrebbe scoraggiare le partenze avventate attraverso il deserto. Invece il risultato è spesso l'opposto. L'avviso dice infatti che un universitario in Francia può mantenersi con 600 euro al mese. Poiché nel Sahel un falegname, un idraulico o un muratore spendono per vivere molto meno della metà di uno studente, «molti» deducono che in Europa si possa campare con meno di 300 euro al mese. E nel passaparola tra ventenni senza futuro in Africa quel «molti» si traduce in varie decine di migliaia di ragazzi.

Una mattina, sulla strada di fango e buche dietro l'ambasciata russa, si fanno avanti due uomini. L'approccio è diretto, improvviso, rude: «Sei tu che stai cercando lavoratori da portare in Europa?» chiede in francese il più grosso dei due. Potrebbero essere poliziotti in borghese. Oppure personale della sicurezza dell'ambasciatore di Mosca, o trafficanti allarmati dalla presenza di un concorrente straniero. Un giornalista europeo, anche se in incognito, non può muoversi senza far rumore in una città in cui quasi la metà dei giovani vorrebbe andare in Europa e l'altra metà si sta straorganizzando per farlo. Basta una domanda alla persona sbagliata. E qualcuno fraintende che sei un trafficante di esseri umani.

Una qualsiasi parola non adatta alla situazione potrebbe valere l'arresto o un'aggressione. Il più grosso dei due ha lo sguardo minaccioso. L'altro, basso e magro, sembra invece stupito dal fatto di non ottenere nessuna risposta immediata. È lui a rompere il ghiaccio. Sfila un passaporto dalla tasca posteriore dei pantaloni e si fa avanti con il documento aperto sulla sua fotografia: «Mi chiamo Djimba. Sto cercando un italiano che dice di poter portare gente in Europa. Voglio sapere quanto costa». Sotto la fototessera di Djimba, pelle nerissima da malinké, il giorno e il mese di nascita sono indicati con «xx» e «xx». L'anno stampato sulla pagina in filigrana rivela la sua giovane età: 1975. A 28 anni, Djimba ha deciso che il suo futuro non è in Mali. La sua mente è già in viaggio. Ma ormai anche il corpo. Per incontrarmi, ha percorso i suoi primi 200 chilometri. Arriva da Deguela, vicino al delta interno del fiume Niger. «Allora, quanto vuoi per portarmi in Europa con te?» chiede Djimba. La domanda vale una rilassante risata e un'amichevole stretta di mano. Anche Djimba ride. Smette subito, non appena s'accorge che ha sprecato soldi e tempo per spostarsi da Deguela.

«Davvero non puoi portarmi con te?» insiste: «Un amico mi ha detto che a Bamako era arrivato un italiano in cerca di lavoratori che volevano partire. Io faccio l'idraulico, ho un diploma di formazione professionale. Il problema è che la Francia è piena di idraulici africani. Magari posso trovare lavoro in Italia o in Germania, o in Inghilterra. Se vi servono altre persone, ho anche due fratelli pronti a venire con me...».

Vai a capire come la notizia del mio girovagare per Bamako sia arrivata fino a Deguela in pochi giorni. Forse ha parlato il portiere chiacchierone della pensione dove dormo. Oppure le mie tante domande nei locali dove si ritrova la gioventù della capitale hanno avuto un effetto domino. È vero che cercavo persone in partenza per l'Europa, ma solo per conoscere le loro storie, i loro ragionamenti, le loro speranze. C'è stato un tremendo malinteso. La spiegazione fa luccicare gli occhi di Djimba. Scuote la testa, non è convinto della risposta. Crede serva una buona contrattazione.

«Ascoltami» dice mettendo la sua mano destra sulla mia, «io ho molta esperienza come idraulico qui a Bamako. La gente era contenta di me, non me ne vado per questo. Ma ho fatto i miei conti. Come idraulico a Bamako guadagnavo 40 mila franchi africani, sono 61 euro al mese. Quindicimila franchi se ne andavano per l'affitto del posto dove dormivo. Quindicimila per un sacco di riso da 50 chili: con il mio stipendio non potevo permettermi di mangiare carne. Mi rimanevano diecimila franchi che spendevo per i trasporti. A fine mese dovevo vivere con il credito e dopo quattro anni da immigrato a Bamako, son dovuto tornare a Deguela.»

Bamako in tutto il Sahel è sinonimo di ottimismo e arricchimento. Ma è un abbaglio. Nella capitale solo un quarto dei giovani tra i 15 e i 25 anni ha un lavoro retribuito. Una percentuale che non è cambiata dagli anni Settanta. Secondo i risultati di un censimento locale, il 73 per cento della popolazione attiva si mantiene con occupazioni informali. Dal baratto degli ortaggi coltivati sulle aiuole degli incroci, alla vendita sotto gli alberi di scarpe false «made in China». Dopo quattro anni anche Djimba si è accorto dell'abbaglio. Per questo ha evidentemente deciso di non mollare l'occasione: «Senti, la tv satellitare l'ho vista anch'io, quando posso anch'io leggo i giornali. Credi che non sappia che in Europa ci sono sempre meno idraulici, meno operai, meno manovali? Io lo so che in Europa potrei guadagnare mille euro al mese. Ho cominciato a risparmiare per l'investimento più importante della mia vita. Quando hai un obiettivo, è perfino più facile sopportare la fame e saltare il pasto per mettere da parte i soldi. Ma 400 mila franchi sono troppi. Sono più di 600 euro, questo vogliono i tuareg di Gao, ai confini del Sahara, per attraversare il deserto. Forse tu mi puoi far credito. Mi porti in Europa e io ti ripago con il primo stipendio che guadagno».

«Djimba, ascoltami tu, adesso. Io non sto cercando persone da portare in Europa. Sto cercando come te, il modo di arrivare in Europa attraverso il deserto. Non sono un passatore. Non sono un trafficante di esseri umani.» Piuttosto che rassegnarsi, ora Djimba venderebbe se stesso a un mercante di schiavi. Ed è esattamente ciò che propone: «Non ti basta uno stipendio? Facciamo un contratto scritto. Mi fai arrivare in Europa subito e io ti pago con tre stipendi. Non ti bastano tre? Ti do cinque mesi di lavoro. Come idraulico in Europa sono sicuro di guadagnare bene, non sarà un problema mettere da parte cinque stipendi».

Da quando avevo vent'anni e facevo il cronista di nera, avrò visto almeno duecento cadaveri. In qualche caso ho assistito al momento in cui il volto scivolava dalla vita alla morte. Ecco, adesso è lo sguardo di Djimba in bilico tra la vita e la morte. Solo che il suo corpo non si accascia. Muove nervosamente avanti e indietro le ciabatte di plastica, schiacciate tra i piedi nudi e la terra rossa. Come se stesse cercando di liberare le caviglie da una morsa. «Davvero tu non puoi?» sussurra guardando la terra. Il suo amico gli afferra un braccio e lo porta via. Sfilano in silenzio sotto il muro dell'ambasciata russa e uno sbuffo d'aria gonfia la grande bandiera della Confederazione.

Forse quell'uomo grande e grosso, Djimba l'ha pure pagato

per farsi portare qui. Perché non ci sono soltanto i trafficanti di esseri umani. Il grande mercato degli schiavi comincia dagli spacciatori di informazioni. Buone o fasulle che siano. La stazione di Bamako, gli Internet cafè, i bar mascherati da circoli culturali sono pieni di venditori di dritte. Pretendono di essere pagati fin dalla tua prima domanda: «Vuoi andare in Europa?» ti rispondono quasi meravigliati. «Conosco l'uomo giusto, ma bisogna regalargli qualcosa. Dammi diecimila franchi.»

Questo viaggio vive da poco più di una settimana e ha già fatto due morti. Ousmane e Djimba. Camminano, parlano. Ma è solo una differenza fisica. Il loro morale è morto. Nella moviola della mente, all'immagine di Ousmane davanti al suo taxi distrutto si è aggiunto il gesto con cui Djimba porge ingenuamente il passaporto. L'ultimo loro sguardo annaspa tra i pensieri come un naufrago che non si rassegna ad annegare. E nel lunghissimo viaggio verso il confine tra Mali e Niger ce n'è di tempo per pensare.

A qualche ora di pista sterrata oltre la frontiera, sulla sponda sinistra del grande fiume, si entra nel villaggio di Ayorou. Oggi è domenica, giorno di mercato. E il mercato di Ayorou è il più frenetico e colorato di tutto il Sahel. Mercanti e compratori arrivano da Niger, Mali, Burkina Faso e anche dalle oasi del Sahara. Magrissimi tuareg, djerma, pastori peul, madri nomadi wodaabe con le tuniche scure e i capelli incrostati di polvere e olii, grasse donne sonrai dai pancioni prominenti sotto le coloratissime stoffe. Si incontrano e si mescolano in una ressa che per un giorno alla settimana avvolge il paese.

C'è di tutto la domenica ad Ayorou. Le bancarelle delle spezie con calebasse e catini pieni di polveri rosse, ocra, verdi, arancio. I sarti tuareg che con macchine per cucire a pedali confezionano abiti su misura nel giro di una mattinata. I banchi dei macellai e la brezza invisibile che odora di carni e sangue. I piccoli fuochi su cui le donne wodaabe agitano il latte per separare il siero dai grassi e farne panetti di burro. Su altri fornelli friggono cerchi di masa, le frittelle impastate con latte e miglio. I banchi degli orafi brillano di gioielli. Orecchini d'oro. Medaglie d'argento e grandi perle d'ambra per decorare le trecce nere delle spose peul e tuareg. Pesanti cavigliere di ottone o bronzo con cui le mamme nomadi rivelano la nascita di un bimbo. Dietro l'angolo, il quartiere dei falegnami: sotto gli sguardi dei passanti montano letti a baldacchino e intagliano porte di legno massiccio o semplici pali per sostenere capanne e granai. Una barriera di corpi avanza lentissima tra sacchi di farina, secchi di riso, barattoli di legumi, ceste di patate dolci, mastelli e ciabatte di plastica colorata made in China. Su un viottolo a ridosso del fiume, fumano le fucine all'aperto dei fabbri, la casta povera ma rispettata per la sua magica capacità di dominare il fuoco. Lontano dalle case, i recinti affollati di cammelli, mucche bororo dalle grandi corna, capre, montoni. Per tutta la mattina minibus stracarichi e carri trainati da asini scaricano famiglie di visitatori lungo la strada che porta a Niamey. Ma non tutti arrivano via terra. In un'ansa del Niger approdano grandi e piccole piroghe portate dalla corrente. Dieci tuareg in equilibrio su uno scafo lungo e sottile si avvicinano alla costa. Le loro teste avvolte nelle stoffe gonfie e candide dei tagelmust sembrano batuffoli di cotone su steli d'erba cresciuti nel fiume. Il primo e l'ultimo dell'equipaggio impugnano un bastone per guidarsi facendo presa sul fondale. Una nomade wodaabe affonda un mestolo di alluminio nell'acqua putrida tra le piroghe ormeggiate e mette alla prova il suo possente sistema immunitario con un lungo sorso. Un altro scafo trasporta un asino, un vitello incaprettato, un barile di carburante. Nel fluido argentato dal sole in controluce galleggiano grandi corna e larghe narici. Sono mandrie bororo condotte a nuoto dai bambini burkinabè. Le portano al di qua del fiume. L'operazione è seguita dagli adulti del clan accovacciati dentro una piroga scavata in un tronco d'albero. Nel fango della riva annaspa, inciampa e si inginocchia una foresta di zampe e zoccoli. Le vacche enormi e magrissime faticano a rialzarsi. I pastori più piccoli, bimbi che avranno non più di dieci anni, sono i primi a raggiungerle. E con schiaffi forti e nervosi le spingono verso il centro del mercato, in una nuvola di polvere e di donne che scappano chiassosamente. Ogni domenica mandrie e pastori attraversano il grande fiume all'andata e al ritorno. Devono tuffarsi e avanzare a nuoto dove l'acqua è più veloce e vigorosa perché soltanto lì non corrono il rischio di finire addosso a ippopotami o coccodrilli.

Se si è forestieri, è difficile camminare soli ad Ayorou. Tutti i ragazzi vogliono mostrare la bellezza del loro paese. Il più preparato è Amadou. Ha una maglietta bianchissima, un turbante celeste agghindato nella forma beduina, 29 anni, un diploma di storia locale. «Vieni» dice alla fine della giornata, «ti porto a vedere Miriama Amidou Douma.» «Chi è Miriama Amidou Douma?» «Mia figlia, ha quindici giorni.»

La piccola dorme protetta dalla zanzariera nel letto dei genitori. Un piccolo letto matrimoniale a baldacchino sistemato davanti all'uscio nel cortile di casa. «Fa troppo caldo per dormire dentro» si giustifica Amadou. Quando è il momento di salutarci, vuole lasciare l'indirizzo. Solo che ad Ayorou le strade non hanno nome. «S/c depot pharmacie. Ayorou, Niger» scrive Amadou su un biglietto: «Qui la farmacia fa anche da posta». Ma Amadou non ha detto tutto quello che vorrebbe raccontare. È una sensazione. Qualcosa che sfugge alle parole, non alla testa. Vale la pena fargli la domanda a bruciapelo, la stessa che a Bamako ha provocato il triste malinteso con Djimba: «Amadou, conosci qualcuno che ha attraversato il deserto o vuole attraversarlo per andare in Europa?». Lui sospira. Guarda oltre in cerca di una impossibile nuvola lontana. La sua bocca accenna un sorriso. «Vieni, torniamo dentro» sussurra.

Il tè tuareg si beve tre volte. La prima tazza è amara. Come la vita, dice il detto. La seconda va bevuta dolce. Come l'amore. Amadou versa il contenuto della teiera allontanandola dal bicchiere. Il tè così si ossigena e si gonfia di schiuma. «Guarda» aggiunge dopo aver assaggiato la temperatura appoggiando il bicchiere alle labbra, «quando ho detto a mia sorella che sarei andato in Europa passando per la Libia, lei si è messa a piangere. Ha detto: ecco, avrò un fratello morto, perché nel deserto tu vai incontro alla morte sicura. Sono arrivato ad Agadez con un

51

pullman. Grazie a un amico che lavora lì, nella farmacia della città, ho trovato un passaggio su un camion fino all'oasi di Dirkou. Sono camion carichi di merce di ogni tipo, poi ci salgono sopra centinaia di persone, anche trecento. Viene tirata una corda intorno al camion e ognuno lega il suo bidone d'acqua.»

Dirkou. Finalmente esiste. È la prima conferma in Africa che l'oasi, i camion, la rotta degli schiavi non sono un mito inventato dai sopravvissuti che sbarcano in Europa.

«Amadou, io sto andando a Dirkou e poi, se Dio vuole, in Libia. Quanta acqua bisogna portare?»

«Io avevo due bidoni, quaranta litri in tutto» risponde. «I bidoni li vendono al mercato di Agadez, poi li riempi. Nel deserto puoi avere anche un milione di dollari, ma se hai finito l'acqua non sei nessuno.» Amadou continua a guardare nel cielo quella nuvola inesistente. «Durante il mio viaggio ogni tanto qualcuno veniva abbandonato nella sabbia. Ma vedi, io sono magro come te. Se ce l'ho fatta io, ce la puoi fare anche tu. L'importante è avere il cuore forte perché lassù fa caldissimo. E se non sei abbastanza forte» sottolinea mimando il battito con la sua mano scarna al petto, «il cuore scoppia.»

«A Dirkou cosa succede poi?»

«A Dirkou sono salito su un camion che portava spezie in Libia. Altrimenti ci sono i camion dei contrabbandieri di sigarette, l'esercito del Niger li scorta fino al confine. Quella è la parte più pericolosa del percorso. Io ho impiegato tredici giorni ad andare e dodici al ritorno. Sono partito in maggio e tornato in estate. Si viaggia anche di notte. È massacrante perché sul camion non ti puoi addormentare. Gli autisti sono due, più una guida che conosce il deserto. A volte c'è un solo autista e la guida che lo aiuta al volante. In Libia sono stato a Tidjeri, Sebha, Tripoli. Ho trovato lavoro a Tripoli nel negozio di un ciadiano, che poi è partito per l'Italia. E ha lasciato il negozio a un sudanese. C'è tanto razzismo in Libia contro gli stranieri, ma per il periodo in cui sono stato io non posso lamentarmi. La Libia è ricca. In qualche mese ho risparmiato sul mangiare, su tutto. E ho guadagnato due milioni di franchi, in euro sono...»

«Più o meno tremila euro.»

«Dovevo imbarcarmi anch'io per l'Italia. Ero a Bengasi. Ma quando sei lì non sai dove andare, cosa fare, a chi chiedere. Tutti si fanno pagare le informazioni, tutti cercano di truffarti. Poco tempo dopo un amico di Misurata, un poliziotto, mi ha consigliato di andarmene. Perché presto, con gli accordi tra l'Italia e la Libia, la politica del colonnello Gheddafi verso gli immigrati sarebbe cambiata. Il colonnello aveva invitato gli stranieri, voleva fare della Libia un esempio di unità africana. Ma quando l'economia libica non ha più bisogno degli africani, il regime ordina espulsioni in massa. Così sono ripartito, su un camion carico d'olio. Nel deserto tra Madama e Dirkou abbiamo trovato un camion fermo per un guasto. Erano bloccati lì da trenta giorni. C'erano anche bambini, erano stremati. Abbiamo lasciato acqua e pezzi di ricambio. Molti camion viaggiano sempre con i pezzi di ricambio. Altri, i più vecchi, quelli che più ne avrebbero bisogno, partono senza.»

Amadou dimentica la nuvola immaginaria, oltre l'intreccio della veranda davanti alla sua piccola casa. Abbassa per la prima volta lo sguardo da quando ha cominciato a ricordare il suo viaggio. Si è seduto accanto alla moglie, alla madre e alla sorella sul bordo del letto su cui sta dormendo la sua bimba. La terza tazza di tè deve essere ricca di zucchero. Dolcissima come l'infanzia, dice il proverbio. Oppure: soave come la morte, avverte un altro detto. Amadou questa volta beve in fretta e indica il sole: «Dobbiamo andare se vuoi essere entro stasera a Niamey». Alla fermata dei minibus c'è tempo per un veloce abbraccio.

«Amadou, posso farti ancora una domanda?» Lui se l'aspettava e non replica nemmeno. «Perché non ti sei imbarcato per l'Italia?» Amadou muove le labbra come se stesse assaporando l'amaro delle parole che deve pronunciare. «Ho avuto paura» dice con un tono improvvisamente orgoglioso. «La notte della partenza ci hanno portati sulla spiaggia di Bengasi. E quando ho visto la barca su cui sarei dovuto salire, ho avuto paura. Mia madre è una kel tamashek, una tuareg come dite voi. Mio padre un djerma. Siamo gente del Sahel. Prima di arrivare a Tripoli non avevo mai visto il mare. Mai in vita mia sono salito su una barca. Ma quella non era una barca. Era un rottame. Non ho potuto contare, ma eravamo sicuramente più di duecento. Tutti per quel rottame. Ci stavano caricando come bestie. E io ho avuto paura.»

«La paura è la virtù dei coraggiosi. Chi non ha paura o è stolto o incosciente.»

«Ma io da quella notte vivo nel rimorso di non aver avuto abbastanza coraggio. Non saprò mai se ho fatto bene o male a non imbarcarmi. L'Italia ormai era a pochi giorni. Avevo pagato millecinquecento dollari e quei bastardi si sono tenuti tutti i soldi. Adesso che è nata Miriama, ogni giorno che la guardo mi sento ancor più un codardo. Perché non potrò mai darle un futuro migliore di questo posto. C'ero quasi arrivato in Europa. Se solo avessi avuto un po' più di coraggio adesso avrei un bel lavoro e la mia famiglia sarebbe con me.»

L'autista del minibus mette fretta. Ha venduto dieci posti in più dei nove disponibili. E per far finire le discussioni, spinge schiene e sederi dei passeggeri dentro l'abitacolo.

«Adesso dimmi tu una cosa. L'Italia è davvero così bella come ho letto?» chiede Amadou, con la voce indebolita dal rimpianto.

«Se entri dalla porta sbagliata, Amadou, l'Italia sa essere crudele come nemmeno te lo immagini. E poi non ci devi più pensare. Più della bellezza dell'Europa, vale la bellezza della vita. E tu, almeno, sei vivo.»

«Ma la vita non potrà più alleviarmi questo dolore» insiste Amadou, «comunque tu devi fare attenzione. Attraversare il deserto non è da tutti. Perché il cuore è...» La chiusura del portellone impedisce la conclusione della frase. Amadou vorrebbe dire altro. Le sue labbra si muovono senza audio, mentre la sua mano destra al petto mima il battito cardiaco. Il minibus parte ondeggiando sbilenco e sinuoso come una danza del ventre. All'instabilità contribuisce il sovrappeso del carico sul tetto. Lassù ci sono lo zaino, valigie, borse, la ruota di scorta, due divani e nove capre belanti.

Le sfumature del cielo sul fiume Niger sono il premio che Niamey regala all'arrivo. Dev'essere un tramonto speciale. Perfino la gente del posto si ferma ad ammirarlo dal lungo ponte che porta in Burkina Faso. Un dromedario avanza maestoso. Talmente carico di paglia da occupare tutta la carreggiata. Il suo conduttore tenta di farlo indietreggiare. Ma lui è ostinato e dopo un po' sono le poche auto e un camion a dover ingranare la retromarcia. Alla fine del doppio spettacolo il buio scende immediato. È troppo tardi per scoprire dove dormono gli stranieri in partenza per Agadez. All'ora di cena, forse, qualcuno avverte un gruppo di ragazze che in hotel c'è un europeo da spennare. Perché loro arrivano tutte insieme. Ben sapendo dove venire a cercare. Le guida una trentenne bellissima con i fianchi leggermente allargati dall'età.

«Fofò» esordisce. «Fofò.» Ridono. «Fofò vuol dire benvenuto» spiega la trentenne in francese: «Se io dico fofò tu devi rispondere ngueia, grazie». «Ngueia.» «Già, ma non è educato fermarsi così. Tu devi aggiungere matarehiri, buonasera. E io rispondo bani sameiullà.» Dopo una giornata del genere, è la giusta serata per una lezione di lingua djerma. «Allora?» insiste lei, «se io ti chiedo: posso dormire con te, cosa mi dici?» Il mal di testa cerca di farsi strada tra i ricordi del breve corso di djerma del pomeriggio: l'autista del minibus l'aveva snocciolato per un centinaio di chilometri dopo la partenza da Ayorou coinvolgendo in coro i passeggeri. E obbligandomi a ripetere frasi senza conoscerne il significato, tra le risate di tutti gli altri. «Mtinimà?» «Safira» risponde lei sorpresa, «ma allora parli djerma?» Inutile spiegarle che «come ti chiami» è l'unica frase sopravvissuta dal corso accelerato. Lei snocciola una rassegna di sorrisi e frasi incomprensibili. Una sua amica, più intraprendente, afferra una sedia da un tavolo vicino e si siede di fronte. Le altre la imitano. Ordinano birra, bevono. Dopo un po', la più intraprendente fa un cenno: «Safira» dice, «tu se vuoi rimani. Noi andiamo.» Rimasta sola, Safira mostra un sorriso ancor più dolce. La lanterna proietta una luce debole. A ogni battito di palpebra, l'ombra delle sue ciglia affilate si allunga sulle guance morbide.

«Ti spiace se resto?» chiede. «No, certo.»

«Se vuoi, resto per tutta la notte.» «Per la notte no, non posso ospitarti. Vuoi cenare?»

«Se paghi tu sì. Non mangio da due giorni, sono stata malata. Malaria. Una settimana di febbre alta. Hai mai avuto la malaria?» «Forse sì. Nel senso che ho avuto i sintomi, ma non hanno mai trovato la causa.»

Safira scoppia a ridere. «Siete strani voi europei. Mi porti in Europa con te?» chiede all'improvviso, «torno con te oppure dall'Europa mi fai una lettera di invito. Dici che sono la tua fidanzata e...» «Non è così facile. L'Europa da qui è una fortezza inespugnabile.»

«Perché?» domanda dopo aver parlato di sé, passando continuamente i suoi artigli smaltati di bianco perlaceo sulle labbra lucide: «Posso dormire con te. Vedrai, ti piacerà». All'ennesimo rifiuto, cambia discorso: «Lo sai che stavo per venire in Europa come modella? Era tutto pronto per la mia partenza e mi hanno fregata. Ma questa è una lunga storia, te la racconto domani. Adesso vado a guadagnare qualche soldo».

Si allontana altissima, dimenando elegantemente i fianchi. In un cinemascope di pelle nera tra il top di cotone fin troppo corto per il suo seno e i jeans strettissimi che le coprono a malapena le due fossette che annunciano i glutei.

L'indomani la giornata comincia all'alba. Le ore più fresche nel caldo del Sahel. Bisogna risolvere il problema del visto libico e organizzare il viaggio fino ad Agadez. L'ambasciata di Tripoli è a pochi isolati dalla residenza del presidente del Niger. Il palazzo dell'ambasciatore è nascosto da un muro e un portone blindato ancor più alti di quelli della rappresentanza italiana a Dakar. L'apertura del cancello svela come un sipario una scenografia da *Mille e una notte*. Da bambino, le regge arabe degli antichi racconti le ho sempre immaginate così. Fontane al centro di giardini immensi, colonne slanciate, giochi di luci e ombre sotto porticati di cui non si vede la fine e su tutto la paziente decorazione di minuscole tessere di ceramiche bianche e azzurre. Uno sfoggio di ricchezza assiduamente protetto da guardie armate. I loro kalashnikov però non possono fare nulla contro la libertà dell'aria. La sua brezza silenziosa porta fin qui gli odori della povertà e dell'immondizia che brucia giorno e notte come uno spartitraffico al centro delle strade nei quartieri popolari. Non si entra nel palazzo dell'ambasciata. Le questioni vengono trattate all'aperto, tra il portone e la casupola del corpo di guardia. In pochi minuti arriva un funzionario.

«Non c'è problema» dice dopo essersi fatto spiegare la rotta, «ma dovete andare al consolato libico di Agadez. Lì troverete il console che può firmare il permesso per attraversare il deserto.»

Ovviamente è meglio tener segreto il vero motivo del viaggio. Ma non è nemmeno necessario inventarsi una scusa, perché il funzionario ha fretta e non fa domande.

Gli autobus per Agadez partono da un parcheggio sulla riva sinistra del fiume. In albergo il portiere aveva detto di chiedere del palazzo dei congressi. Duecento metri oltre, una strada si infila sotto un bosco in una foschia di umidità e zanzare. In fondo alla discesa si cammina tra case di banco e mamme che per vivere si improvvisano commercianti con i figli legati sulla schiena. Vendono ortaggi coltivati sulle sponde del fiume e frittelle di miglio. Poco oltre, qualcuno riposa su materassi luridi e stracci sotto il tetto pericolante di un opificio scrostato e abbandonato. Lassù, in cima alla scarpata, le chiome di acacia e giacaranda nascondono il parco della residenza presidenziale. Alla fine della strada, un cancello e una grande lavagna sotto l'insegna tricolore della Snv – Societé nigerienne de transports de voyageurs. Sulla lavagna, arrivi e partenze degli autobus per Agadez. Gli ultimi mille chilometri di strada asfaltata prima della follia del deserto. Gli orari sono scritti con il gesso. Piove così poco a Niamey che non c'è rischio che la pioggia li cancelli.

Al di là della grande lavagna, il parcheggio degli autobus: uno spiazzo macchiato di nafta che si allarga a occidente fino all'acqua del fiume. La biglietteria è dentro un basso edificio raffreddato dall'aria condizionata. Sullo schermo di un televisore appeso alla parete, un documentario trasmesso da un canale satellitare francese. Non si sente l'audio. Ma quelle immagini sono inconfondibili anche senza i sottotitoli che indicano nomi di luoghi e paesi. Scarpate di fichi d'india così rigogliosi e scogliere di calcare candido si vedono soltanto in Sicilia. Ecco Agrigento. E poi le isole. Lampedusa. Pantelleria. I pescherecci. Le barche a vela. I monumenti. Volti felici. La sigla. L'indirizzo dei produttori: Palermo, Sicily, Italy. Tra i venticinque ragazzi in coda, qualcuno viene dal Togo, dal Benin, dalla Liberia. Dormono da giorni nell'opificio abbandonato in attesa della partenza. E chissà quanti di loro poseranno i piedi su quelle scogliere o stringeranno nelle mani gli appigli rocciosi che li porteranno in salvo.

«L'autobus parte alle 6 di mercoledì» spiega il bigliettaio a ogni passeggero: «Bisogna presentarsi qui alle 5,30. I bagagli vanno consegnati domani sera prima del tramonto, pensiamo noi a caricarli». Fuori, i raggi del sole rimbalzano sulle lamiere argentee di due tettoie. Una fa ombra a file di panche per l'attesa. L'altra ai tappeti stesi sul cemento per la preghiera. La corrente del Niger passa inarrestabile trascinando rami, mucchi d'erba tagliata e rubata alle sponde, sagome di canoe e pescatori curvi alle prese con le reti tenute a galla da grappoli di bottiglie di plastica. Il fiume viaggia a venticinque chilometri all'ora. Metà della velocità degli autobus sulle strade del Sahel.

Durante l'ultima cena a Niamey, sulla terrazza dell'hotel riappare Safira. È ancora più elegante, fasciata in un vestito nero fino alle caviglie. Stasera ha liquidato le amiche.

«Posso sedermi con te?» chiede avvicinandosi al tavolo. Si siede senza aspettare risposta. Prende dalla borsetta un ventaglio di fotografie e le apre tra il piatto di riso bollito e la caraffa dell'acqua. «Sono io. Dieci anni fa.» Più che il suo corpo da adolescente in passerella, in quelle immagini per lei c'è tutto il suo futuro. Si guarda nelle foto come una madre guarderebbe la figlia che si è fatta giovane donna.

«Te l'ho detto che facevo la mannequin. Da quando avevo diciassette anni ho lavorato nella moda. Degli stilisti francesi venivano qui e ci facevano sfilare. Altri francesi fotografavano le sfilate e altri ancora prenotavano i vestiti che noi indossavamo.» Safira parla come se il tono fosse ispirato dalla collera. «Mi davano pochi spiccioli. Però per due settimane mangiavo e dormivo gratis. Mi avevano promesso che con la moda nel giro di uno o due anni mi avrebbero portata a lavorare a Parigi. Io ero una ragazzina e ci ho creduto. Per cinque anni ho aspettato. Sempre con la stessa speranza. Andare via da qui. Il sesto anno mi hanno scartata perché secondo loro ero troppo vecchia. A ventidue anni, capisci? L'Europa mi ha cercata, ha usato la mia bellezza e adesso tu mi dici che l'Europa è una fortezza inespugnabile.»

Il cielo è ancora velato di rosso verso il confine burkinabè. Dalla riva del fiume salgono grida e l'eco dei colpi sincronizzati con cui le donne del Niger battono il miglio nei mortai. Safira non alza lo sguardo dalla borsetta, come se stesse scegliendo cosa mostrare della sua storia chiusa là dentro. Poi con uno scatto beve un sorso d'acqua.

«A ventidue anni in Niger sei vecchia» aggiunge, «ma in Europa no. Nemmeno a trent'anni. Per questo voglio che tu mi porti in Europa. Se mi porti, faccio l'amore gratis con te tutte le volte che vuoi.» Chissà a quanti uomini europei lo ha già detto e chissà quante volte, da quando aveva diciassette anni, hanno approfittato di lei. La mente però non trova le parole giuste per risponderle. È stanca. La testa è già assorbita dal viaggio verso Agadez. Dopo Ousmane, Djimba, Amadou, fa fatica ad adottare anche lo strazio di Safira.

«Ascoltami, Safira. Io non ti posso aiutare...» «Perché forse non ti piaccio? Prendimi a dormire con te e vedrai come ti piacerò.» «Safira, non è vendendoti che riuscirai ad arrivare in Europa.» «Ma io non mi sto vendendo. Sto solo usando la mia bellezza. Quando gli stilisti europei mi davano lavoro, soltanto questo volevano da me: che mettessi in mostra la mia bellezza. Non dovevo parlare, né cantare, né recitare. Quando vado a letto con i turisti o gli uomini d'affari europei e americani, questo soltanto vogliono da me: la mia bellezza. E mi accorgo di piacere ancora, sai. Perché non posso fare lo stesso in Europa? Tra cinque anni la mia bellezza sarà sfiorita. E se entro cinque anni non sarò riuscita ad arrivare in Europa, come farò a vivere? Diventerò una puttana di strada. Dovrò morire qui. Magari di malaria, o di Aids, o di colera. Li senti questi suoni? Io non voglio finire come quelle donne a battere miglio sulla riva del fiume.»

Safira mette via le foto e affonda la forchetta nel piatto di riso bollito e pesce fritto. Mangia fino alla fine senza parlare. Svuota lentamente il bicchiere di birra che il cameriere le ha appena portato. Si pulisce delicatamente le labbra con la punta di un tovagliolo di carta. Si guarda la bocca riflessa in un minuscolo specchio da borsa e si rimette il rossetto. Sospira gonfiando il seno e le guance.

«Allora non vuoi fare l'amore con me? Andiamo a ballare e poi vengo a dormire da te» insiste.

«Safira no. Domani parto prestissimo per Agadez.» Lei resta a lungo seduta con lo sguardo fisso da qualche parte oltre le mie spalle. Quante volte le avranno risposto così? Con una mossa improvvisa come quando è apparsa, si rialza.

«Buon viaggio e buona vita» dice orgogliosa, rimettendo la sedia al suo posto.

Alle cinque e trentacinque il grido del muezzin chiama alla preghiera i passeggeri pronti a partire. Anche le zanzare devono conoscere l'orario. Sciami malarici ronzano intorno alle nostre facce e non smettiamo di prenderci a sberle. Davanti alla lavagna con gli orari è un viavai di vecchi taxi e facchini. Tre ragazzi con la bancarella appesa al collo vendono sigarette Fine e London, caramelle, fazzoletti di carta, acqua, leccalecca, pile, fiammiferi. Qualcuno dorme ancora su assi distese come un letto in riva al fiume. Gli uomini vanno a pregare sui tappeti sotto la tettoia in lamiera. Tre donne finiscono segregate sulle macchie di gasolio nel piazzale polveroso dell'autostazione. E senza volerlo rivolgono le loro invocazioni al banco pericolante che vende sigarette, caramelle, bottiglie d'acqua e fiammiferi. Un'altra si genuflette dietro il vetro della biglietteria. Alle sei l'imam conclude le lodi del Fajr. Un coro di voci baritonali ripete due volte in arabo «Dio è il più grande» e poi «rendiamo grazie a Dio, la pace sia con voi». Subito dopo comincia l'imbarco.

Alle 6,25 si parte. La rotonda che porta al ponte sul Niger è una giostra su cui l'autobus deve farsi largo tra dromedari, pedoni e una fila di carri carichi di fascine di legna da ardere. Dal fiume sale l'odore aggressivo di piume di gallina bruciate. Si punta verso oriente dove un sottile pennino di inchiostro rosa ha appena separato il buio del cielo dal nero della terra. All'uscita dalla città, la capitale del Niger saluta da un arco di cemento: «Zubu bani, Niamey vi augura buon viaggio». Accanto un grande cartello del ministero per lo Sviluppo agricolo: «Il Niger alla conquista del mercato internazionale. Progetto di promozione delle esportazioni agropastorali». Si entra nel Sahel. Due ragazzi ascoltano da *Voice of America* in una piccola radio a transistor le ultime notizie sulla guerra in Iraq. Sull'autobus da settantuno posti sono salite trentotto persone, compreso l'autista. Tra loro, otto donne. Due bimbi. Un peul con un grande turbante bianco. Un rapper con i capelli rasta, vistosi occhiali da sole, un cappello di lana blu. E tre uomini seduti in fondo, i più scuri di tutti. Non parlano mai. Uno di loro si fa aria usando come ventaglio il suo passaporto. Vengono dal Togo. All'ingresso di Dosso, la prima città a due ore da Niamey, cartelli dipinti a mano spiegano come prevenire l'Aids: «Astinenza sessuale, fedeltà, siringhe pulite». La fermata è in un deposito di autocisterne. Tre quarti delle motrici e dei rimorchi parcheggiati sono rottami cannibalizzati. Mancano i motori, le portiere. Da alcune carcasse hanno preso tutte le ruote. Salgono altri dieci passeggeri e si riparte.

L'orologio segna le 9,20 e il paesaggio cambia improvvisamente colore. La stretta strada di buche e asfalto è ora illuminata dagli abbagli argentei di una costellazione di stagni. È soltanto l'inizio dello spettacolo. Il verde intenso delle risaie e i riflessi blu del cielo sull'acqua danno ospitalità a migliaia di uccelli migratori. E, in quel silenzio, basta il rombo del diesel a provocare un decollo in massa di zampe scure e ali bianche. L'oasi di

Dogondoutchi è ai piedi di una falesia di roccia rossa come la terracotta. La salita porta al confine con la Nigeria. Sull'altopiano, nell'erba alta di nuovo secca, si nasconde un cacciatore. Di lui si vedono bene la schiena nuda e la faretra colma di frecce. L'arco è teso, pronto a uccidere. Mira a qualcosa, ma l'uomo non si decide. A gesti impreca all'aria. Forse il rumore dell'autobus gli ha fatto scappare la preda. Dopo chilometri di savana, nella pianura appare un albero. Sopra la chioma di acacia, sventola il tricolore del Niger legato a un pennone. E ai suoi piedi una maestra, capelli raccolti e divisa nera, fa lezione davanti a una scolaresca seduta sulla polvere.

A Birnin-Konni il caldo si fa umido, scioglie di sudore la pelle. La foschia è ancora più fitta. Il confine con la Nigeria è a qualche centinaio di metri a Sud. Un poliziotto in moto fa accostare l'autobus e lo ferma giù dalla striscia d'asfalto. Dice qualcosa affacciandosi alla portiera aperta. Poi l'autista spiega che bisogna lasciar passare il convoglio di uno sceicco del Golfo Persico. Dagli Emirati vengono spesso a giocare qui. Giochi da ricchi, s'intende. Vanno a caccia sul massiccio del Termit, al confine meridionale del deserto del Ténéré. Uccidono i rari ghepardi del Sahel. Sparano alle pochissime antilopi addax. Noi non sapremo mai quando verranno impallinati l'ultimo ghepardo e l'ultimo addax. Nemmeno chi sparerà quel colpo passerà alla storia. Perché non si accorgerà di avere nel mirino l'unico sopravvissuto. Gli emiri atterrano a Niamey con i loro aerei privati. Viaggiano su fuoristrada blindati. Dormono in tende con l'aria condizionata. E alla fine della vacanza, ripartono beati. Il governo del Niger dà loro le autorizzazioni perché, in cambio di petrodollari, uno Stato poverissimo è disposto a tutto. Ma la povertà non è bella da vedere. Così dalle parti del Termit le solite multinazionali del cemento, europee e americane, stanno costruendo un aeroporto. Giusto per risparmiare ai ricchi cacciatori un faticoso e sconveniente trasferimento via terra.

Eccoli che arrivano. Davanti al corteo, un fuoristrada scoperto, sei militari con la keffiah biancorossa armati di mitra e, al centro del pianale, un cannoncino antiaereo in piena erezione nelle mani del settimo soldato. Dietro, un'altra jeep ugualmente attrezzata. Il terzo, quarto e quinto veicolo sono enormi fuoristrada da città con i vetri oscurati e tre poveracci in piedi sul paraurti posteriore con il mitra a tracolla. Il sesto e il settimo veicolo sono due Tir tirati a lucido e allestiti come regge viaggianti, vetri fumé, la parabola satellitare sul tetto. L'ottavo, il nono e il decimo sono camion frigoriferi con i viveri e le celle per conservare le prede da imbalsamare. L'undicesimo e il dodicesimo, due grossi fuoristrada, concludono la scorta armata. Non hanno nemmeno la cortesia di viaggiare compatti. Tra il primo e l'ultimo veicolo del convoglio trascorre una buona mezz'ora. E tutto il Sahel deve fermarsi a ossequiare il loro passaggio.

La storia della caccia agli addax e ai ghepardi è quanto raccontano a Niamey. I rimorchi del convoglio però potrebbero trasportare di tutto. Missili. Mitragliatrici. Bombe. Tanto nessuno controllerebbe. Allo stesso modo, con la stessa tecnica, dal 1998 gli sceicchi sauditi hanno armato l'esercito privato di Osama bin Laden. Per anni camion e moderni fuoristrada con i vetri oscurati hanno attraversato l'Afghanistan verso Kandahar. Poi tutti abbiamo visto cosa è successo. Il massiccio del Termit ha una posizione strategica. Dalle sue alture si domina un pezzo di Sahara. Si sorvegliano i traffici con la Nigeria. Le piste che portano in Ciad e in Sudan. Le pianure del Ténéré dove le compagnie cinesi hanno scoperto il petrolio.

Quando l'autobus riparte, il viaggio dura poco più di un minuto. Il parcheggio dell'autostazione era nascosto a metà del viale alberato. Appena in piedi, la fitta di una pugnalata attraversa la schiena e la pancia. Un dolore a tradimento. Da domenica sera qualcosa non va e ogni pasto ha l'effetto di un veleno. Forse l'acqua bevuta ad Ayorou era infetta. Forse andava rifiutata la fetta di melone offerta da un mercante in riva al fiume. Forse non era soltanto stanchezza. Il malessere si trascinava da tre giorni. La sensazione di avere i muscoli in frantumi come fossero vetro. Ma adesso tutto il peggio si è concentrato nell'addome. All'improvviso fa freddo. Come se il sole, l'afa, il vento umido e bollente riguardassero un mondo lontano. Fa freddo e una fila di uomini e donne, altrettanto sofferenti e pallidi, si è messa in coda davanti ai gabinetti. Due parallelepipedi in mattoni di cemento pressato intorno a due buchi nella terra.

Da Birnin-Konni il Grand Leopard, così si chiama l'autobus, riparte pieno di passeggeri. Raggiunta la strada principale, sale un militare in tuta mimetica. Si arriva a un posto di blocco. Due barili ai lati della strada e una corda come sbarra. Il soldato controlla i documenti a tutti. Tornato tra i primi posti, si mette in tasca un passaporto della Nigeria e il passaporto azzurro della Liberia. Li ha presi a due ragazzi appena saliti che ora lo guardano spaventati.

«Scendete» dice loro in hausa. Insieme, entrano nell'ufficio di polizia. Una stanza sola in banco, i muri impastati di fango e paglia. Dall'unica finestra, senza infissi, il militare gesticola. Gesti ampi, minacciosi. I due ragazzi sono in piedi. Immobili. Muti. La razzia dura un quarto d'ora. Poi il nigeriano e il liberiano tornano ai loro posti. Si può azzardare una domanda a bruciapelo: «Quanto avete pagato?». «Io duemila franchi» dice il nigeriano, «perché ho il visto. Il mio amico cinquemila.» Cinquemila franchi africani sono sette euro e settanta centesimi. Un chilometro più avanti, l'alt della polizia di frontiera. La dogana è una capanna in banco con una veranda e, sotto la veranda, i due letti dei doganieri. Gli agenti sono pignoli. Vogliono aprire il bagagliaio e una volta alzati i portelloni, vogliono guardare dentro i bagagli. L'ispezione dura un'ora sotto il sole cocente dell'una. E questa volta anche gli immigrati nascosti in fondo al pullman devono pagare la loro tangente. Soltanto i passaporti del Niger e l'unico passaporto italiano a bordo sono il lasciapassare per proseguire il viaggio senza ulteriori estorsioni.

Il Sahel è la ripetizione di se stesso per migliaia di chilometri. Ma solo in apparenza. Perché da vicino è un panorama pieno di sorprese. E ogni particolare nasconde una storia segreta, condizionata dal clima o dal sottosuolo. Cespugli spinosi. Erba ingiallita dalla siccità. Campi di miglio secco. Il letto di un fiume senz'acqua. La terra che subito dopo diventa sabbia rossa.

Un altro korri, un fiume asciutto. I pozzi e le oasi invisibili, rivelati dall'affioramento di stagni circondati da pastori, capre, mucche bororo e uccelli. All'ingresso di Tahoua i gendarmi sono già impegnati a controllare, e forse saccheggiare, un minibus stracarico. La città è solo a metà strada lungo i 940 chilometri tra Niamey e Agadez. E il sole è già quasi al tramonto. La decisione è immediata, non appena la grande corriera entra sbuffando nel piazzale sterrato dell'autostazione. Il viaggio finisce qui. Oggi è impensabile andare avanti. Fa troppo freddo. La pelle duole soltanto a sfiorarla. Fa male perfino toccarsi i capelli. Come se una mano ne avesse strappati a ciocche. L'addome è attraversato da coltellate improvvise. Basta cambiare posizione sul sedile. Ogni minimo movimento dei muscoli, dell'intestino, dello stomaco si traduce in un dolore che toglie lucidità e respiro. Fa così freddo che la febbre deve avere superato i quaranta. Inutile resistere fino a mezzanotte. Soltanto tra sei-sette ore è previsto l'arrivo ad Agadez. Meglio scendere adesso. Al momento di avvertire l'autista s'intromette un'altra coltellata. È impossibile tenersi dritti quando una lama rovista nelle interiora. Lui capisce al volo. Apre il bagagliaio e fa del suo meglio per rendersi utile: «Qui fuori a sinistra» dice, «cento, duecento metri, trovate una pensione dove dormire». Tahoua non offre molto altro. È tra i distretti tragicamente decimati dalle grandi siccità di fine Novecento. Quattro strade asfaltate. Il pozzo. La moschea. Le bancarelle lungo il viale principale. Il sarto taglia e cuce all'aperto. Le piccole baracche di alimentari hanno poco da esporre. Pomodori piuttosto malandati. Limoni. Mele. Datteri secchi. Cipolle. Il fornaio però ha appena messo sul banco filoni di pane caldo. Alcuni mercanti vendono carne fritta, pesce secco fritto e banane fritte. Con il fisico così malandato, meglio sopire la fame con qualche goccia di limone sulle fette di pane e una manciata di datteri. Sarà questa la cena. L'ultima immagine di Tahoua, prima che il buio sfumi i volti dei suoi abitanti e i profili delle piccole case, sono due tuareg elegantissimi sulla strada per Niamey. Camminano dritti come principi a una parata. E a ogni loro passo la luce dorata del tramonto si riflette

65

sulle decorazioni d'argento e pietre dure delle takuba, le spade appese al fianco della loro tunica.

La pensione offre senza colpe una notte di brividi, spietate pugnalate all'addome e tragedie del deserto che riaffiorano dagli incubi. La mattina passa quasi tutta alla ricerca di zenzero da aggiungere al limone per compensare la disidratazione e la necessità di vitamine. Il corpo ormai rifiuta con crampi insopportabili qualsiasi cibo solido. Al mercato però non tengono prodotti che nessuno a Tahoua può permettersi di comprare. Dopo oltre un'ora di tentativi, si scopre per caso dove si trova l'unica spremuta di limone allo zenzero nel raggio di centinaia di chilometri: è conservata in un frigorifero nella casa-ufficio di un giovane ricercatore inglese dell'Università del Sussex. Da anni sta studiando l'economia del latte e delle mucche bororo in Niger. Ma la sua spedizione solitaria tra i nomadi peul non è ancora cominciata. Prima per una broncopolmonite. Adesso per un attacco di malaria. Sulle poltrone del soggiorno, sembra l'incontro tra due pazienti di un sanatorio. Pallidi. Sudati. Infreddoliti dalla febbre. Inevitabile, dopo le presentazioni, parlare dei propri malanni: «Ieri ho dovuto interrompere il mio viaggio per Agadez. Ho provato con antibiotici e disinfettanti intestinali. Ma non hanno avuto effetto. La febbre è aumentata e gli spasmi pure». Lui offre gentilmente bicchieri gelati della sua limonata allo zenzero e regala consigli fraterni: «Sì, potrebbe essere malaria. Quando arrivi ad Agadez, cerca un medico e fai l'esame della goccia spessa. Se è malaria, la devi curare prima di attraversare il Sahara. La febbre nel deserto potrebbe esserti pericolosa». Forse voleva dire fatale. Ma non c'è differenza. Oggi tra l'altro non passano autobus. Più probabile domani o dopodomani. Il giro in paese alla vana ricerca di un pezzo di zenzero, però, non è stato inutile. Tra le tante domande di mercanti e passanti curiosi, qualcuno ha detto che a Tahoua lavora un'organizzazione non governativa guidata da italiani. La sede è a pochi isolati dall'ufficio del ricercatore inglese. E la responsabile, gentilissima, mette subito a disposizione i suoi contatti locali. Alla fine scova un minibus in partenza per Agadez.

La strada da Tahoua, l'unica asfaltata che osa avvicinarsi al Sahara, punta sempre a Nord Est. Dritta come la lancetta della bussola. Quattrocentotré chilometri. Gli ultimi centodieci, oltre la falesia di Tiguidit, quasi tutti in discesa. Agadez appare nel buio della notte come una piccola costellazione. È laggiù, nel vuoto del deserto, dove non ci sono altre stelle. Le luci aumentano e si separano a mano a mano che ci si avvicina. La prima costruzione, a destra in mezzo alla pietraia, è la centrale elettrica. Protetta da cancellate e avvolta nel filo spinato come un bunker. Senza preavviso i fari illuminano due bidoni e la corda usata come sbarra. Sotto il debole lampione del posto di blocco, una tettoia e una fila di casupole, un motorino, due soldati con il mitra stretto al petto. E dodici uomini in piedi con le mani sulla testa, davanti a tre borse e un trolley. Tutti gli stranieri africani devono fermarsi qui. Li scelgono in base al passaporto e al loro aspetto. Li tengono sotto tiro. Come ieri a Birnin-Konni. È la solita razzia.

Il minibus può finalmente passare. L'unico cartello sulla via centrale indica un albergo. L'autista si ferma. Prende lo zaino dal portabagagli. Saluta con una benedizione. L'hotel è un piccolo cortile su cui si affacciano le camere in banco. Per fortuna hanno una stanza subito disponibile. Fa sempre più freddo. Mani e schiena tremano. La pelle è costantemente scossa da brividi, violenti come raffiche di un vento invernale. Ma non si può andare a dormire senza vedere Agadez dall'alto. In onore alle migliaia di uomini, donne e bambini passati di qui per raggiungere l'Europa. E in ricordo di Heinrich Barth, primo europeo a visitare questa città di fango rosso. Una scala porta sul tetto piatto dell'albergo. Più che la vista, a quest'ora della notte, raccontano i suoni, le voci di un mercato lontano, l'eco di una musica, forse una festa, gli odori della polvere, il profumo di montone alla griglia. Le centinaia di luci. La più alta di tutte si innalza in fondo alla via. Su questo esatto punto del mondo il 10 ottobre 1850 arrivò lo sguardo di Barth e dei suoi compagni di viaggio. L'alto minareto, il Mesallaje, che è la gloria di Agadez.

3

Daniel e Stephen
ad Agadez

Un filo sottile di luce. Sottile come un velo di ragnatela. Un velo che ricopre tutto. Il pavimento. La sedia all'angolo. Lo zaino rimasto dove è caduto stanotte. Le scarpe accanto alla porta di legno massiccio. Le pareti di fango secco. Le calze e i pantaloni buttati ai piedi del letto. Gli occhi fanno fatica ad abituarsi al velo di sole che si insinua ai lati della tenda alla finestra. È come se si riaprissero dopo un mese di buio. Almeno non fa più freddo. I brividi se ne sono andati. Ma se è davvero malaria, la febbre ritornerà. La notte in treno, da Kayes a Bamako, la pelle è stata punta da sciami di zanzare. Impossibile impedirlo. Impossibile proteggersi. Il corpo è in un bagno di sudore. Forse è per questo che la febbre è scesa. Anche se nell'addome la lama è sempre pronta a colpire. Se ne sta lì, con quell'impercettibile dolore che riempie di incognito qualsiasi movimento. È a questo punto che gli occhi finalmente si risvegliano. Erano aperti, sì, ma non necessariamente vigili. La ragnatela non è una ragnatela. Il velo in realtà è una zanzariera. Un velo bianco di rete sottile posata sul baldacchino a proteggere il letto. Anche l'udito finalmente si accorge del mondo. Il carattere di una città lo senti dai suoni. Qui arrivano grida di bambini. Uomini che discutono ad alta voce. Rumori di motorini che arrancano. Il clacson di un camion o di un autobus. Gli uccelli, rondini e forse fringuelli. Il saluto di una donna. Bambini che si rincorrono. Il belato delle capre. Il raglio lontano di un asino. La ghiaia che si frantuma sotto le ruote di un'auto o di un carro.

Servirebbe una doccia calda. Il bagno è a pochi passi. Le gambe sono fragili, la pelle trafitta da spilli. I muscoli vacillano come colonne di vetro incrinato. La doccia c'è. Ma manca l'acqua. Gli occhi intercettano per caso il polso e mettono a fuoco le lancette dell'orologio. Sono quasi le undici. I pensieri si rincorrono senza senso. Non c'è acqua per tutti. Chi si alza per ultimo in Africa deve almeno rinunciare a lavarsi. Chi si alza per ultimo è destinato a soccombere. All'improvviso la stanza diventa gelida, opprimente. Meglio uscire al sole. Il cortile è un abbagliante palcoscenico di luce e cinguettii. In mezzo, tre tavoli di lamiera e qualche sedia.

«Volete la colazione, signore?» Non ricordavo nulla di questo posto. Non il cortile. Non la zanzariera sul letto. Nemmeno il volto gentile e le treccine nere della madame dell'albergo. Annebbiati dalla febbre, gli occhi guardavano ma non vedevano. «Volete un caffè?» chiede la donna. «No, avrei bisogno di mangiare.» «A quest'ora?» «So che è Ramadan, ma non sto troppo bene. Praticamente non mangio da tre giorni. Avreste del pollo?» «Sì, certo. Pollo bollito?» «Sì...» «Con del riso bollito?» «Come volete. E tre bicchieri di limonata allo zenzero.» «Abbiamo spremuta di limone e zenzero ghiacciati. Vi porto una bottiglia d'acqua e ne bevete quanto volete.»

Non è facile nascondere una pugnalata all'addome. Un colpo a tradimento come sempre. Ma non si possono fare scene di dolore davanti a una signora. Nemmeno piegarsi ai suoi piedi nella posizione fetale per rilassare i muscoli e scacciare la fitta. La smorfia del volto che ne esce è un sorriso ebete con gli occhi stretti a fessura. La madame non sa come replicare a quello che dev'esserle sembrato un ammiccamento. Abbassa lo sguardo e se ne va in cucina. Bisogna camminare e respirare a fondo. Anche la scala che sale sulla terrazza dell'albergo è diversa da stanotte. Sotto gli occhi si allarga un labirinto di case di banco. A destra in fondo alla via, eccolo. Ma non è il Mesallaje. Quello celebrato stanotte dalla mente allucinata dalla febbre e tradita dalle luci non era il Mesallaje. No, quello in fondo alla via è il château d'eau in cemento armato, la cisterna dell'acquedotto.

L'alto minareto, il vero Mesallaje, la gloria di Agadez, è una torre più bassa, più piccola, più modesta, un po' sghemba. Domina il paesaggio dal quartiere vecchio, con le sue vertebre di legno che affiorano dalle pareti piramidali di fango e paglia. La città è ovunque rossa, le facciate, i tetti piatti, i vicoli di sabbia, come se ad Agadez fosse sempre l'ora del tramonto.

Il medico indossa il camice bianco sopra la lunga jallaba verde. Riceve seduto a una scrivania di lamiera al centro di una stanza spoglia. Ha i capelli ricci, il volto magro, i lineamenti marcati dei tuareg.

«Chi vi ha mandato qui?» chiede mentre prende lo stetoscopio dalla sua borsa di pelle identica a quella di tutti i medici del mondo. «La farmacia. Hanno voluto sapere se preferivo la medicina tradizionale o la medicina europea. Avendo bisogno della goccia spessa, ho pensato che fosse meglio non farsi prelevare il sangue da uno sciamano.» «Misuratevi la febbre» dice il medico e porge il termometro, «avete mai avuto la malaria?» «Forse sì, una decina di anni fa. Avevo degli attacchi di febbre a quaranta, quaranta e mezzo...»

«In che senso *forse*?» «Nel senso che non l'hanno mai scoperto. Negli ospedali italiani non sanno fare l'esame della goccia spessa nel modo giusto. Ogni volta mi mettevano in coda al pronto soccorso e quando mi prelevavano il sangue, dopo un'ora o due di attesa, era troppo tardi per trovare il plasmodium malarico. Due settimane dopo, la febbre se n'è andata da sola.» Il medico guarda stupito. Scuote la testa. Non riesce a immaginare che in Europa non sappiano fare ciò che lui fa ogni giorno con pochissimi mezzi.

«La vostra temperatura è trentotto e mezzo» avverte leggendo i numeri sul termometro, «da quanti giorni siete in Africa?» «Da tre settimane. Ho attraversato le regioni dei grandi fiumi, il Senegal e il Niger.» «Potrebbe essere malaria, ma i dolori improvvisi che avete all'addome mi fanno pensare a qualcos'altro. Seguitemi di là che vi visito e facciamo il prelievo del sangue.»

Quanti, a questo punto del loro viaggio, si ammalano e riescono a curarsi? Il medico non può rispondere: «Non lo sappiamo perché quei poveri ragazzi non vengono qui e noi non abbiamo i mezzi per fare un'indagine epidemiologica. Abbiamo finito» dice subito dopo mentre spruzza il sangue dalla siringa dentro una provetta, «tornate alle tre di questo pomeriggio per il risultato».

Adesso è meglio dimenticarsi di avere trentotto e mezzo di febbre e non perdere altro tempo. Bisogna cercare i trafficanti di immigrati e provare a infiltrarsi. Poi va risolto il problema del visto con il consolato libico. E tutt'intorno c'è Agadez. Da attraversare. Osservare. Ammirare.

Sotto il sole dell'una l'antica moschea ai piedi del Mesallaje si riempie di tuniche bianche per la preghiera dello Zuhr. Un ragazzo con la maglia dell'Inter spinge un carro nella direzione opposta al percorso dei fedeli. Trasporta bidoni di plastica da venti litri. Le etichette rivelano cosa contenevano fino a poche ore fa. Olio di girasole. Olio per camion. Grasso per motori. Le presentazioni durano il tempo di una stretta di mano. «Vengo dalla città dell'Inter.» «Tu hai visto giocare l'Fc International?» domanda lui.

Soufiane, 24 anni, sa tutto della grande squadra di Milano. «Se cerchi l'autogare, seguimi» dice dopo aver snocciolato una breve storia del calcio europeo: «Questi bidoni li devo portare lì. Servono ai passeggeri dei camion. Per le scorte d'acqua nel deserto». «Ma la maggior parte di questi conteneva olio e grasso per motori.» «In Niger non si butta via niente» risponde Soufiane, «al massimo uno sta attento quando li compra. Meglio scegliere quelli che contenevano olio di girasole.» «Tu vendi questi bidoni?» «Non io, il mio capo. Millecinquecento franchi i bidoni vuoti. Milleseicento pieni d'acqua. Prima vanno rivestiti di cartone e canapa per evitare che si riscaldino troppo. Ma perché tu vuoi andare all'autogare?» «Perché devo andare a Dirkou. E poi in Libia.»

«Tu a Dirkou?» chiede Soufiane appoggiando per un attimo il carro e guardando dritto negli occhi, «fratello, quella è l'oasi degli schiavi. Là fuori ci sono soltanto la sabbia e Dio.»

71

Si continua a camminare in silenzio. La via attraversa un korri, un letto di sabbia prosciugato dove gli abitanti del quartiere rovesciano e bruciano l'immondizia. Si arriva a una strada asfaltata.

«L'autogare è a metà di questa strada» indica Soufiane sbuffando per il caldo: «Senti, io conosco il signor Boubacar. Se mi dai una piccola mancia, te lo presento». «Chi è il signor Boubacar?» «È uno di quelli che organizza i viaggi nel deserto. Se vai da loro da solo, non ti parlano. Ma se ti presento io, hai qualche possibilità. Mi accontento di duemila franchi.» Forse è soltanto una scusa inventata da Soufiane per guadagnare qualche soldo. Forse è un'ottima scorciatoia per entrare in contatto con i trafficanti. In ogni caso non ci sono alternative.

L'autogare è un immenso cortile di sassi e polvere, invisibile dalla strada. Bisogna affacciarsi alla soglia del cancello spalancato per coglierne l'ampiezza. Il piazzale è più grande di un campo di calcio. A ridosso del muro di recinzione davanti a una fila di bancarelle, i venditori d'acqua espongono cataste di bidoni di plastica, già avvolti in maglie di cartone e canapa. Vendono anche filoni di pane. Scatole rosse con tre mezze sardine e la scritta «Produit en Maroc» a 300 franchi l'una. Pacchetti da venti biscotti al latte a 250 franchi. Barattoli di latte in polvere a 250 franchi. Lungo il muro di fronte, sul lato opposto del grande parcheggio, si aprono le porte di una decina di piccoli uffici. Le insegne colorate li presentano come agenzie di viaggio. In mezzo, sotto una tettoia, altri venditori d'acqua e lo sportello di una biglietteria.

All'ingresso dell'autogare, vicino a un secondo cancello, si fermano i minibus che arrivano da Tahoua e Niamey. Al centro del piazzale, i camion che attraversano il deserto. Un vecchio Mercedes verde militare a sei ruote motrici è pronto per la partenza. Le fiancate sono completamente ricoperte di bidoni. Centocinquantuno bidoni. Su ciascuno, una pennellata di vernice nera ha scritto il nome o la sigla del proprietario: Madou, Hilal, Kiz, Abou, Koldi... Soufiane segue in silenzio. Ma davanti alla maestosità di ruote e lamiere racconta tutto quello che sa: «Un camion così consuma sei tonnellate di gasolio fino a Dirkou e sei per tornare, se Dio vuole. Questo partirà stanotte o domani mattina. Di solito, ogni giorno, partono quattro o cinque Mercedes come questo. Sono quindicimila persone ogni mese. Devi vedere, a volte salgono donne con bambini così piccoli che ti chiedi come possano arrivare vivi dall'altra parte del deserto». Un uomo dorme su uno straccio all'ombra del camion. Un altro spalma manciate di grasso sull'albero di trasmissione. «Sono gli autisti» spiega Soufiane. Sotto la grande tettoia annerita dalla polvere e dall'età, altri due uomini dormono su tappeti colorati. Una finestra aperta fa da sportello alla biglietteria. Sulla facciata, il cartello: Agadez-Dirkou. Alcune persone entrano ed escono da una porta. Dentro, un tavolo. Su un poster appeso alla parete sinistra, il fotomontaggio di Saddam Hussein seduto ai comandi di un caccia degli Stati Uniti. A destra, un inno alla libertà: un manifesto con le bandiere di tutti i Paesi africani, la data dell'indipendenza e le bandiere degli Stati occupanti. Sotto, decine di foto attaccate con il nastro adesivo. Sono scatti di facce sorridenti prima della partenza, davanti ai giganteschi Mercedes. Come quelle immagini in bianco e nero di italiani, tedeschi e irlandesi davanti ai transatlantici che li avrebbero portati in America. Accanto, una figurina adesiva con il volto di Bin Laden e il tariffario. Da Agadez a Dirkou costa quindicimila franchi. Da Dirkou alla Libia quaranta o quarantacinquemila. Il prezzo è trattabile. Sulla finestra aperta è incollato un avviso scritto con un pennarello: «Gente della Nigeria tornate nella vostra Nigeria. Non partite». Soufiane sorride: «L'ha scritto un predicatore islamico. In Nigeria hanno paura di perdere tutti gli abitanti».

Avevano ragione i ragazzi incontrati in stazione Centrale a Milano. Qui tutto avviene alla luce del sole. Non è difficile conoscere i trafficanti. Sarebbe stato facile anche senza l'aiuto di Soufiane. Adesso bisogna verificare se è possibile unirsi ai passeggeri. Soufiane sembra intuire il pensiero: «Gli ingressi in Libia sono illegali» spiega, «ma una volta che sei dentro ci sei e basta. Forse per te sarà più difficile perché sei bianco. Comunque sul camion è meglio andare se hai il passaporto. Gli altri senza documenti vanno con i fuoristrada. Costano il doppio dei camion, evitano la pista controllata dai militari. È più pericoloso però. Stamattina ne è partito uno con trentadue persone. Li hanno caricati perfino sul tetto».

«Un solo fuoristrada nel deserto? Senza appoggio?»

«Uno solo, sì. Certo, se si rompe qualcosa o si perdono, sono trentadue morti. Più i due autisti. È già successo molte volte. Ma adesso vieni, ti faccio prendere i biglietti. Questa è la ditta del signor Boubacar. Tu a Dirkou è meglio se ci vai in camion.»

Soufiane non è soltanto un raccoglitore di bidoni per l'acqua. Sicuramente è un kamacho in tacha, un mediatore, una specie di broker. Procura passeggeri ai trafficanti e si prende una percentuale sul costo del viaggio. «Libia o Dirkou?» chiede il ragazzo seduto al tavolo della biglietteria. «Dirkou.» Lui scrive nome e cognome sul biglietto. Incassa i quindicimila franchi. Incolla il bollo da cento franchi per la tassa statale. «Ecco il biglietto. Questo camion parte domani mattina ma è pieno. Aspetterai il prossimo» dice alla fine. Davanti all'uscita si è raccolta una piccola folla di curiosi. Non capita tutti i giorni di vedere un bianco tra i clandestini in partenza.

«Mi hanno detto che vieni dall'Italia» esordisce un uomo con la barba corta e il callo scuro della preghiera in mezzo alla fronte. Parla un perfetto italiano. Ha le unghie delle mani pulite e curate, una jallaba azzurra, il telefonino nel taschino. «Mi chiamo Hassan» continua l'uomo, «negli anni Ottanta ho vissuto in Italia quattro anni. Lavoravo in Sicilia per una ditta che asfaltava strade. Guidavo camion. Dopo i primi mesi, il mio padrone mi ha fatto fare i documenti e la patente.» «Come mai è tornato ad Agadez?» «Perché ho 66 anni, una moglie, cinque figli e avevo messo da parte un po' di risparmi. Loro vivono a Timbouctù. Io lavoro ad Agadez da quattro anni. Ma non appena metto via un po' di soldi torno in Italia. Dalla Libia, però, perché l'aereo non lo posso prendere. In Europa non mi farebbero entrare.» Inutile chiedergli perché, se lui non ha intenzione di dirlo.

«E ad Agadez continua a guidare camion?» «No, qui accompagno clandestini pakistani e bengalesi. A Niamey c'è il mio capo, è un pakistano con la barba lunga. Un religioso. Un fondamentalista, direste voi in Europa. L'organizzazione per cui lavoro ha tre boss. Uno in Pakistan, uno in Bangladesh e uno a Niamey. Mi hanno telefonato ieri dicendomi che a giorni stanno per arrivare cento clandestini del Bangladesh e del Pakistan. Io do loro le informazioni, li accompagno nel deserto. Guarda che io so tante cose, se ti interessa. Capisco cosa succede qui, conosco le vie dei clandestini.»

Strano che, senza sapere chi ha di fronte, Hassan abbia deciso di parlare liberamente. Forse tra un po' proporrà un prezzo per le sue informazioni. Oppure no. Questa è una trappola. Hassan vuole semplicemente farmi parlare. Vuole capire perché un italiano sta seguendo la rotta degli schiavi. Per questo mi sta invogliando a fare domande sulla sua organizzazione. Ha buttato l'esca dicendo che sa tante cose. Da quello che racconta, è sicuramente in contatto con la più grande rete internazionale. L'organizzazione di trafficanti che porta immigrati dal Pakistan in Europa e in America. La stessa che muove i predicatori fondamentalisti in giro per il mondo. Sta solo aspettando che abbocchi. Non ha altra scelta. Per scoprire se io sono un pericolo per lui, deve rivelare qualcuna delle sue conoscenze. Conviene restare zitti. Una domanda sbagliata potrebbe essere pericolosa. Mentre lui continua a parlare in libertà: «Andiamo nel deserto con piccoli quattro per quattro. Fuori dalle piste ufficiali, ovviamente, perché trasportiamo clandestini. Vengono anche da Somalia, Sudan, Etiopia, Mali. È sempre la stessa organizzazione, usiamo gli stessi mezzi. Dal Sudan trasportiamo anche armi, sai? I clandestini arrivano in aereo a Niamey oppure a Khartoum. Poi via terra attraverso il Niger o il Ciad, li portiamo fin qui ad Agadez». Hassan sorride e si accarezza il mento. «Anch'io avevo la barba lunga» dice dopo un po' senza che nessuno glielo chieda, «l'ho tagliata per non avere problemi.»

Il trasporto di armi. La barba tagliata. Sembra tutto fin troppo facile. Hassan non risparmia esche per la sua trappola. E

Soufiane dov'è? Gli occhi cercano il ragazzo dei bidoni. Incrociano gli sguardi di decine di curiosi. Il passaparola continua a richiamare gente alla biglietteria. Ma perché Soufiane se n'è andato? Non ha nemmeno preso i duemila franchi che aveva chiesto. Qualcuno deve averlo spaventato. Sta succedendo qualcosa qui intorno. Qualcosa che sfugge. Gli occhi continuano a confrontarsi con decine di volti, con le loro espressioni. Il cellulare di Hassan suona spesso. Lui risponde in arabo. Al telefono è un uomo di pochissime parole. As salam aleikum, la pace sia con te. Aiwa, sì. La, la, no, no. Poi chiude. Mi guarda, aspettando la mia domanda per capire se sono un turista fuori di testa o un pericolo per i suoi affari. Meglio tenere un basso profilo. Sorridere sempre. Salutare educatamente. E andarsene. Senza voltare le spalle per troppo tempo.

All'uscita dell'autogare si affianca un ragazzo. «Mi chiamo Abdellahe Ahmed» si presenta in francese, «viaggerò fino in Libia. Comincio da lì, poi se trovo un buon lavoro, vedo. Mi piacerebbe arrivare in Italia. Tu forse mi puoi aiutare.» Non chiede soldi. Vuole soltanto rendersi utile: «Loro non te l'hanno detto. Ma per il viaggio devi comprare un bidone grande da venti litri, meglio se ne prendi due. E un bidone piccolo, come questo». Mostra un ex flacone di detersivo ricoperto di cartone e canapa. «Per bere, usi questo piccolo. Quando il camion si ferma, lo riempi da quello grande. Ricorda di scriverci il tuo nome, altrimenti te lo prendono gli altri. Se vuoi, puoi comprare il sacco dei viveri. Costa ventimila franchi. Ci mettono scatole di sardine, gallette, pane secco, latte in polvere. Controlla che ci sia tutto prima di partire. Là fuori troveremo soltanto la sabbia e Dio.»

Al di là della strada, tra le bancarelle che vendono carne arrostita, pane e datteri, si fanno avanti altri due ragazzi. Nelle loro frasi mescolano inglese e francese. «Monsieur, please, siamo *stranded*. Non abbiamo soldi per mangiare. Avete qualche soldo?» *Stranded* in inglese significa arenato, incagliato, lasciato senza mezzi di trasporto, nei guai, in difficoltà. *Strand* è la traduzione di sponda, riva, spiaggia. Ma negli occhi di questi ragazzi non c'è il sollievo di ogni naufrago quando vede avvicinarsi una spiaggia. C'è il riflesso di una mente che, pur avendo i piedi piantati sulla terraferma, sta annaspando in mezzo ai marosi. I loro sguardi tradiscono il buio del baratro. La polvere sui loro vestiti, sui capelli, sulle loro mani avverte che stanno scivolando sempre più giù. La loro testa non sa più che direzione prendere. E non hanno ancora affrontato la parte più dura del viaggio. Ottengono qualche soldo. «Sentite, io ho bisogno di parlare con voi. Ma non adesso. Vediamoci stasera, subito dopo il tramonto, così ceniamo insieme.» «Dove, signore?» chiede uno dei due. A pochi metri dal cancello dell'autogare il vento caldo agita la tenda di un chiosco. Sembra un piccolo ristorante. «Va bene, signore. Dopo il tramonto vi aspettiamo a quel chiosco. Dio vi benedica» dice il ragazzo in francese.

Il consolato libico è un villino in fondo a un vicolo di sabbia compatta. La porta in ferro soltanto accostata si apre su un cortile di polvere rossa senza ombra. Non si fa avanti nessuno. Forse basta salutare ad alta voce e aspettare sulla soglia: «As salam aleikum». Accorre un uomo e dice che il console arriverà subito. È un momento delicato. Il pugnale nell'addome sta dando qualche ora di tregua. Adesso non bisogna sbagliare una sola parola.

Il console è un uomo sulla quarantina. Alto, corpulento. Indossa una sahariana di cotone a righe verdi e un paio di pantaloni dello stesso colore.

«Mi fate vedere un vostro documento?» chiede subito in francese, piazzandosi davanti alla porta. E facendo così capire che il colloquio si terrà nel viottolo davanti al consolato. Controlla ogni pagina del passaporto. In un senso e nel senso opposto. Cerca e poi legge e rilegge la traduzione in arabo dei dati anagrafici.

«Ditemi» alza lo sguardo alla fine.

«L'ambasciata libica di Niamey mi ha pregato di rivolgermi a voi. Avrei bisogno di un visto di transito da Tumu a Tripoli. Arrivo da Dakar. Sto facendo il viaggio dei miei sogni. Dal Senegal alla Libia. A Tripoli prenderò un aereo per Roma e così tornerò in Italia. Ho già comprato il biglietto.»

«Non credo sia possibile» interrompe il console.

«So che di solito la Libia non rilascia visti di ingresso da Sud, dal Sahara. Ma a Niamey il console mi ha detto che sicuramente qui ad Agadez mi avreste aiutato. Che non ci sarebbero stati problemi per un visto di transito. Non intendo trattenermi in Libia. Soltanto i giorni necessari a raggiungere Tripoli e prendere l'aereo.»

«Il confine nel Sahara è chiuso. Non si può passare» rivela laconico il console. Tutti e due in piedi, uno di fronte all'altro, sotto il sole rovente. Non ci sono le condizioni per trasformare l'incontro in un colloquio amichevole. Il console non si è nemmeno presentato. Non vuole lasciare spazio all'informalità.

«Permettetemi di insistere. A Niamey mi hanno detto che è possibile ottenere un visto di transito. Che però avrei dovuto chiedere a voi. Sto viaggiando da quasi un mese.»

«Qual è il vostro lavoro?» domanda il console lasciando prevedere la possibilità di uno spiraglio. In Libia non c'è libertà di informazione e forse è il caso di inventarsi un'attività più innocua per le paranoie del regime. «Insegnante. Insegno in una scuola superiore.»

«Mi spiace, ma il confine Sud è chiuso. È zona militare, non può passare nessuno» replica inaspettatamente il console.

«Però, le ripeto, è il viaggio dei miei sogni. Da anni sognavo di viaggiare da Dakar a Tripoli, dall'Atlantico al Mediterraneo. Non capisco perché vietare il visto. State mettendo l'unico ostacolo al viaggio.»

«Amico mio» dice il diplomatico con il primo sorriso di tutto il colloquio, «dai sogni ci si può anche svegliare. Io non vi sto impedendo di raggiungere il Mediterraneo. Cambiate rotta. Andate ad Arlit. Potete fare Tamanrasset in Algeria e salire fino alla Tunisia. Da lì si può passare tranquillamente.»

«Ma questa è un'altra rotta. Io vorrei arrivare a Tripoli. E poi il Sahara algerino è pericoloso per noi europei. La Libia è sicura...»

«Amico mio, io non posso fare nulla per voi. Il confine libico nel Sahara è zona militare. Non può passare e non passa nessuno. Mi sembra strano che all'ambasciata vi abbiano detto di venire da me, perché a Niamey sanno bene che il confine è chiuso.»

«Ma ogni giorno dalla frontiera di Tumu entrano in Libia quattro o cinque camion carichi di immigrati. Partono tutti da Agadez, voi sicuramente lo sapete. Sono quindicimila stranieri ogni mese che entrano in Libia dal Niger.»

«Questo a me non risulta. Non passa nessuno sulla pista tra Niger e Libia» insiste il console infastidito, «quel confine è chiuso e non ce ne sono altri per entrare dal deserto.»

«Guardate, io non so perché voi volete impedirmi di continuare il mio viaggio. Io attraverserò lo stesso il deserto. Alla frontiera di Tumu mi presenterò ai vostri militari e chiederò loro un visto di transito fino a Tripoli. Sono sicuro che nessuno mi fermerà.»

Il console muove un passo indietro. Poi riporta i suoi sandali in avanti, esattamente sopra le stesse impronte nella sabbia. Come se quel rapido movimento dovesse reggere tutta la frontiera libica dalla Tunisia all'Egitto.

«Fai come vuoi» dice passando direttamente al tu, «ma fai bene attenzione. I cittadini africani che vengono a lavorare in Libia sono i benvenuti, come ha deciso il nostro governo. Ma tu sei italiano. E un italiano sorpreso in una zona militare in Libia va sicuramente incontro a problemi seri perché per noi sarebbe una spia.» Il console non saluta nemmeno. Entra nel cortile e chiude la porta in ferro. E il passaporto? Si è preso il passaporto. La richiesta va gridata forte, in arabo: «Il mio passaporto, per favore». La porta si riapre e il console restituisce il documento. «Buona fortuna» dice. E richiude la porta.

Questo è proprio un guaio. Attraversare la Libia senza essere sorpresi dai militari è impossibile. Un bianco non può fingersi immigrato lungo una rotta su cui viaggiano soltanto cittadini arabi e africani. Certo, quella del console è una grande conferma. Anzi, le conferme sono due. Primo: la Libia non vuole testimoni. Un indizio sul coinvolgimento di esercito e autorità nel traffico di clandestini lungo la stessa via che già duemila anni fa riforniva di braccia l'Impero romano. Ancora adesso la chiamano la Pista degli Schiavi. Secondo: il consolato di Agadez conta più dell'ambasciata libica di Niamey. Questo ha la sua spiegazione in ciò che avverrà in futuro qui. Il regime di Tripoli ha intenzione di giocare tutto il suo ruolo di ingombrante vicino. E di contendere a Francia e Cina le ricchezze del sottosuolo nigerino. Le ricerche di diamanti a Nord di Agadez tra gli affioramenti carboniferi tutti da esplorare intorno all'oasi di Iferouane. Il petrolio scoperto da società cinesi sotto le dune del Ténéré a Sud Est di Agadez. E l'acqua. La grande pianura tra Agadez e le miniere di uranio di Arlit è un immenso bacino freatico ai piedi dei monti dell'Aïr. Il letto nascosto di un antico fiume cancellato nei secoli dall'avanzata del deserto. E la Libia, che con le sue faraoniche opere idrauliche sta prosciugando le oasi del Fezzan, fra cinquant'anni avrà un maledetto bisogno di acqua.

Poi c'è l'organizzazione di Hassan, l'elegante trafficante che parla italiano. Non è l'unica a fare affari lungo la Pista degli Schiavi. Ma da Hassan bisogna guardarsi. I capi religiosi di quell'uomo sono sicuramente vicini ad Al Qaeda. E far capire ad Hassan quali saranno i propri spostamenti, rischia di portare dritti in una trappola. Niente male come inizio. Gli interessi in gioco sono così potenti che da questo momento basta commettere un qualsiasi errore e da qui non se ne esce più.

Una buona notizia almeno la dà il medico, nel tardo pomeriggio dopo un breve riposo sotto la zanzariera nell'ombra della camera d'albergo.

«Aleikum salam, entrate pure» risponde il medico. «Avete ancora febbre?» «Mi sento abbastanza stordito, ma non ho con me un termometro.» «Comunque non è malaria. La goccia spessa è negativa» rivela il dottore e consegna il referto dell'esame del sangue: «C'è un rialzo nei valori dei globuli bianchi e questo è dovuto a una infezione in corso. Dai sintomi, da quei dolori all'addome, potrebbe essere contaminazione da ameba.

È un parassita intestinale...». «Sì, lo so.» «Andate in farmacia e fatevi dare del flagyl. Cinque compresse al giorno per cinque giorni. Vedrete che tra due giorni vi sentirete già molto meglio. Il resto della terapia serve a bloccare una recidiva. Prima di ripartire, però, aspettate di guarire completamente. Febbre e disidratazione nel deserto possono essere molto pericolose. E un'ultima cosa. Quando rientrate nel vostro Paese, fate un controllo del sangue. L'ameba può andare ad annidarsi nel fegato, nel cervello o in altri tessuti molli e provocare ascessi. Meglio evitarlo.» Il consiglio è ricambiato con un sorriso: «Meglio evitarlo». Il medico firma la ricevuta per il pagamento dell'esame e della visita: «Avete fatto profilassi antimalarica?» chiede senza alzare lo sguardo dal foglio. «No, quest'anno per me è il terzo mese in Africa. Tre mesi di profilassi sarebbero peggio della malaria. Ho portato della meflochina da usare come terapia nel caso...» «Meflochina?» alza gli occhi il medico: «Ha dei pessimi effetti collaterali. Avete intenzione di farvi venire le allucinazioni in mezzo al Sahara? La meflochina sta creando ceppi resistenti di malaria in tutta l'Africa». «In Italia i medici prescrivono meflochina.» «Lasciate perdere. In farmacia compri una scatola di compresse di artemisinina. I cinesi la usavano già duemila anni fa per abbassare la febbre. La conosceva?» «No.» «È l'estratto di un'erba selvatica molto comune, l'artemisia annua. I cinesi lo chiamavano qinghaosu.» «La Cina risolve ciò che l'Europa ha fallito.» Il medico sorride con ironia e si alza dalla scrivania: «Noi lo stiamo sperimentando ogni giorno» dice, «a cominciare dai motorini delle agenzie di mototaxi. Avete visto quanti ne circolano ad Agadez? Li importano tutti dalla Cina. Sulla ricetta vi ho scritto anche il nome commerciale dell'antimalarico da chiedere in farmacia. Se avete bisogno, io sono qua». «Dall'Italia ho portato antibiotici generici, antinfiammatori e siringhe sterili. Vi possono servire?» «Come vede dall'armadietto vuoto, qui ci manca quasi tutto» risponde il medico, «se a voi non servono, li accetto con piacere.»

Anche gli scaffali della farmacia di Agadez sono quasi del tutto spogli. Il flagyl viene preso da un barattolo. La farmacista mette venticinque compresse in un sacchetto di cellophane. Poi va a prendere l'antimalarico. Non viene data nessuna spiegazione su eventuali controindicazioni o allergie. È il caso di mandare un messaggio in Italia con il telefonino e chiedere assistenza a un amico che lavora in una farmacia: «Pf, puoi aprire scatola flagyl e leggere bugiardino? A cosa serve? A presto. Fab». Lui non sa nulla del viaggio. La risposta arriva dopo qualche minuto: «Flagyl contro infezioni vagina. Stai cambiando sesso?».

È già buio da un po' e i due ragazzi aspettano puntuali al chiosco davanti all'autogare. Non sono soli. «Patron, sono venuti anche i nostri amici» esordisce uno dei due. «Hanno bisogno di aiuto. Possiamo parlare inglese?»

«Certo. Ma prima di tutto sediamoci, così mangiamo qualcosa. E presentiamoci. Io ho un nome, non sono un patron.»

I tavoli del chiosco all'aperto sono liberi. I ragazzi si guardano imbarazzati. Billy, il più loquace, parla per tutti: «Noi non abbiamo soldi per pagare» confessa. «Potete essere miei ospiti.» Si guardano, si siedono. Non appena la cameriera mette a tavola due polli arrosto, le loro mani li smontano pezzo per pezzo. Tutti e cinque hanno capelli, pelle, vestiti, braccia ricoperti da un velo di polvere. «Da quanto non mangiavate?» Billy sorride come chi ha appena sentito pronunciare una fesseria: «Siamo *stranded*, amico mio. Non possiamo permetterci di mangiare. Con l'elemosina che raccogliamo, possiamo comprarci un bicchiere di gari, acqua e zucchero. E anche chi ha da parte qualche soldo, ma non abbastanza per partire, non li spende per mangiare. Altrimenti resterebbe *stranded* per tutta la vita».

Uno dopo l'altro raccontano che da settimane sono bloccati ad Agadez. La loro mente è ancora piena di progetti, di sogni, di voglia di libertà. Solo che non riesce a muoversi dalla città di fango rosso perché i corpi sono rimasti imprigionati dalla vita quotidiana. La mancanza di soldi. La fame. La polvere. Il costo del biglietto sempre più lontano. Ecco da dove arrivano gli schiavi del ventunesimo secolo. Ecco come viaggeranno Ousmane, Djimba e Safira, se mai ce la faranno a rinascere nell'anima e a partire. Ma non basta mettersi in viaggio. All'improvviso, un giorno qualunque e inaspettato, la mente e il corpo si separano. Come è successo a Billy e ai suoi quattro amici. La mente vuole andare. Il corpo resta *stranded*. E lentamente, giorno dopo giorno, la polvere si impossessa della propria vita, incrosta ciglia e sopracciglia, si secca in gola con il suo sapore amaro. Ecco i loro volti da vicino. La tragedia è che nessuno dirà mai loro che stanno facendo qualcosa di eroico. Nessuno riconoscerà mai che il loro è un gesto definitivo che ha eguali soltanto nello sforzo della nascita. Se arriveranno vivi in Europa, li chiameranno addirittura disperati. Anche se sono tra i pochi al mondo ad avere ancora il coraggio di giocarsi la vita carichi di speranza.

Billy diventa improvvisamente sospettoso: «Dimmi, tu chi sei? Perché ci hai offerto questa cena?».

«Perché voi avevate fame. E poi perché vorrei venire a dormire all'autogare. Arrivo da Dakar e sto cercando di andare in Libia.»

«Noi veniamo tutti dalla Nigeria, siamo cristiani» dice Daniel, uno degli amici. Billy lo interrompe con un'altra domanda: «Tu sei europeo, perché vuoi dormire all'autogare?». «Perché mi occupo di immigrazione e sto facendo lo stesso viaggio che fate voi.»

I ragazzi si scambiano sguardi preoccupati: «È meglio di no. Noi non possiamo garantirti la sicurezza» replica Billy. «Voi non mi dovete garantire niente. Vengo e dormo con voi.» «Ma tu sei bianco» osserva Daniel, «giorni fa è sparito un ragazzo nigeriano. L'hanno ritrovato a pezzi nella boscaglia, gli avevano preso tutti i soldi.»

«Io non ho soldi.» «Loro penseranno che un europeo ha sicuramente dei soldi. E quando ti addormenti, chiunque può darti una coltellata. Lascia perdere, è troppo pericoloso.» «Daniel, chi sono *loro*?»

Billy zittisce gentilmente con la mano la risposta di Daniel. Poi si morde le labbra chiuse, come se stesse assaporando l'asprezza delle parole: «Amico mio, ascolta. Qui c'è gente *stranded* da mesi. Quando sei *stranded* stai peggio di un morto. Perché hai ancora la capacità di vedere e sentire che un morto non ha. E allora soffri. *Loro* sono *chiunque*. Chiunque in un attimo di disperazione può ammazzarti solo perché pensa che un bianco ha sicuramente dei soldi in tasca. Noi qui ci stiamo giocando la vita. Tu vieni dall'Europa. Hai sicuramente una casa, forse una famiglia. Non giocare con la tua vita inutilmente».

«Non sto giocando con la mia vita. Sto facendo una ricerca, ho bisogno di parlare con il maggior numero di persone. E solo condividendo gli stessi spazi e le stesse fatiche, è possibile abbattere le barriere della pelle ed entrare in confidenza. Però se il rischio è così alto, Billy, mi fido dei tuoi e dei vostri consigli.»

«Se vuoi venire più tardi a vedere quanta gente dorme nell'autogare» propone Daniel, «ti accompagniamo noi. Ma non restare a dormire.» Billy e gli altri vogliono sapere quale sarà la meta del viaggio.

«Sui camion dovrai stare attento ai militari e ai poliziotti, sono loro i veri banditi. A ogni posto di controllo rapinano i passeggeri. Sei già stato rapinato?» chiede Billy. «No, mi hanno soltanto controllato il passaporto. E quando hanno visto il passaporto italiano si sono comportati bene.»

«Io e mio fratello Stephen» racconta Daniel, «siamo stati rapinati a Zinder, non appena siamo entrati in Niger. I militari ci hanno preso tutti i soldi e hanno lasciato partire l'autobus con i nostri bagagli e i documenti. Ad Agadez siamo arrivati a piedi.» «A piedi?»

Daniel e suo fratello Stephen sorridono: «Quasi mille chilometri a piedi: Zinder, Birnin-Konni, Tahoua, Agadez. Quasi un mese di cammino. Mangiavamo gallette secche e miglio che qualcuno ci regalava nei villaggi. Abbiamo trovato un passaggio, gratis, soltanto per venti chilometri. Ogni volta che facevamo l'autostop ci chiedevano soldi. Noi non ne avevamo e ci lasciavano giù».

Ognuno ha la sua esperienza da raccontare. «Devi stare molto attento con i militari» suggerisce ancora Billy. «Hai visto il posto di controllo quando sei arrivato ad Agadez?» «Ci sono passato ieri sera.» «Lì il 20 marzo è morto Oliver, un fratello nigeriano come noi. Aveva poco più di vent'anni. È stato soffocato da una pallottola di banconote, 800 dollari che teneva in tasca per pagarsi il viaggio fino in Italia. Durante i controlli ha visto che i gendarmi stavano spogliando e massacrando di botte tutti gli stranieri perquisiti prima di lui. E Oliver, disperato che gli prendessero i suoi soldi, ha ingoiato la pallottola in cui li aveva avvolti. La sua vita è finita così.»

Non è difficile impedire al corpo di piangere. Ma è impossibile rimandare indietro le lacrime. E gli occhi di tutte le persone sedute a questo tavolo si riempiono di lacrime.

«Tu ieri sera sei stato picchiato dai militari?» chiedono due ragazzi alle spalle che, senza essere notati, si sono fermati ad ascoltare il racconto di Billy. «No, credo che non picchino i bianchi.» «Io invece sì, sono stato picchiato. Ieri sera, all'arrivo ad Agadez» ammette uno dei due. Il suo esordio tra i rifugiati dell'autogare lo si intuisce dalla pulizia del volto e dalla qualità delle scarpe che calza.

«Mi chiamo Bill» si presenta, «lui è Aloshu. Veniamo dalla Liberia. Siamo partiti in tre, una settimana fa dal campo profughi di Buduburam in Ghana.» Gli altri ragazzi lo ascoltano e strappano gli ultimi pezzi di pollo. «Io e il mio amico Adolphus siamo partiti con 250 dollari. Aloshu ne aveva 130. Il viaggio è andato bene fino al confine con il Niger. E già alla frontiera di Maradi i poliziotti hanno preteso cento dollari da ciascuno di noi. Il peggio però è stato qui ad Agadez. Ci hanno tenuti in piedi per ore, tutta la notte. A me i militari hanno fatto sollevare il piede destro e piantato un coltello nella suola. Così, zac, zac, zac.» Bill mima il gesto sulle suole di gomma spessa delle sue scarpe, sfregiate dalle coltellate: «Poi l'hanno fatto con il sinistro. Volevano i soldi, credevano li avessimo nascosti nelle scarpe. Quando ho gridato per il dolore hanno capito che lì non c'erano doppifondi con i soldi».

Altra gente del posto si è fermata a sentire. È meglio muoversi prima che la polizia possa scambiare l'incontro improvvisato in un'adunata politica. I ragazzi hanno voglia di raccontare. Di sfogarsi. In qualche modo, attraverso la parola, di tornare a esistere. Billy ha 26 anni. Daniel e suo fratello gemello Stephen 19. Dandy, che sta raggiungendo la sorella in Olanda, 26. Johnson, l'altro amico di Billy, anche lui in viaggio per l'Olanda, ne ha 27. Bill, il ragazzo liberiano, ventiquattro. Aloshu trenta. È la diaspora della miglior generazione africana.

Bill cammina zoppicando per le ferite sotto i piedi. Nel breve percorso verso il cancello dell'autogare si avvicina e parla sottovoce: «Forse tu mi puoi aiutare. Da Monrovia mi stanno cercando per uccidermi. Per questo ho lasciato il campo profughi. Con me ho un compact disc. Lo devo portare a Ginevra, è la mia salvezza. Ci sono le foto di mio padre e mia madre, di mia sorella, i documenti della banca e delle proprietà dei miei genitori. Non lo devono trovare altrimenti sono finito». «E tuo padre è in Liberia o in Ghana?»

«Aspetta» dice Bill, «fammi appoggiare al tuo braccio. I piedi mi fanno troppo male per camminare... Mio padre era vice-ministro delle Finanze. È stato ucciso nel 1996 con mia madre, la casa l'hanno bruciata e mia sorella da quel giorno è scomparsa. Mio padre era un uomo d'affari. Da quando hanno sterminato la mia famiglia ho vissuto tre anni con una zia. Nel '99 siamo scappati in Ghana dove le Nazioni Unite hanno raccolto migliaia di liberiani fuggiti per la guerra. Ma da Monrovia ho saputo che adesso stanno cercando me. Guarda, questo documento era di mio padre.» Bill prende dal suo passaporto la fotocopia piegata di un certificato bancario svizzero. È intestato a un titolare di conto corrente, un uomo liberiano con il suo stesso cognome. «Questo è il mio vero cognome» sussurra, «ti prego di non rivelarlo a nessuno, perché chi mi sta cercando potrebbe non conoscere il mio volto. È la mia unica salvezza. Tu puoi portarci in Italia con te?» «Bill, non credo sia proprio possibile. Non so nemmeno se mi lasceranno entrare in Libia...» L'ingresso nell'autogare distrae anche Bill che vede per la prima volta l'immagine notturna del grande piazzale.

Nel buio dormono a occhio più di mille persone. I corpi sono affiancati, immobili come cadaveri, lungo quasi tutto il perimetro. Qualcuno discute nel fascio di luce delle due agenzie di viaggio ancora aperte. Una ha un'insegna colorata: «Teycles» che in tamashek storpiato significa andare. Sull'altro cartello c'è scritto «T.t. & Tlika Ghana Union Agence». E sullo sfondo, tra la bandiera del Ghana e quella del Niger, la promessa «In God we trust» come sui dollari americani. Per entrare nel piccolo ufficio bisogna scavalcare i fagotti avvolti in stracci e coperte di una cinquantina tra uomini e donne. Appeso alla parete, il tariffario dei trasporti in fuoristrada. Fino ad Al Gatrun, la prima oasi libica, una settimana di viaggio come promessa, 1490 chilometri di sabbia, costa novantamila franchi o, per chi ha già cambiato i soldi, 138 euro. Il doppio che in camion. L'impiegato, Mohamed Youssef, e il suo aiutante danno spiegazioni parlando a turno: «Il viaggio costa di più perché è più veloce. Rispetto ai camion, sui piccoli fuoristrada si impiega la metà del tempo. Lo carichiamo con venticinque passeggeri. Be', a volte anche trenta, trentacinque. Leghiamo i bidoni dell'acqua sui fianchi e si parte. Ma non si può rompere, controlliamo sempre tutto» assicurano indicando un vecchio e glorioso Toyota 45 parcheggiato davanti: «Abbiamo tre fuoristrada. Gli altri due sono fuori nel deserto, uno sta andando in Libia. L'altro sta tornando». L'agenzia accanto ha prezzi più bassi di diecimila franchi e alle pareti i ritratti del presidente del Niger, Mamadou Tandja, e del colonnello libico Muhammar Gheddafi. Anche l'impiegato è libico. E non gli va di parlare.

«Fabrus, è meglio se andiamo adesso» dice Daniel che ha annusato qualche pericolo nell'aria. «Questi fuoristrada sono trappole» spiega camminando verso l'uscita del grande parcheggio: «Ci hanno raccontato che la scorsa estate un Toyota stracarico di clandestini si è guastato in mezzo al Ténéré. È successo tra Dirkou e la Libia. C'era un altro fuoristrada là dietro. L'autista ha deciso di tornare all'oasi di Dirkou e cercare i pezzi di ricambio. Ma si è rotto anche quel Toyota. Il primo non l'hanno mai più ritrovato. Del secondo, si sono salvati in pochi. In tutto, sono morti in sessanta. Nel maggio scorso l'autista di un camion ha invece preso per sbaglio una mescebed, una pista abbandonata. Il camion si è insabbiato e in 63 sono morti di sete. Ma secondo me i camion sono più sicuri dei fuoristrada».

Il grande Mercedes con la sua collana di bidoni riflette le deboli luci della città. Dovrebbe partire tra poche ore. Ormai è quasi mezzanotte. Al cancello Daniel, Billy e gli altri ringraziano per la cena e vanno a sdraiarsi tra le centinaia e centinaia di corpi *stranded* nella polvere di Agadez.

Il sonno si fa largo dolcemente. Dai brividi sempre meno violenti sembra che la febbre stia passando. Forse non trovando una vagina, le compresse per malattie veneree si sono messe a lavorare in altre parti del corpo. E lo stanno facendo egregiamente. C'è poco da scherzare. Se non fossi italiano, se non avessi il passaporto europeo e i soldi per comprami le medicine, ora sarei a rantolare in qualche angolo fetido dell'autogare. Invece potrò guarire e continuare il viaggio. Anche se senza il visto libico, il piano per attraversare il Sahara lungo la Pista degli Schiavi sta fallendo. Ma la mente è troppo stanca per trovare adesso una soluzione.

La mattina dopo, verso le nove, il grande camion a sei ruote motrici esce dall'autogare tra sbuffi di nafta e mani che salutano per l'ultimo sguardo all'Africa nera. Quando arriveranno dall'altra parte del Sahara, quei centocinquantuno passeggeri annuseranno già il profumo del Mediterraneo e in cielo vedranno le nuvole che scendono dall'Europa. Intanto arrancano, a velocità lentissima, verso il rondò di Agadez seguiti dall'antico profilo del Mesallaje che, ovunque ti volgi, sembra sia lì a osservare quello che fai.

Daniel, suo fratello Stephen, Billy e Johnson arrivano all'appuntamento con mezz'ora di ritardo. «Siamo rimasti a sentire le reazioni al tuo passaggio» spiega Daniel. «Le reazioni?» «Stamattina prima della partenza del camion, all'autogare stavano parlando di te. Aspettavano l'italiano.»

«Mi avevano detto che non c'era più posto su questo camion, per questo non sono partito...»

«Sì, ma adesso non ci saranno più camion fino alla festa di

88

fine Ramadan, tra tre o quattro giorni. Volevano venirti a chiamare, ma non sapevano dove. Il problema è che mentre parlavano di questo, qualcuno si è lamentato per la tua presenza» aggiunge Daniel. «Me lo sai descrivere?» «Un uomo anziano con la barba.» «Lunga o corta?» «Corta, un certo Hassan che sta alla biglietteria.» «C'erano anche i libici però» ricorda Billy. «Quali libici?» «Quelli dell'agenzia con la foto di Gheddafi. Mi sembrano i più pericolosi. Se fosse per loro, non dovrebbero nemmeno farti entrare all'autogare» spiega Billy.

«Gli autisti e i kamacho in tacha di Agadez cosa dicevano?» «Per loro sei un viaggiatore un po' strano. Ma a parte i militari, la gente di Agadez è pacifica» sorride Daniel. «Così, sono io adesso ad aver bisogno del vostro aiuto. Una cosa però non vi ho chiesto ieri sera. Le vostre famiglie sanno che siete qui?» «No, costa troppo telefonare» risponde Billy. «Noi non abbiamo nessuno» spiega Daniel, «ma se potessimo chiamare il prete della nostra parrocchia e dirgli che siamo *stranded*, lui potrebbe mandarci qualche soldo attraverso la banca.» Nemmeno Johnson ha potuto avvertire la sua famiglia. «Allora usate il mio telefonino. Unica richiesta: telefonate brevi.»

Ma telefonare in Africa è un'impresa piena di imprevisti. Come viaggiare. A volte non c'è la linea. Altre volte non c'è l'interlocutore. Altre volte ancora l'interlocutore c'è, ma il messaggero del posto telefonico pubblico corre a casa e non trova nessuno. Dopo due ore Daniel riesce a parlare con il parroco. Johnson chiama un amico. Billy lascia detto a qualcuno di avvertire i genitori che è vivo e sta bene.

«Tu non hai idea, fratello» ringrazia Daniel, «di quanto sia grande questo regalo che ci hai fatto.»

Fino all'Aid al-Fitr, la celebrazione di fine Ramadan, non partono camion. E nemmeno fuoristrada. Autisti e trafficanti non vogliono perdersi la grande festa in città. Gli astronomi calcolano che la luna dovrebbe risorgere tra quattro o cinque giorni. Il termine del mese di digiuno dipende da quell'avvistamento. C'è abbastanza tempo per guarire completamente e lasciarsi contagiare dall'anima di Agadez. Soprattutto dall'ammirazione per la fatica quotidiana di chi vive alle porte del Sahara. I vicoli del quartiere vecchio e i loro abitanti. I bambini a piedi nudi che si avvicinano educati e sorridenti al grido di «monsieur, cadeau». La piazza dell'antica moschea del 1515. Il palazzo di Kaossen, l'eroe tuareg che dal 1913 al 1920 ha guidato le rivolte nel Sahara contro francesi, italiani, inglesi e tedeschi. La dimora del sultano. Il grande mercato. La casa-museo di Heinrich Barth. La Maison de boulangier, scelta da Bernardo Bertolucci per il film *Il tè nel deserto*. La bellissima giraffa di Dabous, a metà della strada da Agadez ad Arlit. Una giraffa alta quasi cinque metri e mezzo seguita dal suo giraffino. È stata incisa nella roccia tra ottomila e seimila anni fa nel punto in cui gli animali si ritrovavano a bere in riva al fiume. A colpi di scalpello, gli scultori sono riusciti a fissare nella pietra lo sguardo del grande erbivoro, l'eleganza del suo passo, perfino il pelo ispido della criniera. Forse da questo megalite ci si poteva anche tuffare. Oggi ci si sfracellerebbe sul fondo arido di sabbia e rovi. Ma salire fin qui ne è valsa la pena. Per quella lenta riflessione che soltanto il confronto con l'apparente vuoto del deserto può offrire.

Sembra di vederla ancora nella sua vita dinoccolata. La giraffa di Dabous china con la lingua protesa a bere il suo riflesso. Sullo sfondo, la corrente del fiume. Un grande fiume. Doveva essere affluente dell'Astapus che, secondo i geografi latini, scendeva dal Fezzan e dalle montagne del Tibesti. E dopo quasi duemila chilometri si perdeva nella Palus Nubiae. L'attuale lago Ciad. Su queste stesse rive vive il mito dei garamanti, il popolo nomade del Fezzan libico che tenne testa e poi si alleò agli eserciti romani. I garamanti erano famosi per la ferocia. E per l'abilità militare, grazie alla cavalleria e ai carri leggeri trainati da cavalli. Lo storico Erodoto scrive che i carri erano usati su queste ampie pianure per inseguire e catturare i trogloditi. E sottometterli. Scortavano le carovane fino alla terra dei rinoceronti, poco più a Sud di Agadez. Portavano stoffe e metalli dal Mediterraneo. Ripartivano carichi di penne di struzzo, oro, avorio e schiavi. Tra il 51 e il 96 dopo Cristo, i garamanti accompagnarono gli esploratori romani Settimio Flacco e Giulio Materno nel cuore dell'Africa. Ma il clima aveva già deciso la loro scomparsa. Da molti secoli gli anticicloni tropicali avevano trasformato la fertile pianura dell'Astapus nell'attuale paesaggio di rocce, dune e nostalgia. Un ambiente ormai mortale per i cavalli e gli elefanti addestrati ai trasporti pesanti. E inaccessibile alle ruote dei carri, che la distruzione del suolo già da tempo condannava ad affondare nella sabbia.

Ai piedi del megalite migliaia di impronte allineate nella polvere tracciano un sentiero. Due tuareg in sella ai dromedari incrociano il loro cammino cento metri a Sud Est. Scendono raccogliendo con eleganza le gambe sotto le vesti blu. Uno di fronte all'altro, si danno più volte la mano, sfiorando le dita e dondolando avanti e indietro sugli stessi passi. Il saluto rituale dura una decina di minuti. Poi si parlano abbassando il lembo di stoffa del tagelmust che copre il volto dal naso in giù. Il dialogo dura non più di qualche frase. Quindi passano altri dieci minuti a salutarsi stringendosi la mano. E saltano sulle loro selle. Il deserto, prosciugando i fiumi, ha fermato lo scorrere del tempo. Come un'immensa clessidra dalla sabbia immobile. Questa che mi circonda è la fotografia del mondo visto a metà Ottocento da Heinrich Barth. Lo stesso mondo raccontato tre secoli prima da Al-Hasan ibn Muhammad Al-Wazzan, nome vero del geografo arabo Leone Africano. Catturato nel 1517 da corsari cristiani e portato a Roma, è il primo a scrivere dei *targa populo*, i tuareg, e del loro sultanato nella città di *Agadès*. Lo stesso mondo di Ibn Battuta, il grande viaggiatore del 1300 che gli arabi ricordano come noi celebriamo Marco Polo. Consultare i loro diari prima di partire è stato un aiuto formidabile. Perché nelle sue esplorazioni, Heinrich Barth va alla ricerca dei paesaggi e dei paesi descritti proprio da Ibn Battuta e da Leone Africano. E li trova: in 550 anni nel Sahara non era cambiato nulla. Significa che i pozzi, che *soltanto* 150 anni fa hanno dissetato il geografo tedesco, dovrebbero essere ancora al loro posto. Dovrebbero. Ma rimanere senz'acqua non è più l'unico pericolo. I libici non vogliono ficcanaso nei loro affari. E su nessuna carta geografica è indicata la presenza di spie libiche. Lungo la Pista degli Schiavi, potrebbero essere ovunque.

Eppure bastava guardare meglio nel tremore dell'aria bollente sopra la pianura. Alla fine di un'ora trascorsa seduto quassù, accanto all'immortale giraffa di Dabous, la mente avvista per caso il rimedio contro le minacce del console di Tripoli. La soluzione se ne sta nascosta sull'orizzonte curvo del deserto, lungo il profilo piatto dei monti dell'Aïr. Più o meno sulla rotta che una mattina d'ottobre del 1850 porta Heinrich Barth ad avvistare, come lui scriverà nel suo diario, «l'alto minareto, il Mesallaje, che è la gloria di Agadez».

L'incontro al chiosco davanti all'autogare è ormai un appuntamento quotidiano. Ogni pomeriggio, poco prima del tramonto, Daniel, Stephen e Billy accompagnano a cena qualche sfortunato compagno di viaggio. Ed è strano che né le spie né i trafficanti se ne siano ancora accorti. Sarà forse per il clima rilassato in attesa della festa dell'Aid. Daniel, Stephen, Billy e i loro amici vengono sottoposti allo stesso schema di domande. Per capire quale sia stato il loro punto di non ritorno: lo spartiacque tra il prima e il dopo. Cosa è successo nell'istante in cui hanno deciso di andarsene. Come hanno finanziato la partenza. Cosa hanno fatto l'ultimo giorno in famiglia. Quali erano e quali sono le aspettative. Cosa hanno portato con sé della vita precedente. A ogni domanda bisogna sempre osservare gli occhi dell'interlocutore. Per essere pronti a cambiare discorso non appena l'affiorare delle lacrime rischia di trasformare l'intervista in una tortura. Questi ragazzi hanno i nervi a pezzi. Daniel una sera a tavola si arrotola i pantaloni e solleva la maglietta per mostrare le cicatrici delle bastonate: «Guarda qui sulle gambe e qua sulla schiena» dice e indica le croste sulla pelle lacerata, «i militari mi hanno fatto questo a Zinder, dentro il loro ufficio». Daniel si riabbassa la maglietta: «Mi hanno frustato con un grosso cavo elettrico e bastonato, quando ci hanno fatti scendere dall'autobus perché non avevamo più soldi per pagare la tangente. Dicevano che se non davamo loro i soldi, ci avrebbero torturati per ore. Parlavano in hausa. Non so quanti colpi ho preso. Solo quando hanno capito che davvero non avevamo altri soldi, ci hanno liberati».

È cominciata così, racconta Daniel, la lunga camminata verso Agadez. «Non avevamo più nulla, ma abbiamo deciso di continuare. Ormai eravamo più vicini ad Agadez che a casa nostra. Avevamo già percorso milleseicento chilometri e ne mancavano soltanto novecentosettanta. Senza soldi non potevamo nemmeno tornare indietro. Io e mio fratello ci siamo chiesti: cosa facciamo adesso? Abbiamo proseguito. Camminavamo dall'alba a notte. E la notte chiedevamo di dormire nei villaggi, oppure ci si nascondeva lungo la strada.»

Billy, sempre presente alle interviste, scuote la testa. «Vi hanno picchiati altre volte?» Daniel sorride: «A Birnin-Konni abbiamo spiegato la nostra storia alla polizia e ci hanno lasciati andare. Ma senza darci assistenza, nemmeno da mangiare. All'entrata di Abalak i poliziotti ci hanno chiesto altri soldi. Ci hanno spogliati nudi, dicevamo che non ne avevamo. E ci hanno picchiati. Ad Agadez siamo arrivati una mattina alle dieci. Ma non siamo passati dal posto di controllo, siamo entrati dal deserto. Non volevamo altre botte».

Daniel e Stephen sono figli della borghesia nigeriana. Raccontano che i loro genitori sono morti nel 1996 in un incidente. Erano sulla loro auto. Facevano i commercianti, vendevano alimentari. «Quando sono morti, avevano da poco cominciato a costruire le fondamenta della nostra nuova casa» aggiunge Daniel, «e sai chi ci ha aiutati in questi anni? Dio ci ha aiutati, posso dirlo. Abbiamo vissuto anni con la nostra nonna che aveva già settant'anni. Lei è morta lo scorso anno. Non ci ha fatto mancare nulla. Studiavamo all'Università di Ekiti State. Stephen era iscritto a economia, io a chimica farmaceutica. Quando la nonna è morta, abbiamo insegnato matematica nelle scuole superiori per pagarci gli studi.»

«E quando avete deciso di andare in Europa?»

«Dieci mesi fa» risponde Daniel mentre Stephen lo ascolta e annuisce: «Abbiamo deciso di partire quando le spese universi-

93

tarie sono aumentate. Dormivamo al college dell'università. Le lezioni nelle scuole ci venivano pagate 150 naira l'ora, meno di mille franchi, poco più di un dollaro. Ci chiamavano per pochissime ore e soltanto il college costava diecimila naira. Più il costo dell'università, più i libri, più le spese per vivere. Vorremmo arrivare in Italia, perché lì il sistema educativo è simile al nostro. Oppure a Londra, perché parliamo inglese. E poi perché giochiamo bene a calcio e forse si riesce a trovare una piccola squadra in cui giocare».

La cameriera mette sul tavolo un pollo arrostito e un vassoio colmo di patate fritte. I polli di qui sono magri e nervosi come la terra su cui crescono e i ragazzi seduti intorno al tavolo ripuliscono le ossa in pochi minuti.

«Daniel, cosa sapete dell'Italia?» «Quello che sappiamo ci è stato raccontato da gente che in Italia ci è stata. Si dice che è un bel Paese, che gli italiani sono gentili.»

«E di Londra, cosa sapete?» «Quello che si studia sui libri o si vede in tv» risponde Daniel.

«Avevate la tv a casa?» «Noi avevamo una tv in bianco e nero. L'abbiamo venduta prima di partire.»

«E come avete raccolto gli altri soldi?» «Abbiamo lavorato sei mesi facendo un po' di tutto. Muratori, facchini, lavori casuali, oltre a insegnare matematica. Per risparmiare, mangiavamo poco e dormivamo dove capitava. Così abbiamo raccolto trentamila naira. Li abbiamo cambiati in dollari e siamo partiti.»

«Quanti dollari sono trentamila naira?» «Quando li abbiamo cambiati, ci hanno dato duecentottanta dollari» dice Daniel. «Duecentottanta dollari per arrivare in due fino in Europa non sono un po' pochi?» «Li avremmo fatti bastare, poi avremmo lavorato lungo il percorso. Non immaginavamo di essere rapinati all'inizio. Qui abbiamo dovuto vendere le scarpe per mangiare.»

«Cosa avevate messo nel vostro bagaglio?» Daniel e suo fratello Stephen si guardano con un altro sorriso ironico. «Scusate se sono domande idiote. Non rispondete se volete, ma vorrei conoscere ogni particolare del vostro viaggio.»

Daniel si scusa a sua volta: «Non ridevamo per la domanda ma per la discussione tra di noi prima della partenza. Quando cambi vita, decidere cosa portarti non è facile. In realtà ci rimaneva ben poco della nostra vita di prima. Avevamo un trolley. Dentro c'erano i nostri documenti, due paia di jeans, due magliette e quattro libri. Vuoi sapere i titoli? *Cosa dire quando parli a te stesso, Come cooperare con conflitti e crisi, L'influenza del potere, Come cambiare il pensiero da pessimista a ottimista.* Li abbiamo persi tutti. Il trolley è rimasto sull'autobus». «Perché questi titoli?» «Perché la vita è così difficile per noi fin dall'inizio. È bene leggere *motivational books*, libri che ti facciano andare avanti e guardare le cose in modo positivo.»

«Nel trolley c'era anche una tazza da tè» dice finalmente Stephen, «era il regalo della mia fidanzata. Una tazza con la scritta: stai bene, ti amo. Precilia ha 18 anni, studia all'università.»

«Chi di voi due ha detto all'altro: dobbiamo andarcene dalla Nigeria?» Daniel guarda Stephen.

«Ho deciso io per primo» risponde Stephen. «Il fatto è che durante la pausa del semestre di studi, abbiamo parlato con i nostri cugini per avere un aiuto per continuare l'università. Ma tutti ci hanno risposto che dovevano pensare alle loro famiglie. Abbiamo deciso di partire perché ci sono tanti laureati che soffrono in Nigeria. *We decided to leave for our destiny*, per il nostro destino.»

«E quando avete deciso, non avete mai pensato di andare in Europa regolarmente?» «Daniel sì, non voleva attraversare il deserto» spiega Stephen. «Sono andato all'ambasciata italiana a chiedere e mi hanno negato il visto perché non avevo soldi per pagare» continua Daniel, «mi hanno detto che dovevo dare garanzie e versare duecentomila naira, quasi duemila dollari.»

«Era il costo della pratica o era una tangente?» «Non lo so» replica Daniel. «Ho viaggiato dieci ore per arrivare all'ambasciata. Tempo e soldi buttati. C'era un impiegato, non mi ha nemmeno dato retta. Inutile spiegargli che con duecentomila naira saremmo rimasti tranquillamente a studiare in Nigeria. Non ha voluto nemmeno vedere i nostri voti, i nostri titoli. Avevamo finito tutti gli esami del primo semestre. Io amo studiare e insegnare. Io e mio fratello eravamo i migliori studenti del corso. Guarda adesso come siamo. Siamo a piedi nudi. Ci rimangono i jeans, le magliette che abbiamo addosso e questo cappellino da baseball.» «Io non avevo nemmeno i soldi per andare all'ambasciata» si intromette Billy.

«Qual era il vostro sogno da bambini?» «Quale sogno?» chiede Daniel. «Qualcosa che avreste voluto fare.» «Il mio primo sogno era fare il pilota d'aereo» risponde Stephen. «Ma quando ho perso i miei genitori ho deciso di cambiare i miei sogni.» Daniel sorride: «Io volevo fare l'astronauta».

«Chi avete incontrato prima di partire, chi avete salutato...» «Ho incontrato solo due persone» spiega Stephen, «il pastore della nostra parrocchia e la mia fidanzata. Con il pastore abbiamo pregato in chiesa, davanti al crocefisso. Lui ci ha detto: pregherò per voi. Precilia invece piangeva. È lì che mi ha regalato la tazza.»

«Avete provato a cercare lavoro ad Agadez?» «Sì, ma è impossibile qui» risponde Daniel, «non si trova. Nessuno ci aiuta perché qui non hanno nemmeno da mangiare. Quello che pensiamo di fare è lavorare in Libia prima di tentare il passaggio in Italia.»

«Arrivare in Italia dalla Libia è pericoloso, molte barche sono affondate.» «Lo sappiamo che molte barche affondano» ammette Daniel, «ma alla nostra non succederà. Dio non può abbandonarci, dopo tutto quello che abbiamo passato qui.» Interviene Billy, con la sua aria un po' spaccona: «La barca su cui salirò non affonderà. E sai perché? Perché Dio farà la sua volontà. Ne ho parlato, prima di partire. Con il prete della missione in Nigeria». «E cosa diceva lui?» «Di pregare Dio» risponde Billy, «e io prego Dio di salvarmi. Lo prego ovunque. Non avrò problemi in Italia. Sono cristiano, posso guidare camion, so fare il pane, disegnare ritratti.»

«Che studi hai fatto, Billy?» Lui apre il portafoglio e cerca una fotografia: «Facevo il liceo, la Westambo High School, ma ho dovuto smettere perché non c'erano soldi. In casa eravamo in sette. Ho quattro sorelle. Mio padre fa l'autista di camion, mia mamma veste le spose».

«E tu quando hai deciso di partire?» «La prima volta che ho deciso di andarmene dalla Nigeria era il 1999. Sono andato ad Abidjan in Costa d'Avorio. Ma non c'era lavoro per me. Allora sono tornato in Nigeria. Ci sono rimasto fino a due settimane fa. La decisione di ripartire ancora l'ho presa quest'anno. Voglio andare in Italia perché così posso fare qualcosa di buono.» «Perché proprio l'Italia?» gli chiede Daniel. «Perché mi piace. Perché lì ci sono persone che conosco» spiega Billy. «La tua famiglia è d'accordo?» domanda Daniel. «La mia famiglia, fratello, è felice» dice Billy, «mi ha dato i soldi per partire. Centomila naira, sono circa novecento dollari. Mio padre ha venduto tutto quello che c'era in casa. Il motorino, il videoregistratore, la tv, il frigorifero. Per loro sono un investimento. Perché se trovo lavoro in Europa, poi li posso aiutare...»

«Billy, come sei finito *stranded*?» «A Zinder, come loro» risponde indicando Daniel e Stephen con un rapido sguardo: «L'ufficiale dell'immigrazione mi ha preso tutti i soldi. Mi ha detto che per legge dovevo mostrarglieli. Dico: perché? Lui mi dice: così ti aiuto ad arrivare in Libia e poi perché se non li dichiari, te li sequestro. Io allora gli ho mostrato i soldi, lui se li è presi e mi ha detto: vai via. Io ho insistito: sono i miei soldi. E lui: vai via. Non puoi fare nulla contro militari armati. Qui per mangiare ho venduto tutto il mio bagaglio. Se almeno fossi arrivato in Libia, avrei lavorato per pagarmi il resto del viaggio. Io ho un parente in Italia, ma non mi aiuta. Da lì non mi può aiutare».

«I tuoi sanno cosa stai affrontando?» «Sanno che devo attraversare il deserto, il mare, lo sanno questo. Ma non sanno quanto sia difficile» risponde Billy, «mio padre quando l'ho salutato, mi ha detto: stai attento, se sei in cattive condizioni faccelo sapere, pregheremo per te. Mi ha anche dato una Bibbia perché mi protegga. Quando l'ho salutato erano le cinque del mattino. La mia ragazza mi ha accompagnato alla stazione degli autobus. La sera prima avevamo pregato tutti insieme in chiesa. Con gli amici, mia mamma, mia sorella, la mia fidanzata.» «E il tuo sogno, Billy, quale era il tuo sogno da bambino?» «Volevo fare il pastore della mia parrocchia. Ed è quello che voglio fare in Italia. Posso guidare i camion e fare il pastore della mia gente. So che in Italia i preti sono molto rispettati. E che ci sono molte prostitute nigeriane. Io non voglio questo, mi occuperò di loro.»

I ragazzi hanno ancora fame. La cameriera porta un altro pollo arrosto e un vassoio di patate fritte. Tocca a Johnson raccontare la sua storia. «Non ho molto da dire» esordisce, «mio padre e mia madre fanno gli agricoltori. Io sono il secondogenito di sette maschi e due femmine. Vivevamo tutti in due stanze. Il mio sogno da piccolo era diventare ingegnere meccanico. Ma è rimasto un sogno. Ho deciso di partire l'anno scorso, per le condizioni della mia famiglia. Facevo il meccanico, se mi pagavano mi davano l'equivalente di quattro dollari a giornata. Una sera sono tornato dal lavoro e ancora una volta non c'era abbastanza da mangiare. Quella sera ho deciso di andarmene. Dovevo trovare il modo di aiutare la mia famiglia. Mi basta arrivare in Olanda, so che il lavoro è là.»

«Hai subìto aggressioni o rapine durante il viaggio?» «Ho pagato cinquanta dollari alla polizia. Ma avevo anche una valigia: l'hanno presa loro. Hanno preso tutto. Dentro avevo il mio diario, i vestiti, l'agenda con i numeri di telefono e gli indirizzi, tutto. Mi sono rimasti questa maglietta e i jeans che ho addosso.»

Quando è il suo turno, Dandy chiede di essere fotografato: «Ce l'avrai una macchina fotografica, no?». Dall'assalto al treno in Mali, si è salvata una piccola digitale nascosta in una tasca del marsupio. «Adesso è troppo buio. Non posso usare il flash, non è prudente. Potrebbe attirare l'attenzione dei trafficanti dell'autogare.» «Domani però ricordati di portare la macchina fotografica con te. Ti darò l'indirizzo email, devi spedire una foto ai miei così l'avranno di ricordo se muoio.» Il pessimismo di Dandy raggela gli altri ragazzi. Smettono di mangiare e di parlare tra loro. «Andiamo, cosa vuoi sapere?» «Quello che hai cominciato a raccontarmi l'altra sera. Se vuoi.»

Sospira Dandy. Abbassa lo sguardo e comincia a ordinare i pensieri come se dovesse parlare a se stesso. Forse è la prima volta che lo fa da quando è partito. Muove la bocca. Mastica in silenzio qualche frase per darle forma. Ne consuma molte prima di dare voce al suo ragionamento.

«Mio padre insegna geografia in una scuola media di Benin City. Mia madre vende stoffe al mercato. Sanno che sto andando in Europa, ma non sanno come. Avevo risparmiato centocinquanta dollari per pagarmi il viaggio fino in Libia. Li tenevo in un sacchetto nelle mutande. A Birnin-Konni i poliziotti non li hanno trovati. Mi hanno perquisito e si sono accontentati di venti dollari. Qui ad Agadez però mi hanno infilato una mano dentro le mutande e li hanno presi tutti. Questa è l'Africa. Questo è il motivo per cui voglio andare in Olanda. Ma il mio vero sogno è l'America.»

Gli altri ragazzi lo ascoltano in silenzio. Dandy è stato il più taciturno in questi giorni. «Studiavo scienze informatiche all'università. Ma da noi tutti vogliono andare in Europa. È una competizione. Quasi tutti i miei amici ricchi sono partiti, sono andati a studiare a Londra. Mio padre però non poteva pagarmi gli studi a Londra. Allora ho deciso di andare a lavorare a Cotonou, Benin, per pagarmi il viaggio fino in Inghilterra. Compravo stoffe e le rivendevo al mercato al doppio del prezzo. Mio padre non sa che cosa affronto qui. Non lo vedo dal 2001. Sono partito quell'anno e non sono più tornato a casa. Quando ho lasciato i miei, sapevo che dopo Cotonou sarei andato in Europa. Sapevo che non sarei mai più tornato.»

«Ti aspetta qualcuno in Olanda?» «Mia sorella e mio cugino.» «Non c'era modo di raggiungerli legalmente?» «No, non mi danno il visto anche se lei è regolare. Lei sa bene cosa affronto qui. Aveva provato ad aiutarmi. Nel 2002 aveva mandato cinquemila dollari a un boss nigeriano di Cotonou, il signor Nwankwo. Lui mi ha fatto avere un passaporto sudafricano e una lettera di invito per Londra. Sono entrato in Niger in autobus perché così, mi avevano detto, era più sicuro. Ma all'aeroporto di Niamey la polizia ha scoperto che la lettera di invito

99

era falsa e non mi ha fatto partire. Per questo motivo non mi resta che attraversare il deserto.»

«E i cinquemila dollari?» «Se li è tenuti il signor Nwankwo.» «Non hai provato a riavere i soldi, a denunciarlo?» «Denunciarlo?» ride Dandy. «La polizia sostiene lui. Questa è l'Africa. Ma io vi dico una cosa, fratelli» aggiunge rivolto agli altri ragazzi: «Soltanto Dio ci può aiutare». «Sì, Dio ci aiuterà» lo incalza Billy calandosi con le braccia larghe nel suo sogno di diventare pastore evangelico. «Anche se io ho una paura fottuta di non farcela» dice Dandy e raggela di nuovo tutti. La silenziosa riflessione sulle sue parole dura qualche minuto. I pensieri scrutano il baratro intorno al quale stiamo pericolosamente seduti. Ci si sente come soldati di una retrovia. Prima o poi arriverà la chiamata e bisognerà buttarsi dentro.

È ancora Billy a risvegliare gli sguardi con la sua voce da predicatore: «Fratelli, non pensiamo al peggio. Ringraziamo Dio che anche oggi ci ha dato da mangiare e ci ha fatto arrivare alla fine di questa giornata». Billy ripete tre volte grazie Signore. «Amen» dice alla fine. «Amen» concludono i ragazzi. È a questo punto che Daniel si accorge di qualcosa di insolito. Le vie di Agadez non hanno illuminazione. I fari dei mototaxi rivelano una nebbia di polvere perennemente in sospensione. Ma ogni tanto passa un furgone e le luci più potenti rischiarano i volti di tre uomini fermi al di là della strada.

«Sono i broker, i kamacho in tacha dell'agenzia libica» li riconosce Daniel, «continuano a guardare noi.» «Non c'è problema, non stiamo facendo nulla di male» replica Billy. Ma la loro presenza agita i ragazzi. «Forse è meglio andare» si rassegna Johnson. «Noi torniamo all'autogare. Tu resti?» chiede Daniel. «Sì, sarebbe pericoloso voltare loro le spalle. Se là dentro vi chiedono di me, non dite che cosa vi ho chiesto. Rispondete che sono qui in vacanza e sono volontario di un'associazione di assistenza.» «Diremo loro che sei nostro fratello. Perché tu *sei* nostro fratello» decide Daniel. «E domani non dimenticare la macchina fotografica» dice Dandy prima di andarsene.

Quando i ragazzi sono lontani, arriva la cameriera con il conto. I pochi clienti seduti agli altri tavoli si sono alzati e hanno pagato da un pezzo. «Posso chiedervi un'informazione?» domanda la ragazza. I fari dei furgoni illuminano a intermittenza la vita notturna di Agadez, altrimenti invisibile. Le tre spie dei libici sono sempre al di là della strada. Li avranno mandati i trafficanti, oppure il consolato.

«Ho sentito qualcosa dei discorsi di quei ragazzi. Voi vi occupate di immigrazione?» si incuriosisce la cameriera. «No, ero solo affascinato dalle loro storie.» Lei non è convinta: «Eppure mi sembrava il contrario». A questo punto è meglio affrontarla: «Cosa vi serve?». «Arrivare in Europa» dice lei, «mi potete aiutare?» Ritorna la fitta allo stomaco. Come tutte le volte in cui vigliaccamente bisogna rispondere che non si può. La ragazza appoggia i gomiti al tavolo per avvicinarsi e parlare sottovoce. «Intanto mi presento» dice in francese porgendo la mano destra, «Catherine, sono camerunense. Voi siete inglese?» «Italiano.» «La mia meta è l'Italia» promette e comincia a parlare di sé.

Catherine è una ragazza madre di 31 anni. «Li compio domani» sorride e aspetta gli auguri. «In Camerun ho lasciato mia figlia Gladis» racconta, «ha tredici anni. Se sono partita l'ho fatto per lei, non sono sposata.» Dice che è *stranded* ad Agadez da due settimane. «Sono fortunata. Ho trovato lavoro la sera come cameriera a "La tuareg"». «E dov'è "La tuareg"?» Lei ride: «Ma è il nome di questo ristorante, non lo sapevate? Eppure vi vedo qui tutte le sere». Sopra la baracca accanto ai tavoli all'aperto non ci sono insegne. «Mi hanno promesso diecimila franchi al mese, quindici euro. Dove dormo, alla Casa del Camerun, mi chiedono diecimila franchi al mese per affittare un tappeto per terra. Ma almeno mi tengo fuori dall'autogare. La Casa del Camerun è accanto all'hotel Sahara, sapete dov'è?» «Non ci sono mai andato. È un ente statale?» Catherine ride ancora: «Vi pare che il Camerun possa fare qualcosa per noi? No, è un tugurio privato che fa parte della rete che porta la gente in Europa». «Se la vostra paga se ne va tutta per dormire, come fate a comprare da mangiare?» Lei sospira perché forse proprio questo sta minacciando la sua dignità: «Il padrone qui è bravo, mi dà da mangiare e non devo pagare niente. Il problema è trovare i soldi per partire. Vorrei arrivare in Italia, sì. Ma dove arrivi non dipende da cosa vuoi fare tu. Dipende dai soldi che trovi. In Camerun ho studiato informatica, sono diplomata. Ho cinque fratelli, il più piccolo ha sedici anni. Io sono l'unica femmina della famiglia. Lavoravo come impiegata in una ditta farmaceutica, questa qui» Catherine indica la scritta al seno sulla maglietta bianca che indossa. «Mi pagavano sessantamila franchi nostri al mese... Ormai so fare la conversione al volo, sono novanta euro. Mia figlia studia, deve continuare a studiare. Soltanto con lo studio non farà la mia vita. Ma quando andrà all'università, non basteranno sessantamila franchi.» Mentre parlava Catherine si è seduta. Adesso prende fiato. Soprattutto, stringendo le labbra e gli occhi, cerca di rimandare indietro le lacrime.

«Con chi è rimasta Gladis?» «Con mia mamma e mio papà» risponde Catherine. «Per me e per Gladis voglio un futuro diverso. Ho deciso di partire in febbraio. Ho preso la decisione dopo che ho saputo che una mia amica era riuscita ad arrivare in Italia seguendo questa rotta. Non so in quale città sia, ma è arrivata.» «Come troverete i soldi per continuare?» «Spero nelle mance. Gli ultimi seimila franchi che avevo salvato dal viaggio, li ho spesi per farmi restituire il passaporto che qui, al controllo di polizia, un militare mi aveva rubato. In città mi hanno fatto delle offerte per far soldi, immaginate di che tipo.» «Di che tipo?» «Prostituzione, no? Potrei partire entro una settimana. Ma io tengo duro, sono una donna libera... Spero di raccogliere presto abbastanza mance.» L'eroismo di Catherine non le concede di insistere con la richiesta di un aiuto impossibile. Ha capito da sola. Si rialza e torna al suo lavoro. «Catherine, scusate. Al di là della strada c'erano tre uomini che guardavano da questa parte. Sono ancora là?» Lei aspetta che i fari di un'auto rischiarino il buio. «Sì, sono sempre là» risponde.

«È meglio che io vada.»

Manca poco a mezzanotte. Davanti alle case, sedute accanto alla porta, le ultime ritardatarie si stanno acconciando i capelli per la grande festa. Durante tutta la giornata donne, ragazze e bambine di Agadez hanno annodato treccine. E adesso c'è chi non ha ancora finito. Si aiutano in coppia. Una volge le spalle alla compagna. L'altra con una spazzola le stira i ricci, intreccia i capelli e li decora con perle colorate, argento e ambra. Le dita si incrociano rapide e precise. Le mani si muovono svelte. Ripetono all'infinito lo stesso identico movimento. Alcune lavorano così dal pomeriggio. Servono anche dieci ore per un'acconciatura. Alla fine, i ruoli si invertono. Il sonno dura poche ore. Molto prima dell'alba il muezzin grida forte alla città che Dio è il più grande. Dopo di lui, dal megafono dell'antica moschea, un coro di bambini recita versetti del Corano. L'hilal, la sottile falce della nuova luna, è apparsa stanotte nel cielo d'Arabia. Decretando la fine del Ramadan, il mese del sacrificio e del digiuno. Il giorno dell'Aid comincia che è ancora buio. Forse un po' prima del solito. Alle nove, sulla grande spianata del cimitero, l'imam guida le lodi davanti a migliaia di fedeli. Dal sultano al prefetto fino ai più poveri, tutti, anche i bimbi, indossano un vestito nuovo. Chi non se l'è potuto permettere, non è qui stamattina. Le donne sono avvolte in stoffe dai colori sgargianti. La zona a loro riservata scintilla di verdi, gialli, azzurri. Le bambine hanno gioielli d'oro, orecchini da grandi, trucco da piccole donne. Molti bimbi indossano il loro primo boubou, la tunica di cotone sopra i pantaloni freschi con il cavallo largo. Il vento forte da Nord disperde le parole dell'imam. Migliaia di corpi si genuflettono più volte davanti a Dio. Quando la preghiera è conclusa, le strade di Agadez si riempiono di voci, sorrisi e auguri. Ma a mezzogiorno il deserto e la sua polvere si riappropriano degli abitanti. Dei loro sandali. Delle stoffe pulite. Le prime tracce rossastre di sabbia macchiano i boubou bianchi e celesti degli uomini. In un vicolo ai piedi del Mesallaje, centinaia di maschi di ogni età giocano d'azzardo. Stanno accovacciati o seduti per terra. Al centro di un cerchio di folla, gli scommettitori lanciano soldi su tre carte coperte. Accanto, altri giocatori si sfidano sull'incertezza dei dadi. All'ombra rada di un'acacia, gli anziani seguono le sorti di un domino fatto con tessere di cartone. I bambini puntano monete da cinquanta o cento franchi intorno a un tuareg con turbante e spada. Ma dove giocano gli adulti, sul piatto cadono biglietti da cinquemila. All'una del pomeriggio le strade e la bisca si svuotano.

Sotto il grande tagelmust bianco che gli avvolge la testa, un tuareg con moglie e tre figli piccoli s'affretta verso la periferia. Dice di abitare a due chilometri dal centro di Agadez. E soprattutto di sentirsi oggi molto ricco: «Ricco come un europeo» sottolinea senza averne avuto richiesta, «perché parlo tamashek, arabo, francese, peul e hausa».

Non bisogna passare tra le case. Altrimenti ci si dovrebbe fermare a ogni invito a pranzo. La formale gentilezza di questa città impone di accettare sempre. Il primo assaggio di stufato di cammello, seduti sul tappeto nel giardino dell'anziano Ahmed, è una porzione che basterebbe per due. E il seguito dell'incontro è ormai scontato. In cambio Ahmed, ascoltato in silenzio da tutta la sua numerosa famiglia, vuole sapere come può far arrivare suo figlio in Europa. «Ha diciotto anni» insiste, «se tu gli trovi un lavoro, lui parte.»

All'uscita dal suo giardino, meglio seguire i tracciati di sabbia e pietre che portano verso il deserto. Dopo il terzo assaggio di stufato o di carne di montone, il pomeriggio finirebbe stesi su qualche stuoia a smaltire la sonnolenza. Invece è il momento ideale per sfruttare la distrazione della giornata di festa. Si cammina accarezzati da bolle d'aria rovente che fanno vibrare le montagne all'orizzonte. Lungo i versanti settentrionali dei muri a secco, si gonfia il respiro affannato di asini e capre. Se ne stanno immobili, il fianco contro le pietre, ad aspettare il ritorno dell'ombra, evaporata sotto il sole a picco. Il giro intorno alla zona abitata allunga il percorso di almeno due chilometri.

Dentro il recinto dell'autogare è un giorno da *stranded* come tutti gli altri. Sotto la grande tettoia centrale due ragazzi pregano rivolti a Est su un tappeto di canapa. Altri dormono ammassati sotto la pancia di due autobus e di un rimorchio parcheggiati in fondo al piazzale. Oggi è festa anche per i trafficanti. Gli uffici delle loro agenzie sono chiusi. Da lontano si avvicina un ragazzo. Il suo corpo si muove nel tremore del caldo e nei mulinelli che portano in alto spirali di polvere. È Stephen o forse Daniel. Chissà da quanto tempo stava guardando il cancello di ingresso. Sorride. Si mette a correre. È Daniel. Ha un sorriso euforico.

«Andiamo fuori, ti devo parlare» dice. A destra e a sinistra la strada davanti all'autogare si inabissa nelle pozze d'acqua inventate dall'asfalto incandescente. «Io e Stephen ti dobbiamo ringraziare» sussurra Daniel. «Ringraziare di cosa?» «Della telefonata che ci hai fatto fare con il tuo cellulare. Grazie a quella telefonata, abbiamo i soldi» annuncia scandendo le parole nel suo inglese impastato dal forte accento nigeriano. «Abbiamo i soldi, possiamo partire per la Libia.»

«Come li avete avuti, Daniel?» «Ricordi che avevo chiamato il pastore del mio paese, in Nigeria? Sabato e domenica ha fatto una colletta durante le messe in chiesa, dicendo che c'erano due parrocchiani da aiutare ad attraversare il deserto, quei due ragazzi che avevano pregato con loro prima di partire. Stamattina mi ha telefonato e mi ha detto che aveva appena inviato i soldi. Oggi le banche qui sono chiuse, ma domani andiamo a prenderli.» «Come ha fatto a telefonare?» «Gli avevo dato il numero della biglietteria dei camion. Stamattina era aperta, ha chiamato lì. Io non so come ringraziarti, fratello.»

«Daniel, era solo una telefonata. Devi ringraziare chi ha messo i soldi, non me. Ti hanno detto quando partirà il primo camion?» «Domani no, è ancora festa» risponde Daniel, «dopodomani, forse. Devi sapere una cosa, però. Gli altri non sanno dei soldi. Glielo diremo prima di salire sul camion. Per sicurezza, c'è tanta gente affamata, mi capisci?» «Certo Daniel. A proposito, stasera non cenerò con voi. Avete da mangiare?» «Il solito gari.» «Un bicchiere di acqua e zucchero non vi prepara per il deserto. Tieni questi soldi. Se il ristorante resta chiuso, comprate pane e sardine in scatola, mi hanno detto che stasera il mercato notturno è aperto.» Daniel mette in tasca le banconote e s'avvia a piedi nudi verso l'autogare. Ha solo diciannove anni.

L'appuntamento da cui dipende il resto del viaggio era per le quattro in punto. Hotel Sahara, di fronte al mercato arabo, lato opposto della città. L'ingresso è all'incrocio di quattro strade. Qui vicino dev'esserci la Casa del Camerun dove dorme Catherine. Sopra la porta di ferro dipinta d'azzurro, l'insegna dell'albergo e, accanto, la pubblicità della birra del Niger. Davanti, una pila di copertoni, un compressore a gasolio, una fila di mototaxi parcheggiati, pietre di ogni misura, un'auto di lusso, una lunga Mercedes, con la targa di Kano, Nigeria. E un po' in disparte, un chiosco di assi e cartone: sul banco, centinaia e centinaia di scarpe usate in vendita, alcune spaiate, cedute da chi ha dovuto continuare il suo viaggio scalzo. Non c'è luce all'hotel Sahara. Si entra in un corridoio buio. Le pareti dipinte di nero. Il listino con i prezzi delle camere è appeso fin dove arriva l'abbaglio del giorno. Settemilacinquecento franchi a notte per una stanza con due letti. Ma è possibile dormirvi anche in dieci. A rotazione, spiega l'avviso. Appena oltre, l'ultima penombra lascia intuire una rassegna di cornici con geometrie africane. Sotto ogni disegno, il nome di un'oasi dell'Aïr. È come l'entrata di certi locali underground europei. Il corridoio gira a destra nell'oscurità ormai totale. Gli occhi non si sono ancora abituati. In fondo, il tavolo della reception è illuminato dal tremore di una candela. Oltre la porta accanto, si apre il salone del bar. Il bancone in cemento. Due ventilatori spenti al soffitto. Il continuo ronzio di zanzare. I tavoli appiccicosi. Il sogno di questi ragazzi, parcheggiati qui giorno e notte, risplende da un canale via satellite sulla mensola in alto a destra, nell'angolo tra pareti e soffitto. Il televisore a colori manda a tutto volume distorto musica hip-pop di cantanti inglesi e americani. Un ragazzo dorme con la faccia accasciata sul tavolo. Altri si stanno scolando bottiglie di birra.

«Mi chiamo Stanley, piacere.» Gli occhi identificano i contorni di un uomo robusto, ben vestito, sui trent'anni. Quando lo schermo della tv si rischiara, i lampi illuminano il pizzetto di Stanley, il cappellino di lana da rapper, la maglietta girocollo di marca. «Sediamoci e beviamoci una birra» dice Stanley mettendosi esattamente di fronte. Si siede anche un suo amico. Stanley parla un ottimo inglese. E quando parla o ascolta, ondeggia sulla sedia a tempo di musica.

«Allora, italiano, ti spiego cosa posso fare per te. Sono ad Agadez da tre mesi. Prima facevo lo stesso lavoro a Kano, in Nigeria. Il mio compito è accompagnare clandestini a Tripoli. Mi occupo che tutto vada bene. Tengo i contatti con i camionisti e, in Libia, con i vari trasportatori. Il mare è un'altra questione, non me ne occupo io, ma posso trovarti gli agganci buoni.» Stanley butta giù d'un fiato una mezza bottiglia di birra.

«Io chiedo mille dollari a persona» continua, «di solito accompagno non più di tre persone a viaggio. Non voglio casini. Su tre persone, millecinquecento dollari restano a me e millecinquecento vanno all'organizzazione. Il mare per l'Italia costa altri mille dollari. Noi prendiamo dollari americani, non prendiamo euro.» Altri lampi illuminano la faccia ben rasata di Stanley. «Non è mai morto nessuno dei miei clienti» si vanta il trafficante. «Tutti hanno telefonato a casa una volta arrivati. Sono nigeriano di etnia imo, non ho problemi a trattare con i militari di qui e i libici. Io penso a tutto. Stanotte puoi dormire all'hotel se vuoi. In Libia abbiamo le nostre case dove tenere i clandestini che vogliono proseguire il viaggio in Italia. Stanno chiusi nelle stanze, non vanno in giro. Quando sta per arrivare qualche nuovo cliente, mi telefonano dalla Nigeria e io mi preparo. Ho attraversato il deserto così tante volte da Agadez e da Kano che non saprei contarle. Se domani mi porti mille dollari, puoi andartene subito. C'è un camion in partenza dopodomani.»

Stanley e il suo amico non hanno l'aspetto di due che vogliono tendere trappole. Ma l'interlocutore promesso all'appuntamento doveva essere tuareg, non nigeriano. È fin troppo buio qui dentro per avere sotto controllo tutti i movimenti intorno. E la musica troppo forte per interpretare i suoni e le voci che attraversano la stanza. «Stanley...» Lui continua a dondolarsi sulla sedia al ritmo di hip-pop. «...Io non posso arrivare a Tripoli. A meno che tu o la tua organizzazione non possiate convincere il console libico. Non mi danno il visto.» «No, purtroppo il console libico non lo conosco» risponde Stanley, «non ti posso aiutare in questo.» Beve un altro sorso di birra. «La persona che cerchi arriverà tra poco. Volevo solo che tu conoscessi il mio lavoro, magari decidi di partire con me.» «Ti stavi facendo pubblicità allora.» Stanley scoppia a ridere.

È l'occasione per fare qualche domanda. Chissà qual era il sogno da piccolo di un trafficante di uomini. «Il mio sogno? Mi sono diplomato in ingegneria elettrica all'istituto tecnico statale della mia città. Ma da piccolo sognavo di diventare ricco. E adesso sì, in qualche modo ci sono riuscito.» «Come investi i tuoi guadagni, Stanley?» Il volume della musica forse copre la domanda. «Come investi i tuoi soldi?» Stanley questa volta ha sentito. Sorride. Non risponde. Tocca all'amico raccontare la sua storia. Dice di chiamarsi Splendour: «Ho 21 anni, sono scappato dalla Sierra Leone per non combattere nella guerra civile. Sono contro la guerra, gli omicidi, la violenza. In questi anni ho girato tutta l'Africa. Dal Sud Africa al Marocco, sempre via terra. La scorsa primavera dal Marocco sono riuscito a entrare in Spagna. Purtroppo, ero a Malaga, c'è stata una retata della polizia. Io mi sono messo a correre. Mi hanno preso e chiuso in un campo di detenzione con i nigeriani. Io dicevo che sono della Sierra Leone. E loro mi hanno imbarcato su un volo per la Nigeria con gli altri nigeriani. Così ho ricominciato il mio cammino verso Nord e mi sono bloccato in questa città del cazzo. Qui ad Agadez è uno schifo. Non c'è da lavorare, perfino Internet non funziona. Tu mi puoi aiutare, amico. Il mio sogno è l'Europa. Ci arriverò prima o poi». Splendour osserva Stanley che accanto a lui sorride pietosamente.

«E se la Spagna non mi vuole, arriverò in Italia» promette Splendour. «Sicuro. Il motivo dell'immigrazione è lo schifo che c'è in Africa. Guarda la Nigeria. Dicono che l'economia in Nigeria va bene. Ma i guadagni sono nelle mani di venti famiglie soltanto. Gli altri cosa fanno? Scappano.» «Splendour, io cosa posso fare per te?» «So che ci sono barche che vanno all'isola di Lampa Lampa.» «Il suo nome è Lampedusa.» «Sì, ma tu mi puoi dire com'è la situazione dei traffici dalla Tunisia? Forse sai come arrivare, dove passare, da dove si parte. Perché dalla Libia è troppo pericoloso.»

«Può sentire anche lui?» domanda Stanley senza aspettare la risposta. E indica un ragazzo con in mano una biro e un pezzo di carta, in piedi alle spalle di Splendour. Non è bello essere in balìa di quello che avviene in una stanza e accorgersi di non aver notato una persona a pochi passi. Ma così è. «Forse tu mi puoi aiutare a recuperare il cadavere di una mia amica» dice il ragazzo che subito si presenta. Si chiama Ade, 20 anni, nigeriano. «Il nome della mia amica è Ikuoge Alade. Te l'ho scritto su questo biglietto. Aveva 27 anni, faceva la parrucchiera a Ekqoma, in Nigeria. È morta in mare. Alcuni testimoni hanno telefonato a casa dei suoi per dire che era annegata. L'hanno vista cadere dalla barca.» All'improvviso Stanley si alza e cede il posto. «Ecco la persona che aspettavi» avverte.

La faccia dell'uomo è invisibile non solo per l'oscurità. Il grande tagelmust indaco gli copre la fronte e la bocca fino alla punta del naso. Un tuareg non incontra mai uno sconosciuto a volto scoperto. L'importanza del momento impone il suo cerimoniale. Bisogna alzarsi. «Ayawan?» L'uomo resta sorpreso dal saluto nella sua lingua. «Al kher» risponde. «Matolam?» «Al kher.» «Tasgham?» «Al kher» ripete. A ogni risposta porge la mano destra e sfiora le dita della mia secondo l'antica tradizione. «Mani aghiwan?» «Al kher.» «Mani issalan?» «Nas kha» e sorride. Poi va a sedersi di fronte, sulla sedia lasciata libera da Stanley. I tre ragazzi si spostano a un altro tavolo. «Dunque, parlate tamashek» dice l'uomo. «Purtroppo no, soltanto poche parole.» Inutile chiedergli come si chiama. Darebbe un nome falso. I suoi occhi neri si muovono rapidi. Studiano con attenzione le facce di quanti entrano nel bar. Da qualche minuto c'è un viavai di ragazzi verso le camere. E soprattutto di ragazze.

«Chi vi ha suggerito questo incontro?» chiede subito dopo. «La giraffa di Dabous.» L'uomo libera la bocca dal tagelmust. Giusto in tempo per mostrare con una fragorosa risata i denti macchiati di nicotina. «Nel senso che domenica mattina stavo seduto accanto alla giraffa. Guardavo i monti dell'Aïr e mi sono ricordato che voi della resistenza lassù avevate i vostri rifugi. Voi siete il popolo kel tamashek e chi meglio di voi conosce le piste che portano in Libia? Chi meglio degli uomini di Mano Dayak?»

Un suo leggero sorriso rivela quanto abbia apprezzato la gentilezza di essere chiamato kel tamashek, gente che parla tamashek, e non tuareg, termine spregiativo inventato dagli arabi. «Il grande comandante Dayak» dice lui, «conoscevate Mano Dayak?» «Non di persona. Ho letto delle sue gesta e della sua morte quando ero ragazzo.» «E chi vi ha fatto il mio nome?» «Io non conosco il vostro nome. L'indomani sono andato al mercato e ho soltanto chiesto di incontrare qualcuno di voi.» «Ma noi non siamo più la resistenza tuareg» replica l'uomo, «abbiamo firmato la pace con il governo. Molti di noi sono entrati nell'esercito regolare del Niger.» «Non mi risulta che tra i soldati che torturano e rapinano gli immigrati ci siano tuareg.» «Quella è un'altra faccenda. L'affare dell'immigrazione se lo dividono hausa, djerma e arabi libici. Comandano loro nel Sahara, noi ci tengono fuori. Dunque, mi hanno detto da dove venite. Cosa posso fare per un italiano?»

L'uomo ordina del tè. «Cerco qualcuno che mi porti in Libia. Nel Sud, senza raggiungere le oasi dove stanno i loro militari. Qualcuno che poi mi riporti ad Agadez. Volevo arrivare a Tripoli sui camion. Ma il consolato libico mi ha negato il visto. Mi hanno già detto che se mi trovano, mi arrestano.» «Normale che non vi diano il visto. Il deserto è attraversato da traffici di ogni tipo» dice l'uomo restando poi in silenzio per sentire il resto della questione.

«Potrei salire in camion fino al confine. Ma il mio problema è il ritorno. Non credo che scendendo da un camion, uno possa starsene ad aspettare in mezzo al deserto di essere riportato indietro.» L'uomo sorride: «Rischiereste di aspettare mesi oppure di morire. Lassù non c'è una pista tracciata».

«Ecco. Pensavo di fare ugualmente il viaggio sui camion. Al confine tra Niger e Libia, però, avrò bisogno di un fuoristrada per tornare indietro o eventualmente per raggiungere altri camion in viaggio. Non ho alternative se non voglio farmi arrestare dai libici.» «Questo ve lo sconsiglio con tutto il mio cuore» commenta l'uomo e insieme sorseggiamo il primo bicchiere di tè. Amarissimo.

Lui non sembra affatto interessato a risolvere il problema. Guarda la tv dove una ragazza in canottiera e calzoncini balla, canta, si sdoppia, si triplica in un gioco di specchi. Poco dopo aggiunge un cucchiaio di zucchero alla teiera. Versa il secondo tè, allontanando il più possibile il beccuccio dai bicchieri. Lo fa con ampi gesti del braccio. E più alza la teiera, più i bicchieri si riempiono di schiuma. Non ha fretta. Né di bere, né di rispondere. L'uomo si prende tutto il tempo necessario a preparare il terzo tè. Se lo gusta con sorsi rumorosi. «Bismillah» dice ringraziando Dio dopo aver svuotato l'ultimo bicchiere. Poi si ricopre la bocca, stringendo il lembo di tagelmust che gli fascia il collo.

«Dove dormite?» chiede finalmente. «Stasera mi sposto all'hotel della Pace.» «Non appena fa buio, dopo la preghiera del Maghrib, verranno a cercarvi, se Dio vuole. Fatevi trovare davanti all'albergo.» «Pensate sia possibile arrivare al Sud della Libia?» «Se Dio vuole, se Dio vuole» risponde laconico e annuisce facendo oscillare il grande tagelmust. «Dunque voi potete trovarmi un mezzo per tornare indietro?» «Non so, forse sì, se Dio vuole.» «Potremmo incontrarci direttamente al confine.» «No, questo no» avverte e si scopre nuovamente la bocca tirando dal basso il lembo del turbante. «Sarebbe un rischio troppo alto. Non sappiamo su quale camion salirete, dove passerete» spiega l'uomo, «potremmo perdere i contatti. E poi il deserto è zona militare anche in Niger. Vi servirà un lasciapassare militare. Siete bianco, non potete fingervi un immigrato africano.»

«Di questo nessuno mi ha mai parlato. Come posso ottenerne uno?» «Se Dio vuole, avrete anche quello. Una cosa vi devo dire. Il pagamento sarà in dollari americani.» «Quando saranno pronti il fuoristrada e il lasciapassare, faremo la trattativa.» «Se

Dio vuole, sì.» L'uomo dice questo e si alza dalla sedia. «Tutto dipende da Dio.» «Adesso il mio viaggio dipende da voi.» La sua risposta è automatica, convinta: «Perché così ha deciso Dio. Devo andare, ora. La pace sia con voi». Non appena la sua alta figura svanisce nell'oscurità, Stanley e i suoi due amici si riavvicinano al tavolo. Vogliono sentire le risposte che aspettavano. Non c'è molto da dire.

Mancano meno di due ore al tramonto e la luce è ancora forte. L'uscita dall'oscurità dell'hotel Sahara è uno spillo che trafigge gli occhi. C'è tempo per correre al palazzo del sultano. La più alta autorità di Agadez è il prefetto, carica imposta dall'occupazione francese. Ma la città è anche un sultanato, uno dei più antichi del Sahara. Il sultano decide chi ha ragione nelle discordie tra tuareg. E, per evitare conflitti di interesse, non è mai un tuareg. Oggi il giardino arido del suo palazzo è aperto ai bambini e ai loro accompagnatori. Soltanto nel giorno dell'Aid succede. Ragazzi e ragazze più grandi hanno allestito un lunapark. A destra, una folla di ogni età si agita intorno a una sfida a freccette. A sinistra, dondola una mischia di piccoli spettatori. In mezzo ai loro sguardi, una bimba tenta di accendere dodici candele con un unico cerino. Ci prova un altro bimbo. Niente. Finisce sempre che si scottano le dita. Seduta al banco, una ragazza elegantissima dirige il gioco e sta attenta che quelle manine maldestre non le incendino le trecce. Dice che finora nessuno ha mai vinto. Accanto alla scodella di sabbia dentro cui sono state conficcate le candele, il premio in palio: un sacchetto di caramelle e una scatoletta di sardine salate. Una voce al megafono fa svuotare bruscamente il giardino. La massa di gente trascina anche chi non vorrebbe verso la piazza davanti al palazzo. Un'onda di spavento e risate attraversa la distesa di corpi in punta di piedi per vedere meglio. Le guardie del sultano fanno largo al loro capo menando frustate e vergate sulle teste e le schiene di chiunque capiti a tiro. Il sultano solleva da terra la veste, gonfia e bianca come il suo turbante. E va finalmente ad accomodarsi su un lettino da spiaggia all'ombra della sala per le udienze, una tettoia in banco senza porte né finestre. Altre guardie spingono gli spettatori ai margini del piazzale. Un gruppo di suonatori soffia nei flauti e batte sui tamburi. Entrano in scena quattro cavalieri su cavalli bardati di cuoio e argento. Si guardano. Il primo si lancia al galoppo. Gli altri lo inseguono. Fanno il giro della piazza. Arrivano, si fermano, si guardano. Ripartono a una velocità pazzesca. I colori dei loro mantelli sventolano nell'aria trascinando nuvole di polvere arrossate dal tramonto. Il pubblico più vicino alla pista respira quelle nuvole e tossisce forte. Va avanti così un'ora. Fino all'ultima luce.

L'uomo dell'incontro arriva puntuale davanti all'hotel della Pace. Non è solo, come aveva promesso. «Vi lascio con il mio amico» dice senza scoprire la bocca, «nessuno meglio di lui ad Agadez conosce le vie della frode.» Poi si avvicina per non farsi sentire dall'altro: «Ogni mese va avanti e indietro con la Libia». «Ci dobbiamo rivedere per il pagamento.» «Farete tutto con lui» spiega l'uomo, saluta in tamashek e se ne va.

Ci si siede su un muretto all'ingresso dell'albergo. Lui si toglie il tagelmust lasciandolo cadere intorno al collo come una lunga sciarpa. Sorride e si presenta. Yaya parla un buon francese, oltre che tamashek, hausa e arabo.

«Visto che vivremo a lungo insieme, lasciamo perdere le forme di cortesia.» «Meglio così» risponde Yaya. «Allora il mio ritorno dipende da te.» «Se Dio vuole» dice e spiega il suo piano.

«Ultima cosa, mi serve il tuo passaporto. Domani faccio preparare il lasciapassare... Mi hanno detto che ti interessi delle rotte del Sahara» chiede Yaya alla fine. «Di immigrazione nel Sahara.» «È soltanto uno dei traffici. Aspetta qui, torno con la macchina e facciamo un giro.»

La macchina è un vecchio pickup senza finestrini né parabrezza. Yaya guida con gli occhi puntati dentro il cono di luce dei fari per evitare le buche. E parla come il commentatore di un documentario. Si ferma di fronte a una fila di capannoni, alla periferia di Agadez, in fondo alla pista dell'aeroporto chiuso dagli anni della guerra civile.

«Hai mai sentito parlare del traffico di sigarette?» domanda. «Sì, qualcosa.» «I camion che trasportano sigarette a volte prendono a bordo dieci, quindici clandestini. Dipende dagli autisti. Lo fanno per guadagnare qualche soldo a parte. I camion delle sigarette sono il mezzo di trasporto più comodo nel deserto: poca gente, tanta acqua.» «Io però voglio viaggiare con i camion che portano solo passeggeri.» «Come vuoi» continua Yaya.

«Questi capannoni sono i più moderni di tutto il Niger. Aria condizionata, climatizzatori, ambiente pulito. Hai mai visto un nostro ospedale? Fanno paura. Ma le sigarette le trattano come tratterebbero un re. Il traffico arriva dai porti della costa. Ogni camion trasporta cinquecento, seicento scatoloni. Passano da Niamey e poi da Agadez. Il governo incassa tasse forfettarie dalle società commerciali. Sappiamo che le società sono inglesi e libanesi. Oltre le tasse, pagano duecentomila franchi per la scorta militare ai camion e cinquecentomila per il trasporto. Fanno convogli anche di cinquanta camion che poi ritornano. E vederli arrancare nel deserto è uno spettacolo. Ma adesso spostiamoci da qui, i capannoni sono sorvegliati. Andiamo verso il quartiere della prostituzione.»

Durante il percorso, Yaya continua il suo racconto. «Il costo della spedizione è troppo alto. Settecentomila franchi per camion sono oltre mille euro. Più il costo del carburante, degli autisti, delle riparazioni.» «Ma mille euro per una spedizione di sigarette non sono molto. Dipende da dove vengono vendute queste sigarette.» «È questo il punto» sorride Yaya, «le sigarette vanno in Libia, i libici sono ricchi, è vero. Ma nemmeno voi in Europa pagate sette, otto euro un pacchetto di sigarette. Il fatto è che dalla Libia molti camion ritornano pieni, con le sigarette.» «In che senso?» «Nel senso che sono sempre le stesse sigarette che girano. Le portano in Libia e le riportano in Niger.» Yaya fa una pausa. E il mistero resta sospeso nel silenzio rotto dagli scricchiolii del pickup sulle buche di Agadez.

«Il contrabbando di sigarette è una copertura» dice Yaya mentre controlla nello specchietto retrovisore che nessuno ci segua. «L'abbiamo scoperto durante gli anni della ribellione» spiega. «Un giorno attacchiamo un convoglio nel deserto. L'idea era di rapinare un camion, vendere le sigarette in Algeria e comprarci munizioni. Prendiamo il camion e lo portiamo verso l'Adrar Madet. Un posto irraggiungibile per il resto del convoglio e troppo pericoloso per i militari che così non ci inseguono. I nostri ragazzi aprono gli scatoloni e sotto lo strato superficiale di stecche che cosa trovano? Chili e chili di cocaina in tutti e cinquecento gli scatoloni. Una sorpresa.»

«Cosa avete fatto di tutta quella coca?»

«I boss l'hanno venduta in Algeria in cambio di armi. Tante armi. C'era una guerra da combattere. Ma quel giorno abbiamo capito che cosa giustifica i costi per il trasporto delle sigarette. Sono sempre le stesse che girano per nascondere il traffico di coca.»

«In Libia i convogli vengono scortati dall'esercito?» «No, lì il traffico di sigarette è illegale. Anche se non escludo che qualche militare ci guadagni. Come con l'immigrazione.» I fari del pickup illuminano una ragazza seduta sui gradini di una casa.

«Poverette» commenta Yaya, «la migrazione femminile segue regole diverse dagli uomini. Si devono affidare al bouga, la guida. E il bouga le accompagna fino a Tripoli, due o tre per volta. Ma durante il viaggio sfrutta le ragazze. Un giorno a Dirkou ho visto una bambina di quattordici anni. A ogni tappa le ragazze vengono fermate anche due o tre mesi. Perché devono rendere tre o quattro volte il costo del viaggio. Dipende tutto dal bouga. È così a Zinder, ad Agadez, a Dirkou. E poi in Libia: a Sebha, nel quartiere nero di Combo, e a Tripoli. Ad Agadez si prostituiscono per mille franchi all'hotel Sahara, dove hai incontrato il mio capo. A Dirkou per cinquecento franchi. E mettere insieme ottantamila, centomila franchi è una fatica. Si prostituiscono anche nell'autogare. Al buio, sotto i camion.»

«Chi sono i clienti?» «Chiunque. A Dirkou soprattutto i militari.» Due ragazze salutano da una porta. «Le donne pagano il loro viaggio con la salute» dice.

Il pensiero va a Catherine: «Non tutte Yaya, ne ho conosciuta una che fa fatica ma finora si è salvata». «Se Dio vuole sì. Ma è difficile tenere duro. Quando sei nel deserto, sei una prigioniera. Il bouga decide per te.»

«Hai detto che Catherine si salverà se Dio vuole. E perché mai Dio non dovrebbe volere? Secondo te queste ragazze si prostituiscono perché lo vuole Dio?» La domanda deve suonargli come una bestemmia. Yaya risponde dopo qualche minuto: «Dio non si occupa di immigrazione».

Si torna in silenzio verso la strada dove ci siamo incontrati. Chissà perché Yaya ha voluto mostrare i depositi dei trafficanti di sigarette e di cocaina. Lui forse intuisce i miei pensieri. Oppure segue la sua logica. Prima di andarsene rivela anche quel perché: «Stasera hai visto cosa passa nel deserto. Dovrai stare molto attento a non sbagliare. Ci vediamo domani pomeriggio. Alle cinque, all'autogare. Dopodomani parte un camion». Sopra Agadez risplende l'hilal, la falce sottile di luna crescente che ha stabilito la fine del Ramadan. È già mezzanotte. L'arco e la freccia di Orione brillano allo zenit del cielo.

Il pomeriggio il clima all'autogare sembra meno sospettoso. Forse è la presenza di Yaya a rendere più gentili gli addetti alla biglietteria. Un uomo con il pizzetto, la camicia a quadri e un gris-gris d'argento appeso al collo, scrive su un foglio il suo nome e il numero di cellulare. «Allora partite domani?» chiede. «Se avete molto bagaglio, dovete consegnarlo stasera. Il camion parte domani mattina alle otto.» «No, soltanto uno zaino.» «So che avete fatto domande in giro sul traffico di immigrati. Il traffico però lo fanno altri. Il mio è trasporto legale di passeggeri nel deserto, sono il figlio del proprietario della compagnia. Ovunque siate, chiamatemi se avete problemi. Se non potete telefonare, vi basterà fare il mio nome» spiega e consegna il foglio con i suoi dati. «Da domani avremo uno o due camion al giorno in partenza, non rischiate di rimanere solo nel deserto.» E stringe la mano con un sorriso. Fuori, Hassan, l'accompagnatore che lavora per i pakistani, saluta con un perfetto «Arrivederci». «Sì, se Dio vuole.» «Sempre se Dio vuole» ripete lui.

All'uscita dell'autogare, Yaya restituisce il passaporto. «Dentro c'è il lasciapassare. È tutto a posto» promette, «manca solo una cosa. Ce l'hai un boubou e un tagelmust.» «Il tagelmust sì. Il boubou lo devo comprare dopo. Farà troppo caldo nel deserto per tenere addosso i pantaloni.» «Ma non è solo per questo. Dovrai nascondere la tua pelle bianca. Non solo per non scottarti. Anche per evitare che i predoni vedano da lontano che sul camion c'è un buon bottino da prelevare.» «Già.» «Non comprarlo. Ti regalo un mio boubou. Te lo porto dopo in albergo. Se non ci sarai, noi ci rivedremo lungo la rotta.» «Se vuoi, direttamente al confine libico.» «No, no. Lassù è deserto. Se manchiamo l'appuntamento, tu finisci dritto nelle mani dei libici. Sarò discreto, controllerò da lontano che tu non ti metta nei guai.»

Daniel, suo fratello Stephen, Billy, Johnson e Dandy aspettano la sera seduti su un muro al di là della strada. «Mangiamo qualcosa? Ho visto che il baracchino è già aperto.» Salutano e si alzano di malavoglia. «Come stai, fratello?» chiede Daniel. «Bene. Questo è l'ultimo tramonto che vediamo ad Agadez, no?» Daniel non risponde nemmeno alla domanda fatta sottovoce. Ci si siede per il solito pollo arrosto. Non ci sono altri clienti e anche Catherine si unisce al tavolo. C'è una strana aria stasera. Mangiano in silenzio.

«Tu cosa pensi di noi?» chiede a un certo punto Daniel. «Perché mi domandi questo?» «Perché oggi ne abbiamo parlato tra di noi. Vogliamo sapere cosa pensi. Ci consideri delle brave persone, degli straccioni, degli illusi.» «Ve l'ho già detto altre volte, Daniel. Se può valere il mio pensiero, io penso che voi siate eroi. I protagonisti di un moderno eroismo.» «Sì, ma secondo te arriveremo vivi fino in fondo?» chiede ancora Daniel dopo qualche minuto di silenzio.

«Ehi, perché questo pessimismo stasera?»

«Perché stanotte se n'è andato un fratello del Ghana» dice Billy diretto come una fucilata. Gli altri smettono di mangiare. «È morto davanti a noi alle due di notte. Dalle otto di sera strisciava per terra per le convulsioni. Supplicavamo i nigerini dell'autogare di chiamare un dottore. Invece hanno chiamato la

117

polizia, ma soltanto dopo sei ore. Lo conoscevamo come Kofi» spiega Billy, «aveva 24 anni. Non mangiava da almeno una settimana, tossiva molto. Da cinque giorni beveva solo acqua e zucchero.» Catherine guarda spaventata dritto negli occhi.

«Non aveva soldi per mangiare» aggiunge Johnson: «L'ospedale costa mille franchi, lui non li aveva. Per questo il guardiano dell'autogare ha chiamato la polizia. Quando sono arrivati gli agenti, Kofi era già morto. Hanno detto che lo seppelliranno ad Agadez». Dandy vuole essere ancora più chiaro: «Questa è l'Africa, fratello. In Europa avrebbero fatto arrivare un'ambulanza. Kofi si sarebbe salvato. L'Africa è così per colpa dei governi. Della corruzione. Del potere in mano a pochi. Delle divisioni. Del fatto che invece di insegnarti a pescare, i governanti corrotti ti vendono il pesce che loro importano».

«Ragazzi, non potevate portare Kofi a cena con noi nei giorni scorsi?» «Noi non lo conoscevamo» risponde Daniel, «siamo in tanti là dentro.» «Ma mille franchi sono solo un euro e cinquanta centesimi. Tra le otto e le due di notte potevate cercarmi. Avete il mio numero di cellulare. Forse con me avrebbero chiamato l'ambulanza.» «Nessuno ci avrebbe lasciato telefonare. E poi ieri era la festa dell'Aid, tutti festeggiavano l'Aid» dice Billy. «Io non ho festeggiato l'Aid ieri sera.» «Ma l'Africa è così. Né tu né io la potremo cambiare» chiude il discorso Dandy, «per questo noi stiamo scappando.»

4

Attraverso il Ténéré

La notte è interrotta da un doppio bip. Lo schermo del cellulare lampeggia. Un messaggio. È Lei: «Chiamami prima di partire. Amoti». Fuori Agadez non ci sarà segnale. Nulla legherà più questo viaggio al resto del mondo. Fino al ritorno, inshallah, se Dio vuole.

Manca poco all'alba. Bisogna andare. Ci si ritrova nel grande recinto dell'autogare. «Partenza alle otto» ripetono davanti allo sportello della biglietteria. C'è un fitto andirivieni di persone, rinvigorite dalla brezza fresca. Il grande camion è pronto in mezzo al piazzale. L'hanno addobbato tutta la notte e adesso la sua sagoma è gonfia di bidoni. Un immenso grappolo, per la forma e per tutta l'acqua che contiene.

«Dov'è l'italiano?» chiede qualcuno dentro la biglietteria. Si affaccia alla porta l'aiutante del figlio del proprietario. «Quanti bidoni d'acqua porti?» «Uno da venti litri.» «Starai davanti, sul tetto della cabina. Il bidone lo devi legare lì.» Soltanto a questo punto l'uomo si accorge del boubou azzurro regalato da Yaya. Sorride. La lunga veste non sarà utile soltanto per proteggersi dal caldo. Il suo volume è indispensabile per nascondere il marsupio legato alla vita e, dentro il marsupio, la macchina fotografica tascabile, le batterie, il taccuino e qualche penna di ricambio. «Devi scrivere il tuo nome sul bidone» si raccomanda l'aiutante, «l'hai fatto?» Un grande fragore e una nuvola nera sopra il camion annunciano l'accensione del motore. «Ho scritto Dirkou, come l'oasi. Il mio nome avrebbe attirato troppa attenzione.» «Bene, che Dio ti protegga» dice porgendo la mano.

All'uscita della biglietteria, riappare Soufiane. Indossa la stessa maglia dell'Inter. Non s'era più fatto vedere dal giorno del primo incontro. «Amico mio» esclama. Stamattina ha la voce impastata: «Allora, sei riuscito a partire?». «Non ancora, come vedi.» Sarebbe stato meglio non incontrarlo oggi. Il suo comportamento è sempre meno limpido e meno affidabile.

«Mi devi aiutare» dice Soufiane avvicinandosi a pochi centimetri, «dammi diecimila franchi.» «Non ho diecimila franchi.» «Ma se tu parti oggi, li avrai sicuramente diecimila franchi.» «Mi serviranno per il viaggio. Perché ti dovrei dare diecimila franchi?» «Ti ho organizzato io il viaggio.» «Per la verità, sei sparito proprio nel momento in cui mi potevi aiutare. E poi è il proprietario del camion che ti deve pagare per i passeggeri che gli porti. Ora so come funziona.» Lui resta in silenzio.

«Soufiane, se hai bisogno, ti aiuto. Ma arrivo fino a cinquemila franchi.» Quando vede nella mano la banconota bianca e verde sorride felice come un bambino. E tenta di prenderla.

«Aspetta, Soufiane, a cosa ti serviranno?» «Ad arrivare in Libia.» «Sei sicuro?» «Perché mi chiedi questo?» «Perché la birra non ha mai portato in Libia nessuno.» Lui afferra i soldi e abbassa lo sguardo.

La frase l'ha sicuramente ferito. Nell'intimo. Una frase sbagliata. Non è giusto infierire su chi non partirà mai. Ognuno viaggia come può. Con il corpo o con la testa. E se non si ha la forza per muovere il corpo oltre il deserto, la testa prima o poi vuole essere accontentata. Soufiane s'avvia senza salutare verso l'uscita dell'autogare. Andrà sicuramente all'hotel Sahara a bersi i cinquemila franchi. Arrendendosi così alla lenta vendetta della mente contro l'immobilità del corpo.

La scaletta che porta in cima al camion è troppo stretta per accogliere i piedi di tutti. In molti si aggrappano direttamente al cassone. E rischiano di far crollare la massa di bagagli e bidoni. L'autista si arrabbia. Grida qualcosa in hausa. Pazientemente si ricompone la coda. I primi passeggeri vanno a mettersi a cavallo delle fiancate. Seduti su coperte di lana arrotolate per ammorbidire gli spigoli delle paratie. Gli altri si accovacciano sul fondo del cassone. Altri ancora devono restare in piedi. Ed è una fatica trovare spazio dove infilare le gambe e non calpestare chi sta sotto di loro. Gli ultimi si devono accomodare, si fa per dire, su strette traverse di ferro saldate da una parte all'altra delle fiancate. Alla fine il carico è un ammasso di gambe, braccia, teste. Colori e voci che si mescolano con sacche, zaini e bidoni. Il proprietario ha venduto ogni superficie disponibile. Restano scoperti soltanto il battistrada delle sei grandi ruote e il lungo cofano del vecchio motore Mercedes. «Ci sono tutti. Centosessanta più l'italiano» dice a voce alta l'autista perché sentano nella biglietteria, «yalla, yalla, andiamo.» L'altro autista sale con lui in cabina. Sbattono le due portiere. Due ragazzi più giovani restano in piedi sui predellini, a destra e a sinistra della cabina. Sono le dieci e siamo ancora fermi sul piazzale dell'autogare.

La temperatura è ormai salita seguendo il sole nel cielo. Bill, Adolphus e Aloshu se ne stanno scomodamente seduti. Con il sedere schiacciato sui pochi centimetri della traversa di ferro e i piedi penzoloni sulle teste che cercano di respirare lì sotto. Anche i tre ragazzi liberiani erano scomparsi dopo il primo incontro. Forse hanno trovato da dormire in qualche nascondiglio a pagamento, lontano dall'autogare. Daniel e Stephen sono immersi nella massa di corpi in fondo al cassone. Non si sono ancora accorti del volto bianco fasciato nel tagelmust verde. Nemmeno gli altri. Soltanto una ragazza, la più vicina, continua a osservare le mani pallide. E quelle, con il caldo che fa, non si possono proprio nascondere. Una nuvola di fumo denso solleva il coperchio del tubo di scarico, dritto come un comignolo sul fianco della cabina. Bisogna chinarsi, per non respirare il gas. Al secondo colpo di acceleratore, il mondo intorno galleggia dolcemente. Si muove. Barcolliamo, perfettamente sincronizzati con il dondolio e lo scricchiolio di bidoni e bagagli. Mani e braccia si appoggiano sulle schiene accanto. L'ammasso di corpi deve ancora assestarsi. Bisogna spingere un po' con i piedi,

121

un po' con i fianchi. Giusto per guadagnare qualche millimetro. Fanno tutti così. Il Mesallaje sopra le case rosse di Agadez celebra solenne anche questa partenza.

Una frenata brusca blocca il camion al cancello dell'autogare. Un po' troppo brusca. Continuiamo a beccheggiare pur restando fermi. Si riparte. Svolta a sinistra sulla strada asfaltata. Billy e Johnson guardano dal marciapiede, tre o quattro metri sotto di noi. Catherine è già al lavoro. Con uno straccio sta togliendo la polvere dai tavoli del ristorante. Alza gli occhi per qualche secondo. Nessuno saluta. Ci si guarda e basta. Nel momento in cui l'immenso carico umano le è più vicino, Catherine abbassa la testa e continua a pulire. Al rondò si va a destra. Si passa oltre i capannoni dei trafficanti di sigarette. L'asfalto si rompe in una fila di buche. Le ruote affondano e risalgono come la prua di una barca nel mare agitato. Chi sta seduto ai bordi deve aggrapparsi ai corpi vicini. La strada gira a sinistra e corre parallela alla pista dell'aeroporto. Finita la pista, finisce la strada. Finisce Agadez. Finisce il Sahel. Finisce l'Africa nera. Finisce un mondo. Davanti al muso del camion si apre una spianata di pietre e sabbia senza orizzonte. I solchi lasciati da migliaia di ruote avanzano a zig zag tra le acacie, i cespugli di spine e i pochi arbusti verdi di calotropis procera. Dietro di noi, il Mesallaje, la torre dell'acquedotto e le forme geometriche della città stantuffano sempre più lontani nell'aria diluita dai miraggi.

Cinque chilometri. I primi cinque chilometri. Quasi mezz'ora di viaggio e il camion già si ferma. Da una garitta a sinistra escono tre poliziotti armati. Fanno scendere tutti. È il primo posto di controllo sulla pista per il Ténéré. Bisogna sedersi a terra, con le mani sopra la testa. Uno dei tre ragazzi in mimetica sfila il pugnale dalla fondina e va a squarciare le intercapedini di canapa che avvolgono i bidoni dell'acqua e le borracce. Colpisce soltanto quelli legati più in basso. Scompare dietro il camion. Ma forse non trova nulla. Così ritorna. A un gruppo di passeggeri seduti nelle prime file fa togliere le scarpe. Il suo volto ha i tratti somatici degli hausa ma, accanto alla bocca, le cicatrici tribali dei djerma. Il poliziotto raccoglie le scarpe. Una a una. E per ogni scarpa, con un'incisione netta della lama, taglia in due la suola. L'unico suono nell'aria è il ronzio degli sciami di mosche che volano a dissetarsi. Cercano saliva e lacrime sulle nostre labbra e agli angoli degli occhi. Guardiamo in silenzio. Gli altri due poliziotti camminano tra le teste chine e sfiorano i corpi con due grossi tubi di gomma. Gridano qualcosa in una lingua incomprensibile. Ripetono l'ordine in inglese e in francese. Due sole parole: *money* e *argent*. Vogliono soldi. Chi è a piedi nudi o in ciabatte, se non paga viene trascinato dietro la garitta da dove arrivano altre voci. Poco dopo si sentono grida sommesse. Colpi di tosse. Il sibilo di una frusta. Anche Bill, Adolphus e Aloshu vengono picchiati. I due tubi di gomma si abbattono sulle loro schiene magre. Le mani dei due poliziotti salgono bene in alto, in modo che anche dietro possano vedere cosa stringono nel pugno. E poi giù con forza, finché nel caldo risuoni quel tonfo cupo accompagnato dal debole lamento orgoglioso. Bill, che zoppica ancora, e i suoi due amici devono sopportare le torture davanti a tutti. Forse perché non hanno mai rinunciato alle scarpe e non intendono togliersele. Resistono meno di un minuto. Un minuto lungo un giorno. Alla fine consegnano diecimila franchi a testa, poco più di quindici euro. E i poliziotti vogliono di più. Vogliono le scarpe e quello che forse c'è dentro. Continuano a minacciarli. Ma a quel punto vedono nelle loro mani i passaporti azzurri della Liberia. Ne prendono uno, sfogliano tutte le pagine. Stranamente si calmano.

Ai nigeriani va peggio. Forse perché in Nigeria non c'è nessuna guerra civile riconosciuta ufficialmente. I nigeriani vengono accompagnati dietro la garitta. Quando ritornano hanno lo sguardo basso, le lacrime negli occhi e sicuramente qualcosa di meno in tasca. Dopo un'ora di botte e perquisizioni si risale sul camion. In venti restano a terra. Uno solo si avvicina per riprendersi il bagaglio. Gli altri non hanno nulla. Si avviano verso Ovest con il passo lento di chi non aspetta più niente. «Li hanno fatti scendere perché non avevano soldi, scarpe o indumenti da regalare ai poliziotti» dice qualcuno. Tornano a piedi ad Agadez. Anche se avevano pagato il viaggio. Di nuovo *stranded*.

Tra i passeggeri, mancano Daniel e suo fratello. Lo spavento è come un soffio allo stomaco. Ma poi rieccoli. I loro volti riemergono e scompaiono nel groviglio di gambe e corpi. Ci si riconosce finalmente con un rapido incrocio di sguardi. Nessuno ha più voglia di sorridere. «Ti hanno fatto storie con il tuo passaporto?» chiede Bill reggendosi alle spalle di quanti stanno sotto di lui. «Me la sono cavata con qualche domanda. Ma solo perché sono italiano.»

Ottanta chilometri più avanti, aspettano i gendarmi di Tourayatte. È l'ultimo villaggio davanti al silenzio del Ténéré. La pista passa in mezzo a poche baracche. A sinistra, su un lungo banco fatto con tronchi e assi, vendono zucchero, tabacco, tè, sigarette e intere capre appena macellate. Il motore sbuffa mentre l'autista, invisibile sotto di noi, va a cercar posto in mezzo a una spianata di pietre a destra. Ci si ferma a una cinquantina di metri da un altro camion da cui pendono collane colorate di bagagli e bidoni. I suoi passeggeri sono a terra. Discutono a voce alta. Sono tutti raccolti in fondo al piazzale. Due arabi, forse i loro autisti, e tre soldati si voltano a guardare il nostro arrivo. E non appena si voltano, gli altri spingono. Scoppia una rissa. Salgono altre grida. Accorrono altri militari. I due autisti ridono. I soldati si avvicinano al gruppo di passeggeri. Basta mostrare loro i bastoni che stringono in mano e torna la calma. Ma subito dopo riprende la discussione. Daniel, Stephen e i due amici di Bill non si mettono in coda alla scaletta per scendere. Saltano direttamente giù dal camion. Bill non può, i piedi gli fanno troppo male. Sfrutta il vuoto che si apre intorno a lui e va a sedersi qualche minuto appoggiando finalmente la schiena a una sponda. Il fondo del cassone è ricoperto di sacchi rotondi, più di un metro di diametro. Dal profumo che rilasciano, devono essere pieni di semi di cola.

«Un bianco in viaggio sui camion del deserto» dice una voce alle spalle. È un ragazzo robusto. Jeans, maglietta chiara e un sorriso cordiale. «Vai in Libia?» chiede. «Intanto vado a Dirkou, se Dio vuole.» «Sì, se Dio vuole. Sei vestito come un musulmano.

Sei musulmano?» «No, è soltanto un abbigliamento comodo.» «Nemmeno io sono musulmano. Sei cristiano?» «È obbligatorio rispondere?» «Se non vuoi, no. Io sì, sono cristiano. Cristiano e nigeriano. Abdoulkarim» dice porgendo la mano, «faccio lo steward di bordo su quello», e indica il camion bianco alle sue spalle. «Steward di bordo?» Lui ride: «Sì, steward di bordo. Oltre che interprete tra i passeggeri e gli autisti. Altrimenti non si capiscono. Comunque facciamo lo stesso fatica a capirci, hai visto che botte prima?». «Ho visto.» «Ogni volta che si risale scoppia una rissa. Chi non ne può più di stare seduto sugli spigoli di ferro, cerca di appropriarsi di un posto comodo. Gli autisti ridono e i passeggeri si massacrano. Qualcuno viaggia con il coltello in tasca, è dura fare il mio lavoro. C'è gente esasperata. E siamo solo all'inizio del viaggio. Ma è normale, no?»

«Andate a Dirkou?». «Dirkou? L'oasi degli schiavi. No, noi non passiamo da Dirkou. Nessuno dei miei passeggeri vuole diventare schiavo. Andiamo direttamente in Libia.» «Passate da Madama?» «Nemmeno di lì passiamo. Facciamo la rotta diretta.» «La rotta del passo di Salvador?» «Sì, certo.» «Ma è pericolosa.» «No» sorride Abdoulkarim, «la rotta di Dirkou è pericolosa. Ci sono i militari. E anche a Madama ci sono i militari. E con i militari sono sempre botte, rapine. Dovevi vedere cosa hanno fatto qui. Li hanno picchiati con i bastoni e i tubi di gomma. Ma io non posso farci nulla, è normale no?» dice con la stessa intonazione di prima, stringendo la testa tra le spalle. «Perché non sali con noi? Ti portiamo direttamente in Libia.» Impossibile stare a spiegargli delle minacce del console libico. Non sarebbe prudente: «Io devo andare a Dirkou». «Allora amico mio, prendi un pezzo di carta. Dammi, che scrivo io. Questo è il mio cognome, ecco, mi trovi a questo indirizzo. Se ritorni ad Agadez, vieni a cercarmi.» «Siete partiti da Agadez? Ma il nostro era l'unico camion che partiva oggi da Agadez.» «Era l'unico camion dall'autogare. Noi siamo partiti da un posto fuori città. Non te l'avranno detto perché sei straniero.» «Qui tutti siamo stranieri.» «Ma tu sei più straniero di noi. I kamacho in tacha ci hanno portato i passeggeri con piccoli fuori-

125

strada, così il mio padrone risparmia sulle tasse di passaggio. Sono cinquecento franchi a persona. Anche i miei passeggeri risparmiano. In bastonate e tangenti da pagare ai militari. Qualcuno l'abbiamo raccolto qui a Tourayatte. Siamo in duecento. Ma dimmi, perché uno come te deve viaggiare in mezzo a questo casino?» «Perché sto facendo il viaggio della mia vita.» «Ah, tutti loro stanno facendo il viaggio della loro vita. Anch'io l'ho fatto. In Nigeria studiavo ingegneria» racconta con l'ansia di dire tutto di sé in pochi minuti: «Gli studi costavano e sono dovuto partire. Mi sarebbe piaciuto arrivare in Italia, ma mi sono fermato ad Agadez. Anche se non posso dire di essermi fermato. Sono sempre sulla rotta del deserto...».

Il camion bianco viene portato avanti di cento metri. «Stanno per partire, devo tornare da loro» dice Abdoulkarim e va ad aprire uno sportello quadrato tra le ruote anteriori e il primo dei due assi posteriori. Dentro, incastrati e ordinati, ci sono un fornelletto a legna, una pentola, qualche piatto, un sapone, l'asciugamano e altro che non si vede. Abdoulkarim prende una borraccia. Il camion è un Mercedes più moderno di quelli che partono dall'autogare di Agadez. La targa libica è strategicamente coperta da una ghirba legata al paraurti per le zampe. La ghirba è il modo più antico per tenere l'acqua al fresco: nella sua vita precedente era una capra, poi è stata svuotata di ossa, carne e interiora e ricucita in modo da diventare ermetica.

I passeggeri vengono divisi in piccoli gruppi, dopo un altro po' di bagarre. Adesso li chiamano per nazionalità. Dieci per volta. Ghana. Liberia. Nigeria. Benin. Togo... Loro corrono e si arrampicano sulle fiancate aggrappandosi a bagagli e bidoni. Una corsa da centometristi a prendersi i posti migliori: quelli a cavallo sulle sponde di ferro ammorbidite dalle coperte. Concluso l'appello, i sei militari tornano ai due bidoni del posto di blocco. Il sole del tramonto ha dipinto di rosso le alture che nascondono la sabbia del deserto. Nell'aria calda risuona il pianto di una capra che un pastore tuareg sta per sgozzare su una roccia tra le baracche. La vita quotidiana continua, un camion dopo l'altro. Alle sei di sera il Mercedes bianco esce dal piazzale e

126

gira a destra, verso Est. Non c'è posto a sedere per tutti. Molti passeggeri sono in piedi. È una di quelle immagini che ti si inchiodano negli occhi con tutto quello che la fotografia non può mostrare. L'ultimo urlo della capra. Il fragore del motore. Il sapore dolce della polvere che asseta la gola. E la sagoma del grande camion che si allontana piano sulla salita di ghiaia, dritto dentro il cielo vitreo che avvolge il Ténéré.

«Buonasera, benvenuto all'Agorass in Tourayatte.» La frase pronunciata alle spalle è in perfetto italiano. L'uomo ha la divisa dell'esercito. «Parlate italiano benissimo.» «Magari lo sapessi» continua lui in francese, «sarei già salito su uno di quei camion. Purtroppo so soltanto salutare.» «È sempre un buon inizio.» «Venite al posto di controllo, c'è un vostro amico.» Yaya sta raccontando gli ultimi suoi mesi di vita e i soldati, seduti sotto la tettoia di paglia e lamiera, ascoltano e ridono.

«Come stai? Sei stanco? Fa caldo, vero?» chiede dopo i saluti. «Yaya vieni con me, devo prendere una cosa dalla macchina.» È soltanto una scusa per allontanarci dai militari. «Ti hanno chiesto qualcosa sulla mia presenza qui?» «Ovviamente. Ho detto che sei un turista un po' fuori di testa e che vuoi fare fotografie ai camion del deserto.» «E loro?» «Hanno ovviamente concluso che sei un po' fuori di testa.» «Ma tu gli stai raccontando qualcosa sulla nostra rotta?» «Quello che c'è scritto sul lasciapassare. Però è interessante quello che hanno detto loro.»

Yaya a volte è di quelle persone che se per strada chiedi se sanno dove sia il centro città, loro rispondono sì. Senza però indicare la direzione. «Allora, Yaya, cosa hanno detto loro?» Lui fa un tiro profondo di sigaretta e sorride: «Hanno detto che nelle ultime ventiquattro ore sono passati due autoarticolati, forse di sigarette, con ottanta immigrati sopra. Più il Mercedes libico partito adesso con duecentodue persone. Più un Mercedes nostro, del Niger, con centocinquanta persone. Più un Mercedes bianco partito da Tourayatte con centottanta persone. Più il tuo camion su cui ora faranno salire ventidue persone rimaste giù dagli altri camion. Fai tu la somma, quanto fa?». «Compresi noi sono quasi ottocento persone.» «Tutto questo in un giorno solo, senza contare i piccoli fuoristrada. Pensa a quanta gente passa in un mese. Capisci quanti soldi girano?» «Ma da dove sono partiti se ad Agadez c'eravamo soltanto noi?» «Ah, non so. Non c'è soltanto l'autogare. Ad Agadez i camion libici vengono nascosti nei garage degli arabi. E poi ricorda che il deserto è grande. Se pretendi di guardare da vicino una cosa, ti perdi tutto il resto. Il deserto e tutto quello che gli passa sopra è meglio guardarli da lontano.» «Stai tentando di segnalarmi un pericolo?» «Sto tentando di farti capire che non puoi vedere tutto.» «Yaya, è uno schifo. I militari picchiano i passeggeri, vogliono i loro soldi.» «È il mestiere dei militari. A proposito, per sicurezza ho portato con me un ragazzo, un amico. Io la notte mi fermo a dormire. Se tu sei sul camion, è più sicuro che io non rimanga solo.» «Va bene.» «Qui ho comprato mezza capra e la legna per cucinare. Tu mangi carne?» «Sì, certo. Ma come conserverai mezza capra senza ghiaccio?» «Non c'è bisogno di congelatori nel deserto. L'aria è così secca che la carne si conserva da sola.» «Yaya, ho visto che alcuni passeggeri del mio camion li hanno portati dietro il posto di controllo. Tu hai visto se li hanno picchiati?» «Forse, non so. Può essere. I militari sono sempre militari.»

Una fumata nera sopra il piazzale annuncia l'accensione del motore. Due colpi di clacson. Bisogna correre alle fiancate. Ci si arrampica come marinai all'arrembaggio. Il camion si muove anche se non tutti i passeggeri sono a bordo. Gli ultimi si aggrappano ai bidoni e rischiano di cadere sotto le ruote. Ora si sta molto più stretti.

Appena fuori Tourayatte, oltre le prime dune ocra, sfila una taghlamt, la carovana del sale. Almeno duecento dromedari camminano in silenzio verso l'ultima luce del giorno. Vanno a Ovest, agli accampamenti tuareg alle porte di Agadez. Il passo costante, morbido, delicato. La coda di quello davanti legata con una corda alla mandibola dell'altro che segue. Per loro sono gli ultimi giorni di viaggio. Guidati dai madougou, gli astronomi seduti sui primi dromedari della fila, e da pochi altri carovanieri. Hanno attraversato due volte il deserto del Ténéré. All'andata e al ritorno. Seicento chilometri per due. Quaranta giorni di cammino, dalle cinque del mattino alle undici di sera. Lungo la rotta segnata dal sole e, la notte, dall'arco di Amanar, la costellazione di Orione. Fanno questa impresa da otto secoli. Dall'autunno a primavera, quando Amanar vola da Oriente a Occidente perfettamente allo zenit. Preciso come la lancetta di una bussola. Il suo percorso nel cielo sorge esattamente dalla mitica oasi di Bilma. E tramonta dritto su Agadez. Basta seguirlo.

L'immagine improvvisa della taghlamt materializza i ricordi. L'esistenza di un mondo scoperto durante la preparazione del grande viaggio, tra carte geografiche e pomeriggi in libreria. Un mondo di carovanieri immobile nel tempo, ma mai nello spazio. Già nel Medioevo, mentre l'Europa rinasceva dalle carestie, Bilma era un trafficato centro di commerci, un mercato di schiavi e un'importante meta delle taghlamt. Questa rotta deve la sua storia ai giacimenti di sale. L'acqua del sottosuolo di Bilma è satura di cloruro di sodio. Una risorsa preziosa in una regione lontana dal mare. Preziosa come oro, letteralmente. Durante il nostro Medioevo, i regni del Sahel vivevano il loro massimo splendore. E un chilo di sale veniva pagato fino a un chilo d'oro. Non perché il sale stesse scomparendo. Era l'oro a valere di meno per la sua abbondanza. Ora a Bilma il sale viene barattato con capre, formaggio caprino, miglio, zucchero, tè, tabacco e calebasse, i grandi secchi ricavati dalle zucche giganti del fiume Niger scavate ed essiccate. Oggi occorrono trecento chili di beza, il sale bianco da cucina, per comprare a malapena una capra. Oppure seicento chili di sale grezzo per animali. Perché nel Sahara e nel Sahel il sale non viene usato soltanto per conservare gli alimenti. I cristalli di cloruro di sodio servono soprattutto a bilanciare il fabbisogno minerale di decine di migliaia di dromedari, in marcia lungo le rotte transahariane con il loro carico di fatica. Duecento dromedari sono una carovana di cui non si vede la fine. Dopo dieci minuti di viaggio, la taghlamt sta ancora sfilando accanto al nostro camion a pochi passi dalla pista. Ogni animale porta fino a centocinquanta chili di merce legati ai fianchi. Ogni carico è composto da almeno quattro kantou, le forme coniche di sale grezzo da venti chili l'una. Decine di foci, i panetti da due chili. Sacchi di datteri. La takuba, la spada d'argento infilata bene in vista al fianco della sella. Le ghirbe d'acqua. La borsa con le scorte di farina di miglio. E il chokal, il cucchiaio di legno: «Noi non mangiamo con le mani come gli arabi» ha detto Yaya l'altra sera, con orgoglio da kel tamashek, durante la discussione su cosa doveva portare per il viaggio.

Il cielo è sempre più scuro e un poco più fresco. Le stelle cominciano a brillare una accanto all'altra a mano a mano che il tramonto si spegne. L'aria è così limpida e discreta che sembra di attraversare l'universo dentro una sfera di vetro. Bassa sulla pianura, si intromette nel paesaggio una sottile falce di luna. E non appena fa completamente buio, una geometria di stelle allineate emerge dall'orizzonte esattamente di fronte a noi. Sono la nostra bussola, l'arco e la freccia di Amanar. La costellazione sorge rapida dal punto più orientale del panorama. Bilma è lì sotto. E non solo Bilma. Lì sotto c'è anche Dirkou, il mercato dei nuovi traffici, l'oasi dei nuovi schiavi. Bilma e Dirkou sono separate da trentacinque chilometri di dune. Almeno così assicurava la carta geografica rubata con lo zainetto sul treno in Mali. I fari illuminano poche decine di metri davanti al camion. Le ruote si incanalano sconnesse dentro binari scavati da migliaia di altre ruote. La sabbia è modellata in piccole onde come se fosse la superficie di un lago. Anche la sua consistenza, qui sotto, ora è liquida come acqua. Dev'essere un banco di fech fech. Di solito si accumula nel letto delle paludi o dei fiumi prosciugati, leggero come borotalco. Dalla pancia del camion sale una nuvola di polvere. Così densa da coprire le stelle. Non si respira più. I polmoni cercano di riprendersi l'aria a colpi di tosse. Dissolta la polvere, la luce dei fari svela nel buio le sagome curve di dromedari accovacciati sulle loro gambe snodate. È il riposo notturno di una carovana. Dev'esserci un pascolo da queste parti. Agli erbivori del Sahara bastano pochi fili d'erba secca. Nell'istante di silenzio tra l'inserimento di una marcia e l'altra, si sentono bene i loro ruggiti. I dromedari sono animali insofferenti. Si lamentano per il freddo, o la stanchezza, o l'improvviso fascio di luce che li ferisce nei grandi occhi.

Si passa in mezzo a una piccola costellazione di fuochi. Diciotto fiammelle, forse altrettante capanne. Potrebbe essere Bargout, un accampamento di pastori tuareg. Oppure il pozzo di Tazole, l'ultima fonte prima del vuoto che in tamashek si dice proprio *ténéré*. Sopra di noi c'è un grande traffico di stelle cadenti. Spilli infuocati attraversano lo spazio in piena libertà. Alle nove di sera la falce di luna è un Titanic che affonda dentro il suo orizzonte. Non c'è più differenza di colore tra il cielo e la terra. Nero sopra, nero in basso. L'unica distinzione è l'affollamento di scintille, vicine e lontane. Ce ne sono miliardi. Vivacissime in alto. Vanno a spegnersi appena sotto la linea che demarca i confini del mondo.

Il deserto non è buio. Anche senza luna, continua a riflettere la luce argentea delle stelle. Troppo debole perché si riesca a vedere cosa c'è davanti. Ma abbastanza intensa per riuscire a scorgere le sagome delle cose e delle persone vicine. Il ruggito del camion copre tutto. Non si sente nient'altro. Soltanto il proprio respiro, imprigionato dentro il velo del tagelmust, vince lo sforzo del motore. L'unico, intimo compagno di viaggio, l'unico che non tradirà mai, che non lascerà mai soli questi ragazzi fino all'ultimo soffio, è il respiro. Il nostro respiro.

«Ehi, hai visto come è bello?» La voce è quella profonda di Daniel. «È bello sì. Ma come hai fatto a scavalcare tutti i passeggeri?» Daniel non sente la domanda. Guarda le stelle e scandisce qualcosa di insolito: «Attimo fermati, sei bello». Serve giusto una traduzione mentale dall'inglese. Il tempo necessario a riconoscere chi ha scritto questo verso. «Daniel, ma è il *Faust* di Goethe.» «Sì.» «Non mi aspettavo di sentir recitare Goethe su un camion nel deserto.» «Adoro la Germania. Se parlassi tedesco, andrei lì.»

È come sul treno tra Kayes e Bamako. Bisogna rimanere svegli. In piena notte Bill, sfinito dalla stanchezza, perde l'equilibrio e cade sui passeggeri seduti sotto di lui. Uno di loro si alza e lo colpisce in faccia con una grossa torcia elettrica. Bill si copre la bocca con la mano. Sanguina. La botta gli ha spaccato il labbro superiore. Si accende un crepitio di voci. Parole secche, in una lingua incomprensibile. Il motore arranca. Prima. Seconda. Prima. La velocità si è ridotta di molto. A occhio, non si va a più di cinque-dieci chilometri all'ora. Bolle di caldo si inseguono nell'aria tra un soffio e l'altro di freddo. In mezzo al cassone scoppia una nuova lite. Un ragazzo sta minacciando i vicini di posto. Punta pericolosamente un pugnale agli occhi degli altri. La massa di corpi si allontana scomposta per evitare la lama. E lui si conquista più spazio per sedersi e dormire.

Alle due il freddo è costante e continuo. Bisogna coprirsi. Sulla curva del cielo, Amanar appare nella stessa posizione che la lancetta delle ore occupa sul quadrante dell'orologio alle due di una notte qualsiasi. La stanchezza è troppa. Ci si addormenta a piccole dosi. Le mani aggrappate alle braccia dei vicini e viceversa. Tutti abbiamo il terrore di cadere sotto le ruote.

Un sottile filo rubino sull'orizzonte piatto anticipa l'alba. Il velo di acquerello sale tra gli occhi e il paesaggio. In pochi minuti ogni sfumatura tende al rosa. Per un'ora i colori vagano liberi da contrasti di luci e ombre. Poi arriva il sole. Il primo raggio è una spada puntata contro le ultime stelle. L'abbaglio che lo insegue scioglie il profilo tra il cielo e la pianura. Emerge una schiena arancio. Curva, piccola. Le ombre si allungano. I contrasti si riprendono la libertà dei colori. Ma c'è un momento indimenticabile. Dura un attimo. Un istante infinitesimale. I raggi colpiscono a perpendicolo le minuscole scaglie di roccia che ricoprono all'infinito la pianura. In quella frazione precisa miliardi di ombre fioriscono verticali. Per poi ricadere, ad aspettare l'alba successiva. «Attimo fuggente, fermati. Sei bello.» Daniel, accovacciato accanto, sente e sorride. Il tepore del sole si fa spazio nell'aria gelida. I volti si riscaldano. Ma le schiene sono ancora al freddo. Verso Est il paesaggio davanti al muso del camion è una distesa d'argento. Verso Ovest è rosso rame. Gli stessi sassi, le stesse pietre, lo stesso luogo. Dipende da come li guardi. Basta il movimento della testa. E il colore cambia istantaneamente.

Quando il sole è appena più alto, la roccia sembra bagnata. Ma è solo l'effetto del ferro che contiene. All'improvviso le pietre vengono sommerse da brevi distese di sabbia a loro volta ricoperte da fili d'erba secca. È un grande pascolo. Centinaia di dromedari si muovono liberi con il collo proteso verso il loro pasto. L'ombra ingrandita dalla luce di taglio li fa sembrare giganteschi dinosauri. In poche centinaia di metri appaiono tre taghlamt. Due già in viaggio verso Bilma. Una a riposo. Gli animali, liberati dai carichi di sale, se ne stanno accovacciati a ruminare. Tre Tir vuoti, quelli usati dai trafficanti di sigarette, sono parcheggiati lungo la pista. Gli autisti stanno facendo colazione, seduti sotto un rimorchio. Uno di loro alza il braccio per salutare. Gli rispondono solo i ragazzi seduti dietro. Subito dopo comincia un fastidioso saliscendi di colline. Le ruote cadono dentro canali scavati da piogge lontane. Poi si arrampicano su pietre taglienti e gradini naturali. E giù ancora. Il camion rimbalza come una nave scossa dalla burrasca. Qualcuno si sporge a vomitare. L'Adrar Azzaouager sorge lentamente in fondo all'ennesima salita. È una montagna nera. A volte sembra conica. A volte mostra una cresta ripida. I suoi tentacoli scuri si distendono sull'altopiano intervallati da rivoli di sabbia, a quest'ora gialla oro. Quassù non c'è più una sola pista. Ce ne sono all'infinito. Su tutta l'estensione della pianura. Centinaia e centinaia di tracce parallele, che si srotolano da Ovest a Est e si allargano da Nord a Sud. Sono qui davanti. Come una fotografia impressa sulla faccia della Terra. Sembra di vederli gli autori di questo immenso graffito. Tutt'insieme. Decine e decine di migliaia di uomini e donne aggrappati come noi dentro un camion, con la vita appesa ai bidoni d'acqua che ci portiamo appresso. Una foto di gruppo. Solo che di loro si vedono soltanto le impronte. Non i corpi. Non le facce.

Una pista non è immobile come una strada asfaltata. Ogni autista nel deserto sceglie dove passare. Se il percorso è rovinato, esce dai solchi troppo profondi. E così inventa un nuovo tracciato. Magari parallelo a quello che già esisteva. Magari spostato di molti metri. Il nostro autista sceglie di avvicinarsi all'Adrar Azzaouager. È il punto in cui i traffici del Ténéré si separano. Le carovane del sale proseguono dritto verso l'oasi di Bilma. Le carovane di immigrati puntano a Nord Est. Verso il nulla. Appena oltre la montagna, la ghiaia nera fa da base a un cordone di dune d'oro. Un rettangolo di sassi con una pietra senza nome indica la fine di un viaggio in un luogo senza nome. Le ruote schivano di qualche metro la tomba. Il ricordo di questo morto durerà ancora poche settimane. La brezza si infila negli interstizi, soffia via la sabbia. Alla fine anche quelle pietre torneranno a rotolare come ogni altro elemento del deserto.

Tutta la pianura adesso è nera. Il vento ha pulito le facce spigolose della distesa di sassolini. La sabbia, più leggera, è andata a depositarsi a un centinaio di chilometri da qui, dove un sipario di dune giganteshe attende il nostro arrivo. Ma è soltanto l'aspetto superficiale. Il peso del camion rompe la crosta di polvere nera. E dietro di noi lascia sullo sfondo scuro una doppia scia che il sole alto ha colorato di ocra. Siamo fermi. Sbattono tutte e due le portiere. Gli autisti sono scesi dicendo qualcosa in hausa. Uno va ad aprire il cofano per raffreddare il motore. L'altro si inginocchia accanto alle ruote e sgonfia i grossi pneumatici perché possano avere maggior presa sul fondo insidioso. La sorpresa rompe il silenzio che durava ormai da ore. C'è abbastanza tempo per sgranchirsi i muscoli, improvvisare una toilette lontano dal gruppo, bere acqua e mangiare pane secco e miele. I musulmani praticanti si lavano mani e piedi con la sabbia e pregano Dio, genuflettendosi verso Est. La calma dura pochi minuti. Bisogna soccorrere un ragazzo. Qualcuno, accanto a lui nel cassone, dice che è disidratato. Non ha nemmeno la forza di scendere. Visto da vicino, emana un odore terribile. Nella notte si è svuotato di diarrea dentro i pantaloni. Ha le labbra e le palpebre secche, la lingua bianca e asciutta. Scotta di febbre. Gli stanno dando da bere l'acqua della sua borraccia. Acqua raffreddata dall'aria del mattino.

«No, fermo.» Il suo amico guarda stupito: «Deve bere» dice. «Da quante ore non mangia e non beve?» «Non lo so, ieri mattina stava già male. Noi non mangiamo da qualche giorno.»

«Allora deve bere qualcosa di caldo. Se la sua disidratazione è grave, con l'acqua fredda lo uccidi.» Gli autisti hanno acceso un piccolo fuoco e si stanno gustando il primo dei tre tè. Sono completamente indifferenti a quello che accade intorno. È come se non esistessimo. Come se fossimo un carico di scatoloni. E con un carico di scatoloni non si parla. «Scusate, posso scaldare dell'acqua? Un ragazzo sta piuttosto male.» Uno dei due autisti alza le spalle, dice qualcosa in francese e sposta la sua teiera dal fuoco. Daniel arriva con un pentolino d'alluminio pieno d'acqua. Meglio accelerare i tempi con una bustina di tè europeo. Tre cucchiai abbondanti di zucchero e due buste di sali minerali. Il ragazzo deve anche mangiare. Mastica a fatica un pezzo di pane ricoperto di miele. Il suo sguardo è spento. «Hai del flagyl?» Dice di no con la testa. «Ce l'ho io, te lo porto subito.» Nel sacchetto dei farmaci ce n'è una scorta. Il compagno di viaggio ne riceve una manciata, con un filone di pane e qualche piccola confezione di miele presa in albergo ad Agadez. Viene istruito su quello che dovrà fare per il suo amico malato. Ora sembra che sia scoppiata un'epidemia. Perché quasi tutti vedono la scena e vengono incontro chiedendo una medicina. C'è chi assicura di avere mal di testa da settimane, chi mal di denti, chi qualcosa che non è nemmeno in grado di spiegare. Nonostante l'aspetto magro sporco e affaticato, tutti quanti però si reggono almeno in piedi. E non è il caso di sprecare farmaci. I più insistenti vengono accontentati con una pallina di zucchero. Loro la deglutiscono soddisfatti. In fondo, tra i rimedi curativi, c'è anche l'effetto placebo.

Gli autisti rimettono in moto. Suonano due volte il clacson e partono senza aspettare che tutti siano a bordo. Ai piedi della scaletta si affannano mani, teste, corpi. Il camion va pianissimo. Ma corrergli accanto con i piedi che affondano nella crosta di sassi e sabbia non è facile. Soprattutto per ragazzi che da giorni si alimentano solo con acqua e zucchero. Inutile gridare agli autisti di fermarsi. La faccia di quello seduto a destra ciondola sorridente dentro il grande specchio retrovisore. L'ha appena regolato in modo da inquadrare il suo spettacolo. In meno di cento metri tutti sono a bordo. Bill ha la bocca gonfia. La ferita è aperta e gli sanguina. A terra, durante la sosta, raccontava di non essere riuscito a vedere in faccia chi l'ha ridotto così. «Sta con quelli che hanno i coltelli. Ma non posso riconoscerlo.» È una fortuna che Bill non l'abbia riconosciuto. Non è il momento di scatenare altra tensione.

Ci si guarda negli occhi senza parlare. Adesso è evidente quanto sia profondo il baratro dentro cui stiamo scendendo. Questi ragazzi sanno che nessuno, qualunque cosa succeda, verrà mai a tirarli fuori. Nessun padre. Nessun fratello. Nessuno Stato. Nessuna organizzazione umanitaria. Nessuno dei governi, che con le loro scelte corrotte li hanno portati qui, piangerà mai la loro morte. Da quando sono partiti, sono figli di nessuno. Qui nel deserto siamo tutti figli di nessuno. Stephen, il fratello gemello di Daniel, a volte contraccambia lo sguardo con un sorriso. La prima notte gelida e praticamente insonne ha prosciugato l'entusiasmo. Qualcuno prova ad accendersi una sigaretta. E viene rimproverato dagli altri. Sotto i nostri piedi ci sono sempre sei tonnellate di nafta che di tanto in tanto, agitata dal rollio, rilascia il suo profumo grasso. Centottantadue teste si muovono sincronizzate dai rimbalzi delle sospensioni. Centottantadue vite con il loro futuro stretto tra le mani. Il dodici per cento delle persone che partono dalla Libia e dalla Tunisia non arriva in Europa. L'ha rivelato la cronaca di questi anni. Il dodici per cento muore durante la traversata. Qualcuno cade in mare. Qualcun altro viene buttato in mare. Altri ancora muoiono di sete e fame quando perdono la rotta. Altri colano a picco con tutta la barca. Come gli oltre duecento passeggeri finiti in pasto ai pesci, al largo delle isole Kerkennah. Il peschereccio su cui erano stati ammassati è affondato tra la Tunisia e l'Italia. Erano partiti in duecentocinquanta. I più forti hanno nuotato fino all'arrivo dei soccorsi. Hanno raccolto quarantuno naufraghi. Degli altri non si è salvato nessuno. Quarantanove cadaveri recuperati e centosessanta dispersi. Il dodici per cento significa che tra i centottantadue passeggeri di questo camion, ventidue moriranno. E se di questo si salveranno tutti, del prossimo ne moriranno forse quarantaquattro. Oppure sessantasei di quello che verrà dopo. E poi ci sono Kofi, Oliver, gli sconosciuti già sepolti nel deserto: gli *stranded* per sempre che il mare non lo vedranno nemmeno.

È drammatico pensare alla vita come a una roulette. Ma l'Africa e l'Europa sono l'immenso tavolo di una roulette. Non quella elegante, francese, con il croupier in frac e la ruota che gira. No, quella con la pistola puntata alla tempia e un solo colpo nel tamburo. «Cosa stai pensando?» chiede Daniel. «Niente.» «La tua faccia è scura stamattina» dice lui. Come risposta ottiene un sorriso. Non è il caso di contagiarlo con tanta tristezza. Meglio riavvolgersi il tagelmust addosso. E nascondere i pensieri, come fanno i kel tamashek. Anche perché il sole è alto e la testa va coperta. Fa sempre più caldo. Dalla pianura salgono soffi roventi. Adesso la nostra scia ocra è lunga fino all'orizzonte dietro di noi. Verrà presto cancellata da altra polvere nera. Come è successo a tutte le tracce, di cui si intuiscono soltanto i solchi.

Le montagne nel deserto fanno sentire il loro effetto a centinaia di chilometri. La loro forma decide le zone di vento e quelle sottovento. Le zone dove la sabbia viene rimossa e dove si deposita. La piana incrostata che stiamo attraversando è forse l'ultimo riflesso dei monti dell'Aïr, ormai lontani. E infatti la ghiaia nera si dissolve all'improvviso. Le rocce, le pietre, i sassi sono sempre più rari. Aggrappata alle onde di sabbia vive una distesa isolata di ciuffi d'erba. Ciuffi asciutti e dorati. Subito dopo, il Ténéré ci accoglie piatto come un mare calmo. Qua e là affiorano placche di gesso, bianco come la neve. Oppure di fosfato, violaceo come un campo fiorito. Gli sguardi di tutti convergono su una forma lontana. Prima è una pallina nera. Poi è qualcosa che si muove nell'aria sempre più deformata dal calore. «È un camion» annuncia Daniel. «Non credo sia un camion» dice Stephen. La novità fa dimenticare per una buona mezz'ora la scomodità del viaggio. Solo a pochi chilometri si capisce cos'è. I ragazzi ridono. Anche dietro stavano scommettendo su cosa fosse quella sagoma. E adesso che è ben visibile, chi ha indovinato vuole un sorso d'acqua come premio. È un copertone di camion. Un vecchio copertone strappato e piantato verticale nella sabbia come segnavia.

Il gioco dei miraggi trasforma l'orizzonte in un mare in fuga. Più ci avviciniamo e più il mare azzurro si allontana. A mano a mano che la temperatura aumenta, l'apparenza dell'acqua si allarga. E alla fine ci circonda su ogni lato. Adesso ci muoviamo al centro di un'isola ostinata ad avanzare sotto di noi, insieme a noi. I suoi confini ci precedono e ci seguono nel raggio di pochi metri. Impossibile vedere cosa ci sia davanti. Oppure cosa abbiamo lasciato dietro. Nel cielo appare un velo sinuoso. Lentamente si espande e prende forma galleggiando a mezz'aria. Per poi scendere, unirsi al deserto e avanzare verso di noi sulla sabbia dorata. È un cordone di dune. Un camion si annuncia oltre la linea dell'orizzonte con il suo pennacchio di fumo nero. Sbuffa verso il sole come i bastimenti che nell'Ottocento portavano in America gli straccioni europei. Viaggiamo tutti alla stessa velocità di quei vecchi transatlantici. E forse ancor più lenti, perché ora le nostre ruote annaspano dentro un altro banco di fech fech, la trappola di sabbia soffice come borotalco. Il camion in arrivo si materializza come le dune. Prima galleggia nel cielo. Poi si appoggia sul suo riflesso. Soltanto quando è a pochi minuti le due immagini speculari come una clessidra si fondono nell'aspetto che tutti noi ci attendiamo. Questo è praticamente vuoto. Tre persone in cabina e quattro in piedi a guardarci dal cassone. Una donna saluta e manda baci come fanno i soldati in sfilata quando finisce una guerra. «Tornano vuoti ad Agadez» osserva Daniel.

Le ruote avanzano su una distesa ancora più liquida. Sembra proprio acqua perché il vento sulla sabbia ha formato milioni di minuscole gobbe dolcemente regolari. Ogni tanto si sale sul dorso di una duna per scendere dall'altra parte. Dove si apre un nuovo mare piatto. Le impronte dei camion che ci hanno preceduto vanno a cercare i pendii meno ripidi. L'effetto è quello di un'onda lunga che fa gonfiare e sgonfiare la linea dell'orizzonte. A parte noi ogni forma di vita è oramai scomparsa. Sull'orizzonte galleggia un altro copertone. Invece è un camion. Anche questo vuoto. In tutto il pomeriggio ne incrociamo diciannove. Più nove fuoristrada Toyota 45. Si erano forse fermati a Dirkou per la festa di fine Ramadan. E adesso tutti insieme tornano a prendere altri destini da portare in Libia. Il tramonto colora la sabbia di rosso e i pochi cirri di lilla. Alle nove di sera il quarto di luna si inabissa ancora una volta dietro il profilo del mondo. Alle tre di notte la costellazione di Amanar è poco oltre lo zenit. Il cielo è pieno fitto di stelle scintillanti. La Via Lattea, densa come nebbia. Ci si ferma per un'altra sosta.

I due autisti vanno ad aprire il cofano. E lasciano il motore acceso per qualche minuto. Quando lo spengono, il silenzio è netto. Totale. Simultaneamente parliamo sottovoce. Come un riflesso condizionato davanti all'immensa pace di questo momento. Mentre ciascuno di noi si prepara a mangiare quello che ha, un suono a bassa frequenza sale da chissà dove oltre l'orizzonte. Un rombo lontano cresce lentamente. Leggermente più intenso. Sono le due note di un altro motore. Sembra affaticato. Prima marcia. Seconda marcia. Un ruggito. Di nuovo la prima per qualche istante. Poi un breve silenzio. E ancora la seconda. Un bagliore latteo illumina debolmente il cielo. Spegne le stelle verso Est. È la nascita di un piccolo sole perlaceo, freddo. Nulla a che vedere con il sole vero. Poi scompare e lascia brillare le costellazioni orientali sopra Dirkou. Riappare un poco più intenso. Scompare. Riappare ancora più bianco e anche il ruggito è più forte. Più lungo. Sempre le due solite note. L'unico indizio di movimento in un paesaggio mortalmente immobile. L'aureola di quel bagliore è sempre più vicina. Adesso sorge dal profilo della duna che lentamente si rivela là dove sembrava non ci fosse nulla. È un'esplosione di luce e rumore. L'arrivo di un camion nel deserto è una piccola alba che si fa attendere a lungo. E appare all'improvviso. Gli occhi soffrono nel mettere a fuoco quell'immagine abbagliante. I due fari avanzano piano al centro del loro cono di luce. Illuminano le tracce lasciate da altre grandi ruote nella sabbia. Soltanto sabbia, morbida e profonda. Il camion passa senza fermarsi. Altri si annunciano all'orizzonte con lo stesso accompagnamento di suoni e bagliori. Da Dirkou ne arrivano ancora. Vuoti. Sembra una notte di traffico su un'autostrada europea. Invece siamo in mezzo al Tafassasset, il fondo prosciugato del grande mare interno che oggi si chiama Ténéré.

L'acqua rimbalza nei bidoni di plastica appesi alle fiancate. Ogni volta che il camion molleggia sulle onde di sabbia, le duecento taniche ricoperte di cartone e canapa suonano il ritmo di una lenta marcia. Non è un suono rassicurante. Significa che molte sono quasi vuote. Due ragazzi nigeriani ci fischiano sopra. Intonano un vecchio tormentone da discoteca arrivato in Africa con le tv satellitari. La colonna sonora del villaggio globale. Altri fanno il coro, al ritornello: «Uh-oooh, uh-oooh...». È il buonumore del mattino. L'aria gelida dell'alba. Il primo sole caldo sulla faccia. La voglia di vivere. Il camion si infila tra due cordoni ripidi di dune. Bellissimi, soffici, le creste sfumate dal vento che si porta via i grani più leggeri. Le ruote affondano dentro due trincee profonde. Il passaggio è obbligato. Siamo fermi. L'autista scende. Percorre qualche passo. Con le sue ciabatte di gomma prende a calci la sabbia per controllarne la consistenza. Poi torna verso la cabina. Si genuflette, sempre verso Est, in una preghiera silenziosa. Affida al volere di Dio la sua abilità e la nostra sorte. I ragazzi nigeriani smettono di cantare. Sbatte la portiera, si riparte. Nell'aria ruggisce soltanto il motore del vecchio Mercedes. Siamo forse sulle dune che ieri, lontane, facevano da sipario alla pianura nera. La sabbia, schiacciata dal battistrada dentato, si allontana ai lati delle ruote spingendo una piccola onda liquida. Daniel e Stephen muovono le labbra senza pronunciare parole. Dopo un po' si fanno il segno della croce. È chiaro a tutti che se il camion si insabbia, il viaggio finisce qua. Dura più di tre ore la tensione. Alla fine si atterra su un'altra pianura deformata dai miraggi. Appare un pozzo. Un cartello ne indica il nome: Speranza 400. Quattrocento chilometri da Agadez. Il terzo giorno di viaggio. Il pozzo è un largo cilindro di cemento. Un pesante coperchio di lamiera. Tre carrucole affacciate sul coperchio. I secchi ricavati da taniche tagliate alla sommità. Tre corde lunghissime. E sul cemento le scritte ricordo di tre che si sono abbeverati qui: souvenir de Kallaoui Kader, Adamu Braiyda, s. de Kkl. Lo stesso cartello rivela che è stato finanziato dall'Unione Europea e dalla Cooperazione Canada. Le rotte nel deserto sono tracciate in base alla distribuzione delle fonti d'acqua. E questo è un rifornimento fondamentale sulla rotta dei nuovi schiavi. Rende meno pericolosa la traversata del Ténéré. La data stampata in fondo al cartello dice che la trivellazione del pozzo è stata completata pochi mesi fa. E infatti nessuna carta geografica lo indica ancora.

Il tonfo nei bidoni avverte che le scorte per bere sono quasi finite. Ma il camion tira dritto. L'autista, padrone del viaggio, della vita e della nostra sete, ha deciso che non ci si ferma. Molti protestano. Un uomo si trascina fino alla scaletta. Scende e batte forte con il palmo sulla lamiera. Dal finestrino spunta una mano aperta che lo manda direttamente a quel paese. «Nasser mi ha detto che non possiamo fermarci qui» spiega Amadou, un ragazzino di Agadez accovacciato davanti alle mie gambe. Avrà quindici anni, Amadou. «Nasser dice che il pozzo è troppo profondo, che perderemmo troppo tempo.» «Chi è Nasser?» «Nasser è il libico, uno dei due autisti. Dice che il pozzo Speranza 400 è profondo cinquanta metri. Ci vuole troppo tempo a tirare su l'acqua.» Amadou ripete in hausa quello che ha appena raccontato. Daniel e Stephen, che parlano poco francese, adesso capiscono qual è il problema. Dietro sta montando la rivolta. Due del gruppo con i coltelli vogliono raggiungere la scaletta per scendere e obbligare gli autisti a fermarsi. «Daniel devi spiegare a tutti perché non ci siamo fermati. Fallo in inglese, fallo in hausa.» Lui si alza sulle ginocchia appoggiandosi ai vicini e ripete a voce alta quanto ha raccontato Amadou. Non tutti realizzano subito la questione. Ma dopo un po' torna la calma. Cinquanta metri per centottantadue passeggeri, più i due autisti, più il meccanico, più me fanno novemilatrecento metri. Da moltiplicare per due. Perché ogni volta che la corda scende, deve percorrere altri cinquanta metri per risalire. Significa che se ci fermassimo al pozzo Speranza 400, il secchio dovrebbe fare su e giù per diciotto chilometri e seicento metri. Senza calcolare che i bidoni tagliati e trasformati in mastelli hanno meno capacità di quelli interi legati alle fiancate. E che qualche passeggero ha con sé due bidoni da riempire. Ogni persona cioè dovrebbe fare più lanci per raccogliere l'acqua necessaria. I diciotto chilometri andrebbero così moltiplicati per due. Oppure per tre.

I ragionamenti e le discussioni durano almeno un'ora. Tanto basta per allontanare il camion di una decina di chilometri da Speranza 400. E a questo punto ogni ulteriore protesta diventa inutile. «Quanto mancherà?» chiede Daniel. «Al prossimo pozzo?» «No, a Dirkou.» «Sono seicentosessanta chilometri da Agadez. Se ci vogliono cinque giorni, forse arriveremo dopodomani.» «Se Dio vuole» dice Amadou che capisce l'inglese. «Se Dio vuole» risponde Daniel. La sabbia è molto meno liquida e le grandi ruote sotto i nostri piedi possono girare un po' più veloci. Lo si intuisce dalla grinta del motore e dalla brezza calda che ci sta disidratando. Più veloci per un camion nel Ténéré significa tra gli otto e i dieci chilometri orari. Ma spesso, se il battistrada affonda o la pista va appena in salita, un brusco singhiozzo interrompe l'andatura. La marcia scala alla prima ridotta. Le teste dei passeggeri cascano in avanti. Poi indietro. Assorbito il contraccolpo, le grandi ruote tornano ad aggrapparsi alle minuscole onde di sabbia. Sull'orizzonte a volte galleggiano piccoli punti neri. Scoppia la solita riffa tra chi dice che è un camion e chi un copertone abbandonato. Il punto sparisce e ritorna sullo sfondo abbagliante del miraggio che ci circonda. «Quello è un gin» dice a un certo punto Amadou. Per un kel tamashek i gin sono gli spiriti del deserto. Possono assumere le sembianze di un cane, o di una macchia sul muro, o di un'illusione ottica. «Mi è capitato tante volte nella brousse di incontrare i gin» continua Amadou, «credi sia un fuoco nella notte, senti le voci. Vai a vedere, cammini ore perché hai bisogno di aiuto. Alla fine non c'è nessuno. Anche questo qui davanti è un trucco dei gin.» E i gin di solito non portano nulla di buono.

«Cosa stai fischiettando?» chiede Daniel. Un viaggio ha la sua colonna sonora. Una musica si incolla alle sensazioni, alle emozioni e non le lascia più. «Si chiama *River of life*, ce l'ho da giorni piantata in testa. Sicuramente chi l'ha scritta non è mai stato qui. Ma la melodia, le parole sembrano fatte apposta per questo paesaggio.» «E cosa dice?» «Racconta il fiume della vita. Dice più o meno: dimentica il dolore, goccia dopo goccia, la fine del viaggio non è certo lontana. *Forget the pain, from rain to rain, journey's end is surely not far.*» Daniel e Stephen sorridono. «E chi l'ha scritta non ha mai viaggiato su questi camion?» domanda Amadou in francese. «Credo proprio di no. È una band europea, si chiama Pfm. La conosci, Amadou?» «No, ma allora sono stati i gin a parlare con questi musicisti. I gin possono fare tutto.»

L'illusione ottica è più vicina del previsto. Non è un camion. Nemmeno un copertone. Atterra dal suo miraggio e prende la forma di un piccolo fuoristrada azzurro. Un Toyota 45 carico di gente, come quelli che partono dall'autogare di Agadez. Il nostro camion accosta lentamente come farebbe una nave accanto a una barca. Gli autisti si parlano in hausa. Dopo un po' Daniel traduce: «Quelli del pickup ci chiedono se abbiamo visto un fuoristrada in panne. Lo stanno cercando da ieri sera, non lo trovano più. Dicono che viaggiava con loro. Ha rotto una sospensione. Così si sono fermati ad aspettare. Questi qua sono andati a Dirkou e sono tornati con il pezzo di ricambio. Sono arrivati ieri sera. E adesso chiedono a noi se abbiamo visto delle persone». Le ruote del fuoristrada quasi toccano la carrozzeria. È sovraccarico. Tre nell'abitacolo. E trentuno passeggeri seduti di traverso, schiena contro schiena. Qualcuno consuma nervosamente una sigaretta, fa un tiro, poi la passa al vicino. «Daniel, sono nigeriani?» «Penso di sì.» «Chiedi quanta gente c'era sul fuoristrada scomparso.» Lui domanda in un'altra lingua. «Dicono che c'erano ventinove emigranti. Più gli autisti» risponde Daniel. «Da dove vengono?» «Da dove vengo io, Igbo State, Nigeria. Parlano la mia lingua.»

Il camion riparte senza che sia risolto il mistero. Un fuoristrada scomparso è un fatto ineluttabile e normale sulla pista degli schiavi. Nessuno può andare a cercarlo. Non si può girovagare senza meta. Il carburante nel serbatoio basta solo per il viaggio diretto da Agadez a Dirkou. Ma gli autisti, solitamente insensibili a tutto, hanno la faccia scura. Davvero preoccupata. I loro sguardi sotto il parabrezza impolverato del Toyota 45 sono l'ultima fotografia di questo incontro.

«Se non li trovano entro domani, rischiano di morire con questo caldo» dice Amadou che sembra conoscere bene le storie del deserto: «I fuoristrada sono troppo pericolosi. Sono piccoli, si perdono facilmente. A volte gli autisti fanno scendere tutti per andare a riparare qualche guasto a Dirkou. Dicono che torneranno. E a volte tornano, ma non trovano più nessuno. Oppure non tornano nemmeno. A Nord dell'altopiano di Djado, a pochi giorni dal confine, fanno scendere i passeggeri per alleggerire il carico. Si fanno spingere nella sabbia e li lasciano lì. Così, tra andata e ritorno, gli autisti risparmiano una settimana di viaggio. Sanno che nessuno verrà mai a reclamare trenta morti nel deserto». «Chi ti ha raccontato queste cose?» chiede Stephen in hausa. Daniel traduce in inglese la risposta di Amadou: «Ad Agadez tutti sanno cosa succede nel Sahara. Anche in Libia succedono brutte cose. Di solito gli autisti scaricano i camion e i fuoristrada a ottanta, cento chilometri dalle oasi di Al Gatrun oppure da Murzuk. Dovrebbero essere la meta del viaggio. È quello per cui tutti noi abbiamo pagato. Invece una notte, all'improvviso, gli autisti ti dicono che non si possono avvicinare perché i soldati li arresterebbero. Di notte nel deserto, con l'aria limpida, la luce di una casa o un fuoco si vedono tranquillamente a cento chilometri. E gli autisti dicono: siete arrivati, seguite le luci». I ragazzi ascoltano il racconto catastrofico di Amadou e la traduzione di Daniel. Si stringono più vicini per sentire meglio anche Adolphus, Aloshu e Bill, che stamattina ha il labbro un po' meno gonfio. «I passeggeri allora scendono e si mettono a camminare. Non portano la scorta d'acqua: il bidone sarebbe troppo pesante. Ma quando scendi dal camion e sei al livello della sabbia, le luci non si vedono più. Comunque loro credono di seguire la giusta direzione. E vanno.» Amadou resta in silenzio. Forse si rende finalmente conto che non è il luogo migliore per affrontare l'argomento. Ma Daniel e gli altri adesso vogliono sapere come va a finire. «Finisce che si perdono» dice Amadou direttamente in francese, «finisce che una notte di cammino non basta. E quando sorge il sole diventa impossibile trovare le luci, anche se sei nella direzione giusta. Finisce che non ce la fanno più. Magari girano intorno per giorni. E finisce che muoiono... Io ho perso un amico così.»

Torniamo in silenzio a chiuderci nei nostri pensieri. Il tagelmust è di grande aiuto. Basta avvolgerci dentro la testa con tutto quello che contiene. E nel paesaggio senza riparo del Ténéré Mellat, la pianura senza fine, questi otto metri di stoffa sono l'unico nascondiglio ombreggiato nel raggio di milioni di chilometri quadrati. Amadou sta per raccontare qualcos'altro. Uno sguardo deciso, dritto negli occhi, lo convince a star zitto. Si resta qualche ora senza parlare. Fino a quando qualcosa improvvisamente si deforma nel mare tremolante davanti a noi. Qualcosa che si unisce, si separa, si muove lentamente verso destra, si ferma, torna a sinistra, si separa ulteriormente. Si riunisce. Svanisce. Gli occhi sono tutti rivolti a quel magico andirivieni. Passano i minuti in attesa di un indizio. Ma senza riferimenti fermi, la mente non può che arrendersi alle illusioni ottiche. In questa ora feroce un fuoco di fiamme trasparenti dilata il miraggio e si allunga verso il sole alto. Il deserto sa essere un immenso caleidoscopio. Figure e abbagli si mescolano e rimescolano. Affaticando la vista e il cervello che da quelle composizioni cercano inutilmente una via d'uscita. Sono corpi. Anzi, mezzi corpi. Il camion sale e scende da un cumulo di sabbia. Il cambio di angolazione improvviso rivela particolari che poi tornano invisibili. Sono mezzi corpi di mezze persone che fluttuano. Una squadra di gin ci aspetta in mezzo al Ténéré. La rifrazione per la sabbia bollente nasconde alla vista le gambe e il piano su cui quelle persone stanno camminando. L'avvicinamento rivela altri mezzi corpi. Sono un'infinità. Uno sciame perlaceo di piccoli busti, teste e braccia galleggia a mezz'aria sopra la linea dell'orizzonte e sotto il cielo blu. Il corpo più grande è a sinistra. Troppo grande per essere un copertone. Gli altri gli si muovono accanto.

È un camion. I mezzi corpi, ora interi, sono i suoi passeggeri. La maggior parte se ne sta ammassata all'ombra tra le grandi ruote. Un'ombra densa, piena di occhi, volti, mani. Non tutti riposano. Qualcuno sta lavorando all'albero di trasmissione. Le teste dei nostri autisti appaiono sotto di noi. Vanno incontro ai colleghi. Possiamo approfittare della sosta e scendere tutti.

La prima necessità è scavare con le mani un buco nella sabbia ad almeno duecento passi dal gruppo. Non c'è altro modo. Ma bisogna stare attenti a non allontanarsi troppo. Una toilette può costare la vita. Già da qui i due grandi camion non esistono più. Sono svaniti. Dissolti nel miraggio, inghiottiti dentro la nebbia di luce. Pochi passi più avanti, rieccoli. Le loro forme squadrate si ricompongono come una macchia d'olio sull'acqua. Gli autisti dell'altro Mercedes si sorprendono non appena vedono che sotto il tagelmust c'è un bianco. Dicono che sono fermi da prima della fine di Ramadan. *Stranded* nel deserto, da più di dieci giorni. In uno spazio tutto uguale hanno perso il senso del tempo. Sono stremati. Più per il caldo che per la fame. Avevano da mangiare per tutto il viaggio fino in Libia. Non prevedevano di passare da Dirkou. Ma con questo ritardo stanno consumando le scorte. Non c'è abbastanza ombra per tutti. I passeggeri sono sparsi come stracci colorati sulla sabbia. Dormono, mangiano, si preparano il tè. Due musulmani pregano. Stanno in piedi sull'attenti guardando a Est. Poi si inginocchiano fino ad appoggiare la fronte a terra. C'è gente anche dentro il cassone rovente. Alcuni, per proteggersi dal sole, si sono coperti la testa con giubbotti pesanti o cappelli di lana. «Siamo centocinquantaquattro» racconta Housseini, uno dei due autisti. È libico, magrissimo. Il naso dritto come una lama, il volto infilato dentro una folta barba nera, la testa fasciata in un telo di cotone beige lasciato volutamente lungo sulla spalla destra. Housseini indossa un cappotto nero sbiancato dalla polvere e al polso nasconde, nella manica, un sottile bracciale d'oro. Osserva gli uomini al lavoro sotto l'albero motore. Si muove e dà ordini con gesti lenti, eleganti, effeminati. «Per giorni qui non è passato nessuno» si lamenta: «Ieri abbiamo recuperato il pezzo da un camion di ritorno da Dirkou. E stanotte ripartiamo, se Dio vuole».

Si è spaccato qualcosa nella scatola del cambio. Hanno smontato albero e ingranaggi sulla sabbia. Dadi, bulloni e grasso sono stati raccolti dentro una pentola. Un martinetto tiene in posizione il carter del motore, evitando che caschi e si sporchi. Il secondo autista e tre ragazzi nigeriani armeggiano con le chiavi inglesi, sdraiati e abbracciati al grosso albero di trasmissione. La salvezza di tutti è che i tre nigeriani sono esperti di meccanica. Uno dei tre ha addosso la maglia nerazzurra dell'Inter: «Con questa» dice serio in inglese, «mi faranno sicuramente entrare in Italia. Poi da lì posso arrivare ovunque». Non si capisce se scherza o è davvero convinto di quello che dice. «Conosco un medico dell'ospedale di Roma» rivela, «il dottor Lombardini.» «Roma è grande, ha tanti ospedali.» «Non so in quale ospedale lavora. Lui passava le sue vacanze a fare il medico nelle campagne in Nigeria. Erano gli unici giorni all'anno in cui potevamo curarci gratis. Scusami, non mi sono presentato. Mi chiamo Vincent, piacere.» Il ragazzo si siede sulla sabbia e appoggia la schiena al battistrada della grande ruota: «Il padrone di questo è libico» spiega indicando il camion sopra le nostre teste, «così come i due autisti. Due pazzi. Attraversano il deserto senza saper riparare un motore. Senza di noi, sarebbero rimasti qui per sempre». Husseini ascolta. Ma non capisce e sorride. «Siamo partiti da un garage di Agadez qualche giorno prima della fine di Ramadan. E siamo arrivati fin qui con una sola sosta nella notte. Abbiamo aspettato alcune persone che dovevano unirsi a noi. Poi siamo ripartiti. Senza più fermarci. Un autista guida di giorno. L'altro di notte. Per vincere la stanchezza mangiano semi di cola. Sul camion ci sono sacchi pieni di cola. Per noi è una fatica tremenda. Non puoi fare i tuoi bisogni. Non puoi prendere l'acqua dai bidoni. Non puoi prendere da mangiare dai bagagli. Gli autisti volevano andare direttamente in Libia senza fermarsi mai.» «Invece vi siete dovuti fermare.» «È successo dopo il pozzo di Duna 400, o Speranza 400, come si chiama? Si è rotto il selettore del cambio. Il guasto ha bloccato il camion.»

Vogliono parlare anche i passeggeri nel cassone. «Italiano, vieni su» grida una ragazza. Si chiama Vera, la voce determinata, il fisico da maschio. Ha 30 anni, i capelli raccolti in un foulard lilla, pantaloni di tela e una maglia senza maniche. «Vedi» ripete una cantilena già sentita, «questa è l'Africa. Se un camion si rompe in Europa, si telefona a qualcuno e arriva un altro mezzo a prenderti. Qui si resta nel deserto. Fortuna nostra che avevamo appena fatto le scorte d'acqua.» «In Europa non c'è il deserto.» Vera fa una smorfia con le labbra: «L'autista ha il telefono satellitare. Ha chiamato il suo boss. Ma tanto qui nessuno può venirti ad aiutare dalla Libia». «Sei l'unica ragazza?» «No, con noi c'è anche una donna musulmana e due ragazze nigeriane. Non le hai viste?» «No.» «Loro stanno in disparte tutto il tempo. Ci sono anche tre ragazzini di dodici anni. Il resto sono uomini. Ti do la mia email, così quando torni dalla tua gente mi mandi le foto con Internet.» Adesso tutti vogliono scrivere sulla carta la loro email. Questi ragazzi non hanno più casa. Non sanno dove saranno tra un mese. Cosa faranno. Dove andranno ad abitare tra un anno. Ma tutti hanno una email. Il web, la rete, Internet sono per loro l'unica dimensione stabile. L'unico spazio dove poter avere un indirizzo, lasciare traccia, esistere. Questi ragazzi fuggiti dal vicolo cieco della loro terra sono i veri abitanti del villaggio globale. Senza Internet nessuno, nemmeno i loro cari, saprebbe più nulla della loro esistenza. Così, con pazienza, si mettono in coda ai piedi della scaletta. Cercano a turno di afferrare il taccuino e scrivono il loro indirizzo email sulle pagine invecchiate dal sudore e dalla sabbia che si infila ovunque. Chuck, 28 anni. Erasmus, 21. Peters, 25. Loro tre si arrampicano e aspettano seduti sui sacchi di cola che ricoprono il fondo del cassone.

L'uomo che accompagna Vera ha una tunica bianca, il rosario con il crocifisso bianco al collo e lo zuccotto ricamato in testa, bianco anche quello. «My name is Antonio» dice prima di scrivere il suo nome che in realtà è Anthony: «Sono amico di Vera, cristiano come lei. Viaggiamo insieme. È vero che a Roma i cristiani hanno una precedenza sui permessi di residenza?». «Precedenza su chi?» «Sui musulmani» aggiunge Anthony. «Non c'è nessuna precedenza.» «Ma mi hanno detto di sì. Roma è la città del papa, non può che essere così.» È una leggenda. Ma come puoi smentirla, deludendo un uomo e la sua amica, *stranded* da giorni in mezzo al deserto? «Se sei italiano, tu sei cristiano, no?» deduce Anthony. «Sono soltanto uno dei sei miliardi di abitanti del mondo.» «Ma se sei nato in Italia, prima di tutto sei cristiano. Guarda che è importante. Il mondo si sta dividendo tra cristiani e musulmani. In Nigeria è già successo. Non puoi non essere nessuno dei due.»

Il discorso sta prendendo una brutta direzione. Anthony resta senza risposta. Tocca a Chuck scrivere la sua email: «Ecco qua, in Libia troverò sicuramente un Internet cafè per guardare le foto. Così avrò un ricordo di questo viaggio. E anche se va male e muoio, i miei fratelli in Nigeria potranno vedermi». Peters ha un sogno. Più o meno irrealizzabile, come la leggenda presa per vera da Anthony. «Peters con la esse» avverte, «altrimenti la posta non arriva. È il mio primo viaggio in Libia. Il mio sogno però è arrivare in Italia. Non per viverci per sempre, no. Vorrei comprare magliette, camicie, scarpe italiane e aprire negozi in Nigeria, a Lagos, a Kano. Verrei in Italia solo per comprare vestiti alla moda, per poi rivenderli in Nigeria. Se non resti a lavorare, sicuramente ti fanno entrare in Europa. Ma servono soldi per cominciare. Ora cerco di metterli assieme con un lavoro in Libia.»

«Avete abbastanza da mangiare per arrivare in Libia?» I ragazzi si guardano. La domanda ha oscurato le loro facce. «Ne stiamo parlando da giorni» ammette Vera, «ma nessuno lo sa. Gli autisti vogliono andare direttamente in Libia. Dicono che non hanno i documenti in regola e a Dirkou i militari sequestrerebbero il camion.» «Mi sembra che Dirkou abbia la fama di un posto dove tutto si può aggiustare.» «Ma noi non avremmo abbastanza soldi» spiega Vera, «e gli autisti ci hanno già detto che non hanno nessuna intenzione di pagare. Così andremo direttamente verso Nord, saltando l'oasi di Dirkou.» «E se vi capita un altro guasto? Siamo solo a tre giorni da Agadez, la Libia è ancora lontana.» «Ci hanno detto che il viaggio durava due settimane. Avevamo scorte da mangiare per quindici giorni...» «Sì, ma dieci giorni li avete già persi stando fermi qui. Dovete insistere con gli autisti per fare rifornimento a Dirkou.»

Interviene Anthony: «Sicuramente soffriremo un po' la fame. Ma Dio lassù ci aiuterà. Tu credi che Dio ci abbandonerà?». Risuona due volte il solito clacson del nostro camion. Quasi duecento persone scattano in piedi e si arrampicano alle fiancate. Due colpi di acceleratore. Due nuvole di fumo unto. La loro ombra nera si allunga sulla sabbia. Il tempo di abbracciarci e augurarci il meglio. Bisogna scendere la scaletta e risalire in fretta sull'altra.

Adesso il caleidoscopio dei miraggi ci regala un paesaggio disegnato su una distesa di nastri di stoffa. Un ventilatore immaginario li fa sventolare dal basso. L'orizzonte si spezzetta e ricompone nello spazio fluido. Mettere a fuoco la vista, è una faticosa follia. L'aria riscaldata dalla sabbia piatta s'arrampica su torri invisibili e investe i volti soffiando il suo respiro bollente. Finalmente una falesia si presenta con il suo sottile tratto di penna disteso nel mare di illusioni. Più ci si avvicina, più la grande parete di roccia riappare e riaffonda nel miraggio come un'isola nel mare in burrasca. Una falesia nel deserto quasi sempre nasconde un pozzo d'acqua. Dovrebbe essere Achegour. Così prometteva la carta geografica persa nell'assalto in Mali, sempre che la memoria non si confonda. Passa più di un'ora prima della conferma. È proprio Achegour.

La diarrea sul camion non è più un episodio isolato. Il ragazzo che si era scaricato nei pantaloni sembra migliorato. Adesso l'infezione ha colpito i suoi vicini di posto. Il gruppo di passeggeri salta dalle fiancate e corre a nascondersi sotto le due grandi acacie cresciute a pochi passi dal pozzo. Ora che possono lavarsi, bisognerebbe trovare per loro pantaloni di ricambio. Altrimenti rischiamo di ammalarci tutti.

Dentro il cilindro di cemento, l'acqua scintilla limpida e tiepida a cinque metri di profondità. Il nostro arrivo è una festa per qualche miliardo di mosche nerissime. Aggrediscono simultaneamente bocca, orecchie, capelli, mani. Cercano di bere dagli occhi aggrappandosi alle palpebre sulle loro zampe sottili. Si avventano perfino sulla plastica e sull'ottica della macchina fotografica. Una capanna di legno e paglia nasconde quattro ruote di camion, copertoni usati e cerchioni a disposizione degli autisti in difficoltà. E un sacco di sale. Il cartello con la scritta «Puits d'Achegour» invita a «chiudere il pozzo dopo l'uso». L'avviso è scritto in francese e ripetuto in tutte le lingue d'Africa. In basso a sinistra, il motto di ogni kel tamashek: aman iman, l'acqua è vita. Un altro cartello ricorda che il pozzo è stato finanziato dall'associazione spagnola Accion Hambre e scavato con la collaborazione della sottoprefettura di Bilma: «Inaugurato febbraio 2000». Tra il disegno di un camion e gli avvisi, decine di unghie e di coltellini hanno inciso la vernice intenerita dal caldo. Hanno scritto nomi, date, promesse. Anche una frase in tifinagh, l'alfabeto dei kel tamashek.

Nasser, uno dei due autisti, riempie d'acqua quattro mattoni forati. Nello stesso istante decine di passeri, che stavano seguendo la scena da chissà dove, scendono in picchiata e atterrano a bere. Accanto al pozzo, un quadrato di pietre sulla sabbia delimita il suolo sacro di una moschea. Tutt'intorno, i segni lasciati da chi ci ha preceduto. Impronte di scarpe, ciabatte, piedi nudi. I resti dei pasti. Migliaia di scatolette vuote di latte in polvere «Bingo», di sardine con l'etichetta «Product of Morocco», un cartone aperto di «France lait» a lunga conservazione. Lungo la salita che si arrampica sulla cresta della falesia, una pietra verticale al vertice di un ovale di sassi copre la fine tragica di un altro viaggio. Forse è anche l'origine della colonia di mosche. La sabbia rigonfia emana un odore insopportabile. Chi ha scavato la tomba non deve aver avuto molto tempo e ha sepolto il cadavere troppo vicino alla superficie.

Il camion avanza a fatica verso la cima. La prima marcia ridotta fa urlare il motore al massimo dei giri. Ma le ruote spingono lentamente e affondano. La maggior parte dei passeggeri segue l'operazione da terra, camminando accanto. Dopo Achegour si apre un'altra pianura. Fino alla prossima falesia, che per buona parte del pomeriggio galleggia nel cielo e si specchia nell'azzurro limpido del suo miraggio. A mano a mano che ci si avvicina, la forma delle montagne si consolida in un trapezio isoscele e in un picco triangolare. Alla fine si rimpicciolisce. Era un'illusione creata dalla mancanza di punti di riferimento. Più che montagne sono grandi speroni di roccia ferrosa, erosa e bucherellata dal vento. Un'altra salita nella sabbia profonda. Da quassù, il sole e noi siamo gli unici elementi in movimento. La luce del tramonto si spegne lentamente sul silenzio della pianura sempre più bassa dietro le impronte del nostro camion. L'ultimo raggio del giorno accende per la durata di un angolo infinitesimale tutte le facce di pietre e sassolini esposte a Occidente. «Sai dove siamo?» chiede Daniel. «Questa dovrebbe essere Kufr. Se è così, la prossima sarà la falesia del Kaouar. E saremo arrivati a Dirkou.» Da qualche ora Daniel ha una tosse continua, profonda. Gli spasmi gli salgono dritto dai polmoni. Beve in continuazione e non dovrebbe. Perché tutto quello che beve lo perde in sudore.

Superata Kufr, la sabbia è di nuovo liquida e insidiosa. Si sale e si scende dai cordoni di dune che come un'ombra si estendono per chilometri sottovento alla falesia. A quest'ora non si vedono, è già buio. Ma la loro presenza si intuisce dal leggero chiarore che emana la superficie terrestre. Stanotte nemmeno le stelle brillano. Una leggera velatura di polvere nell'alta atmosfera le ha coperte. Segno che da qualche parte si è messo a soffiare il vento. I fari illuminano le due trincee profonde dentro cui annaspano le ruote. In fondo a un avvallamento il camion slitta, esce dalle tracce e va a fermarsi. Gli autisti scendono e aprono il cofano del motore. Dicono che con il buio è troppo rischioso continuare. C'è abbastanza tempo per srotolare il sacco a pelo e dormire comodi su questo materasso di sabbia. Un materasso grande come tutto il deserto. Il vuoto amplifica le frasi pronunciate sottovoce da chi è troppo stanco per crollare immediatamente. Sono parole sempre più flebili. Poi svaniscono. Il sonno nel Ténéré lascia un'impronta indelebile nel corpo. Un ricordo che resta per tutta la vita. L'aria secca e pulita. Il crepitio delle rocce lontane che si spaccano per il brusco raffreddamento. Il tintinnio delle taniche di lamiera che si riprendono la temperatura originale. E poi il silenzio. Pesante. Penetrante. Assoluto. Le orecchie sono così impreparate al silenzio che lo riempiono con richiami immaginari. Forse sono fennek, le piccole volpi del deserto. Forse risate di iene lontanissime. Oppure è davvero la voce dei gin. Prima di partire Yaya ha detto che Kufr è un posto pericoloso. Perché, secondo lui, queste dune sono piene di gin. Ed è colpa dei gin se da queste parti i camion si insabbiano e si perdono.

Il mondo della notte e i suoi pensieri svaniscono con il vento freddo che precede l'alba. Come un soffio scherzoso, la brezza sbuffa sugli occhi, sulle guance, sul collo. Il risveglio è immediato. Gli autisti stanno scaldando il tè e già masticano semi di cola. Non tutti i passeggeri hanno da mangiare. Qualcuno se ne sta sdraiato in disparte senza chiedere nulla. Altri si accontentano di pane secco e zucchero. Non appena il cielo si colora di rosa, si riparte.

5

James e Joseph
a Dirkou

Alla fine di una mattinata piatta, disorientata dalle illusioni ottiche, un sottile filo nero attraversa l'aria increspata dalla sabbia rovente. Si dissolve. Riappare. «Dirkou» grida l'autista con il braccio teso fuori dal finestrino. Più il camion va avanti, più quel filo sale in cielo. È lassù. Oppure laggiù, dipende. I miraggi lo trasformano in un'isola, un lago azzurro. Adesso è una nuvola. A volte si riflette nello specchio di calore. A volte evapora. La magia del Ténéré, il deserto dei deserti. Ma in mezzo alle grandi dune, all'improvviso, il baratro mostra il suo fondo. Questa volta l'incontro non si annuncia con la solita forma che galleggia a mezz'aria. Il camion se ne stava ad aspettare, nascosto dietro il profilo di un dosso. È un Mercedes ancor più vecchio del nostro, anni Cinquanta, a due assi, molto più piccolo di quelli visti finora. Il motore tossisce e scoppietta. Un brutto suono. Sul parabrezza si aprono a ragnatela le crepe di una sassata. Lì sopra ci sono almeno centocinquanta persone con i volti scarni e impolverati.

Un uomo cammina accanto al camion. «Si è rotto qualcosa nel selettore del cambio. Stiamo tornando lentamente a Dirkou, tutto in prima. Mi date un passaggio?» Si avvicina alla scaletta e si arrampica. Dice di chiamarsi Ahmed, 32 anni, libico di Sebha. È il proprietario del vecchio Mercedes. «Eravamo persi nel deserto da cinque o sei giorni» racconta, «nemmeno io so più quanti sono. Siamo partiti da Dirkou per andare in Libia, sì» aggiunge per rispondere alle domande in hausa di Amadou e

Daniel. Ma la Libia è a Nord. Dirkou a Est. Loro stavano puntando a Sud. Contavano di tornare all'oasi degli schiavi. Sono finiti troppo a Occidente e l'hanno mancata. «Non avete visto la falesia? Stavate andando nella direzione sbagliata.» Ahmed non risponde. Il suo camioncino è troppo basso per avere questa visuale. Se non ci avessero incontrati, domani o dopodomani sarebbero sprofondati nel Grande Erg di Bilma, la burrasca di dune che chiude il Ténéré meridionale. «Non avrebbero avuto abbastanza nafta per tornare indietro, sarebbero morti tutti» commentano tra loro Daniel e suo fratello Stephen. Amadou ripete in hausa l'ovvia osservazione. Ma Ahmed non ha l'aspetto della persona che si preoccupa. Continua a sorridere, alza le spalle. E quando si accorge che sotto il tagelmust c'è un passeggero europeo, tenta l'affare.

«Sei mai stato in Marocco? Io facevo l'autista di pullman dalla Libia al Marocco. Tripoli, Tunisi, Algeri, fino a Casablanca. Con la storia del terrorismo e l'embargo aereo, per anni i libici hanno potuto solo muoversi in pullman. Questo camion però ha finito. Torno a Dirkou e lo vendo. Quattro o cinque milioni di franchi. Poi vado a Sebha, compro un fuoristrada e lo rivendo ad Agadez. In Libia costano poco, ma in Niger li pagano bene. Vuoi comprare il mio camion?» «Comprare il tuo camion? Con quello stavi per ammazzare centocinquanta persone...» «Con cinque milioni di franchi te lo prendi qui, adesso... Aspetta, sono meno di ottomila dollari. Perché non lo vuoi?» insiste il trafficante libico. «Ma se io compro il tuo camion, tu cosa fai dei tuoi passeggeri?» «Sono compresi nel prezzo, restano con te sul camion. Da loro puoi farti dare altri soldi» risponde candidamente Ahmed. Sorride e tenta di afferrarmi la mano destra per stringerla e concludere l'accordo. È davvero difficile resistere alla voglia di prenderlo per le orecchie e scaraventarlo giù dalla scaletta.

I solchi lasciati dalle ruote sulla sabbia si uniscono in un passaggio obbligato sul dorso di una duna. Prima di affrontare la salita, i due camion si affiancano. E si fermano. Si può scendere. C'è il solito caos dei nuovi incontri nel silenzio del deserto.

Dal vecchio Mercedes i passeggeri gridano. Si agitano. Di quei ragazzi nessuno ha più le scarpe. Dalle sponde pendono piedi incrostati dentro calze bucate. Oppure infilati in ciabatte di gomma. Al camion mancano due delle ruote gemellate posteriori. Dietro di noi arriva un fuoristrada. Sono Yaya e il suo amico, perfetti e puntuali.

«Yaya, questi dell'altro camion non mangiano da giorni. Dammi tutto quello che ti è avanzato.» Lui socchiude gli occhi con il suo fare un po' snob. «Prendili dalla cassa nel bagagliaio» dice, «ma stai attento a come li distribuisci. Se hanno fame, potrebbero farsi del male.»

Non ce n'è abbastanza. Due pacchi di biscotti passano veloci di mano in mano. Si svuotano subito. Qualcuno dice che a bordo ci sono anche tre donne e quattro bambini. Stanno seduti in mezzo. Un bimbo viene sollevato per i fianchi perché sia visibile da terra. Non avrà più di dieci anni. Una breve contrattazione convince tutti a riservare un sacchetto di datteri al piccolo passeggero e alla sua mamma. Il pane fatto a pezzi è talmente secco che si frantuma in manciate di briciole. Il pacco di zucchero viene bucato a una estremità e rovesciato di bocca in bocca. È troppo poco per saziare un camion di sguardi stravolti. Vengono da Camerun, Nigeria, Ghana, Liberia. Un ragazzo con le ciglia bianche di polvere avvicina alla bocca due dita aperte a V, nel gesto internazionale di chi chiede una sigaretta. Yaya ne sfila una dal suo pacchetto e gliela lancia. Lui la prende al volo. L'annusa. Toglie il filtro. Ma non l'accende. Se la mangia, masticando lentamente.

Non è avanzato altro del viaggio da Agadez. Un ventenne scende e corre incontro a piedi nudi. Parla inglese, i suoi occhi brillano di lacrime. «Non mangiamo da tre giorni, l'acqua è quasi finita. Per favore, portami in Europa con te. Mi chiamo Johnathan, sono nigeriano, ho il passaporto. So disegnare e costruire mobili. Guarda» dice Johnathan. E per dimostrarlo raddrizza il mignolo destro da cui manca una falange: «È stato un incidente in falegnameria. Per favore, per favore, io non ce la faccio più, sono sfinito. Ho già passato sei mesi a Dirkou. E questo camion ci sta riportando indietro». Vuole parlare un altro passeggero. Si chiama Moses, 33 anni, viene da Monrovia, capitale della Liberia. Si affaccia alla fiancata: «Il libico ci ha detto che se arriviamo vivi, ci restituisce solo diecimila franchi. Ma io gliene ho pagati venticinquemila, mio fratello lo stesso. Adesso non abbiamo altri soldi per raggiungere la Libia. Per favore, spiega al libico che se non ci restituisce quello che gli abbiamo pagato, noi siamo *stranded*». Ahmed è davvero fortunato a essere ancora vivo.

I miraggi là davanti continuano a confondere il cielo e l'orizzonte. Yaya dice che mancano cinquanta chilometri a Dirkou. Cinquanta chilometri più o meno, inshallah, se a Dio piace. Ancora otto, dieci ore di sofferenza per i clienti del trafficante libico. Il loro è, ancora, solo l'inizio. Il vecchio Mercedes riparte per ultimo correggendo la rotta verso Est. E i due autisti ingaggiati da Ahmed si dimostrano subito per quello che sono. Decine di voci chiedono di fermare immediatamente il camion. Loro proseguono infischiandosene delle grida e dei gesti. Si sono mossi senza accorgersi di aver lasciato a terra un passeggero. Lui li insegue disperato. Correre a cinque chilometri l'ora non è un'impresa sull'asfalto. Ma sulla sabbia molle, a quaranta gradi, con la pancia vuota da giorni lo è. Quel ragazzo, giaccone pesante e cappello bianco di lana per proteggersi dal sole, corre goffamente a piedi nudi. E a ogni passo rimane sempre più indietro. Ahmed si volta a guardarlo dal cassone del nostro camion da cui non è più sceso. Osserva la scena e non dice nulla. Se fosse per lui, quel ragazzo potrebbe anche morire. Chissà quanti ne ha abbandonati sotto il sole, rimasti a cuocere vivi. Riappare il fuoristrada. Yaya torna indietro, affianca il naufrago, lo raccoglie e con una manovra di traverso obbliga il vecchio Mercedes a fermarsi.

Dirkou è una striscia di verde oltre i cordoni di dune ocra. L'oasi degli schiavi se ne sta accovacciata a perdita d'occhio, da sinistra a destra, sotto una parete di montagne piatte, la falesia del Kaouar. Il colore dell'argilla dipinge le case di rosa. Il resto è un mondo di sabbia. La pista dell'aeroporto è una striscia di sabbia. Le casupole dei soldati sono fatte di sabbia. Le palme più vicine sono ricoperte di sabbia. Sembra di atterrare. Per mezz'ora si scende dal pendio di una duna gigantesca. Una discesa dritta che lascia il tempo di abituare la vista al panorama abitato. Arrivato in fondo, il camion gira a sinistra ed entra in uno spiazzo di deserto recintato da pali e filo di ferro. Ahmed scende senza salutare, parla con due militari e si avvia verso alcuni camion parcheggiati all'ingresso del villaggio. Arrivano altri soldati armati. Gridano ordini incomprensibili, forse in hausa. I passeggeri scesi per primi devono inginocchiarsi sulla sabbia e mettere le mani sulla testa. Basta fare come loro. E sperare che non sia l'inizio di altre botte, altre frustate. Veniamo allineati in cinque file davanti al camion. Daniel e Stephen si inginocchiano nella fila accanto. Hanno la faccia stravolta, smagrita, impolverata. Amadou, Bill e i suoi amici sono da qualche parte più indietro. Non è il momento di voltarsi a cercarli. Nessuno parla. Un soldato con il mitra appeso alla spalla obbliga tre ragazzi a seguirlo dentro una piccola baracca. Speranze inutili. Ricomincia la rapina. Il sibilo dei colpi e il lamento dei tre rompe il silenzio. Il sibilo soprattutto. È quello caratteristico dei tubi di gomma e dei grossi cavi elettrici usati come fruste. Non si butta via niente nel Sahara. Il loro soffio attraversa l'aria come una pennellata messa lì a rendere più efficace il disegno. Chiudi gli occhi. Aspetti il tonfo finale e quel lamento appena pronunciato.

I soldati si fermano davanti a ogni passeggero. Uno parla finalmente in francese: «Fammi un regalo» dice. L'uomo inginocchiato ai suoi piedi lo guarda. «Fammi un regalo» insiste il soldato. L'uomo non risponde. «Sergente.» Il militare chiama il superiore che sta chiacchierando con Nasser e l'altro autista: «Sergente, questi non hanno regali per noi». «Quanto vuoi?» sussurra il passeggero in ginocchio. «Diecimila franchi, oggi bastano diecimila. Quando sarete in Europa» aggiunge rivolto a tutti, «diecimila franchi li guadagnerete in due ore. Allora, mi fai questo regalo?» «Non ho diecimila franchi» risponde il passeggero tenendo lo sguardo dritto ai pantaloni impolverati del soldato. Le sue spalle sono immobili, le sue braccia salde nel tenere le mani sopra la testa. Il soldato lo guarda in silenzio. All'improvviso con la mano sinistra stringe al petto il mitra. E con la destra afferra l'orecchio del passeggero e lo solleva di peso. I due autisti e il sergente ridono e commentano in arabo. L'uomo, ormai con le mani tirate dietro la schiena, viene trascinato nella baracca delle torture. Altri sibili, altri lamenti. Adesso qualcuno paga. Nel giro di pochi istanti, un altro ragazzo viene tirato su per le orecchie. Dal tremore delle sue spalle, sta piangendo. Il soldato accanto a lui lo fa inginocchiare di nuovo. Poi senza dire nulla, gli tira un calcio tra il ginocchio e l'anca. Lui si ripara la testa fra le mani. Già immagina il colpo successivo. E infatti il militare lo sorprende con un pugno sparato in mezzo alla schiena. Un pugno dato di rovescio, con lo spigolo delle nocche a metà della spina dorsale. Il busto del ragazzo si inarca facendogli aprire la bocca con un urlo. Bisogna intervenire. Bisogna farli smettere. Ma loro sono armati. Non si può aggredire un soldato armato. Nemmeno un soldato disarmato a pochi passi da una caserma. Bisogna distrarli, impegnarli con qualcosa di diverso, sorprenderli con uno stratagemma. La riflessione dura pochi secondi. È il momento di abbassare il tagelmust e rivelare la propria identità. È il momento di dare fiato a tutta la voce. Il tagelmust scivola delicatamente sulle spalle. «Sergente, ho qualche buona medicina. I suoi soldati hanno bisogno di medicine?» Il sergente alza lo sguardo. Fissa quel volto pallido davanti a lui, il naso bruciato dal sole, la barba lunga e le mani alzate e aperte in segno di resa. Chiede informazioni ai due autisti.

Ma gli altri soldati hanno sentito. Adesso vengono incontro sperando di trovare qualche rimedio ai loro malanni. Le palline di zucchero sono perfette. Dentro la loro confezione sembrano pastiglie. Per l'occasione va bene anche il barattolo di multivitamine rimasto finora intatto in una tasca sotto il boubou. Qualcuno corre in caserma a dire che fuori c'è un medico europeo. E la fila si allunga. La maggior parte domanda qualcosa contro il raffreddore o la tosse. Ma qualcuno è messo male. Un militare sulla trentina vorrebbe una medicazione per il suo occhio destro. Ai lati della sclera si è formata un'escrescenza sanguinolenta. Visto così potrebbe essere un tumore o un ascesso. «Mi spiace, a questo non posso fare nulla.» «Ma tu non sei un medico?» chiede lui. «No, ho detto che ho delle medicine, non che sono un medico. Devi farti trasferire in ospedale ad Agadez o Niamey. Io non posso curarti.» Il militare annuisce con una smorfia di tristezza. Senza dire altro si avvia verso la caserma, chissà quante volte ha già chiesto di essere trasferito in un ospedale.

Il sergente si avvicina e vuole controllare il passaporto. Giusto in tempo per entrare nella discussione sulle torture ai passeggeri. Ascolta con interesse le obiezioni. E dice la sua, indicando gli stranieri ancora piegati con le ginocchia nella sabbia: «Noi già pregavamo Dio che questi suonavano i tamburi e si mangiavano tra loro come animali. Questi non sono come noi». Il sergente fa un sospiro guardando i suoi soldati che lo ascoltano: «Questi se possono pagarsi il viaggio fino in Europa vuol dire che sono ricchi. È giusto che lascino qualcosa a noi che rimaniamo in Africa e non abbiamo nemmeno i soldi per partire». «Sergente, se continuate a trattarli così, questi in Europa arriveranno morti. Per partire non bastano i soldi. No, per partire servono coraggio e voglia di libertà. Forse è per questo che voi sergente siete ancora qui.» Per fortuna non capisce l'allusione. O fa finta. Comunque vada, è un guaio. Perché adesso tutta Dirkou saprà che c'è in giro un italiano che vuole ficcare il naso nel traffico di immigrati. Addio riservatezza. Addio possibilità di guardare di nascosto quello che accade.

Il sergente l'ha già capito quando chiede: «Perché siete qui?». «Turismo.» Lui sorride e si tiene il passaporto. «Dov'è il lasciapassare turistico?» «Ce l'ha la mia guida.» «E dov'è la vostra guida?» «Non lo so, io ero sul camion.» «Aspettate qui» ordina e s'incammina verso la caserma. Correre il rischio almeno è servito. I passeggeri possono lasciare il recinto senza subire altre rapine. Trascinano i loro piedi sulla sabbia e il bidone per l'acqua ormai vuoto. Se ne vanno verso le case dell'oasi in fondo all'ultima distesa di deserto.

Anche Daniel e Stephen se ne sono andati. Non ci siamo nemmeno abbracciati. Quando sono stati chiamati all'uscita, si sono alzati e hanno fatto un mezzo sorriso. L'unico saluto. Forse non hanno capito lo stratagemma. Forse per loro sono il solito europeo che si schiera con i più forti. Il solito opportunista che, mentre i militari torturano le loro vittime, li coccola e addirittura li corrompe con le medicine. In questo l'Europa è sempre stata una grande maestra. Finalmente arriva il fuoristrada di Yaya.

«Dov'eri?» «Davanti alla caserma ad aspettare che timbrassero il lasciapassare» risponde Yaya. «E l'hanno timbrato?» «Il lasciapassare sì. Ma adesso bisogna aspettare che timbrino il tuo passaporto.» «Quanto tempo ci vuole?» «Domani pomeriggio.» «Fino a domani pomeriggio? Io vorrei ripartire con il primo camion.» «I militari sono militari. Decideranno loro quando ripartiremo» dice Yaya e con un solo tiro consuma mezza sigaretta. Il fuoristrada non ha le taniche di gasolio sul tetto. E anche il portabagagli è vuoto. «Hai già fatto rifornimento?» «No, ho scaricato tutto a casa di Muhammar» spiega Yaya. «Chi è Muhammar?» «Un amico. Possiamo dormire da lui stanotte, ci ha riservato un posto in cortile.»

Muhammar vive in una villetta con giardino accanto al commissariato di polizia di Dirkou. La bandiera del Niger sventola nella luce del tramonto sopra la casupola di argilla e foglie di palma intrecciate. Quattro poliziotti chiacchierano seduti su una panca. Muhammar, sulla quarantina, volto e baffi scuri da arabo, ci aspetta davanti al cancello aperto. Indossa una divisa verde con i gradi da sergente. «Yaya, è un poliziotto?» «No, un militare.» «Io andrei a dormire con gli altri passeggeri.» Yaya non risponde subito. Muove gli occhi rapidamente a destra e sinistra per evitare di grattare i fianchi del fuoristrada sui pilastri che sorreggono il cancello. «Non credo sia possibile. Dirkou è peggio dell'autogare di Agadez. Tu sei bianco, non puoi dormire fuori.» Muhammar saluta con una stretta di mano cordiale.

Poi ordina a Gereke, un ragazzo a piedi nudi, di preparare il tè. «Qui sei mio ospite» esordisce Muhammar, «mettiti comodo. Puoi usare il bagno in casa. Io devo tornare in caserma. A dopo.» Yaya, con una pompa manuale, sta succhiando il gasolio da un barile per riempire le taniche di scorta. Gereke aziona il manico della pompa, mentre lui con una mano tiene il tubo e con l'altra la sigaretta. «Forse è meglio non fumare, Yaya.» «Il gasolio non è infiammabile... Ah, se devi andare alla toilette, puoi uscire e servirti dell'oasi, tra i cespugli.» «Vado a fare un giro e qualche foto al tramonto.»

La casa di Muhammar e il vicino posto di polizia sono a Nord dell'oasi. La sabbia è morbida e piacevolmente calda come se Dirkou fosse stata costruita su un'immensa spiaggia. Il sole si abbassa dietro le dune del Ténéré, alle spalle della grande caserma. La scritta verniciata sul muro indica che è la base del 24° battaglione interforze. Davanti alla caserma, al di là del grande spiazzo, due porte arrugginite sono il campo di calcio. Sta cominciando una partita. I giocatori escono dalla base, sono soldati in libera uscita. Al di qua dello spiazzo, sono parcheggiati due camion Mercedes con la targa libica e sei fuoristrada Toyota 45. Uno dei due camion ha mezza fiancata ricoperta di bidoni. Sono arrivati da Agadez o forse aspettano di ripartire per la Libia. Dentro un recinto di canne di bambù, dietro la baracca di un altro posto di polizia, si muovono cinque galline, due capre e una cinquantina di ragazzi con borse e bidoni dell'acqua. Per terra hanno sistemato una fila di stuoie. È un dormitorio. Ma Daniel e Stephen non sono tra loro. Accanto al recinto e ai poliziotti, tre scrivanie sotto una tettoia di palma intrecciata. Un uomo sta seduto vicino a una lavagna appesa a un palo. Ha un pugnale legato alla cintura dei jeans. Con il gesso hanno scritto «Ligne Dirkou-Libie», in francese e in arabo. La luce del tramonto è bellissima.

Dopo il lungo saluto di rito, le presentazioni. L'uomo con il pugnale dice di essere di Niamey. «Quando parte il primo camion?» «Non lo so» risponde, «per la festa di Ramadan non sono arrivati abbastanza passeggeri. Quando è pieno parte. Forse domani, se Dio vuole.» «Stai andando in Libia?» La domanda lo fa sorridere: «No» risponde secco. «Io sì, vorrei andarci con un camion.» «Tu su un camion? È perché un europeo dovrebbe salire su un nostro camion? Non penso sia possibile. Nessun europeo è mai salito su un nostro camion.» «Posso fare una foto?» Il suo volto si fa serio: «Vuoi fare una foto qui? No, io non ti posso dare il permesso». «E chi lo può dare?» «Devo chiederlo alla polizia.» «Solo una foto alla lavagna, come souvenir. Vengo da Dakar, è un lungo viaggio. Sto fotografando tutti i cartelli che incontro. Per ricordo.» «Ho detto di no. Perché da qui parte il traffico umanitario con la Libia e se fai una foto e torni in Italia, quella è una prova. Io non capisco.» L'uomo alza la voce. E senza motivo estrae il pugnale e lo pianta sul piano della scrivania, accanto a un blocchetto di biglietti nuovi di stampa: «L'altra settimana è scoppiato un casino davanti alla moschea. Due cristiani si sono fermati a guardare. I fratelli musulmani hanno chiamato il commissariato».

Le grida svegliano alcuni ragazzi chiusi nel recinto di bambù. «Non c'è problema, ho messo via la macchina fotografica. Ho solo chiesto il permesso, hai detto di no e io non faccio la foto.» Ma lui ormai parla da solo: «Mi sembra giusto che abbiano chiamato il commissariato: perché due cristiani devono fermarsi davanti a una moschea? E così qui: perché tu cristiano dovresti fare una foto?». «Chi ti dice che sono cristiano?» «Perché tu mi hai detto che sei italiano. E gli italiani sono cristiani. Tutti sanno che dopo la Libia, il traffico umanitario da qui sale in Italia.» Traffico umanitario lo chiama. Ed è scaltro. Ha immediatamente capito che la foto sarebbe servita a documentare il percorso nel deserto. Ma non è chiaro perché adesso insista a gridare. Forse è già stato avvertito dai militari e cerca di creare un incidente. La sua voce richiama la curiosità dei passanti e dei commercianti del mercato. Chissà quale versione dei fatti sta girando tra loro. Ormai è quasi buio. Meglio andare via. L'uomo con il pugnale si siede. Adesso sta parlando con gli altri in arabo. Il profilo della grande caserma scompare a sinistra davanti alle ultime sfumature rosse del cielo. Il vecchio camion di

Ahmed risuona nell'aria calda annunciato dai colpi di tosse del motore fuori uso. I militari lo fermano e subito lo lasciano andare a parcheggiare di fronte alla capanna dei trafficanti libici. I passeggeri saltano a terra come pezzi di una cupola che crolla. Nella luce dei fari passano figure impolverate e sfinite. Gli autisti spengono il motore, le luci e anche quelle immagini sofferenti svaniscono. Il buio però permette di tornare indietro senza essere visti dai trafficanti. Qualcuno ha ancora la forza di parlare. Chiede, senza avere risposta, da che parte sia il quartiere nigeriano. Racconta che sono arrivati tutti vivi. Ma anche per loro, come per Ousmane e Djimba rimasti in Mali, è solo una questione fisica. Il morale è morto da giorni. Johnathan, Moses e tutti i centocinquantadue ragazzi sanno cosa li sta aspettando. Dirkou è una gabbia e il Sahara e il Ténéré sono le sue sbarre. Di disperati come loro, prigionieri dell'oasi, Yaya dice che ce ne potrebbero essere diecimila. Forse quindicimila.

Yaya se ne sta seduto a fumare su un tappeto di plastica nel giardino di Muhammar. Ora è lui a fare la stessa domanda del pomeriggio: «Dov'eri?». «Ho fatto un giro fino al parcheggio dei camion.» «Muhammar era preoccupato per te. Dice che al buio in questi tempi Dirkou è pericolosa. C'è troppa gente affamata in giro.» «Mi spiace se si è preoccupato.» «Non importa. Hai chiesto se ci sono camion in partenza?» «Credo che avrò dei problemi a partire da qui. Sono stato al parcheggio e già mi hanno fatto storie perché ho chiesto se potevo scattare una foto.» «Dirkou non è Agadez» ricorda Yaya. Muhammar alle sue spalle lo sente e scandisce a voce alta: «Dura come Dirkou».

Il padrone di casa si accomoda sul tappeto. E Gereke mette al centro una pentola piena di pasta bollita e interiora di montone. Muhammar recita un altro detto sulla sua oasi: «Dirkou, nascosta come uno sciacallo...». «...e matta come un cavallo» conclude Yaya. Ridono da vecchi amici. Yaya ha fatto parte della resistenza tuareg. Muhammar è un sottoufficiale dell'esercito che ha combattuto la resistenza tuareg.

«Come vi siete conosciuti?» «Amico mio, ho intuito quello che pensi» risponde Muhammar e affonda la mano destra nella pentola di pasta e interiora, «ma noi e i tuareg per anni abbiamo avuto i francesi, gli stessi avversari.» «Avversari? Nemici, forse.» «No» continua Muhammar, «i nemici si odiano. I francesi non li odiamo. Dopo tutto qui hanno lasciato le scuole, la clinica. Questa era una base della Legione straniera.»

Si mangia per qualche minuto in silenzio. Muhammar e Yaya ringraziano Dio a ogni manciata di cibo. Da lontano arrivano grida di bambini, suoni di tamburi, il raglio di un asino, cani che abbaiano. E vicino, molto vicino alle orecchie, il sibilo continuo di zanzare affamate. «Amico mio, prendi quanto vuoi» dice il padrone di casa, «Yaya mi ha detto che sei un professore dell'università e che abiti a Roma.» Yaya è sveglio, ha capito immediatamente il suo ruolo.

«Allora conosci il papa?» chiede Muhammar. «Per la verità so chi è, ma non è facile incontrarlo.» «Perché no? Se abiti a Roma... Lui non abita a Roma?» «Sì, più o meno, ma non è un tipo che esce a fare la spesa.» Dopo un'altra pausa di silenzio, Muhammar cerca di saziare anche la sua curiosità: «Ma dimmi amico mio, quanti figli ha il papa? «Figli? Ufficialmente nessuno. Il papa non può avere figli.» «Ma non è sposato?» «No.» «E perché non si sposa?» «Gli è vietato.» Muhammar smette di mangiare e guarda dritto con i suoi occhi neri: «Come può insegnare agli altri il bene, se non può avere da Dio quel bene unico della vita che sono i bambini? Come può sapere cosa dire alle famiglie se lui non ha nemmeno una moglie?». Yaya lo guarda e annuisce. «Caro Muhammar, è una vecchia questione. I cristiani protestanti l'hanno risolta. Evidentemente ai cattolici piace così.» «Io rispetto il papa» commenta Muhammar, «ma non sapevo questo. Come può essere d'esempio la sua vita, se il papa non ha né moglie né figli?» E scuote la testa.

Gereke serve un vassoio ricoperto di pomodori e cetrioli conditi con olio di arachidi. «La verdura a Dirkou, come la pasta, arriva dalla Libia» spiega Muhammar. E si lancia con un'altra domanda: «Era italiano no, quello che ha scoperto l'America?». Entra dal cancello, si presenta e si siede il fratello di Muhammar. «Allora amico mio, era italiano o no?» riprende il discorso Muhammar. «Sì, Cristoforo Colombo era di Genova. Anche se qualche storico lo mette in dubbio.» «E cosa ha fatto questo uomo?» chiede il fratello di Muhammar. «Ha scoperto l'America» risponde Muhammar rimproverandolo con il solo tono di voce. Quando la mente non sa su quali percorsi si sta muovendo un discorso, è meglio restare zitti. E rispondere soltanto alle domande. Ma il clima amichevole può concedere una battuta: «Senza la scoperta di Cristoforo Colombo, stasera non avremmo mangiato questi dolcissimi pomodori». «Perché?» chiede candidamente il fratello di Muhammar. Non c'è da meravigliarsi. La controprova è semplice: basterebbe chiedere in un liceo europeo chi fosse Ibn Battuta e contare quanti conoscono almeno il nome del grande viaggiatore arabo. «Questo Colombo commerciava pomodori?» domanda il padrone di casa. «No, no, nel senso che i pomodori sono stati portati dall'America. In Europa, in Africa non avevamo pomodori. Fino ad allora crescevano solo in America.» Muhammar e suo fratello si consultano in arabo. Dall'espressione del volto, il fratello è sconcertato. «Mio fratello dice che non è possibile e anch'io la penso così» spiega Muhammar. «Cosa non è possibile?» «Non è possibile che Dio abbia donato all'America un frutto della terra così dolce e buono come i pomodori. No, questa storia dei pomodori sicuramente l'hanno inventata e messa in giro gli americani.» Yaya sta per scoppiare a ridere. Si alza e accende una sigaretta. Fino a questo momento mi era sfuggito il senso politico della prima domanda su Cristoforo Colombo. E quando mai mi è venuta in mente la storia dei pomodori. «Tu cosa ci dici?» insiste Muhammar. È un vicolo cieco. «Muhammar, spiegate a vostro fratello che i pomodori crescevano in America. Gli Stati Uniti arrivano molto dopo.» «La, la, no, no» dice il fratello in arabo, «non è possibile.» La storia che conta non è quella scritta nei libri, ma quella inculcata nella testa delle persone. Meglio lasciar perdere.

Il fratello di Muhammar intinge il pane nell'olio lasciato dai pomodori sul fondo del vassoio. Mastica rumorosamente, deglutisce. «Sei cristiano?» chiede a bruciapelo. Il silenzio gli fa ripetere la domanda. Un altro vicolo cieco, ancora più insidioso. «Penso di essere prima di tutto un uomo. Come voi.» «Ma sei un uomo cristiano, musulmano o ebreo?» alza la voce lui. Per questo ragazzo di poco più di vent'anni non esistono altre possibilità. È molto più fanatico di suo fratello sergente. Doveva essere una serata di riposo. Invece il viaggio continua su sabbie profonde. Peggio delle dune di Kufr. «Cosa importa la via che uno segue? Siamo prima di tutto uomini e donne, no?» Ogni sforzo razionale finisce qui. Inutile spiegare il valore della tolleranza a chi è accecato dalla certezza. Adesso serve solo un modo per uscire da questo discorso troppo pericoloso.

Il mondo si sta schierando. Le tre grandi religioni stanno volgarmente dividendo i popoli. E il fratello di Muhammar ne è un fervente risultato. Insiste sempre più rabbioso: «Tu allora non conosci i novantanove bellissimi nomi di Dio? Ar-Rahman, ar-Rahim, al-Malik, al-Quddus, as-Salam, al-Mumin, al-Muhaymin...». Li scandisce tutti e novantanove. «Li ho letti, ma non li so ripetere a memoria.» Lui prima replica in arabo rivolto al fratello, poi traduce in francese: «Mi chiedo come tu faccia a vivere senza conoscere con il cuore, a memoria, i novantanove bellissimi nomi di Dio. Stai attraversando il deserto da solo, potresti averne bisogno. Il Sahara è pieno di gin. Io una volta in Libia ho avuto un incidente, mi hanno portato in ospedale. Se sono guarito è perché supplicavo Dio con i suoi novantanove bellissimi nomi. Questo è un grande dono che Dio ha fatto.» «Soltanto il buon Dio conosce la sua volontà» interviene finalmente Muhammar: «Amico mio, è tardi. Andiamo, il nostro ospite deve riposare». Il sergente si ritira nella casa dove vive con una delle due mogli, la più giovane. Il fratello se ne va su un grosso fuoristrada giapponese.

Stanotte il letto è una stuoia di paglia all'aperto. Lo zaino fa da cuscino. Yaya e il suo amico sono andati a sdraiarsi accanto al loro fuoristrada. Gereke sta ancora lavorando. Mancano pochi minuti a mezzanotte e deve annaffiare le aiuole con i fiori e gli ortaggi. Gereke ha 32 anni, una voce timida e tanta voglia di sfogarsi. Viene da Koulikoro in Mali.

«Ho lavorato dieci anni in Camerun come tassista» racconta, attento a indirizzare il getto dell'acqua alla base delle piante: «Avevo la mia auto. Ma in Camerun ci sono momenti che vanno bene e momenti che vanno molto male. Così ho pensato di provare con la Libia. Però, se anche con la Libia va male, ho deciso: con l'Africa ho finito, vado in Europa. Non perdo più tempo a cercare lavoro e un'altra vita in Africa». Gereke spegne la piccola pompa a benzina che aspira l'acqua da un pozzo. A Dirkou non c'è telefono. Non ci sono banche. Non c'è elettricità. Chi se lo può permettere, alimenta i televisori e le antenne satellitari con i generatori a gasolio. L'unica ricchezza che non manca a Dirkou è l'acqua. Se ne sta a due metri di profondità sotto la sabbia. È acqua tiepida, ventotto gradi costanti. «Sono arrivato a Dirkou da Agadez» racconta Gereke, «sono stato fortunato, o forse no. Ho chiesto in giro e mi hanno detto che c'era un arabo importante, il sergente, che cercava uno che lavorasse nel suo giardino nell'oasi. L'accordo era: due mesi di lavoro e lui mi avrebbe pagato i venticinquemila franchi del viaggio fino a Gatrun, in Libia. Sono passati tre mesi e sono ancora qui. Certo, il padrone mi dà da mangiare gratis, ma non prendo un soldo. E se mai partirò da qui, sarò senza soldi. I militari e la polizia mi hanno preso tutti i risparmi che avevo.»

«Venticinquemila franchi sono trentotto euro e cinquanta. Tu stai lavorando da tre mesi per trentotto euro e cinquanta.»

«Lavorerò quattro mesi, forse cinque, forse sei. Ancora non abbiamo parlato di quando partirò. Comincio a lavorare alle cinque e mezzo per preparare il caffè. Poi durante la mattinata cucino, mentre la padrona guarda la tv. Il pomeriggio curo il giardino e l'orto, tutti i giorni così. E finisco a quest'ora. Ma fuori di qui avrei paura.» «Paura di cosa, Gereke?» «Paura di finire come quelli prigionieri di Dirkou da più di un anno. Sono diventati pazzi e vivono nella boscaglia. Uno di loro gira ogni mattina al mercato. Si accontenta di una manciata di farina, un pezzo di pane. Ma se gli vuoi parlare, scappa come un animale spaventato. Fuori di qui li fanno lavorare come schiavi. Nelle case dei commercianti o nei palmeti. Lavano pentole, curano orti e giardini, raccolgono datteri, impastano mattoni. In cambio di una scodella di miglio, un piatto di pasta, il caffè, qualche sigaretta. Di questo ho paura, amico mio. Almeno il sergente non mi fa soffrire la fame.»

Gereke non viene picchiato, non ha catene alle caviglie. Non servono a Dirkou. Ma Gereke sa benissimo di essere lui stesso prigioniero dell'oasi. Di essere costretto a lavorare gratis per non patire la fame. Di potersene andare soltanto quando lo deciderà il padrone. Augura la buonanotte con la sua voce timida e va a coricarsi dentro la baracca di un metro e mezzo per due costruita lungo il muro di cinta, nel cortile dove il sergente alleva le galline, un'otarda e un pavone.

Dirkou è in mezzo al deserto. Segna il passaggio dal Ténéré al Sahara. La sua notte però è più rumorosa del centro di una metropoli. I cani abbaiano. Gli asini ragliano. Le faraone starnazzano. L'otarda di Muhammar, attratta dallo zaino sotto la testa, intraprende una languida danza di accoppiamento. Si dimena avanti e indietro. Soffia. Se ne vuole impossessare e ha la fantastica idea di prendermi a beccate i capelli. Poi fa improvvisamente silenzio. Fino a quando un asino si mette a ragliare. I cani abbaiano. Le faraone starnazzano. Non c'è vento. Un velo sottile di cirrostrati mantiene alta la temperatura. E le zanzare si scatenano. Finalmente torna il silenzio. Non mancherà molto all'alba. È ancora buio quando il muezzin con la voce in falsetto grida al cielo e ai fedeli che Dio è il più grande. Ripete la frase dilatando le vocali il più a lungo possibile. E l'eco attraversa tutta l'oasi. I cani abbaiano. Gli asini ragliano. Le faraone starnazzano. Si ricomincia. Alle sei e mezzo la tromba della sveglia risuona dalla base militare. Gli squilli devono piacere particolarmente agli asini. Perché, nel silenzio di cani e faraone, ricominciano a ragliare in coro per quasi mezz'ora. Ormai, nascosto dietro la falesia del Kaouar, il sole ne sta illuminando il profilo. Una luce intensa che come una lente d'ingrandimento fa risaltare ogni piccola sporgenza di rocce e cumuli di sabbia. Gereke, dopo aver preparato il caffè ai padroni, riempie gli abbeveratoi alle galline. Yaya sta imprecando. «Sei riuscito a dormire?» chiede mentre avvicina la faccia a un catino pieno d'acqua, «la prossima volta passo la notte nel deserto. Dove stai andando?» «Vado a fare un giro nell'oasi. Devo trovare due amici.»

Di notte sono arrivati altri camion. Centinaia di passeggeri hanno aspettato l'alba agli incroci dei viottoli di Dirkou. Sono ancora lì. Non sanno dove andare. Se ne stanno seduti sui loro bagagli. Trolley impolverati, sacchi di canapa, bidoni dell'acqua. Sullo spiazzo davanti alla biglietteria dei trafficanti libici hanno preparato dodici Toyota 45 bianchi e blu carichi di taniche. Sono pronti a partire. In fondo alla strada, dentro un recinto, i mercanti di schiavi nascondono il loro deposito di carburante. La sabbia è nera e impregnata di grasso. L'odore dolciastro ristagna nell'aria. In mezzo al cortile, un telo militare protegge dal sole oltre duecento barili. Potrebbe essere la riserva per la base dell'esercito. Ma la presenza nel parcheggio di camion e fuoristrada con targa libica conferma la destinazione di quelle tonnellate di gasolio.

Gli immigrati di passaggio li riconosci subito. Non vestono con tunica e turbante come gli arabi, i kel tamashek e i tubù che vivono qui. Indossano magliette e jeans. E spesso il giubbotto pesante o l'impermeabile all'inglese, perché hanno paura di perderli. Anche se di giorno fa un caldo da morire. Sul muro di un cortile hanno scritto in inglese: «Vietato defecare nella latrina». La latrina è un buco incorniciato da quattro assi. In fondo, luccica l'acqua. Hanno scavato fino alla falda. «Così è pericoloso, inquinate l'acqua dell'oasi.» Il gestore del luogo, un uomo enorme con accento nigeriano, si alza da una sedia all'ombra di un salice. «Per questo si può solo urinare. Per defecare, dovete andare nella boscaglia» spiega, «vi serve un posto per la notte?» Le stuoie e i cumuli di stracci, asciugamani e qualche vestito sparsi per il cortile è quanto hanno lasciato gli ospiti che hanno dormito qui. A occhio saranno un centinaio. «Quanto costa?» «Quarantamila franchi a settimana» risponde l'uomo. «Quarantamila franchi? Ma è quasi quanto il viaggio da Agadez alla Libia.» «Se volete ci sono i recinti delle capre oppure la boscaglia, ma lì non sarete al sicuro.» «Comunque non cerco un posto per dormire, cerco due amici, due fratelli, Daniel e Stephen. Sono nigeriani.» «Quando sono arrivati a Dirkou?» «Ieri pomeriggio con un camion da Agadez.» «No, mi spiace, non ho nessun nigeriano con quei nomi. Ma se stanno andando in Libia, sicuramente si dovranno rivolgere agli uomini di Madame Hope. È lei a capo di tutti i traffici umanitari. Voi siete bianco, vi riceverà sicuramente.»

Madame Hope è un nome inarrivabile. Nel traffico dell'immigrazione dall'Africa all'Europa è come dire Osama Bin Laden. «Credevo vivesse in Libia. Dove la trovo?» «Madame Hope non si ferma mai. Può essere in Libia. Può essere nel Sahara. Può essere in Europa. Qui fuori a destra, in fondo, oltre il mercato, trovate l'Ostello dei nigeriani. Madame Hope è la proprietaria. Se sta ancora a Dirkou, la trovate lì.»

Il mercato di Dirkou è ricco di merce. Pentole fatte in Libia. Tute da ginnastica di squadre di calcio europee fabbricate in Cina. Zucchero. Pasta. Riso. Giacche a vento. Dentro un recinto di capre e galline magrissime lungo la via, un gruppo di ragazzi si sta lavando intorno a un mastello. Uno di loro indossa un berretto di lana spessa e una maglietta pulita. È Moses. Gli sguardi si incontrano e lui corre alla rete. «Stanotte Ahmed ha venduto il camion per poco meno di quattro milioni di franchi» racconta, «ma giura che non ha più soldi per noi perché dovrà pagare la tangente alla polizia. Prima aveva promesso che ci avrebbe restituito solo diecimila franchi. Invece ci deve dare tutti i venticinquemila che abbiamo pagato, perché l'accordo era di arrivare fino in Libia e lui non l'ha rispettato. Io ho speso anche tremilacinquecento franchi per la polizia di Dirkou: se Ahmed mi dà diecimila franchi, resto scoperto di diciottomila e cinquecento franchi. Qui poi per dormire mi chiedono cinquecento franchi a notte. Sono quindicimila al mese.» «Ahmed è uno squallido personaggio. Ieri ha cercato di vendermi il camion con tutti voi sopra.» «Stamattina presto sono andato dalla polizia per denunciare il caso» continua Moses, «mi hanno risposto che non sono interessati, che è una questione privata tra me e Ahmed. Anche se da me prima di partire gli agenti si sono presi i tremilacinquecento franchi. Vieni dentro che ti mostro in che condizioni ci tengono.»

La tettoia sotto cui ha dormito Moses dà su un cortile intorno a un albero. Il padrone del posto sta russando su un tappeto in mezzo allo spiazzo attraversato da capre e galline. «Anche lui è libico» dice Moses sottovoce. Il bagaglio è ammassato in un angolo all'ombra. Su due bidoni c'è la scritta Bill. «Vedo che qui ci sono i miei compagni di viaggio. Sto cercando due ragazzi, Daniel e Stephen.» «Non lo so» risponde Moses, «sono arrivato che era già buio. Adesso molti sono in giro per l'oasi. Guarda, questo è tutto quello che ho.» Non hanno valigie di cuoio o cartone questi emigranti, ma trolley made in Cina con le ruote e qualche sacco. Il trolley di Moses è bianco di polvere. Lo apre ed estrae i vestiti. Prende l'agenda e mostra la foto di Olivia, sua moglie: gli occhi grandi, il sorriso bianco, i capelli raccolti e la posizione composta come se fosse seduta a un banco di scuola. L'altra foto è della loro bimba di 8 anni. Dalle pagine dell'agenda estrae la tessera da allenatore professionista di calcio. Poi i diplomi della scuola professionale. «A Monrovia studiavo la sera. Di giorno lavoravo alla Firestone. Fabbricavamo pneumatici per voi europei. Quattro anni fa, per la guerra civile, siamo fuggiti in Ghana. Al campo profughi ho studiato. Ho preso il diploma per guidare scavatrici, eccolo.» Svuota un sacco pieno di boubou e jallaba: «Solo vendendo questa roba posso recuperare qualche soldo. Vedi queste jallaba, sono belle, le fanno in Nigeria. Ma qui c'è troppa gente *stranded* che vende abbigliamento. Qui mi danno solo mille franchi per una *jallaba*. Cinquecento franchi per le mie magliette. Non mi basterà per partire». «Come avevi raccolto i soldi per il viaggio?» «Mi ha aiutato Celine, una ragazza di Sofia.» «Sei stato in Bulgaria?» «No, l'ho conosciuta via Internet su www.yahoo.uk.co. Mi ha mandato i soldi e sono partito, ma lei non l'ho mai vista. Questa invece» dice mostrando il laccio di cuoio e argento al collo, «è la collana di mia moglie. Me l'ha data quando ho lasciato Accra. Mi ha detto: se la togli, toglierai me dal tuo cuore. Vieni, ti presento Emmanuel, mio fratello.» Anche Emmanuel viaggia con camicie da vendere, i diplomi del liceo e la tessera da calciatore. «Può sempre servire, in Europa. Magari vengo a giocare in Italia.»

Dirkou è un labirinto. Oltre il recinto di uomini e capre, davanti alla Maison du Ghana, rifugio e punto di ristoro per i connazionali, c'è un hotel senza stelle. Pavimenti in sabbia. Le solite stuoie per letto. Qui dormono i nigeriani che se lo possono permettere. La tenutaria dice di chiamarsi Pat. Se ne sta ad aspettare i clienti in piedi davanti alla porta di ferro, avvolta corpo e testa in una stoffa multicolore, sotto la scritta «welcome» e una rassegna di bottiglie e lattine dipinte sul muro. Pat ha 22 anni, un viso dolce, i fianchi già fuori forma. «Cerchi Madame Hope? Vieni dentro.» Si passa in una stanza ombreggiata senza porte né finestre. «Lo sai che mio fratello è in Italia? A Napoli. Io stavo per andare in Italia» racconta e indica le sedie in plastica su cui accomodarci: «Poi mi sono fermata a Zuwara, in Libia, vicino al confine con la Tunisia. Le barche per la Sicilia partono da Zuwara. Tre anni fa Gheddafi ha cacciato tutti i neri. Mi hanno presa ed espulsa. Da allora sono a Dirkou. Questa è in breve la mia storia. E tu perché sei qui?» «Per incontrare Madame Hope. Mi puoi aiutare?» «Non so» risponde lei, «Madame Hope non è facile incontrarla.» Pat si fa offrire da bere anche se è la padrona del posto. Cinquecento franchi una pepsi con le scritte in arabo sulla lattina. Mille una birra. «Vuoi fare l'amore?» chiede all'improvviso. «Magari sì.» «Con un gay o una ragazza?» Il tempo di andarla a prendere e fa entrare dal cortile un'adolescente. Sophie dice di avere quindici anni. «Ti piace?» domanda Pat. Un cenno con lo sguardo la rassicura. «Seguimi» dice Sophie e si alza. Attraversa il cortile. Quattro ragazze e tre ragazzi chiacchierano e ridono sotto una fila di panni stesi, seduti sui bidoni che hanno portato a destinazione la loro acqua. Sul quadrilatero di sabbia si affacciano le porte delle camere. Sophie ne apre una. La richiude e la ferma avvicinando il bidone con il suo nome. Lascia le ciabatte di gomma sulla sabbia. Si sistema i pantaloni di tela beige, la camicia di jeans. E si sdraia vestita sulla stuoia di plastica. È giovanissima, ma ha sicuramente più di vent'anni. Guarda senza dire nulla. Gli occhi stretti. I capelli corti. Le sopracciglia e le labbra contornate da un filo di matita nera. Lei il viaggio lo paga in natura. Ripartirà per la Libia soltanto quando avrà reso cinquantamila o settantamila franchi, più del doppio del biglietto. A Dirkou una prostituta costa cinquecento franchi, meno di un euro. Sophie dovrà concedersi centoquaranta volte prima di andarsene. Adesso prende da sotto la stuoia una confezione di fazzoletti di carta. Comincia a slacciarsi la camicetta fino a scoprire parte del seno.

«Sophie, non serve che ti spogli.» Lei si ferma, guarda stupita. «Ho bisogno di aiuto. Ma mi devi promettere che non dirai nulla a Pat.» Sophie si spaventa. Fa per alzarsi. «Aspetta, ascoltami. Io ti pago lo stesso. Anche più di quello che ti danno di solito. Ecco, il resto lo tieni per te.» Sophie si risiede sulla stuoia. «Ora però devi dire a voce alta quello che di solito dici ai clienti. Altrimenti fuori i tuoi amici capiscono. Se si accorgono che non facciamo l'amore, per me sono guai.» Sophie sorride. «E cosa ti dovrei dire?» Parla un ottimo inglese. «Nulla di diverso da quello che dici tutte le volte. Che so, in Europa si comincia dal preservativo.» «A Dirkou non esistono preservativi.» «Sophie, io sto cercando due amici nigeriani e devo parlare con Madame Hope.» «No, no, fermati.» «Hai capito cosa ti ho chiesto?» «Fermati. Non voglio che mi baci in bocca.» «Tu sai dove posso trovare Madame Hope?» «Aspetta. Aspetta che mi tolgo i vestiti.» «È ancora qui a Dirkou?» «No, così mi sporco di sabbia.» «Credevo fosse questa la sua base.» «Adesso spogliati tu» dice Sophie e comincia a gemere. Ha capito la parte. Con l'indice incide la risposta nella sabbia: «Non è più qui. Bar des étrangers. Vicino alla moschea». Subito dopo con il palmo della mano cancella la scritta e soffoca a fatica la risata.

«Devi andartene subito o puoi fermarti? Questa stanza è molto fresca» dice Sophie sottovoce tra i finti gemiti, «possiamo stare un po' a parlare.» «Dimmi.» «Dimmi tu, com'è l'Italia?» «Stai andando in Italia?» «Sto andando in Italia, in Europa, non so.» «Di dove sei?» «Edo State, Nigeria. I miei vivono in un villaggio.» «E perché sei partita?»

La risposta è la stessa di tutti: «Da me non c'è lavoro, solo qualcosa per vivere. Siamo quattro figli. Io ero stufa di quella vita, volevo partire per fare un po' di soldi. La Libia e poi magari l'Italia». «Come hai deciso di partire?» «In Nigeria ci sono persone che vengono nei villaggi alla ricerca di ragazze come me. Prima parti. Poi paghi con il lavoro. Io dovrò restituire duemila dollari.» «Lo sai che le tue connazionali in Europa devono pagare debiti di viaggio fino a trentamila, quarantamila dollari?» Sophie alza le spalle: «No, questo non l'ho mai sentito. Io non ho mai avuto problemi, sono in viaggio da tre mesi. Cioè non ho mai avuto problemi fino a questo posto di merda. Arrivata qui, in mezzo al deserto, mi hanno obbligata. Devo prostituirmi. Altrimenti non posso continuare il viaggio. Non so proprio quando ripartirò. Tu mi puoi aiutare ad andarmene da qui?». «Non posso portarti in Europa. Ma se vuoi tornare in Nigeria, sì. Dovrò ripassare da Dirkou. Posso darti un passaggio fino ad Agadez.» «Tornare in Nigeria? Non ci penso nemmeno. E poi io non sono più mia. Dovresti comprarmi, pagare Pat e gli altri che guadagnano su noi ragazze. No, non torno indietro. Voglio andare avanti.» «Da quanto tempo sei a Dirkou, Sophie?» «Da una settimana. Prima sono stata ferma due mesi ad Agadez, all'hotel Sahara. Ma due mesi qui saranno una tortura. Spero di riuscire a vivere abbastanza. A non ammalarmi prima di vedere l'Italia.» Le viene da piangere. Si alza, sposta il bidone, apre la porta. La luce è abbagliante. «Andiamo» dice.

Pat ci aspetta sulla stessa sedia di plastica all'ombra del bar. La tv è accesa su un canale satellitare di musica disco. Il ritmo di sottofondo. Il brusio del generatore di corrente. «Ti è piaciuta la mia ragazza?» chiede Pat. Sophie se ne torna in cortile e va a sedersi con le altre schiave. Pat saluta e sorride: «Italiano, ti aspetto quando vuoi».

Non devono aver mai visto bianchi da questa parte dell'oasi. Forse era meglio indossare il boubou e coprirsi con il tagelmust. Si voltano tutti non appena notano le mani pallide e il volto

175

bruciacchiato dal sole. Due ragazzi si fanno avanti. Stavano seduti su un gradino di fronte a un ristorante con un nome e un invito dipinti sul muro rosa: «Madam God's time restaurant. Enjoy your money when you are young», qualcosa che si può tradurre come: «Ristorante della signora del tempo di Dio. Godete i vostri soldi finché siete giovani». Un invito stonato per questa oasi di prigionieri affamati di pane e di voglia di arrivare. Su un pezzo di cartone c'è scritto che il cibo è pronto. È un altro dormitorio senza stelle, come quello di Pat.

«Fratello, puoi aiutarmi? Sto male da giorni» dice il più basso dei due. «Che tipo di male?» «Diarrea, ho un'infezione intestinale, forse la febbre alta. È cominciato dopo che ho bevuto l'acqua di qui.» «Hai del flagyl?» «No, so che servirebbe il flagyl. Ma non abbiamo soldi per comprarlo.» «Ce l'ho io, ma devo andarlo a prendere. Vi trovo qui più tardi?» I due ragazzi si guardano prima di rispondere. «Forse sì.»

Si presentano. Il più basso si chiama Joseph, ha 27 anni e una laurea in economia. L'altro è suo fratello James, 31 anni. Vengono da Monrovia, Liberia. Ci sediamo a parlare sul muretto rosa davanti al ristorante di Madam God's time.

«Sono partito perché ho un figlio di due anni *and a man is supposed to be a man*. Un uomo deve essere un uomo e quando vedi che la tua famiglia non ha da mangiare, se sei l'uomo della famiglia devi fare qualcosa. Guarda.» Joseph prende dalla tasca dei jeans il portafoglio ed estrae tre fotografie. Su una c'è un bimbo cicciottello come tutti i bimbi di pochi mesi: «Si chiama Joseph junior». Sulle altre due, una ragazza con i capelli stirati e il vestito della festa. Sorride Joseph guardandola: «È mia moglie». «Dove sono adesso?» «Vicino ad Accra, in Ghana, nel campo profughi di Buduburam.» «Siete scappati dalla guerra civile in Liberia?» «Fino all'estate abbiamo tenuto duro. Io lavoravo per una organizzazione non governativa, l'Associazione nazionale per la prevenzione dei suicidi. Aiutavamo i bambini. Durante la guerra molti bambini si sono suicidati. E tu lo sai quanto il concetto di suicidio sia di solito lontano dalla vita di un bambino. Ma in Liberia no, anche i bambini si suicidavano.

Mio fratello invece faceva l'impiegato nell'amministrazione della Africa Hotel.» James, più timido, sorride e mostra le foto del suo piccolo, James junior, 4 anni, e di sua moglie.

«Dal campo profughi siamo partiti quattro settimane fa» racconta Joseph. «Da Agadez a Dirkou abbiamo viaggiato su un camion con duecentocinquanta persone. I militari volevano soldi da noi e poiché non ne avevamo, ci hanno lasciato due ore a bruciare sotto il sole.»

«Quando avete lasciato Monrovia?»

«Quattro mesi fa. Guarda questi.» Joseph mostra il passaporto con i visti dell'Australia e della Slovenia, scaduti nel 2002. «Li ho ottenuti spedendo il passaporto alle ambasciate australiana e slovena al Cairo. Dovevo partecipare a due convegni. Una volta in Slovenia avrei chiesto asilo in Italia o in Austria. Il problema è che avevo i visti, ma non i soldi per pagare il biglietto dell'aereo. Ho comunque pensato di fare i visti. Mi sono detto: non si sa mai. Non sono riuscito a partire anche perché a Monrovia c'era un sacco da fare con i suicidi. In luglio i ribelli sono venuti in ufficio, l'hanno devastato. Hanno distrutto la mia casa, mi hanno rubato la macchina. Io allora ho preso mia moglie e mio figlio, James ha fatto lo stesso. E siamo scappati in Ghana.»

La fuga di Joseph e suo fratello James sono gli effetti collaterali di una guerra ignobile combattuta per estrarre gratis delle pietre ignobili che nel mondo chiamano diamanti. «Mia mamma è rimasta in Liberia, mio padre è morto anni fa» spiega Joseph. «Gli amici ci hanno aiutati per un po', ma poi anche loro si dimenticano. Al campo profughi era possibile rimanere senza fare nulla. Per un po' siamo stati assistiti dalle Nazioni Unite. Ma ora l'Onu non c'è più. E nel campo si paga tutto. Anche l'acqua del pozzo. Anche andare alla latrina si paga.» James si passa le fotografie tra le mani: «Il prossimo anno mio figlio deve andare a scuola» dice, «non si poteva continuare così». Joseph riprende il racconto: «Il 14 novembre siamo partiti. Un abbraccio alle mogli e ai bambini e una manciata di foto in tasca. In tre giorni siamo arrivati ad Agadez. Al posto di controllo, all'uscita di Agadez i militari hanno chiesto diecimila franchi a me e diecimila a James. Non ne avevamo. E loro ci hanno lasciati due ore in ginocchio sulla sabbia a cuocere sotto il sole di mezzogiorno. Poi è arrivato un capitano. Ci ha perquisiti ancora, si è convinto che non mentivamo e ci ha fatto risalire sul camion. Ma solo perché ha visto i nostri passaporti liberiani. Avevano già scaricato i nostri bagagli. Altri passeggeri li hanno lasciati lì, al posto di controllo. Sul camion non c'era spazio per tutti. Duecentocinquanta persone sono una follia. Molti sono caduti nel deserto per i colpi di sonno. Io e James ci tenevamo per le braccia, per la paura di cadere. A un certo punto, di notte, non so dove eravamo, una sponda del camion si è sfondata e le persone che stavano sopra sono volate giù. Uno è finito sotto le ruote e si è rotto una gamba. Altri si sono feriti gravemente. Ci hanno scaricati nel deserto. La fiancata era troppo pesante a causa dei bidoni dell'acqua. Il camion è tornato ad Agadez per essere riparato. Quando sono ritornati, siamo ripartiti. Ma dopo due giorni si è squarciato un copertone. Era già il secondo, probabilmente per il sovraccarico. Siamo rimasti insabbiati nel deserto per altri due giorni. Finalmente è passato un camion e ci hanno dato una ruota. Ormai avevamo finito acqua e viveri. Siamo arrivati a Dirkou disidratati, senza più niente da bere né da mangiare. Forse è in quel momento che mi sono preso l'infezione. Qui abbiamo venduto il nostro bagaglio e con quei soldi abbiamo pagato il nostro viaggio fino a Gatrun».

Joseph rimette nel portafoglio le fotografie. «E quando partirete per Gatrun?» «Saremmo dovuti partire dieci giorni fa. Ma delle sei ruote, al camion ne mancavano due.» «Mancavano due ruote sui tre assi?» «No, era un camion più piccolo, a due assi. Mancavano due delle ruote posteriori, una a destra e una a sinistra. Dietro, le ruote devono essere quattro affiancate. Ho detto all'autista che non potevamo entrare nel deserto in quel modo. Lui ha risposto che andava bene così, che se avevamo paura potevamo starcene a Dirkou. Abbiamo deciso di non partire. Non era prevista questa spesa in più, perché i soldi non ce li ha restituiti. Ma dovevamo pensare alla nostra vita.» «Conoscevate il nome dell'autista?» «Conoscevamo il nome del proprietario del camion. Un libico. Si chiama Ahmed.» «Sicuro, quello era il camion di Ahmed. Avete perso i soldi. Ma almeno vi siete risparmiati un'altra sofferenza. Il camion di Ahmed non è arrivato in Libia. È rimasto bloccato nel deserto e ieri sera è ritornato a Dirkou con tutti i passeggeri.» «Ci considerano degli animali» commenta Joseph. «A noi mancano pochi franchi per partire. Ma dobbiamo anche mangiare e così, piano piano, li stiamo consumando. Adesso andiamo via dalla pensione, ci costa troppo. Andremo a dormire nella boscaglia.» «Sentite, io non vi posso pagare il viaggio fino in Libia. Ma posso aiutarvi per le spese qui a Dirkou. Prendete questi.» Joseph ringrazia con un abbraccio fortissimo.

«Viaggerete fino in Italia?» «Cominciamo con la Libia. Io penso che in Libia il nostro passaporto non avrà problemi. Siamo liberiani, non abbiamo mai fatto del male a nessuno. Ci rispetteranno. Poi chissà, se riusciamo a risparmiare continueremo verso l'Europa. Ci fermeremo in Italia, magari. Come il nostro campione, George Weah, lo conosci?» «Certo, giocava a calcio a Milano.»

«Senti, ci hanno detto che per andare in Italia dalla Libia ci sono delle barche. Sai da quale porto salpano, quanto costano?» chiede James. «Non partono dai porti, che io sappia. O se lo fanno, partono di nascosto. Sono barche clandestine. Molte affondano.» «Quanto dura il viaggio?» domanda Joseph. «Tre o quattro giorni. Ma il dodici per cento di chi parte muore durante la traversata. Il dodici per cento, capite?» Joseph e suo fratello si scambiano uno sguardo. «È pericoloso allora?» chiede Joseph. «Pericoloso come attraversare il deserto. Io non ve lo consiglio. Se potete richiedere il visto a qualche ambasciata europea, provate la via legale. La vita è una sola.» «Noi pensavamo che non ci fosse peggio a quello che abbiamo vissuto qui.» «Amici, devo andare. Sto cercando due ragazzi nigeriani. Da voi dormono nigeriani?» «Non ci sono nigeriani nella pensione» spiega Joseph, «soltanto ghaniani e liberiani.» «Poi passo a prendere il flagyl e ve lo porto qui.» «Ti aspettiamo.»

179

Camminando per i viottoli di Dirkou si sentono parlare quasi tutte le lingue dell'Africa. Arabo, francese, inglese, tamashek, tubu, kanuri, hausa e i dialetti della costa atlantica, dal Camerun alla Sierra Leone. La moschea è a metà della via a sinistra. All'incrocio un gruppo di ragazze discute a voce alta. Indossano jeans e canottiere attillate.

«Scusate, sapete dov'è il Bar des étrangers?» Non rispondono. «Cerco Madame Hope.» *Hope* come speranza. Non poteva scegliersi nome più adatto questa donna che specula sulle speranze altrui. Si fa avanti una delle ragazze più giovani. «Mi chiamo Roseline» dice stringendo mollemente la mano, «seguimi.» S'incammina verso la via perpendicolare alla strada della moschea. Un ragazzo massiccio si alza da una sedia sotto un'acacia e si mette dietro di noi. In questo isolato le vie sono affollatissime. I ragazzi pettinati e vestiti alla moda rap sono una minoranza. La maggior parte è gente impolverata seduta su bidoni e trolley in attesa che succeda qualcosa. Roseline dice che è *stranded* a Dirkou da un mese: «Partirò presto per la Libia. Ogni momento è buono per andare». Il ragazzo massiccio capisce le domande ma non risponde. Se è una trappola, sarà dura tirarsi fuori. Ma rintracciare Daniel e Stephen vale il rischio. Roseline chiede informazioni a un uomo seduto con altre persone davanti a una bancarella di alimentari. L'uomo si scomoda e viene incontro: «Buongiorno, perché cercate Madame Hope?» domanda in francese. Il ragazzo massiccio risponde contrariato in hausa. I due discutono furibondi, sempre in hausa. «Vieni via, è un poliziotto in borghese» dice in inglese il ragazzo. «Prego» fa largo il poliziotto con un mezzo inchino, «andate da Madame Hope.»

Davanti al Bar des étrangers non ci sono insegne. Forse questo non è nemmeno l'indirizzo indicato da Sophie. Dalla porta entrano ed escono ragazze in jeans e canottiera. È come se indossassero una divisa comprata per loro dalla stessa mano. Le ragazze scherzano con cinque militari in mimetica. I soldati hanno il fucile mitragliatore a tracolla. Sul caricatore il marchio di produzione: fabriqué en Belgique. Dal cortile sale musica rap a tutto volume. Sul muro brilla a intermittenza una decorazione di lampadine natalizie. Roseline si ferma all'ingresso. «Vai dentro» ordina il ragazzo massiccio. È lui a fare gli onori di casa: «Accomodati». Sotto una tettoia, sul lato lungo del piccolo giardino, il banco del bar. Sugli scaffali non manca nulla. Whisky scozzese. Cognac francese. Rhum di tutto il mondo. In mezzo al cortile, un tavolo bianco di plastica e quattro sedie. Bisogna sedersi e aspettare.

Madame Hope esce dalla penombra e si materializza sotto la luce polverosa del sole alto. È una signora vestita di rosso. Età sui 45 anni. Enorme, come molte africane della sua età. Le piccole cicatrici tribali sotto le guance piene, sudate. I seni schiacciati per tre quarti dentro la stoffa che le fascia il torace. Accanto a lei si accomodano due uomini agghindati secondo la peggior moda dei mafiosi di tutto il mondo. Catene d'oro al collo, bracciali. E il telefono satellitare in mano. Un telefono ciascuno. Non possono certo confondersi, così, tra gli *stranded* dell'oasi. È chiaro che questo non è un bar. È un covo.

«Buongiorno Madame Hope, sto cercando due amici. Si chiamano Daniel e Stephen, nigeriani come voi. Forse mi potete aiutare a trovarli.» «Mi spiace, amico mio, non tengo la lista dei morti nel deserto» dice lei in inglese. «Ma non sono morti.» Dall'ombra sotto la tettoia del bar, appare un uomo in pantaloni neri e camicia bianca. Si avvicina e si ferma ad ascoltare la conversazione.

«Daniel e Stephen sono arrivati ieri a Dirkou, sono...» L'uomo si intromette senza richiesta, in francese: «Posso rispondere io, sono un poliziotto». Un altro. «Se il vostro amico ha fatto il deserto» spiega il poliziotto, «può essere sicuramente morto. Forse è passato dalla rotta della fraud, del contrabbando. Quella rotta non passa da Dirkou e nessuno sa niente se avviene un incidente. Ma di quelli che percorrono la rotta militare e vengono a Dirkou, non muore nessuno.» «I miei amici sono due e sono sicuramente vivi. Ho solo chiesto se...» «Certo» interrompe il poliziotto, «qualche incidente c'è stato. Ma noi non teniamo le liste dei morti. Però se non avete più notizie del vostro amico, non vuol dire che sia morto. Potrebbe anche essere bloccato qui e non avere i soldi per continuare il viaggio. Colui che si vede è sicuro che esista. Ma colui che non si vede non vuol dire che sia morto. Magari non lo avete ancora incontrato. Quindi, amico mio», e a questo punto mette la sua mano sulla mia spalla, «è inutile che facciate altre domande a Madame Hope.»

Madame Hope fa un sorriso di cortesia. Si alza e svanisce nell'ombra del bar, seguita dai suoi due guardaspalle. Peccato, perché di domande da fare a Madame Hope ce ne sarebbero. Tante. A cominciare dalle stragi in mare tra l'Africa e l'Europa. Come il peschereccio affondato al largo di Kerkennah. Chi ha fatto partire quella barca nonostante il maestrale e il mare in burrasca? Ma è meglio non forzare la situazione con domande indiscrete. Da Dirkou bisogna anche uscire vivi. Il poliziotto indica la porta: «Buona fortuna, amico mio». Fuori Roseline e il ragazzo massiccio si offrono come accompagnatori: «Vieni, è meglio se te ne vai da questa zona» avverte Roseline. Dopo trecento metri siamo di nuovo sulla via centrale del mercato. Roseline scrive su un pezzo di carta il suo indirizzo email. «Scrivimi» dice e piega il biglietto in quattro: «Magari quando sarò in Europa verrò a vivere da te». Non si capisce se sia sincera o stia soltanto cercando un cliente.

L'incontro con Madame Hope dimostra cos'è Dirkou. Conferma la complicità di eserciti e polizie con la mafia dei trafficanti. Tutti al soldo di questa matrona senza scrupoli che ha costruito la sua ricchezza sull'ambizione di uomini e donne. Nati in Africa come lei. E cresciuti come lei con la voglia di andarsene. Ora, senza il suo aiuto, ritrovare Daniel e suo fratello Stephen è solo questione di fortuna.

6

Base di Al Qaeda.
Confine Libia-Niger

Il sole è quasi perpendicolare sulle vie di Dirkou. A quest'ora l'ombra va a nascondersi sotto le scarpe. Il ritorno verso la casa di Muhammar è una camminata che arroventa le suole. Di fronte al commissariato di polizia hanno parcheggiato il camion di Ahmed. Le fiancate sono cariche di bidoni. Alcuni non sono nemmeno ricoperti di cartone e canapa. Le due ruote che mancavano sono state aggiunte. C'è anche Ahmed. Ride con i poliziotti, sembra felice. Ma non aveva venduto il camion? Yaya sta lavorando sdraiato sotto la pancia del suo fuoristrada. Quando si riaffaccia, le gocce di sudore brillano di luce sulle sue guance. «Abbiamo rotto una balestra» annuncia, «devo smontarla e saldarla in un'officina.» «Dove hai messo il bagaglio?» «Sotto la tettoia, vicino alla baracca di Gereke» indica Yaya. L'otarda, il pavone e un manipolo di galline girano curiosi intorno allo zaino. Di flagyl ce n'è ancora una manciata. «Yaya, torno al mercato. Ci vediamo nel pomeriggio.» È talmente indaffarato che non risponde nemmeno.

In questa parte dell'oasi, centinaia di viaggiatori *stranded* lavorano piegati nel caldo. Impastano acqua e argilla rosa. Premono il fango con le mani dentro rettangoli di legno. Subito dopo spingono delicatamente con i pollici per sfilarlo dallo stampo. E lo mettono a essiccare al sole. Nel Sahara non servono fornaci per cuocere i mattoni. Una distesa di mattonelle rosa si allunga su tutto lo spiazzo di sabbia come tessere di un domino appena abbattute. Cinque ragazzi arrivano con dieci secchi pieni. Li rovesciano sull'impasto. S'avviano a passo lento verso il pozzo. Grazie ai nuovi schiavi, quasi tutti i commercianti e i trafficanti stanno rifacendo le loro case. In cambio di un pugno di farina, una scodella d'acqua e la promessa di un biglietto per la Libia. Altri schiavi stanno lavorando nelle saline e nelle cave di bicarbonato che chiudono l'oasi a Nord. Da quella parte di cielo risuonano i colpi di bastone con cui frantumano le scaglie di cristalli. Altri ancora curano la lunga piantagione di palme da dattero ai piedi della falesia. Al racconto di Gereke, la notte scorsa, mancavano le immagini. Eccole.

Il giorno e le sue sofferenze mescolano la vita di Dirkou. Fino al tramonto. Perché non appena fa buio, un rigido apartheid divide le notti nell'oasi. I kanuri, gli ex schiavi delle saline, dormono in case impastate con sabbia e sale, la parte più antica. I tubù abitano accanto a loro. Gli arabi nelle villette con la tv via satellite, l'elettricità e il generatore a gasolio. Gli stranieri nei recinti oltre il grande mercato. Sulla via che porta alle bancarelle, vengono incontro due ragazzi. Hanno i capelli lunghi e ricci incrostati di sale. Le mani piagate da venature rosso sangue. Le magliette e i pantaloni strappati e induriti dalla polvere. Allungano la mano destra aperta, poi la avvicinano alla bocca con le dita chiuse. Sono affamati. Chiedere loro in inglese, francese e arabo che lingua parlano non serve a nulla. Qualcosa li spaventa. Scappano a piedi nudi tra i cespugli spinosi della boscaglia.

In mezzo al mercato avanza un gruppo di ragazzi. I loro vestiti sono insoliti. Gli impermeabili beige già visti. I berretti di lana e i giubbotti pesanti poco adatti a questa temperatura atroce. Ma soprattutto è insolito che camminino tutti nella stessa direzione. «Ehi, fratello.» Chi chiama ha una voce già sentita. Il volto controluce però non è subito riconoscibile. «Sono Joseph.» Lo accompagna James. Si fermano. «Joseph, stavo venendo da te con il flagyl. Sai se sei allergico agli antibiotici?» «No, credo di no. Ho già preso antibiotici.» «Allora tieni. Io ho curato la diarrea con cinque compresse al giorno. Quattro o cinque giorni di queste e sei guarito. L'importante è cercare di prenderle sempre alla stessa ora.» Joseph mette il sacchetto di pastiglie in una tasca e sorride: «Abbiamo più compresse che roba da mangiare. Andranno sicuramente bene». «Dove state andando?» «Al commissariato di polizia» spiega Joseph. «Vi hanno chiamati?»

«Partiamo, fratello. I soldi che ci hai dato hanno cambiato i nostri programmi. Non vogliamo rimanere un solo giorno in più in questo posto.» «Ma davanti al commissariato c'è il camion di Ahmed. Salirete su quel camion?» «L'abbiamo controllato prima di pagare. Hanno aggiunto le ruote che mancavano.» «Il problema però non erano solo le ruote. Quel camion ha il motore cotto.» «L'hanno riparato» risponde James. «L'ho sentito con le mie orecchie. Il motore funziona.» Joseph si ferma in mezzo alla via: «Fratello» dice, «Dio non ci abbandonerà proprio adesso».

Meglio non insistere. Quando si sta per affrontare un viaggio del genere, ciascuno sceglie i suoi rischi. E se si è convinti delle proprie scelte, tanto basta. Dare consigli potrebbe essere altrettanto pericoloso.

«Hai trovato i tuoi amici nigeriani?» chiede poco dopo Joseph. «No.» «Saranno già partiti» suggerisce James. «Forse, inshallah, se a Dio piace.» «Certo, se a Dio piace» conclude Joseph. «Ascolta fratello, dobbiamo chiederti un'informazione» riprende James, «qui a Dirkou i nigeriani ci hanno detto che dalla Libia si arriva a un'isola italiana, l'isola di Lampa.» «Lampedusa si chiama.» «Tu ci sei mai stato?» chiede James. «No, mai.» «Io e Joseph non abbiamo capito una cosa. Prima ci hai parlato di barche che partono di nascosto. Ma noi siamo liberiani. Se uno ha il passaporto di un Paese in guerra, può prendere un ferry, un traghetto, e arrivare a Lampedusa. E così?» «No, James. Non è così. Tra la Libia e Lampedusa non ci sono ferry. Soltanto le barche dei trafficanti.»

Lo si vede nei loro occhi. La risposta ha dissolto quella piccola certezza che avrebbe reso un po' meno duro il viaggio. «Ve lo ripeto, se vi invitano a una conferenza, una volta che siete a Tripoli potete chiedere il visto. È la capitale libica, ci sono le ambasciate di quasi tutta Europa a Tripoli. Scambiamoci gli in-

185

dirizzi email, così ci teniamo in contatto. Comunque ci dobbiamo rivedere tra quattro giorni a Madama.» Camminando, siamo arrivati davanti alla villetta di Muhammar, a pochi passi dal commissariato e dal camion di Ahmed. Joseph mette in tasca il bigliettino e su un altro scrive il suo indirizzo email. Muhammar appare in piedi al cancello e osserva lo scambio di saluti. «Come faremo a restituirti i soldi?» chiede all'improvviso Joseph. «Cominciate ad arrivare a Tripoli. Ne riparleremo quando ci incontreremo in Europa.» «Allora arrivederci a Madama» dice Joseph e si avvicina per un abbraccio. Lo stesso fa James. Insieme raggiungono il commissariato. Non hanno bagaglio. I poliziotti in divisa mimetica li fanno sedere accanto agli altri passeggeri. Sulla sabbia, sotto il sole. Un urlo li obbliga a mettere tutte e due le mani sulla testa. Come gli altri.

«Cosa volevano quei ghaniani?» chiede Muhammar in piedi al cancello. «Non sono ghaniani, sono liberiani.» «Sono la stessa cosa. Da quando sono arrivati loro, Dirkou non è più tranquilla» sbuffa il sergente. «Ma grazie a loro state diventando ricchi.» Muhammar finge di non capire e si ritira nel giardino. I passeggeri vengono chiamati uno per volta dentro il commissariato, invisibile dal cancello della villetta. Si sentono le voci degli agenti. «Amico mio, vieni dentro» dice Muhammar, «ho fatto preparare un'insalata per noi.» Ci si siede sulla sabbia all'ombra del grande salice. Là fuori sta già succedendo qualcosa. Qualcuno grida ordini a squarciagola. Sicuramente non è un passeggero. Altri ridono. «Allora amico mio, cosa hai scoperto a Dirkou?» «Ho parlato con un po' di persone, mi sono fatto raccontare il loro viaggio per la mia ricerca. Pensate sia possibile salire su un camion?» Muhammar si pulisce le labbra unte con un pezzo di pane. Lo mangia. Beve un sorso d'acqua. Ci pensa su. «Vuoi arrivare a Madama in camion?» «Sì, però qui i libici non vogliono prendermi con loro. Ne conoscete qualcuno?» «Ah, no» risponde Muhammar con il tono di chi non vuole sporcarsi la reputazione: «La questione però non riguarda solo i libici. Tutti i camion partono qui davanti, dal commissariato di polizia. E i poliziotti comincerebbero a farti domande.

Non mi sembra una buona idea. Nessun europeo è mai salito su quei camion per andare in Libia». «Voi non potreste parlare prima con i poliziotti?» «I poliziotti ragionano con la loro testa. Io faccio parte dell'esercito. No, secondo me devi partire con la tua vettura. Nel deserto, poi, puoi chiedere se ti prendono a bordo sul camion. Partire da qui mi sembra complicato.» Muhammar sta rispondendo con onestà. Forse è il momento buono per saperne di più.

«Quando è cominciato questo traffico?» È come se si aspettasse la domanda. Lo spiega subito: «Tre anni fa. Il traffico di clandestini è esploso tre anni fa. Prima qui a Dirkou c'eravamo soltanto noi militari. L'anno scorso anche la polizia ha voluto partecipare alla questione. Hanno aperto il commissariato, proprio qui accanto. Questione di soldi. I militari controllano i camion in arrivo. La polizia quelli in partenza». «Quanto incassano esercito e polizia ogni anno dal traffico di immigrati?» La domanda è troppo diretta. Troppo precisa. Troppo scontata. Una domanda stupida. Muhammar non risponde. Si accende una sigaretta e guarda il cielo oltre il muro di cinta del suo giardino. Ascolta le grida che salgono dal commissariato là dietro. Se non fosse Muhammar, una domanda così costerebbe l'arresto. Ma andava tentata. Adesso bisogna riafferrare la fiducia del sergente con una frase più morbida.

«Perché ai posti di controllo i militari chiedono soldi agli immigrati?» Muhammar si liscia i baffi: «Se io vado all'ambasciata francese o italiana, il visto ha un costo. C'è una tassa da pagare. I militari a volte chiedono una tassa di passaggio». «I passeggeri vengono picchiati, frustati, bastonati.» «In tanti non vogliono pagare la tassa. Oppure non hanno nemmeno i documenti. Perché non dovrebbero pagare? Guarda amico mio, gli abitanti del Niger hanno affrontato carestie. Negli ultimi cento anni siamo morti a milioni. Adesso va meglio, grazie al buon Dio, ma domani potrebbe cominciare un'altra siccità. I soldati vengono da famiglie estremamente povere. Questi ghaniani invece passano pieni di soldi. Perché non dovrebbero lasciare una parte dei loro soldi?» «Perché sono soldi loro e magari poi non ne hanno più.» «Se non hanno abbastanza soldi, perché si mettono in viaggio?» insiste Muhammar. «Anche voi europei respingete gli stranieri che provano a entrare in Europa senza soldi. Ma qui siamo nel Sahara. Nel deserto non si può rimandare indietro nessuno. Amico mio, voglio farti io una domanda. Quanto costa arrivare in Europa?» «Questa rotta costa almeno millecinquecento, duemila euro o dollari, che più o meno hanno lo stesso valore.» «E con duemila euro in Ghana, in Camerun... I tuoi amici di prima, da dove vengono?» «Liberia.» «Con duemila euro in quei posti, puoi mettere un banco al mercato, aprire un negozio, cominciare un'attività. Perché invece di andare in Europa, questi ragazzi non investono nella loro terra?» «Se si ottiene il permesso di soggiorno e si hanno i documenti in regola, duemila euro in Europa, possono essere la paga di uno o due mesi di lavoro. Per questo i genitori, i parenti, gli amici e perfino gli usurai prestano soldi ai ragazzi che vogliono partire. Perché si aspettano un guadagno di ritorno. Un figlio in Europa per un genitore equivale a un'assicurazione sulla vecchiaia.» «Ma da voi la vita costa molto di più.» «Sì, ma è proprio la differenza tra gli stipendi in Europa e gli stipendi qui a rendere conveniente l'investimento. Se un figlio manda ai suoi genitori il cinque per cento del suo stipendio europeo, sono cinquanta euro al mese. Quante persone in Africa vivono con quei soldi?» «Non li prendo nemmeno io dall'esercito cinquanta euro al mese» sbotta Muhammar. «Capite? Aprire un negozio ad Agadez o peggio in un villaggio sperduto, non assicurerebbe proprio un bel niente.» «Però così l'Africa perde le sue teste e le sue braccia migliori. Ci sono villaggi ormai senza giovani, senza mariti.» «Questo è il grande dramma dell'emigrazione, Muhammar. Lo è stato anche in Europa, in Italia, in Francia, in Irlanda, nei decenni scorsi.» «Per questo un figlio non deve mai abbandonare il proprio padre.» «Voi lo sapete che non può essere così. Voi siete un uomo del deserto, avete un cognome libico.» «Ho anche il passaporto libico» rivela il sergente. «I figli partono e ritornano. Ma se un figlio viene bastonato e rapinato dai militari nel deserto, rischia di non tornare più.» «Io mio padre non l'ho mai abbandonato. Fino alla morte.» «Siete stato fortunato, Muhammar. La vita vi ha dato una grande fortuna.» Il sergente si è accorto di aver peccato di superbia. E subito si corregge: «Se è così, è solo perché l'ha voluto Dio». Si alza. Sbadiglia. «Amico mio, è caldo oggi. Vado a dormire.» «Al mercato ho comprato pane e qualche pacco di biscotti. È un problema per voi se li distribuisco qui davanti?» «Accomodati, amico mio. Fai come vuoi.»

Joseph e suo fratello James sono già sul camion. Joseph chiede il permesso di scendere al poliziotto di guardia. Viene incontro con un sorriso. «Come va il mal di pancia?» «Non così male» risponde. «Prendi questo sacchetto. Ci sono pane, biscotti e qualche vasetto di marmellata.» «Grazie fratello.» «Cosa vi stanno facendo i poliziotti?» «Le solite cose.» «A Madama, Joseph.» «Ci vediamo, fratello.»

Joseph torna sul camion. I venti passeggeri già nel cassone sono costretti ad aspettare sotto il sole. Come gli altri ancora a terra che attendono di essere chiamati, controllati, rapinati ed eventualmente picchiati. James guarda nel sacchetto e ringrazia con la mano aperta.

«Signore, scusate, parlate inglese?» chiede in francese qualcuno alle spalle. «Yes, I do.» Ha la faccia liscia di un bambino. «Mi chiamo Elvis, signore.» «Quanti anni hai, Elvis?» «Quindici, signore.» «Viaggi solo?» «Sì, devo arrivare in Libia.» «Come tutti noi.» «Signore, ho bisogno di aiuto. Tremila franchi. Li devo dare alla polizia altrimenti non mi fanno partire.» Elvis ha la voce impaurita. Il poliziotto di guardia se ne sta in piedi con il mitra appeso alla spalla. Sono le quattro e mezzo del pomeriggio. I passeggeri stanno cuocendo da cinque ore e un quarto. Intorno, la brezza deforma le ombre di una grande acacia, di una palma e un salice. Ma Ahmed o il nuovo proprietario hanno parcheggiato il camion in mezzo a quegli alberi, nell'unico punto senza riparo. Fa parte del sadismo di certe pratiche. «Elvis, seguimi.» Meglio andare nella boscaglia per non essere visti dagli agenti e dai tanti altri *stranded* che non sanno come raccogliere soldi. «Io ti aiuto, ma in cambio mi devi fare una promessa.» «Sì signore.» «Non mi devi più chiamare signore. Cosa è successo?» Lui fa un sorriso timido e spiega i suoi guai.

«Ho pagato il biglietto per il camion» racconta Elvis, «ma nessuno mi ha detto che avrei dovuto pagare la polizia. Adesso mi vogliono cacciare. E se non mi lasciano partire, perdo tutti i soldi del viaggio. Tremila franchi, per favore, non sono molti.» «Sono meno di cinque euro, aspetta. Da dove vieni, Elvis?» «Benin City, Nigeria.» «Ti do cinquemila franchi. Però prima di tornare al commissariato, dobbiamo...»

Elvis non aspetta la fine della frase. Prende la banconota. Con l'ingenuità di un ragazzino corre verso il camion e chiede di poter salire. La banconota da cinquemila franchi la tiene bene in vista nella mano destra, stretta tra il pollice e l'indice. Un poliziotto in borghese gli va incontro. Sfilargli i soldi da quella posizione è una sciocchezza. Uno scatto e glieli prende. Elvis protesta. Cammina verso il commissariato e sparisce dietro l'alto muro di cinta del giardino di Muhammar. Gli agenti ridono. Elvis riappare inseguito dal capoposto con gradi e decorazioni sulla mimetica. «Sono soldi miei» urla il ragazzino. Il capoposto torna indietro ed Elvis a sua volta lo segue. Spariscono tutti e due dietro il muro di recinzione. Riappaiono. Elvis indietreggia guardando negli occhi il poliziotto. Grida con tutta l'aria che ha nei polmoni: «That's my money, sono soldi miei». Il capoposto mette le mani ai fianchi. Forse prende la pistola. La pistola? No, si sfila il cinturone. Il cinturone alto con la grande fibbia in ferro che avvolge le divise militari di tutto il mondo. Il poliziotto, nel pieno del suo orgoglio di uomo, guarda Elvis negli occhi. Guidato dalla sua mano, il cinturone si attorciglia su se stesso come un serpente pronto a mordere. Ora è teso come una corda. La fibbia sale in alto e di tanto in tanto le due facce riflettono con un lampo la luce del sole. Il primo colpo frusta Elvis sulla testa. Il secondo sulla faccia. Il terzo sul dorso delle mani che tentano incerte e disperate di proteggere la faccia. Dopo il quarto, il quinto, il sesto, è impossibile contarli per la velocità e la rabbia che annebbia gli occhi. Il capoposto usa tutta la sua forza. Alza il braccio e lo scaglia verso il ragazzino, in modo che la fibbia tagliente abbia la giusta velocità quando va a segno. Elvis perde l'equilibrio. Cade. Sanguina già dalle mani e dal naso. Si trascina a quattro zampe sulla sabbia. Goffo come un coccodrillo in fuga fuori dall'acqua. Il poliziotto gli è sempre sopra. I colleghi ridono. Gli altri passeggeri guardano immobili. Per Elvis non è finita. La sua fuga è cieca. Così va a infilarsi dentro il rotolo di filo spinato che protegge dalle capre la siepe davanti alla villetta di Muhammar. Non è proprio un filo spinato, perché al posto delle spine ha un rosario di lamette. Il capoposto non si placa. La velocità dell'aggressione ha impedito qualunque diversivo. Non c'è tempo di inventarsi scuse, di offrire medicine o compresse zuccherate. Resta la via diretta. La più pericolosa. «Stoooop.» È un urlo disumano, con le lacrime agli occhi. Il capoposto alza la faccia. A questo punto potrebbe fare qualunque cosa. Afferra il cinturone con tutte e due le mani. Se lo allaccia intorno alla vita. Mentre torna in ufficio, dice qualcosa di incomprensibile. Gli altri poliziotti ridono.

Togliere Elvis dall'avvolgimento di lamette non è facile. Se non vuole tagliarsi, dovrebbe rimanere lì dentro per sempre. Ogni movimento gli provoca altri graffi. È così arrabbiato che non pensa affatto ad arrendersi. Quando si rialza, va verso il commissariato e sparisce dietro il muro di recinzione. Si sente soltanto la sua voce. In inglese: «Io salirò su quel camion. Mi avete preso cinquemila franchi, voi non mi potete lasciare giù». Tentano di colpirlo con un bastone e lui scappa indietro.

Il camion è finalmente carico. Almeno centocinquanta persone. Centocinquanta biglietti da venticinquemila franchi fanno un totale di tre milioni e settecentocinquantamila franchi. Quasi seimila euro. Chi ha comprato quel rottame da Ahmed se l'è già ripagato. Con un solo viaggio. Come se una compagnia aerea ammortizzasse l'acquisto degli aerei con un solo volo. Impossibile, servono anni. Ma il rendimento del traffico di schiavi non ha paragoni nella rete mondiale dei trasporti.

Gli imprevisti di oggi però non sono finiti. Con una manovra senza senso, l'autista porta il camion a incastrarsi sotto i rami della grande acacia. E tra le grida di terrore, rischia di decapitare qualche passeggero. Dopo l'incidente, Joseph e James si sporgono sulle tante teste. I nostri sguardi si cercano. Loro salutano per mostrare che non si sono fatti male. Basterebbe far scendere tutti e liberare il camion con una retromarcia. Ma i poliziotti non ne vogliono sapere. Il vecchio Mercedes può solo andare avanti. Serve più di un'ora di suggerimenti gridati e rami spezzati. Il carico riparte quando su Dirkou si è già accesa la luce del tramonto. Il fumo nero di nafta e la polvere ocra sollevata dalle ruote si mescolano alle proteste di dieci donne. Sono mamme tubù con i loro bimbi legati nelle stoffe sulla schiena. Volevano tornare nei piccoli villaggi sparsi lungo la falesia del Kaouar. Sono rimaste a terra perché così ha deciso la polizia. Ma gli agenti non hanno nessuna intenzione di stare ad ascoltarle. Entrano tutti insieme nel piccolo ufficio. La finestra aperta rivela subito il perché della loro fretta. Contano banconote. Altri sette passeggeri lasciati a terra se ne vanno verso i recinti dormitorio. Sei sono nigerini arrivati dalla città di Zinder. Raccontano che non li hanno fatti salire sul camion per la solita rapina dei poliziotti: non avevano più soldi. Il settimo li segue di qualche passo sulla via sabbiosa. Parla da solo. È Elvis.

Il buio scende in fretta. Soltanto una volta ho desiderato andarmene da un posto come stasera. Avevo quattro anni e per una broncopolmonite ero stato rinchiuso un mese in ospedale. Dirkou è un marchio a fuoco nella vita di chi ci passa. Yaya torna dall'officina con la balestra saldata. La tiene sulla spalla come fosse un fucile. «Dura come Dirkou» dice con un sorriso, «domani non appena c'è luce la rimonto.» Anni da guerrigliero nel deserto gli hanno insegnato a fare di tutto. Per ripartire, ora manca solo il passaporto. Muhammar ha ragione. Troppa tensione nell'oasi. Inutile tentare di convincere i trafficanti libici. Oppure rischiare un altro pericoloso affronto con i poliziotti. Dopo aver protetto Elvis, sicuramente mi vedono come un ficcanaso. C'è ancora mezzo Sahara da attraversare e poi tutto il ritorno. So troppe cose ormai sui loro affari. Meglio, come sempre, mantenere un basso profilo. Meglio andarsene sul fuoristrada e aspettare i camion nel deserto.

La sera, seduti sulla sabbia illuminati da una candela, Muhammar e suo fratello vogliono conoscere altro sull'Europa. Sono curiosi. Ma le risposte che ricevono si tengono ben lontane da ogni questione che riguardi la religione e i pomodori. La mente è molto stanca. Loro, soddisfatti, se ne vanno presto a dormire. La domanda si sveglia in testa poco dopo, con il soffio della stuoia che si srotola. E se Daniel e Stephen avessero bisogno di me? Ma è una domanda senza risposta. Rimanere a Dirkou altri giorni a cercarli sarebbe un azzardo. Potrebbero essere già partiti, come ha suggerito James. Il muezzin grida alla notte che Dio è il più grande. E stanotte soltanto Dio, per chi ci crede, può sapere dove sono.

La mattina è fresca e frizzante. Le nuvole se ne sono andate e il cielo è di un azzurro denso. Yaya non ha ancora finito di rimontare la balestra. Verso le dieci, uno degli sgherri visti nella pensione di Pat passa davanti alla casa di Muhammar con una fila di diciotto ragazze. Tutte giovanissime. C'è anche Sophie. L'uomo le porta al commissariato. Non appena appaiono agli agenti, strette e sinuose nelle canottiere e nei jeans attillati, dal piccolo ufficio di polizia salgono grida e risate. Quando escono, Sophie viene incontro. Tiene in mano un cartoncino. I poliziotti le hanno dato la tessera sanitaria. Così c'è scritto sul frontespizio, sopra i dati personali: Tina O., 20 anni, Edo State, Nigeria. La tessera non le serve per essere curata. Al contrario. Serve solo a dimostrare a militari e poliziotti che è sana. Perché una prostituta malata qui non si cura. Si butta. Se si ammalano, le cacciano. Può essere l'unico modo per lasciare Dirkou. Di solito verso la Libia. Le malattie infettive in Africa offrono ampie possibilità. Dalla tubercolosi all'Aids. L'ultima occasione per liberarsi dalla schiavitù è consegnarsi a una lenta morte.

Tina, il suo nome vero. Mi regala un bellissimo sorriso. Questa volta non è un dovere professionale. «Partirò presto» dice. «Quando?» «Domani. Forse dopodomani.» L'uomo la chiama.

Deve raggiungere le altre. «E tu quando parti?» chiede. «Oggi, tra poco.» Il suo sguardo intenso si scioglie in un'estrema, silenziosa richiesta di aiuto. Le sue labbra grandi stanno per pronunciare qualcosa. In quell'attimo Tina rivela l'adolescente impaurita, prigioniera di un corpo che non le appartiene più. Ma dura un attimo. Socchiude gli occhi. Quando li riapre, riappare Sophie. Si riprende la tessera sanitaria e raggiunge il suo nuovo padrone.

«Amico mio, tieni il tuo passaporto.» Muhammar è passato dalla caserma e gli hanno finalmente consegnato il documento timbrato e firmato. Prima dell'addio, mi vuole presentare la giovane moglie e la loro bimba piccolissima. Per un fervente musulmano, è un grande segno di ospitalità e fiducia. «Non so cosa farai delle storie che hai raccolto. Ma ricordati che a Dirkou la vita è dura anche per noi» dice Muhammar dopo i consueti tre baci sulle guance.

Tra poco saranno le ore più calde. Si parte lo stesso. Yaya esce dall'oasi attraversando il quartiere dei kanuri. I villini dei commercianti si diradano trecento metri prima. È la zona più povera. Qui le case vengono tirate su sulla sabbia impilando lastre di sale. I bambini hanno la pancia gonfia e i più piccoli girano nudi. A Nord di Dirkou si entra in un deserto bianco come la neve. A destra si allunga la falesia del Kaouar. Oltre, verso il confine con il Ciad, si innalzano le dune del Grande Erg di Bilma. Ai suoi piedi resistono fantastiche sculture di argilla e arenaria. Le ha scolpite l'acqua, la corrente del grande fiume evaporato da qualche migliaio di anni. Sulla sabbia indurita dal sale, centinaia di tracce di camion. Due ore dopo, la falesia di Seguedine galleggia ed evapora nelle illusioni del suo miraggio. La linea all'orizzonte si incurva come se ci muovessimo sulla volta di una cupola. Appena oltre la linea appare un masso quadrato. È soltanto il vertice. Il resto sorge nel giro di un quarto d'ora. Il tutto ha la forma di una piramide diroccata. Qui sotto è sepolta una cresta di montagne e quella è l'unica cima che affiora dal deserto. «Pic Zoumri» la indica Yaya, «se dopo Dirkou non vedi Pic Zoumri, sei morto.» «Perché?» «Perché vuol dire che ti sei allontanato troppo dalla falesia. Gli autisti dei camion lo sanno. Oggi è facile mantenere la rotta. Ma quando soffia il vento, qui non si vede nulla.»

Yaya guida con la stoffa del *tagelmust* tirata sul naso. Lo stesso ha fatto il suo amico, prima di addormentarsi sul sedile dietro. «Yaya, quanti posti di controllo mancano prima del confine?» «Tre. Seguedine. Dao Timmi. Madama. Poi c'è Tumu, dove non andremo se non vuoi farti arrestare dai libici.» «Non voglio farmi arrestare.»

Lungo i duemilaquaranta chilometri tra la capitale del Niger e il confine libico i posti di controllo sono dunque dodici. Significa che da Niamey a Madama ogni immigrato viene rapinato almeno dodici volte. Ogni volta soldati o poliziotti chiedono diecimila franchi. L'equivalente di quindici euro e quaranta centesimi. Spesso si accontentano di cinquemila franchi. Ma se nelle perquisizioni e nei pestaggi trovano di più, si tengono tutto. La somma appare subito nella sua follia. Superare il Sahara può rendere in estorsioni tra i sessantamila e i centomila franchi a persona. Sono più o meno centocinquanta euro. Più del costo del trasporto: i quindicimila franchi per raggiungere Agadez e i quarantacinquemila per arrivare in Libia in camion. Centocinquanta euro da moltiplicare per le quindicimila persone in viaggio ogni mese. Ed è soltanto il totale dell'affare in Niger. Guadagno pulito. Senza spese di produzione. Se non lo sforzo fisico per frustare, bastonare e torturare gli immigrati durante le perquisizioni. Manca il versante libico. Pazzesco.

«Yaya, lo sai quanto incassano l'esercito e la polizia dagli immigrati che attraversano il Sahara?» «Tanto credo, ma non ho mai pensato quanto.» In cima alla cupola comincia una discesa ripida e scivolosa, verso un'oasi di palme cresciute a ferro di cavallo, ai piedi di una catena di montagne coniche color rame. «Seguedine» annuncia Yaya, «quelle in mezzo al villaggio sono le rovine della fortezza francese. Ma mi stavi dicendo una cosa importante. Quanto guadagnano?» «Da 975 milioni a un miliardo e 300 mila franchi al mese. Un milione e mezzo o due milioni di euro al mese. Una media di venti milioni di euro l'anno. Forse anche più.» Yaya scuote la testa. «Non riesco nemmeno a immaginare quanti soldi sono un miliardo e, quanto?» «Yaya, secondo te, cosa fa l'esercito con questi soldi?» «La catena è lunga. Gli ufficiali si prenderanno sicuramente la loro parte. Ne conosco alcuni che si sono comprati il televisore al plasma, o il fuoristrada giapponese. Se guadagni quaranta, sessanta euro al mese non ti compri il televisore al plasma.» «Non c'è il rischio che qualche militare usi quei soldi per organizzare colpi di Stato? Inquinare elezioni? Scatenare guerre?» Yaya ci pensa su: «Quanti franchi sono in un anno?». Il tempo di fare la moltiplicazione: «Sono più di quindici miliardi di franchi all'anno». «Con quindici miliardi di franchi puoi fare qualunque cosa.»

All'ingresso di Seguedine la pista è bloccata dai soliti due bidoni con la corda in mezzo. Yaya scende e porta i documenti a tre soldati seduti sotto una veranda di tronchi e foglie di palma. Sorridono. Salutano. Non c'è nemmeno bisogno di abbassare il tagelmust. Soltanto Yaya si scopre. Il controllo dura pochi minuti. Ci si ferma al pozzo in mezzo alle casupole di sabbia e sale dell'oasi. «Riempiamo le taniche» dice Yaya, «qui l'acqua è più buona che a Dirkou.» Si avvicinano alcune donne tubu. I loro volti sono un insieme di lineamenti tuareg e berberi con la pelle scura dell'Africa del Sahel. Una di loro parla bene francese. Racconta che sua mamma era tubu. Suo padre era un soldato della Legione straniera che non ha mai visto. Ha una cinquantina d'anni, nel Sahara pochi conoscono il loro anno di nascita. Ed è quasi cieca. I suoi occhi provati dalla sabbia e dalla luce sono ricoperti da un velo di cataratta. In Europa sarebbe già stata operata. Lei chiede farmaci per guarire. «Non ho farmaci per gli occhi.» «E tu non mi puoi operare?» «Purtroppo no, dovresti andare da un medico.» Risposta idiota. Gli specialisti più vicini sono a Niamey oppure a Tripoli. Ma come fai a dire a una donna di cinquant'anni ancora in salute che diventerà sicuramente cieca?

Le impronte lasciate dai camion si arrampicano sulla falesia. È la prima barriera di montagne da scavalcare sulla rotta per l'Europa. Da quassù le saline candide di Seguedine brillano come stagni ghiacciati nella sabbia dorata. «I militari mi hanno detto che stanotte sono passati due camion. Se Dio vuole, li incontreremo» dice Yaya. «Sono partiti da Dirkou?» «Sì, probabilmente ieri pomeriggio.» «Allora c'era anche il camion di Ahmed, quello piccolo che ieri hanno caricato vicino alla casa di Muhammar.» «No, mi hanno detto che erano due camion grossi.» «Ma da dove sono partiti, se ieri c'era soltanto il camion piccolo?» «Li avranno fatti partire dal deposito dei carburanti, oppure dalla boscaglia, oppure dalla base militare.» «Forse sono partiti quando stavo cercando Daniel e Stephen, forse non ho cercato abbastanza. Saremmo dovuti rimanere a Dirkou una settimana.» Yaya sorride con un velo di superiorità. Trattiene le parole tra le labbra, le pronuncia lentamente: «Il deserto è troppo grande. Più ti avvicini, meno lo vedi». E con un gesto elegante tira su il lembo del tagelmust. Si ricopre la bocca.

Yaya non vuole guidare al buio. È la regola di ogni carovaniere. Il sole è già tramontato. «Non possiamo andare avanti ancora un po'? Non appena fa buio dovremmo vedere le luci dei due camion.» «Non è possibile» spiega, «dovrei andare a fari spenti, ma così rischiamo di rompere la macchina.» Accendere i fari di notte nel Sahara significa rendersi visibili nel raggio di cento chilometri. Yaya è piuttosto teso stasera. Da una ventina di minuti continua a guardarsi intorno. «È per la storia del ventesimo parallelo, Yaya?» Sta sorgendo Orione. Non è più di fronte a noi. Il suo percorso nel cielo è ormai perpendicolare alla rotta dei camion. «Questo posto è pieno di banditi» sussurra Yaya. Sterza bruscamente verso Est e andiamo a nasconderci nell'anfiteatro di una gigantesca duna barcana che l'ultima luce del giorno ha dipinto di rosso rubino.

Non è solo un problema di banditi. Il vero pericolo è Al Qaeda. Prima della partenza, un articolo dell'agenzia France Presse raccontava di un commando di fanatici in fuga nel Sahara. Lo dovrebbe guidare un cittadino francese con genitori algerini. Si fa chiamare «Abderrazak le para», il paracadutista. Nome di battaglia di Amari Saifi. I rapporti dell'antiterrorismo francese lo accusano di tre crimini. Essersi addestrato nella Legione straniera e avere tradito la Francia. Essere il numero due del Gruppo salafita per la predicazione e il combattimento, il movimento islamista armato che unisce tunisini e algerini. Volere estendere al Sahara la guerra mondiale contro ebrei e cristiani dichiarata da Osama bin Laden. Il commando è lo stesso che nel 2003 ha rivendicato il rapimento di trentadue turisti tedeschi, olandesi e svizzeri nel Sud dell'Algeria. E che ha incassato un riscatto, si diceva allora, di più di dieci milioni di euro dal governo di Berlino. Dopo sei mesi di trattative, gli ostaggi furono rilasciati nel deserto dalle parti di Gao, in Mali. Tutti meno una donna. Morta durante una marcia di trasferimento. Il sito Internet del ministero degli Esteri francese segnalava anche una serie di attacchi concentrati in Niger. Proprio a Nord del ventesimo parallelo, superato oggi poco prima di avvistare Pic Zoumri. Il comandante Abderrazak e i suoi complici potrebbero essersi spostati da queste parti. Ma la stanchezza è troppa per continuare a pensarci.

Sarà la prima notte di sonno vero. L'unica distrazione dopo settimane di tensione. La mente se ne accorge. Capisce di essere per un attimo senza briglie. Finalmente libera da quella guardia interiore che, da oltre un mese, mi aiuta a concentrarmi freddamente su tutto quanto sto facendo. A tenere lontana la paura, la fatica, le spiegazioni sensate che potrebbero giustificare un immediato dietrofront. Così la mente si vendica. Porta i ricordi all'inizio del viaggio. Alle persone e ai luoghi che non rivedrò mai più. Alla consapevolezza che dopo essere entrato in questo baratro, nulla sarà più come prima. Ritorna l'angoscia. Ma Abderrazak e i salafiti non c'entrano. Questa è l'angoscia di non aver conosciuto abbastanza. Del fatto che tutto quanto vedo, sento, odoro, tocco, assaporo, qui lo vivo per la prima e assolutamente per l'ultima volta. E qualcosa mi sfugge. Non è la meraviglia sublime di Faust che vorrebbe fermare il tempo. No, questa è la ferocia di un bambino appena nato. Un bambino che ancora non sa cosa sia successo. Ma non aveva alternative. Lo doveva fare fino in fondo. Ed è stato proprio così prima di partire. Lo dovevo fare. Fino in fondo al Sahara. Fin dall'altra parte del Mediterraneo. Da quando, tempo fa, per una serie di coincidenze fortunate, trascorsi una settimana come osservatore accanto a Nelson Mandela in Sud Africa. Da quando lo vidi convincere i capi zulu che la soluzione all'apartheid non era lo scontro di civiltà. Dal giorno di gennaio in cui anni dopo mi inventai un nome kosovaro e mi lasciai arrestare dalla polizia svizzera come clandestino. Diventai il signor Agron Ndreci, per verificare se la civilissima Svizzera sbatteva in cella i profughi di guerra sopravvissuti alla pulizia etnica in Kosovo e perfino i loro bimbi più piccoli. Ed era vero. Da quei giorni in poi, o forse da molto prima, è stato come risalire il Nilo alla ricerca delle sorgenti. E stanotte mentre sto aggiornando il diario, chiuso nel sacco a pelo con la mini torcia elettrica stretta tra il collo e la spalla, sento che sono in balia dell'immenso fiume di braccia. Mi accorgo che non esistono approdi. Non sono più io a fare questo viaggio. È il viaggio, nella sua crudeltà infinita, a plasmare me. Senza nemmeno sapere in quale essere mi trasformerà, ormai non posso fermarmi. Cercavo il perché migliaia di uomini e donne si imbarcano su rottami destinati ad affondare. Perché non fanno come Amadou, il giovane papà incontrato al mercato di Ayorou, che era quasi arrivato in Europa ma ha avuto il coraggio di ritornare a casa? Perché non rinunciano? Non si salvano? Non tornano indietro? Volevo scoprire cosa c'è sulla rotta per l'Europa di più spaventoso della morte in mare. E l'ho scoperto. Qui nel deserto ho conosciuto la morte da vivi. Eppure era facile immaginarlo già prima della partenza. Ma il viaggio mi aspettava. Era la prova da superare per poter guardare senza più complessi di inferiorità i sopravvissuti sbarcati in Italia, ma anche la storia degli italiani, degli europei partiti nell'Ottocento e nel Novecento per le Americhe, l'Australia, l'Africa del Sud. Un insostituibile esercizio della memoria. All'improvviso esplode la nostalgia. Per i morti che non ho conosciuto. Come Kofi. E per i vivi abbagliati dalle menzogne. È l'assaggio del dolore dell'anima che accompagnerà il mio ritorno, ne sono sicuro. Una nostalgia al contrario. È ancora presto perché mi manchi casa. Ma già so che non appena sarò a casa, mi mancheranno il viaggio e i suoi eroi. Dovrò come sempre affidarmi a Lei. Chissà cosa sta facendo. «Avrò un bel daffare per farti guarire da questa follia» mi ha scritto nel suo ultimo sms prima che lasciassi Agadez. Non appena Orione è allo zenit, si leva una brezza gelida. Una carezza fresca fin dentro i polmoni. Lo sbalzo di temperatura fa crepitare le rocce che affiorano come scogli dalla sabbia. Sembrano parole, pezzi di frasi portate dal vento. I gin hanno molte favole da raccontarsi stanotte. Contro il dolore dell'anima, il sonno è il migliore analgesico. Almeno fino a domattina.

Il suono arriva da lontano. Un ruggito lento. La mente scruta nella parte dell'inconscio per capire se è un sogno. Il suono insiste. Svanisce. Ritorna. Gli occhi si accorgono che è già chiaro al di là delle palpebre chiuse. Il ruggito si avvicina. Il volume aumenta e diminuisce. Dipende se il motore è in cima a una duna o in fondo a un avvallamento. Stanotte ha fatto così freddo che è stato necessario mettersi addosso la giacca a vento. Tutt'intorno, sulla sabbia ondulata, un topolino bianco ha lasciato le fragili impronte della sua escursione. Ma ci sono anche tracce più grandi. Troppo grandi per essere un fennek. Tracce lasciate in punta di zampe. Uno sciacallo. Ha girato ovunque. Avrà annusato i nostri respiri, la cassa con i viveri, il bidone dell'acqua. Nel Sahara l'acqua ha un odore inconfondibile. Un profumo metallico che eccita immediatamente la gola impastata di caldo e polvere. Impari a riconoscerlo subito. «Nascosto come uno sciacallo» dice l'amico di Yaya, «stanotte ho acceso la torcia. Lui è rimasto immobile vicino a te, poi è scappato.» Sono già svegli entrambi. Yaya sta tentando di riparare dalla brezza una manciata di legno secco perché prenda fuoco. «Camiòn, camiòn» dice. «L'hai visto?» «Non ancora, ma sarà qui nel giro di mezz'ora. La pista non è lontana.» «Yaya, perché non incontriamo nessun camion vuoto che torna dalla Libia?» Lui sistema la teiera sul fornelletto improvvisato nella sabbia. Il legno secco ha finalmente preso fuoco. Alza le spalle. «Non lo so» risponde. Il camion arriva e rallenta. Forse si ferma per la sosta del mattino. È a meno di un chilometro. «Yaya, io lo raggiungo a piedi. Ci vediamo al controllo di Dao Timmi.»

Gli autisti parlano soltanto arabo. «Aiwa, sì, trecentodue passeggeri» dicono dalla cabina dopo le prime goffe domande. E lo ripetono a gesti mimando con le dita tre-zero-due. Persone ammassate come acini in un grappolo d'uva. Il calcolo è rapido. Questo carico di uomini e donne ha reso ai trafficanti 11.600 euro. L'equivalente di venticinquemila franchi moltiplicati per trecentodue. Non scende nessuno. Gli autisti vogliono continuare fino a Dao Timmi. Uno di loro, affacciato al finestrino, solleva il pollice nella mano destra chiusa a pugno. È la risposta che autorizza a salire. I ragazzi più vicini alla scaletta fanno posto di malavoglia. Non c'è spazio. E a ogni sobbalzo rischiamo di cadere di sotto. Ma è l'unico modo per sperare di incontrare Daniel e Stephen. Gli occhi osservano le facce. Una per una. Hanno ciglia e sopracciglia incrostate di sale e polvere. Labbra secche e bruciate. Molti passeggeri devono essere ammalati. L'odore di diarrea fa venire la nausea. Non è il momento di fare domande. Il silenzio a bordo dice già abbastanza. Ma Daniel e suo fratello non ci sono. Nemmeno sotto i tagelmust o gli asciugamani che qualcuno si è avvolto intorno alla faccia. Questi volti sfiniti sono tutti sconosciuti.

Sarà la fatica. Sarà la rabbia accumulata sul fondo dello stomaco. Sarà il gelo della notte, la sua aria cristallina entrata nei polmoni che nemmeno la tosse rabbiosa adesso riesce a espellere. Ma oggi vorrei essere ovunque. Non qui. Consolano solo le immagini immense del Sahara. Si scivola dentro una valle sconnessa. Le onde di sabbia spinte dal vento si sono consolidate in una distesa di gradoni ocra. Qua e là affiorano rocce bianche levigate dall'acqua. Doveva essere un fiume. Qualche piccola acacia sperduta resiste ancora con le radici aggrappate a coni di sabbia e detriti. A destra, solitaria, l'acacia più alta con il suo ombrello di ombra. Lungo la pista è fermo il fuoristrada di Yaya. Accanto a un ammasso di rottami. Lui con la mano fa capire che bisogna scendere. Il camion non si ferma. Ma va pianissimo e non è difficile saltare dalla scaletta. Pochissimi passeggeri rispondono al saluto.

«Qui davanti c'è Dao Timmi. Se non vogliamo avere problemi con i militari, è meglio che tu non sia sul camion. Aspettiamo un'ora e poi lo raggiungiamo. D'accordo?» dice Yaya. «Se per te è meglio così, lo è anche per me. Ma cosa è successo qui?» «Era un camion» risponde lui. La cabina è quasi appiattita, le portiere aperte, i pezzi sparsi per decine di metri. «È esploso, l'anno scorso» spiega Yaya. «Era un trasporto di immigrati. Una sigaretta accesa ha incendiato il carico di merci. Il calore ha fatto scoppiare il serbatoio.» «Sembra un incidente aereo. Ma quanta gente è morta?» «Nessuno. Si sono allontanati prima che esplodesse.»

I soldati di Dao Timmi vivono arroccati in cima a una scarpata. Bisogna aspettare che qualcuno scenda a prendere il lasciapassare e il passaporto, li porti al comandante nel fortino e ritorni con i documenti timbrati e firmati. Il camion incontrato stamattina è fermo a un centinaio di metri. I militari hanno quasi finito di controllare i passeggeri. La maggior parte è pronta a ripartire. Ma almeno trenta sono ancora in ginocchio nella sabbia, con le mani sulla testa. Due soldati hanno tubi di gomma in mano. Controlli e razzie sono la stessa cosa. Qui come a Dirkou. «Secondo te mi posso avvicinare al camion?» «No, credo che sia meglio per tutti noi aspettare qui sul fuoristrada» risponde Yaya. Un ragazzo si affaccia al finestrino. Chiede da mangiare. Indica altri come lui, un po' più indietro. Stanno seduti in circolo in mezzo allo spiazzo su massi quadrati. Due pregano in ginocchio verso Est. Erano lì da quando siamo arrivati. Ma non è facile distinguerli sullo sfondo arido della valle. La polvere si è impossessata dei loro capelli, dei vestiti logori, della loro pelle. Hanno lo stesso colore del paesaggio. Sono ventidue.

«Veniamo da Mali e Ghana» racconta il ragazzo in piedi al finestrino. Lui si chiama Adama, 25 anni. «Sono di Bamako, la capitale del Mali. La conoscete?» «Da quanto tempo siete qui?» Adama ha poche forze. Parla sottovoce: «Credo da dodici giorni. Ufficialmente ci hanno detto che ci hanno fatti scendere perché il nostro camion era troppo pesante per affrontare la salita qua sopra. Ma i soldati erano convinti che rimanendo a cuocere sotto il sole avremmo consegnato un po' dei nostri soldi. Fanno così qui, ti convincono con la fame e la sete. Invece noi non avevamo niente davvero». «Che camion era?» «Eravamo su un camion di sigarette. Alla fine è ripartito. E adesso non c'è un solo autista che ci carichi. Noi non abbiamo più soldi. Non so come faremo. Anche questo che è arrivato, dicono che è troppo carico per prenderci. Voi andate a Gatrun in Libia?» Yaya gli spiega che non possiamo arrivare a Gatrun. «Adama, i militari vi danno da mangiare?» «Dipende dagli avanzi che ci passano. A volte un po' di miglio, ma non tutti i giorni. E non basta mai per tutti. Dobbiamo arrangiarci. Qualche volta, quando la fame è forte, riusciamo a prendere un topo e lo cuociamo sul fuoco, oppure qualche piccola locusta. Ma a Dao Timmi manca la legna.» «Acqua ne avete?» «L'acqua qui grazie a Dio non manca. Laggiù c'è un pozzo» dice Adama e indica una fila di palme in fondo alla spianata.

Un soldato si avvicina con il mitra a tracolla. Non appena s'accorge che sotto il tagelmust c'è una faccia da europeo, va ad avvertire i colleghi alle prese con il camion. Gli ultimi passeggeri tenuti in ginocchio nella sabbia possono rialzarsi. Anzi devono fare in fretta. I soldati gridano e si agitano. In dieci minuti il grande Mercedes può ripartire. Yaya ride. «I militari, i militari» mormora. Adesso abbiamo il via libera per scendere dal fuoristrada. Adama prende dalla nostra cassa dei viveri una scatola di latte in polvere, qualche filone di pane, una bottiglia d'olio, biscotti e un pezzo di carne di montone. Come ringraziamento i militari ci tengono fermi un'ora e mezzo sotto il sole.

La pista si arrampica su una pietraia. Due tornanti. La salita senza fine di pietre appuntite. Un cane selvatico deciso a rincorrerci. Si arriva ai bordi di un altopiano in mezzo a montagne arrugginite. Nei canaloni e sui versanti le tormente hanno depositato soffici strati di sabbia. Le rocce che emergono hanno il colore bruno del ferro dopo un incendio. A Oriente la pianura sprofonda in un abisso per riapparire con le forme confuse dei monti Totomai. A Ovest si innalza lontana la sagoma massiccia e piatta dell'altopiano di Djado. L'erosione del vento è implacabile. Sotto le ruote si apre una distesa di sassi sferici. I più grandi hanno il calibro di palle da biliardo. I più piccoli arrivano alle dimensioni di una biglia. Yaya si ferma a rigonfiare gli pneumatici con il compressore di bordo. Alcune sfere sono perfettamente levigate. Hanno il peso dell'acciaio. Molte sono cave, si rompono come uova. Dall'interno esce una miscela di polvere. Sabbia gialla e minerali scuri. Un ottimo integratore di sali. «Li devi bere sciolti nell'acqua» spiega Yaya, «fanno bene al sangue e guariscono il mal di pancia.»

Prima di metà pomeriggio una nuvola di polvere sale oltre l'orizzonte. «Li abbiamo raggiunti. Camiòn, camiòn» sorride Yaya. Sparisce e riappare nel miraggio sciolto dal calore. «Devi risalire su quel camion?» chiede Yaya. «No, non è che devo. Nessuno dei miei compagni di viaggio è là sopra. E non ho nulla da chiedere a quei poveracci. Ma se riesco a salire, potrò infiltrarmi nei controlli di Madama. Voglio vedere da vicino cosa succede al confine con la Libia.» Yaya non dice nulla.

In cambio del passaggio questa volta gli autisti pretendono medicine e due pacchi di zucchero. Sono nervosi. Non appena vedono la piccola macchina fotografica, minacciano di mandare all'aria l'accordo. Niente foto, ma alla fine si può salire. Il camion riparte e arranca nella sabbia fluida. Si scende nell'avvallamento di Mabrous. Il sottosuolo nasconde una falda d'acqua e alimenta una rada costellazione di piccoli arbusti spinosi. La vita sopravvive per poche decine di metri. Immediatamente il grande Mercedes si impenna. Una palla di fumo nero sale in cielo. I pistoni al massimo dei giri. Il motore si arrampica in prima ridotta su uno zoccolo di sedimenti di gesso. Per non perdere l'equilibrio, ci si tiene tutti per le braccia. Dove il passaggio è più sconnesso, la pista è disseminata di cose cadute: un paio di occhiali, cappellini, ciabatte di gomma, una scarpa, tre borracce. Chissà che fine ha fatto chi ha perso la sua razione d'acqua.

Le impronte già impresse nella sabbia girano intorno a fantasiose colonne, torri immaginarie, fortificazioni fantasma. Lo spessore degli strati di minerale racconta di antiche alluvioni, seguite da siccità e da nuove alluvioni. Qua e là le forze tettoniche che muovono i continenti hanno spezzato, sollevato la crosta di gesso. E hanno aperto, nella valle ondeggiante alle nostre spalle, lunghe crepe a zigzag. Era una scogliera sommersa nell'immenso mare che ricopriva questa regione di Sahara. Per immaginare il paesaggio bisogna pensare di svuotare l'oceano e attraversarlo su un camion. Alla fine della salita si apre un altopiano bianco. Abbagliante. Macchiato dalla sabbia rossa. È una pianura senza confini. Così vasta e vuota che è possibile percepire la curvatura del pianeta. Poco dopo diventa una distesa rossa macchiata di bianco. Dopo ancora, una tavola bruna ricoperta di sassolini. Tutti della stessa misura. I venti dominanti depositano i detriti secondo il loro peso. E qui si sono portati via le dune. Da Ovest a Est si allarga un ordito di linee parallele. A perdita d'occhio, da un orizzonte all'altro. Come all'ingresso del Ténéré, le ruote di migliaia di camion hanno inciso sul terreno il momento del loro passaggio. Occorrono le ultime ore del pomeriggio, la sera, la notte e tutta la mattina per attraversare la piana. Gli autisti si fermano soltanto per pochi minuti. Perché, dicono, Mabrous è infestata di gin.

Comincia una lenta, ampia discesa. La cima dell'Emi Fezzane e il plateau di Tchigai, a destra. L'altopiano di Manguéni davanti a noi. Riappare la sabbia rossa. Madama è un fortino semisommerso nelle dune. L'eredità lasciata al Niger dalla Legione straniera francese. Due porte bianche in mezzo al nulla indicano il campo su cui i soldati giocano a calcio. Tre bidoni allineati sono la testa della pista di volo. Una catasta di balle di fieno è la scorta per i trasporti di capre e cammelli. Ovunque spuntano rottami di vecchi furgoni Peugeot, insabbiati fino alle portiere. Una barriera di filo spinato circonda il fortino su tutti i lati. Il sole è offuscato da un fronte di cirri altissimi, sottili. Avanzano da Nord. L'unica umidità che può averli provocati da quella direzione è l'acqua del Mediterraneo. Vengono dal mare.

L'immaginazione corre e sembra di sentirne il profumo. Le spiagge del Nord Africa sono ad appena tre giorni di viaggio. Lampedusa da qui è più vicina di Niamey.

Anche la vegetazione è mediterranea. Non ci sono ombrelli di acacie africane. A Madama crescono i tamarischi. Nuvole di verde e rosa tenue agitate dalla brezza macchiano la sabbia di ombre circolari. La sola ombra dopo gli arbusti spinosi di Mabrous. Sotto l'albero più grande riposano un grosso Mercedes e tutti i suoi passeggeri. Saranno almeno duecento. Il nostro camion non va direttamente al fortino. Gli autisti fanno un giro largo. Ci si avvicina lentissimi. «Benvenuti a Tumu» esclama un ragazzo accovacciato sul tetto della cabina e cerca di stiracchiarsi. «Tumu? Questa è Madama.» «No, no, è Tumu.» «Sì, certo, è Tumu» dice un altro, seduto e aggrappato nella calca che ricopre la fiancata destra del cassone. «Siamo arrivati in Libia.» Loro sorridono, sfiniti e soddisfatti come maratoneti al traguardo. Non può essere la Libia. La carta geografica l'ho imparata a memoria e il paesaggio al passo di Tumu dovrebbe essere diverso. Se questa è la Libia, sono fottuto. Non chiedere agli autisti quale fosse la loro rotta è stata una leggerezza da fessi. Ormai è fatta. Forse da qualche parte sventolano l'arancio, il bianco e il verde della Repubblica del Niger. Ma non si vedono bandiere. Anche Yaya e il suo fuoristrada sono scomparsi da ore. Forse lui aspetta a Madama e noi siamo davvero a Tumu. Djerom, l'unico loquace su questo camion, intuisce che qualcosa non va. Ha parlato tutta la notte con i suoi vicini. Ha raccontato del suo Mali, la sua famiglia, la sua gioventù bruciata a cercare una vita dignitosa nelle capitali africane. «Questa è sicuramente Tumu» spiega, «noi abbiamo pagato un viaggio diretto in Libia.» «Ma tra Dirkou e Tumu, c'è Madama. Perché non siamo passati da Madama?» «Perché questo camion andava direttamente a Tumu» risponde Djerom. È tardi per chiedere informazioni agli autisti. Prima cosa, avvolgersi il tagelmust ben stretto sulla faccia. Seconda, inventarsi una scusa credibile. Cioè la verità: volevo andare a Madama, mi hanno portato a Tumu. Terzo, sperare che i soldati libici non la pensino come il loro console ad Agadez. Meglio farsi largo e cercare un nascondiglio sul fondo del cassone.

Il camion si ferma con uno sbuffo del compressore. Djerom guarda avanti, si volta e indica con un dito. «Militari» dice. Escono dal fortino. Stanno venendo incontro con i mitra a tracolla. «Io mi rimetto giù, tu dimmi cosa succede.» Djerom annuisce. I passeggeri che avevano spazio per alzarsi sono tutti in piedi. Sbattono le portiere. Gli autisti sono scesi. «As salam aleykum» dicono proprio sotto di noi. Adesso la risposta rivelerà se i soldati sono libici o nigerini. «Aleykum salam» rispondono e proseguono nei saluti. Parlano arabo. Le cose si mettono male. Altri gridano ordini. Sempre in arabo o forse in hausa. I passeggeri chiacchierano e le voci arrivano confuse. Il cassone lentamente si svuota. Tutti giù, seduti sulla sabbia. Con le mani sulla testa. L'odore di diarrea si dirada. Il profumo secco dell'alba aiuta la mente a ragionare. Il mitra. Basta guardare il mitra. I soldati passano accanto alle file e cominciano a chiedere soldi. Le loro facce non aiutano a capire. Sono coperte dal tagelmust. Ma non sono kel tamashek perché la stoffa è avvolta alla maniera araba. Sedersi per ultimi, in fondo, fa guadagnare tempo. I quattro soldati con i mitra a tracolla sono di pessimo auspicio. Il caricatore è curvo. Sono mitra kalashnikov. L'arma dei libici. Le divise sembrano messe insieme alla rinfusa. Una diversa dall'altra. Pantaloni mimetici con giacconi verdi o viceversa. Nessun grado, nessun distintivo identifica lo Stato che li paga. Dal fortino, a meno di cento metri, arrivano altri militari. Si fermano dietro di noi. Uno passa finalmente accanto. Il caricatore del suo fucile è dritto. Sì, è dritto. Sotto lo stemma impresso nel ferro, la scritta: «Fabriqué en Belgique». La Libia è sotto embargo internazionale. È il momento della solita sceneggiata. Il passaporto nella mano sinistra. Giù il tagelmust. E fuori la voce: «Signori, ho medicine nel mio bagaglio. Volete vedere se c'è qualcosa che vi serve?». Se fossero soldati del colonnello Gheddafi forse adesso comincerebbero i guai. Ma non lo sono. Lo stratagemma funziona. Come sempre. Il posto è Madama.

In realtà funziona a metà. Il militare con il mitra fabbricato in Belgio prende il passaporto e ordina di seguirlo. «Aspettate qui» dice ed entra nel fortino. Poco dopo esce un superiore, l'unico con i gradi sul petto. È un sergente. «Mi dicono che avete medicine per noi. Che tipo di medicine?» «Influenza, raffreddore, dissenteria, mal di pancia, vitamine.» «Siete un medico?» chiede e sfoglia le pagine del passaporto con un dito. «No.» «E cosa facevate sul camion?» «Mi sono fatto dare un passaggio. Aspetto un amico, Yaya, di Agadez. Sapete se è già arrivato?» «Venite da Dirkou?» «Dirkou, Agadez, Niamey, Bamako, Dakar.» Il sergente sparisce nel fortino senza dire nulla. L'altro militare resta di guardia. «Posso avvicinarmi al camion?» Risponde di no con la testa. Là, intorno al grande Mercedes bianco, stanno rapinando i passeggeri. Li hanno messi tutti in ginocchio. Le mani sempre sulla testa. Un ragazzo si alza. Un militare urla come un pazzo per farlo inginocchiare di nuovo. E quando l'altro si accomoda, il soldato lo ringrazia con un calcio piazzato in mezzo alla schiena. L'eccitazione è contagiosa. Anche gli altri militari adesso si danno da fare. Con la punta degli anfibi. Oppure, chi è in ciabatte, con il calcio dei mitra. Qualcuno usa le mani nude. Un soldato sbuca di corsa dal fortino e porta al camion un grosso cavo elettrico. A Madama c'è poca acqua. Non hanno tubi di gomma.

Da questa distanza la sceneggiata dei farmaci non funziona. I passeggeri che pagano possono alzarsi e si raccolgono davanti al camion. Dal fortino escono sei ragazzi con una scodella di farina. Un militare li rincorre: «Ehi» li chiama, «mandatemi il vostro connazionale di ieri». Uno dei sei si volta: «Il parrucchiere?». «No, l'altro senegalese, l'elettricista. C'è un lavoro da fare.» Il poverissimo Niger mantiene così le sue infrastrutture. Un ragazzo va verso il grande tamarisco a chiamare l'elettricista. Gli altri cinque si siedono in circolo sulla sabbia e mangiano il compenso che i militari hanno dato loro. Alcuni soldati hanno appena finito una partita a calcio. Rientrano nel fortino con le loro maglie multinazionali addosso. Nuove, colorate, lucide. C'è mezzo mondo del pallone qui:

Brasile, Milan, Manchester United, Real Madrid, Tirana. Le uniche maglie di calcio non impolverate, non consumate. Le uniche dal Senegal alla Libia usate solo per giocare. Non per viverci dentro.

La sentinella di ronda lungo i camminamenti dà l'allarme con un urlo. Avverte i colleghi intorno al camion che sta arrivando qualcuno. È il fuoristrada di Yaya. Non lo lasciano nemmeno avvicinare ai passeggeri inginocchiati. Dopo aver preso i documenti, lo fanno fermare accanto a una porta del campo di calcio. Yaya e il suo amico scendono. Yaya sbadiglia, si accende la sigaretta, viene incontro. Poco dopo ritorna il sergente di prima: «Andate in Libia?» domanda. Yaya sa cosa rispondere. «Penso che non potete. La Libia ha chiuso la frontiera» avverte il sergente, «vedete quel camion? Sono lì da quattro giorni. Non fanno entrare nessuno.» «Perché?» «Boh» risponde il sergente, «a volte succede. Quando è festa nazionale o quando dall'Europa protestano per i troppi clandestini in arrivo.» «E quando riaprono?» «Boh, domani? Forse dopodomani? Forse... Quando vuole Dio. Dovete aspettare ancora per i vostri documenti.» Il sergente sparisce dentro il portone del fortino. Yaya sbuffa e butta la cicca di sigaretta nella sabbia. «I militari, i militari» mormora, «prendiamo il fuoristrada e andiamo all'ombra di quegli alberi.»

Dalla massa di corpi sdraiati sotto il grande tamarisco, si alzano decine di persone. Non hanno nemmeno ombra per tutti. I loro vestiti e i loro capelli sono sbiaditi e inamidati dalla polvere. Ci sono almeno dieci bambini e tre donne. Vengono tutti ai finestrini. Yaya parla con alcuni di loro in hausa. Il fuoristrada è presto circondato. Chi è troppo lontano per far arrivare la sua voce, gesticola portando le dita chiuse alla bocca. Sono stremati. Chiedono da mangiare. Tra i bidoni appesi alle fiancate del camion, due hanno la scritta Koldi. «Chi è Koldi?» Lo vanno a chiamare. Arriva un ragazzo sui vent'anni, piedi nudi, la maglietta e i pantaloni logori. Yaya suona forte il clacson. All'improvviso ingrana la prima e riparte. «Cosa fai?» Il fuoristrada traballa sui dossi e lui non risponde. Koldi torna a sdraiarsi.

Dormire è l'unico modo per dimenticare la fame. Ma ha perso il posto all'ombra del tamarisco.

«Avrei voluto parlare con Koldi. I suoi bidoni li avevo visti sul camion all'autogare di Agadez, prima ancora che partisse. Prima ancora di conoscere te.» Yaya non spiega la sua reazione inaspettata. «Là in mezzo potevano esserci Daniel e Stephen.» «Là ci sono più di duecento persone affamate» dice finalmente. «Appunto. Torniamo indietro, non possiamo fare qualcosa per loro?» «Non credo proprio. Quattro filoni di pane e una coscia di montone non bastano per duecento affamati. Si farebbero del male per una fetta di pane. Si ammazzerebbero per prenderla. Noi non abbiamo abbastanza per tutti. Adesso poi arriveranno quelli dell'altro camion. Non puoi dare da mangiare a cinquecento affamati se non hai abbastanza per tutti.» Yaya guarda avanti con la testa alta. Il tono della sua voce non è distaccato come il solito. È spaventato. I suoi occhi vedono certamente qualcosa che lui ha già vissuto.

«Quei ragazzi mi hanno detto che hanno finito le scatolette di sardine, il latte in polvere, il pane, i biscotti, tutto» racconta Yaya. «Dicevano che ieri qualcuno ha provato a mangiare la paglia caduta una settimana fa da un camion che trasportava cammelli. E oggi è piegato dalla dissenteria. I militari non li lasciano nemmeno prendere la paglia pulita. Noi abbiamo combattuto una guerra contro questo schifo.» Le mani di Yaya si stringono sul volante: «Ai trafficanti poco importa se il confine sia aperto o chiuso. Il deserto è così. Quando si parte, bisogna arrivare a destinazione. Non si può aspettare. Nemmeno tornare indietro. E quando parti, se ti fermano puoi morire di fame. Non basta chiudere le frontiere. È questo che voi europei non capite. Tu hai mai sofferto la fame?». «No, Yaya. Io no.»

L'umore di Yaya sta lentamente migliorando. «Il tè è pronto grazie a Dio» dice mentre lo versa nei bicchieri. «No grazie, io non lo bevo.» «Io penso che dovresti bere qualcosa di caldo. Hai una tosse da far paura.» «Sì, ho preso freddo stanotte. Ma è meglio se ci muoviamo in fretta da qui. Torniamo al fortino e aspettiamo i documenti.» «Come vuoi» sussurra Yaya e resta seduto con il suo amico a bersi tutta la teiera. La questione non è la frontiera chiusa. La questione è che qui manca un sacco di gente. Se fossero tra i passeggeri affamati, Daniel e Stephen sarebbero venuti incontro. Invece non ci sono. E poi il camion di Joseph e James. È partito con un giorno di vantaggio. L'appuntamento era qui, a Madama. Se la frontiera è chiusa, dovrebbero essere ancora qui. Dove sono?

«Yaya, dove sono tutti gli altri camion partiti da Dirkou?» Lui alza le spalle: «Non lo so». «Ma dovrebbero essere qui.» «Se hanno saputo che la frontiera è chiusa, sono andati per la rotta del contrabbando» immagina Yaya, «oppure hanno pagato i militari e li hanno lasciati passare.» «Possiamo chiederlo al sergente.» «Non credo. A questi militari è meglio non chiedere niente.» «Da dove vengono?» «Agadez. Ventiquattresimo battaglione interforze di Agadez.» «Non mi sembrano tuareg.» «No, qui non si fidano di noi. Il comando è ad Agadez ma questi militari vengono tutti da Niamey. Quando c'è da guadagnare, vengono da Niamey.»

Il sergente sta aspettando davanti al fortino. Prende in disparte Yaya e gli dice qualcosa in hausa. «Ci chiede se possiamo portare un soldato ferito a Dirkou» spiega poco dopo Yaya. «Se per te va bene, per me va bene. Facciamo il nostro giro, poi veniamo a prenderlo.» «Non decido io. Sei tu il capo qui.» L'umore di Yaya è tornato al peggio. «Ma che ferite ha?» Yaya si consulta con il sergente. «Non si sa. Da una settimana vomita sangue. Ha sangue nelle feci e nelle urine» dice Yaya. «Continua a vomitare, deve avere la febbre molto alta» precisa il sergente in francese. «Ma è gravissimo. Potrebbe essere uno stadio terminale di malaria... Non può essere trasportato sul fuoristrada nel deserto. Anche partendo adesso, ci vogliono tre giorni per arrivare a Dirkou. Il viaggio lo ucciderebbe. Avete una pista di volo, fate arrivare un aereo da Niamey.» «No, non è possibile. Non abbiamo aerei» si giustifica il sergente. «Io so bene che le forze armate del Niger hanno due Hercules C130. Altrimenti perché avete spianato le piste a ogni posto di controllo? Chia-

211

mate via radio e fatevelo mandare con un medico. In quattro ore sarà qui.» «Questo lo deve decidere il capitano che comanda la base.» «E chiedetelo al capitano. Dovete muovervi. Io posso chiamare un amico a Dirkou e domandargli di aiutarvi nella richiesta.» Il sergente promette che chiederà al capitano. «Adesso aspettate qui i vostri documenti.» Si chiama Sani. Basco verde, occhiali da sole, baffi e pizzetto ben rasati intorno alla bocca, tuta mimetica, cinturone, anfibi. «Posso farvi una foto?» Il sergente dà il permesso. Recita perfettamente il suo ruolo. Mai un sorriso. Mai una smorfia, un'emozione. Sguardo da duro. Anche davanti alla macchina fotografica. Il primissimo piano è soltanto una scusa. Lo zoom avvicina il suo volto ma anche il camion bianco e le razzie che continuano alle sue spalle. Lui se ne accorge prima che l'obiettivo riesca a inquadrare qualche gesto evidente. «Adesso basta» ordina. Entra nel fortino ed esce con i documenti.

«Non appena puoi, fermati. Devo agganciare il satellite.» «A chi telefoni?» domanda Yaya. «A Muhammar. Deve chiedere immediatamente al suo comandante a Dirkou l'invio dell'aereo.» Muhammar è in casa. Risponde al suo telefono satellitare con un «halò» a tutto volume. All'inizio è perplesso. «È un vostro soldato, Muhammar. Morirebbe comunque, a Madama o sul fuoristrada. Soltanto l'aereo lo può salvare.» Il sergente di Dirkou resta in silenzio per qualche istante. «Va bene, amico mio» dice alla fine, «adesso vedo il mio comandante e glielo dico.»

«Cosa vuoi fare?» chiede Yaya. «Come avevamo previsto. Arriviamo al confine, entriamo in Libia e torniamo indietro.» «Questo è il confine» dice Yaya. «Allora entriamo in Libia e torniamo indietro. Andiamo fino alla pista dei contrabbandieri.» Yaya sterza a Ovest. Verso l'Enneri Achelouma, il letto di un fiume prosciugato che sale fino alla frontiera tra Niger, Libia e Algeria.

«Da qui si arriva al passo di Salvador» spiega Yaya: «Dal passo puoi scendere a In Ezzane e Djanet in Algeria. Oppure in Libia nell'Idhan Murzuq, il grande mare di sabbia». Yaya sterza di nuovo verso Nord. «Questa è la rotta dei fuoristrada. È più pericolosa perché è più esposta agli attacchi dei banditi o alle pattuglie dei militari. Ma i fuoristrada sono più veloci dei camion e qui la sabbia è piatta, si può correre. Noi andiamo di qui.» «Voglio fare un ultimo tentativo per incontrare Daniel e Stephen o il camion con Joseph e James. Non si sa mai. A Dirkou c'erano anche dodici fuoristrada pronti a partire.» «Ma quelli viaggiano giorno e notte. Saranno già arrivati a Gatrun» risponde Yaya e con una delicata pressione sull'acceleratore porta il fuoristrada a cento all'ora.

Dopo più di un'ora, sulla pianura ai piedi dell'altopiano di Manguéni, appare una scatola azzurra. Intorno alla scatola, l'aria rovente scompone un fluido di macchie scure verticali. «Toyota 45» annuncia Yaya. Più ci si avvicina, più le macchie verticali si ricompongono nei contorni impolverati di ventiquattro persone. Il cofano è aperto. Dalla sabbia si alzano una donna e un bambino che ha al massimo due anni, la testa protetta in un passamontagna di lana. Gli altri da un po' sono già in piedi a guardare. Il nostro arrivo è la loro salvezza. I due autisti raccontano che sono fermi da due giorni. Uno dei copertoni è rattoppato con pezze di canapa. Il motore del Toyota 45 picchia in testa. Tossisce rauco. Scarica nuvole di fumo. Ma poi si spegne. La batteria è troppo debole. Yaya avvicina il suo fuoristrada. Collega i cavi. Un ragazzo dice di aspettare ad accendere. Apre il filtro dell'aria, soffia e fa uscire nuvole di polvere. Un autista spiega a Yaya cosa è successo. «Per evitare Madama» traduce Yaya in francese, «sono andati di notte sulle dune e si sono ribaltati. La sabbia dev'essere entrata nel motore. Hanno tentato di proseguire e qui si sono bloccati. Hanno ripulito il motore. Ma poi non avevano più batteria per riaccenderlo.» Non si può certo spingere un fuoristrada che affonda nella sabbia. Con l'aiuto esterno, il motore riparte quasi subito. Qualcuno si abbraccia. Prima che si rispenga ancora, i passeggeri salgono nel cassone del Toyota. Dicono di avere abbastanza acqua per il resto del viaggio. Un autista rivela qualcosa a Yaya. Indica l'orizzonte a Nord. Si salutano. Il loro viaggio ricomincia.

«Sali, andiamo via» avverte Yaya e si siede al volante: «Quell'autista mi ha detto che ieri pomeriggio hanno visto due pattuglie di militari. I ragazzi qui si sono sdraiati per nascondersi. I soldati avevano il sole contro e non si sono accorti del Toyota». «Libici?» «Sì. Hai visto com'è Madama, il Niger non ha mezzi. I pattugliamenti li fanno i libici.» «Ma dove passa precisamente il confine?» Yaya si volta stupito dalla domanda. «Il Sahara non ha confini» risponde. Il deserto scivola sotto il Tropico del Cancro. Là davanti aspetta Tumu, il posto di controllo dell'esercito libico. E a Tumu, la pista che porta a Gatrun. Alla strada asfaltata che in un giorno sale a Tripoli. Al Mediterraneo. Alle barche per Lampedusa. Qui però bisogna fare dietrofront. Tenendosi dentro l'angoscia di non avere più incontrato Daniel e Stephen. E la delusione per aver mancato l'appuntamento con Joseph e James. È arrivato il momento di tornare. Dopo un mese e mezzo di viaggio. Dopo più di cinquemila chilometri. Dopo le minacce del console ad Agadez. Andare oltre ci porterebbe dritti a sperimentare l'ospitalità delle carceri in Libia.

È pomeriggio. Stiamo correndo nella direzione del sole. La tosse è rabbiosa e i brividi di freddo sempre più incontrollabili. Dev'essere la febbre alta. Se non fosse per la sensazione di ossa frantumate, i brividi sarebbero perfino piacevoli in questo caldo. «Yaya, che lingua parlavano i due autisti?» «Tubu. Erano veri tubu. Banditi o contrabbandieri. I tubu sanno fare solo questo. Hanno coltelli nascosti dappertutto, anche nei sandali.» «Non fare il tuareg razzista.» «Ma è così» insiste lui. Il sole è ancora davanti a noi. Data l'ora non dovrebbe essere questa la rotta per Dirkou. «Yaya, non stiamo andando troppo a Ovest?» «Dobbiamo fare rifornimento d'acqua e non voglio tornare dai militari a Madama. C'è un pozzo più avanti nell'Enneri Achelouma.»

La sabbia sfuma verso un rosso intenso. La pianura si deforma improvvisamente in un cordone di dune. Dietro una duna, tra scaglie di roccia erose dal vento e cespugli di tamarisco insabbiati, appare un'oasi finora invisibile. Ha l'aria di una base segreta. Sessanta camion Mercedes. Modello militare, carrozzeria verde. Nuovi, puliti. Quasi tutti sono carichi di scatoloni fino a due volte la loro altezza. Alle fiancate non pendono bidoni d'acqua ma barili di nafta. Sei o otto barili per camion. La pista scende in mezzo all'accampamento. È rotondo come il fondo di un cratere. Suddiviso da guglie rocciose, cumuli di sabbia e arbusti. Anche gli pneumatici sono nuovi. Nessun battistrada rattoppato. I Mercedes sono davvero in ottime condizioni. E basta guardare dentro le cabine oltre il parabrezza. Ogni cruscotto ha il telefono satellitare. Questi camion non caricano uomini e donne. Gli immigrati possono perdersi o morire per strada. Tanto, anche quando succede, il viaggio l'hanno già pagato. Questa invece è merce che quando parte, deve sempre arrivare. Yaya guida in mezzo alle baracche. Ciascun camion ha il suo circondario di casupole. Travi in legno. Pareti di cartone. Qua e là recinti di alluminio. Sui cartoni è stampata una scritta in italiano: «Primo». La stessa scritta che appare sotto i teloni verdi, su tutti gli scatoloni che riempiono i cassoni. Tutto è ben mimetizzato nella sabbia. Soprattutto perché non venga visto dall'alto. Questa gente ha più paura dei satelliti spia che dei curiosi di passaggio. «Ma dove siamo?» «Contrabbandieri. Non fare foto, per favore» risponde Yaya. «No, no. Questi sono i carichi di sigarette?» «Sì, tutte di marca Marlboro. Ma dentro gli scatoloni, come abbiamo scoperto noi, c'è anche la cocaina. Dovresti vederli questi convogli. Di notte sono un treno di luci che illumina il deserto. Qui arrivano i camion da Agadez. Scaricano gli scatoloni e li ricaricano su questi Mercedes che vanno in Libia. Guarda la targa.» Tutte le targhe sono libiche.

In Africa l'organizzazione internazionale più potente e ramificata è la mafia nigeriana. Se qui dentro c'è davvero cocaina, questa è la conferma che la mafia nigeriana controlla il trasporto mondiale dell'oro bianco. Grazie alla complicità di eserciti, autorità e criminalità locali, la rotta è più o meno questa: Colombia – Brasile – Oceano Atlantico – Nigeria – Niger – Libia – Europa – Stati Uniti. Un giro del mondo inventato per aggirare le operazioni antidroga del governo di Washington da anni concentrate sull'America Latina. Da qui passa anche la rotta che ha rifornito di armi e tecnologia la Libia sotto embargo.

«Yaya, ti faccio una domanda: se la Libia è ancora sotto embargo, com'è che dalla Germania sono usciti tutti questi camion militari Mercedes?» Yaya sorride. «I soldi sono soldi» dice, «ecco il pozzo.» Il fuoristrada fa un giro intorno a un container e si ferma. I container sono due. Di quelli lunghi, da autotreno. Secondo i nomi e le sigle stampate sui portelloni, uno viene dalla California. Qualcuno ha poi aggiunto in gesso l'indicazione «Primo SS670». L'altro non ha nomi di città ma «tara», «lunghezza» e «larghezza» sono scritti in italiano. Alcuni meccanici stanno smontando un motore. Hanno il fisico massiccio e i lineamenti squadrati dei nigeriani. Altri uomini dal volto arabo riposano o mangiano all'ombra delle baracche. «Da dove viene questa gente?» «Qui c'è tutto il mondo» spiega Yaya che dimostra di conoscere bene il posto, «libici, egiziani, sudanesi, ghaniani, tuareg.» Scende e comincia a scaricare i bidoni da riempire.

Il pozzo è un buco al centro del solito copertone coricato sulla sabbia. L'acqua è a tre metri. Bisogna avere un po' di dimestichezza con la corda e il secchio di plastica. Quando è vuoto, il secchio galleggia. E senza spazio intorno, non è facile farlo affondare perché si riempia. Yaya ride: «Tu vieni dalla civiltà dei rubinetti. Lascia fare a me». «As salam aleykum.» L'uomo che saluta alle nostre spalle ha la pelle abbronzata. Dalla faccia pende una barba lunghissima e curata, rasata soltanto sotto il naso. I capelli tagliati a zero. I muscoli degli avambracci ben formati. La sua fronte è macchiata al centro dal callo tipico di chi calca, più volte al giorno, la testa sul tappeto per pregare. Indossa una jallaba marrone, macchiata e rotta. Dietro di lui aspettano altri due uomini, agghindati allo stesso modo. Soltanto uno ha la testa avvolta nel tagelmust. «Aleykum salam.» Il loro sguardo è dritto nel profondo degli occhi. Non è curiosità. La loro espressione è qualcosa di diverso. Il primo dei tre prende Yaya in disparte. Lo porta vicino al tamarisco che fa ombra al pozzo. Gli altri due si fermano a pochi passi. Sicuramente parlano di me. I due che sembrano guardaspalle si voltano spesso a guardare. L'amico di Yaya scarica dal portapacchi sul tetto le taniche di gasolio per rabboccare il serbatoio. «Aspetta, ti aiuto.» È il momento di spostarsi dietro il fuoristrada e seguire la scena attraverso i finestrini impolverati. Il colloquio tra Yaya e quell'altro continua. Dall'alternarsi del dialogo, l'uomo con la barba fa le domande. Yaya risponde. «Chi sono?» chiede l'amico di Yaya. «Non lo so.» In realtà il sospetto su chi siano è forte. E se così fosse, bisogna inventarsi immediatamente una via d'uscita. Inventarsi è la parola più adatta. Perché da questo cratere, chiuso e circondato su tutti i lati, di vie d'uscita non ne esistono.

I tre se ne vanno dopo una decina di minuti. I passi nella sabbia sollevano le jallaba e mostrano meglio i loro piedi. Due calzano robusti sandali di cuoio. Il terzo scarponcini militari di tela color cachi con la suola rinforzata in gomma. E senza calzini. Proprio senza calzini. Non so perché, ma questo è il dettaglio più preoccupante. Yaya riprende a pescare l'acqua dal pozzo. «Yaya, che accento hanno?» «Arabo» risponde. «Sì, ho sentito che parlano arabo. Ma non sono riuscito a distinguere il loro accento.» «Algerino. Sono algerini» dice e svuota il secchio dentro una tanica. «Yaya, li conosci? Li hai mai visti prima qui?» Yaya appoggia il secchio. Mette le mani ai fianchi e guarda nella direzione dove i tre se ne sono andati. Si sono fermati a un centinaio di metri, accanto a un altro container. Adesso stanno parlando in mezzo a un gruppo di uomini vestiti come loro. E ne escono ancora dalle baracche là in fondo. La differenza più vistosa con i meccanici e gli autisti al lavoro intorno ai camion è che quegli uomini hanno tutti la barba molto lunga. Ogni tanto si voltano e guardano verso di noi.

«Non sono contrabbandieri di sigarette» dice Yaya. «Sono salafiti?» «Sì, credo proprio di sì» risponde Yaya, «quell'uomo mi ha detto che è il capo di un convoglio di algerini e stranieri. Stanno attraversando il Sahara e si sono fermati qui.»

«Ti ha detto se si chiama Abderrazak? Oppure Amari o Saifi?» «No, non mi ha detto come si chiama.» «Yaya, quelli sono del Gspc, il Gruppo salafita per la predicazione e il combattimento.» «Non so come si chiamino tra loro. Ma sono salafiti.» «Allora sono del Gspc. L'unica organizzazione forte nel Sahara è la loro. Questo, Yaya, è un campo di Al Qaeda.» Yaya fa un lungo sospiro. «Di cosa avete parlato?» «Mi ha chiesto di te. Da dove vieni, chi sei, cosa fai qui, se siamo in viaggio da soli. Mi ha rimproverato perché ti ho portato qui.» «E cosa gli hai risposto?» «Che sei un turista italiano e siamo venuti qui solo per rifornirci d'acqua.» «Tu sei tranquillo?» «Nessuno può stare tranquillo al confine tra Niger e Libia.» «No, Yaya, lascia perdere i modi di dire. Credo che noi siamo in estremo pericolo. Io perché sono un kufr europeo, voi due perché mi avete portato qui. Questi sono gli stessi che hanno rapito i turisti tedeschi in Algeria. Tutto il mondo sa che Al Qaeda sta allestendo basi di addestramento nel Sahara.» «Qui c'è troppa gente, se si devono addestrare vanno a sparare nel deserto.» «Appunto. Forse sono qui solo per comprarsi le sigarette. Oppure armi o forse sono di passaggio... Quello ti ha detto che sono qui di passaggio?» «No, ha detto che questo è il loro campo. Ma io ci sono già stato, non li avevo mai visti prima.» «Allora, Yaya, dobbiamo decidere noi cosa fare. Prima che decidano loro per noi. Prima che si rendano conto che hanno un cittadino europeo per le mani. E anche il tuo fuoristrada.» Forse è uno scrupolo eccessivo. Forse è colpa della febbre alta e dei brividi. Mai come oggi servirebbe una mente lucida per ragionare. Questo però è un bivio senza ritorno. Rimanere vorrebbe dire documentare per la prima volta un campo di Al Qaeda nel Sahara. Ma loro come la prenderebbero? Non puoi andare in mezzo a quei fanatici e chiedere: scusi signor Amari Saifi detto Abderrazak, sono un giornalista, mi tenete con voi due settimane? Non ci sono garanzie. Potrebbero rispondere: prego, si accomodi. Oppure sfruttare l'occasione al volo e annunciare un altro sequestro. Sbagliare scelta significa rischiare di non tornare più. Queste bande di tagliagole stanno disseminando il mondo di lutti, perché offrire loro un'altra possibilità di ricatto?

«Io avrei già deciso. Ma tu Yaya conosci il deserto meglio di tutti. Prima voglio sapere cosa ne pensi tu. E anche cosa ne pensi tu.» L'amico di Yaya risponde per primo: «Secondo me, dobbiamo andarcene subito». Yaya sembra incerto. Sperava di dormire un po' prima di ripartire. «Per tornare dobbiamo attraversare il Sahara, potrebbero aspettarci ovunque. Avete ragione» conclude Yaya, «dobbiamo andare via prima che a loro venga in mente un'idea per fermarci. Se partiamo subito avremo qualche ora di vantaggio.»

«Allora ricarichiamo taniche e bidoni. Ma senza far vedere che stiamo scappando.» «Mai ammettere che stai scappando» aggiunge Yaya, lui che è sopravvissuto a una guerra nel Sahara, «perché è come accettare che qualcuno ti insegua.»

Durante la nostra discussione il gruppo di salafiti si è diradato. C'è un moderato andirivieni tra il container e le baracche là in fondo. Ma è impossibile capire cosa stiano facendo. Si riparte con le nostre facce nascoste nei tagelmust. Yaya prende un viottolo diverso. Gli pneumatici sono troppo gonfi e il fuoristrada quasi si insabbia lungo la salita che esce dal cratere. In cima, riappare la pianura rossa. Già da qui camion, baracche e trafficanti sono totalmente invisibili. Cinque uomini in divisa verde camminano lungo le tracce nella sabbia. Vanno verso l'accampamento. «Ma sono militari, Yaya. Da dove vengono?» «Da Madama.» «Madama?» «Vanno a prendere le sigarette dai trafficanti» spiega Yaya, «oppure a fare qualche affare.» Il Sahara non deforma soltanto le immagini con miraggi e illusioni ottiche. Questo immenso caleidoscopio di sabbia rimescola anche i fronti che fuori di qui dividono il mondo. In nessun altro posto sarebbe possibile vedere muoversi, intorno allo stesso pozzo nello stesso pomeriggio, trafficanti di uomini, mercanti di droga, contrabbandieri di sigarette, terroristi di Al Qaeda, un giornalista europeo, i suoi due malcapitati accompagnatori e i militari di un esercito addestrato dalla Francia, Stato membro dell'Unione Europea, alleanza di Paesi ufficialmente schierati contro la schiavitù, l'immigrazione clandestina, il traffico di droga, il contrabbando e la rete fondata da Osama bin Laden.

In fondo a venti minuti di sabbia scivolosa, lontano, a Est, sorge un fortino. Una duna raggiunge quasi la sommità delle sue mura. «Quello è Madama» lo annuncia Yaya. Non sembra Madama. «Noi stamattina l'abbiamo visto dall'altro lato» continua lui. «Quindi Madama è a due o tre chilometri dalla base dei trafficanti e dal campo di Al Qaeda.» Yaya annuisce: «Anche meno, se fossimo andati direttamente alla frontiera. Ma noi andiamo a Dirkou». I raggi obliqui che annunciano la sera illuminano di traverso il grande tamarisco a destra del fortino. Il contrasto di luci e ombre ingigantisce le sagome dei camion fermi là sotto. Adesso sono tre. «Oggi è arrivato un altro camion.» Yaya muove lo specchio retrovisore tentando di inquadrare l'albero. «Vorrei avere una scusa per tornare dai militari e vedere se ci sono i miei compagni di viaggio.» «Non esistono scuse possibili» dice Yaya, «ci metteremmo nei guai. I militari non capirebbero mai perché siamo tornati.» Yaya continua a regolare lo specchio. Prima quello esterno alla sua sinistra. Poi quello centrale, come se fossimo nel traffico di una città. A un certo punto non si vede più niente e nessuno. Vuoto assoluto. Da orizzonte a orizzonte. «La sapete la cosa più preoccupante di quei tre salafiti? Quello con gli scarponcini militari non aveva i calzini.» «I calzini?» Yaya e il suo amico scoppiano a ridere. La mente ha finalmente trovato la spiegazione tra i ricordi. Quell'impressione istintiva è legata al racconto di uno studente algerino incontrato anni fa. Durante la guerra civile in Algeria, i terroristi del Gruppo islamico armato spesso indossavano divise dell'esercito e organizzavano finti posti di blocco. Erano tanto pignoli nello sgozzare le loro vittime, ma a differenza dei militari veri non si curavano mai dei calzini. Così per intuire se un posto di blocco fosse autentico, oppure una trappola, c'era un modo solo: guardare tra i pantaloni e le scarpe se quegli uomini in uniforme portavano o no i calzini.

«Ci inseguono» avverte all'improvviso l'amico di Yaya. All'orizzonte verso Madama si alza una scia di polvere. E non è la nostra. «Camion o fuoristrada?» chiede Yaya che non vuole distrarsi. «Va veloce, è un fuoristrada. Viene nella nostra direzione». Se il sole non fosse vicino al tramonto, non avremmo mai visto quella colonna di polvere. Il tramonto allunga le ombre. E sullo sfondo chiaro del cielo è proprio quella in ombra la parte della scia più appariscente. «Saranno loro?» chiede l'amico di Yaya. «Non lo so» risponde lui, «il confine è chiuso e da Madama non doveva partire nessuno. Vuoi scendere qui ad aspettarli?» Yaya evita con attenzione i banchi di sabbia morbida. Per sollevare meno polvere, cerca di passare sui sedimenti di ghiaia. «Mi spiace» dice, «non sapevo che i salafiti algerini si fossero spinti fino a Madama.» «Che colpa ne hai tu?» «Ti ho portato io lì.» «E io ho potuto vedere cose che nessuno ha mai visto. Siamo o no sopra il ventesimo parallelo?»

«Guarda, è gesso quello?» chiede dopo qualche chilometro Yaya e non aspetta nemmeno la risposta. Il fuoristrada sterza bruscamente a Ovest. I bidoni pieni d'acqua sbattono e sobbalzano dietro i sedili. Le gomme dentate vibrano su un'isola di ghiaia bianca. Non restano più tracce. Anche la nuvola di polvere si dissolve dietro di noi. Yaya va più veloce possibile dritto dentro il disco abbagliante del sole. Ci allontaniamo dalla rotta dei camion. Per almeno mezz'ora, in rigoroso silenzio. La fuga finisce in uno slalom tra cumuli di ghiaia rossa e ocra. Come se questa fosse la morena di un misterioso ghiacciaio. È quasi buio. La scia che ci inseguiva all'orizzonte è scomparsa. Ma forse è ancora lì, nascosta nel blu che a Oriente prepara la notte. L'arco e la freccia di Orione sono già al loro posto. Yaya rinuncia al tè stasera. Non vuole accendere fuochi. Fa improvvisamente freddo. Alle sette è come se fosse notte fonda. Yaya e il suo amico salgono su due cumuli di ghiaia. Scrutano il paesaggio. E con una mano appoggiata all'orecchio, ascoltano le voci del deserto. «Non ci inseguono più» sostengono alla fine. «Non dovremmo montare dei turni di guardia?» «Fare la guardia non serve» dice Yaya. «Qui avanti c'è la piana di Mabrous. Di notte il Sahara parla. Se qualcuno si avvicina, i gin ci avvertiranno.» Dopo però prende la pala dal bagagliaio, scava una buca più o meno sotto il radiatore. E ci seppellisce dentro le chiavi del fuoristrada. «Con questo sistema» mormora Yaya, «possiamo dormire tranquilli.» Ci stende sopra la sua coperta e si sdraia in quelle quattro spanne tiepide tra la sabbia e il motore ancora caldo. Ma nessuno si lascia andare al sonno profondo. Ci si sveglia più volte la notte. Ogni volta è il lamento basso di un motore lontano. Dei camion si vede soltanto il tenue riflesso nel buio sopra l'orizzonte. Vanno tutti a Nord.

Gereke apre il cancello. Muhammar appare sorridente davanti alla sua casa. «Amico mio, ben tornato a Dirkou. Hai trovato i tuoi amici ghaniani?» E senza sentire la risposta, parla a lungo in tamashek con Yaya. Lui si fa serio e Muhammar si avvia verso il centro dell'oasi. «Il militare di Madama è morto» rivela Yaya. È una fucilata. Perché se rifiuti un passaggio a un malato, anche se hai le migliori ragioni, diventi inesorabilmente responsabile del suo destino. «Dove è morto?» «È arrivato morto a Dirkou. L'hanno portato i militari con un fuoristrada. Hanno viaggiato giorno e notte. Ma lui è morto prima di arrivare a Dao Timmi.» «In fuoristrada? Avrebbero dovuto evacuarlo in aereo.» «Muhammar sta andando alla pista. L'aereo atterra tra poco.» «Ma dovevano farlo atterrare a Madama, non qui. Per risparmiare due ore di volo, gli hanno fatto fare tre giorni di fuoristrada?» «Muhammar mi ha detto che non poteva far arrivare l'aereo a Madama. Lui fa il sergente a Dirkou. Forse quelli di Madama non hanno chiesto l'aereo. Forse Madama è troppo vicina al confine. Che ne so io? Sono cose da militari.» «Pensi che avremmo dovuto caricarlo noi?» Yaya potrebbe dare l'assoluzione. Ammettere che sul nostro fuoristrada il soldato sarebbe comunque morto. Condividere l'evidenza che le sue condizioni erano già estremamente gravi, che con la telefonata a Muhammar per sollecitare l'aereo avevamo fatto il possibile. Invece Yaya alza le spalle. «Il deserto è così» dice.

Il piazzale dei trafficanti libici è affollato di camion appena arrivati da Agadez. La loro mole emerge dai tetti in lamiera sopra le baracche del mercato. Si riparte. Per uscire dalle vie di Dirkou, Yaya deve guidare controcorrente in mezzo a un fiume di facce stravolte con bidoni e sacche a tracolla. Due guance lisce da bambino si affacciano al finestrino. Elvis mette dentro un braccio, cerca di stringere la mano: «Grazie signore, buon viaggio», e sorride. È ancora *stranded*, ma sa sempre sorridere. «Yaya, fermati.» «Non posso qui, i militari ci stanno guardando.» Il muro di corpi si apre addosso al paraurti. Un ragazzo con la giacca a vento gialla e un altro vicino a lui alzano la mano destra. Quello che saluta con la giacca a vento è Billy, il nigeriano che sognava di fare il pastore nella sua parrocchia. L'altro accanto continua a salutare. Sono frazioni di secondo. Sguardi che si sfiorano. Sembra Daniel. «Yaya, per favore, fermati immediatamente.» Lui sbuffa. Inchioda. Ma è già tardi. I volti sono diventati schiene macchiate di sudore. Nessuno si volta. Tra poco conosceranno Dirkou. Tra poco scopriranno che qui essere schiavi è un rimedio contro la pazzia. Perché l'alternativa è ridursi come quegli affamati dispersi nell'oasi, che non hanno un padrone ma nemmeno l'opportunità di andarsene. «I tuoi amici sono già in Libia adesso. Dobbiamo partire» insiste Yaya e si alza il tagelmust sul naso. Sicuramente quando ha combattuto per difendere la libertà dei kel tamashek, non pensava un giorno di assistere a questa fuga in massa. Di risvegliare dieci anni dopo i ricordi di vecchie sofferenze, davanti a queste facce *stranded* più morte che vive. Yaya si dimentica perfino di passare al posto di controllo dei militari. «Che si fottano» sbotta. E accelera verso la salita che lascia alle spalle il Kaouar. Non vede l'ora di andarsene. Fuori. Lontano da questo baratro che ti costringe a guardare negli occhi chi è già cadavere ancor prima di morire.

«Attraverserai l'Algeria come ti ha detto il console libico?» chiede una mattina Yaya in mezzo al Ténéré.

«Penso proprio di no. La rotta degli schiavi è questa. Andrò direttamente sulla costa.» «E ti imbarcherai?»

«Non lo so. Se Dio vuole...» «Se Dio vuole» ripete. «Yaya, quel fuoristrada che la sera a Madama era dietro di noi, secondo te stava portando il militare malato a Dirkou?» «Non penso» risponde lui, «per arrivare prima di noi, i militari sono partiti di mattina. No, quel fuoristrada ci stava seguendo. Arrivava dall'accampamento dei contrabbandieri, non dalla frontiera.» «Allora questa sarà la tua ultima notte sotto le stelle» cambia discorso il suo amico. È un'osservazione che improvvisamente risveglia la nostalgia. «Noi no, ma tu da domani» continua lui, «ti addormenterai guardando il soffitto.»

Dove si dissolvono le dune e affiorano le prime pietre, la pista è invasa da una grande taghlamt. Centinaia e centinaia di dromedari carichi di sale in file parallele. I madougou sulle loro selle guidano la carovana verso le rocce nere dell'Adrar Azzaouager. Due adolescenti e quattro uomini seguono a piedi. «Stanno tornando da Bilma» dice Yaya. «Io scendo qui.» Yaya guarda perplesso. «Ho bisogno di camminare. Loro da qui fanno il nostro percorso, no? Ci vediamo nel pomeriggio.» «Non andare in mezzo agli animali» avverte l'amico di Yaya, «se si spaventano, rovesciano il carico.» Un kel tamashek non capirà mai perché uno, avendo a disposizione un fuoristrada, scelga di andare a piedi. Ma non esiste nulla al mondo di così soffice e intenso come il suono di una carovana nel deserto. Questa camminata è la miglior medicina per alleviare un mese e mezzo di fatica, paura, violenze e dolore. I passi dei dromedari sono un respiro ritmico nell'aria immobile. L'impatto delle zampe morbide sulla sabbia solleva un fruscio identico al soffio impercettibile di un vestito di seta. Si avvicina un Toyota 45 con la sua cupola di passeggeri. I madougou e gli autisti del fuoristrada si guardano senza fermarsi e si intendono con un semplice movimento della testa. In fondo, sono la trasformazione dello stesso mestiere.

Da Dirkou ad Agadez trascorrono quattro giorni. Il ritorno incrocia il viaggio di altri undici camion, cinque Toyota 45, almeno 2900 passeggeri. Un calcolo approssimativo può dare l'idea dell'incasso per le agenzie dell'autogare. Duecentodiecimila euro in quattro giorni. Ai quali va aggiunto il guadagno per i carichi invisibili che attraverseranno il Sahara senza passare da Dirkou.

Arrivando dal Ténéré, lo sterrato che costeggia la pista dell'aeroporto punta dritto al Mesallaje. Il profilo inconfondibile sopra le case è il suo benvenuto amichevole. La città rossa è qui davanti. Manca meno di un chilometro ad Agadez. L'ultimo chilometro su duemilacinquecento di deserto. Scoppia una gomma. Una pietra appuntita aspettava la ruota anteriore sinistra. Il botto fa sobbalzare il fuoristrada che sbanda e si ferma. Non è l'unico scoppio. Non appena vedono la foratura, Yaya e il suo amico esplodono in una risata fragorosa. Liberano i polmoni dalla tensione accumulata. Ed è il modo più imprevedibile di dirsi addio. «Non sostituisco la ruota» decide Yaya, «la faccio gonfiare con il compressore del primo camion che passa.» Attesa esaudita in un quarto d'ora. Il camion è appena partito. Lo si vede dai suoi passeggeri. Dalle facce ancora pulite e sorridenti.

L'ultima sera ad Agadez, sulla panca davanti al cancello pedonale dell'autogare, è seduto un ragazzo a piedi nudi. Se ne sta solo, la maglietta e i pantaloni strappati. «Buona sera, come va?» esordisce, «tu sei l'amico di Dandy, vero? Io ti ho visto una volta con lui. Guarda, Dandy è ancora qui. Te lo chiamo. Ma senti, ho fame. Non mangio da tre giorni. Mi puoi dare qualche soldo?» Arrivano Dandy, Johnson e Billy. Johnson è riuscito a salvare le scarpe. Dunque non era Billy il ragazzo incontrato a Dirkou. E sicuramente l'altro non era nemmeno Daniel. «Dove hai lasciato Daniel e Stephen?» domanda Billy. Ascoltano spaventati il racconto della nostra separazione. «Noi qui abbiamo pregato ogni sera» rivela Billy, il più fervente. «Ma è così dura come hai detto?» chiede Dandy. Loro il Sahara lo devono ancora attraversare. La risposta non può che essere sincera. L'effetto sul loro umore provato però è immediato. E infatti Dandy porta il discorso sulla morte di Kofi. Questi ragazzi non si sono mai più ripresi da quella notte. «Le autorità di Agadez hanno raccolto le sue cose» spiega Dandy, «e le hanno seppellite con il suo corpo. Poi hanno mandato i documenti in Ghana, alla sua famiglia.» «Chi ha pagato le spese?» «Le autorità di qui. Hanno pagato loro» dice Billy, «sia le spese postali sia la sepoltura, perché Kofi non aveva più niente. Vedi, fratello, si accorgono di noi solo quando siamo morti. Da vivi, per prenderci i soldi, ci bastonano.»

I genitori di Kofi almeno l'hanno saputo. Non dovranno pensare che il loro ragazzo sia arrivato in Europa e si sia dimenticato di loro. Questo, tra le migliaia di schiavi mai approdati in fondo al viaggio, è già un grande privilegio. L'onore della memoria. Il privilegio di non essere ricordati come figli ingrati.

7

Spiaggia dei pirati.
Chaffar, Tunisia

Da rue de la Grande Mosquée bisogna camminare ancora. Fino agli archi di Bab Diwan, la maestosa porta della medina di Sfax. Poi dentro la città moderna. Avvolti nell'odore del traffico e nel profumo dei kebab arrostiti sul marciapiede. Boulevard de la Republique. Avenue Bourghiba. A destra in rue Alexandre Dumas. Sotto i balconi del consolato libico, una palazzina quadrata da cui pendono le grandi bandiere verdi della Jamahirya. Oltre il passaggio a livello. Lungo la strada che taglia in due il porto. Gli ultimi passi calpestano il calcestruzzo rugoso di un molo. Sono proprio gli ultimi passi. Davanti al molo si agita il Mediterraneo. Al di là delle onde increspate, è nascosta l'Europa.

Kofi e tanti altri ragazzi sono morti per guardare questo orizzonte. Daniel, Stephen, Joseph e James stanno soffrendo la loro fatica chissà dove per venire a respirare la brezza salmastra che sale dal blu qua davanti. A me è andata meglio. Non perché sia stato più temerario, più forte, più resistente di loro. No, sono qui semplicemente perché mi ci hanno portato due cartoncini di dodici virgola cinque centimetri per otto virgola cinque. Due cartoncini con trentadue pagine in mezzo. La nostra vita è appesa a libretti come questo. Non li scegliamo. Non li compriamo. Non ce li guadagniamo. Semplicemente ci vengono distribuiti a caso. Come carte di un poker. Dipende dalla roulette che ci fa nascere da una parte o dall'altra del mondo. Senza il passaporto rosso porpora dell'Unione Europea adesso me ne starei rinchiuso come una capra nel recinto di qualche masseria

227

dell'entroterra. Oppure sarei ancora *stranded* a Madama. Invece questi due cartoncini mi hanno riportato esattamente dove volevo andare. Indietro nella capitale del Niger. Poi su un aereo, per girare intorno alla Libia. Quindi via terra dall'Algeria alla Tunisia. Fino a risalire gli ultimi paesaggi dell'Africa. Nefta, l'oasi esoterica dei sufi islamici, fondata da Kostel, figlio di Sem, figlio di Noé, costretto a emigrare, a modo suo, dai cambiamenti del clima. Il mare di sale dello Chott el Jerid. Il treno di Tozeur. La gola verde di Tamerza. Le colonne romane di Sbeitla. E questa città luminosa, Sfax, capitale della pesca di tutto il Mediterraneo.

La mattina le banchine sono deserte. Basta venire di pomeriggio e aspettare il ritorno dei pescatori. Nuvole di gabbiani orbitano intorno a barche e navi di ogni misura. I pescherecci fanno la coda per entrare nel grande bacino quadrato a destra del molo. Vanno ad attraccare direttamente davanti alle fabbriche di trasformazione. Sul porto si affacciano i capannoni in cui il pescato viene congelato oppure salato e inscatolato. L'industria alimentare di Sfax garantisce all'economia tunisina una delle principali entrate. Gran parte di questo pesce è finito almeno una volta nelle case di decine di milioni di europei. Senza contare le esportazioni verso il Canada, gli Stati Uniti, la Russia e gli altri Paesi arabi. Soltanto quando la maggior parte dei pescherecci è ormeggiata si può avere un'idea della potenza commerciale di questo porto. Chilometri di banchine ospitano file ordinate di scafi, argani, antenne, reti, colori, suoni, odori. Ma l'industria della pesca non è l'unica che funziona a Sfax. Ce n'è un'altra, più discreta e segreta, che gira intorno a questi pescherecci.

Senza la flotta di Sfax, Madame Hope non sarebbe Madame Hope. Perché non avrebbe mezzi per far arrivare i suoi clienti dall'Africa all'Europa. I trafficanti arabi, tubu e kel tamashek tornerebbero a essere quello che i loro antenati sono stati per secoli: carovanieri, pastori, mercanti, nomadi. La rotta del Sahara si fermerebbe in Libia per le strette necessità dell'economia di Tripoli. Lampedusa non sarebbe Lampedusa. L'Europa xenofoba non avrebbe argomenti per la sua propaganda xenofoba. E forse gli imprenditori europei avrebbero richiesto ai governi di concedere più visti di ingresso agli stranieri: almeno quel tanto per mantenere aperti fabbriche e cantieri svuotati dal crollo demografico. Un giorno di fine Novecento a Sfax si accorgono di possedere una preziosa risorsa. Più preziosa del petrolio, dell'oro e perfino della cocaina che attraversa il deserto. La risorsa se ne sta ancora oggi in mostra a sinistra di questo molo di calcestruzzo rugoso.

La bassa marea ha messo in secca cumuli di alghe. Rifiuti portati dalle correnti. Rottami arrugginiti. E una pavimentazione piatta di scogli e cemento masticata dal mare. È una zona di alaggio. Sul piazzale di ghiaia in cima al declivio, dieci pescherecci di legno attendono all'asciutto che qualcuno decida il loro futuro. Scafi gonfi. Puntellati da travi e bidoni. In pericoloso equilibrio sulle loro chiglie. Davanti alla costa, galleggia all'ancora un grosso mercantile. Della nave è rimasto l'involucro. Tutta la struttura sopra il ponte principale è già stata demolita per essere fusa, inevitabile destino delle costruzioni in ferro.

Una nave in legno invece non muore mai. Lo dice un antico proverbio dei pescatori veneziani. Uno scafo di legno potrà essere riparato fin tanto che ci saranno alberi nei boschi. È così in tutto il mondo. Ma non a Sfax. Da qualche anno i pescherecci vecchi non vengono più rimessi a nuovo. È più conveniente venderli come sono. Un tempo non succedeva perché non li avrebbe comprati nessuno. Nessun pescatore sarebbe salito su una nave fradicia. Ma i clienti di Madame Hope non hanno alternative. Non possono tornare indietro. Soltanto Amadou, il giovane papà di Miriama, ha avuto abbastanza paura da affrontare di nuovo il Sahara, le torture. E adesso ad Ayorou, sotto la sua veranda al confine tra Niger e Mali, dorme notti tormentate dal rimorso di non avercela fatta. Gli altri non sono gracili e rassegnati come Amadou. Non si fermano davanti al mare. Tutti gli altri vogliono solo arrivare. Così, da capitale della pesca e dell'economia tunisina, Sfax è prima anche nella vendita di pescherecci usati.

Non ci sono bilanci, statistiche, numeri. Perché è un mercato invisibile. In realtà si vede benissimo. E tutti fanno finta di guardare altrove. Quei due sull'auto nera della polizia militare sembrano invece molto interessati. Scrutano l'intruso che cammina su e giù lungo il molo. Rallentano. Ripartono. Fanno inversione. Ritornano. Meglio andare via prima che si fermino. Sfax è a metà tra Tunisi e la Libia. Un giorno di viaggio e si arriva alla frontiera. Pat, la proprietaria di ragazze incontrata a Dirkou, raccontava di Zuwara. Il porto dove aveva vissuto e da dove salpano le barche per la Sicilia. Secondo la carta geografica, Zuwara non è lontana dal confine. Appena sessanta chilometri. Forse un modo c'è per avvicinarsi alle spiagge proibite. Per scoprire dove la mafia delle braccia imbarca i suoi carichi umani. Forse, con un po' di fortuna, è ancora possibile incontrare gli amici persi a Dirkou.

La strada nazionale taglia in due la zona industriale. L'auto si infila in un tunnel di sole e ombre sotto fronde di eucalipti altissimi. La periferia di Sfax è una distesa di fabbriche, lamiera, cemento armato. Il mare riappare quando finisce la città. La costa è a sinistra, oltre una spianata di erbe aromatiche e arbusti. A destra, la strada che scende dal deserto, dall'Algeria, da Tozeur. Di fronte, i cartelli che indicano la direzione per Gabès, Gerba, Medenine. E Tripoli.

Quando la fuga verso l'Europa era una scelta individuale e non ancora un affare internazionale, le partenze erano esclusiva dei trafficanti tunisini. Bisognava venire in Tunisia per imbarcarsi. Perché da qui il viaggio è più breve. Queste sono le spiagge più vicine all'Italia. Una sera e una notte di navigazione. Il tempo, senza imprevisti, per avvistare Lampedusa. Ma da allora, per i clienti di Madame Hope, le cose sono diventate molto più difficili.

Il 13 dicembre 2003 è un sabato di vento sulle coste del Nord Africa. I ministri dell'Interno di Italia e Tunisia si incontrano a Tunisi. Firmano un patto di collaborazione. Un accordo contro l'immigrazione clandestina. Il presidente Ben Alì vuole diventare partner fidato dell'Unione Europea. E lo si vede già dall'estate precedente. A fine giugno, una settimana dopo la strage di Kerkennah, una barca da pesca salpa a Ovest di Kelibia con sessantotto immigrati. Affonda in pochi minuti davanti alle rocce a strapiombo di Cap Bon, la penisola africana che si allunga verso la Sicilia. Trentatré passeggeri annegano. I trentacinque sopravvissuti passano direttamente dai battelli di salvataggio alle celle di una prigione. Da quel giorno in Tunisia naufraghi e criminali meritano lo stesso trattamento. Nessuno protesta. Anzi, quel sabato di dicembre a Tunisi, dopo il colloquio tra i due ministri, l'Italia esprime il suo apprezzamento per il «bilancio sicuramente positivo del lavoro fin qui svolto».

Il governo di Roma non è il solo a chiedere provvedimenti spietati. Il ministro dell'Interno italiano ha offerto alla Tunisia un piano di accordi studiato con il collega tedesco. E con il consenso di gran parte dei ministri dell'Interno dell'Unione: Francia, Spagna, Grecia, Irlanda e Regno Unito. In quei mesi Bruxelles e Roma seguono la stessa strategia. Anche perché alla presidenza dell'Ue è il turno dell'Italia. Il periodo si apre con il memorabile discorso al Parlamento europeo di Silvio Berlusconi. Quando il deputato socialdemocratico tedesco Martin Schulz chiede spiegazioni sui processi in cui Berlusconi è imputato. E il primo ministro italiano candidamente gli risponde: «Signor Schulz, so che in Italia c'è un produttore che sta montando un film sui campi di concentramento nazisti: la suggerirò per il ruolo di kapò. Lei è perfetto». Berlusconi non si ferma nemmeno di fronte al boato di indignazione dei parlamentari: «Dovreste venire come turisti in Italia, perché qui sembrate turisti della democrazia». In Italia i principali telegiornali nazionali nascondono l'opinione del capo del governo sulla più importante istituzione europea. La maggioranza degli italiani l'ha votato, lo sostiene. E crede ciecamente nel programma in cui, tra i primi impegni, Silvio Berlusconi e i suoi alleati promettono di fermare l'immigrazione clandestina.

Quel 13 dicembre, però, il comunicato sull'accordo a Tunisi rivela molto altro. Ufficializza una novità fino ad allora al centro di trattative segretissime: «C'è un interesse europeo per un sempre maggiore inserimento della Libia nel contesto mediterraneo» dichiara il ministro dell'Interno italiano. «In questo quadro» aggiunge l'agenzia di stampa Ansa, «il ministro ha ricordato l'impegno dell'Italia nel suo semestre di presidenza dell'Ue per la revoca dell'embargo europeo alla Libia.»

La Libia ha tanto petrolio. Molto gas. Ma non ha abbastanza pescherecci per perderli in viaggi di sola andata. Mentre le diplomazie si incontrano di nascosto, alcuni broker di Sfax sanno già come andrà a finire. Percorrono questa strada dritta come una spada. Attraversano più volte la frontiera. Mangiano sempre allo stesso ristorante, nelle strette vie della medina di Tripoli. E lì incontrano gli emissari della mafia nigeriana, gli integralisti della rete pakistana, i funzionari corrotti della polizia libica, i capibanda della criminalità locale. Il guadagno in gioco è pazzesco. Dalla Tunisia partivano soprattutto barche piccole. Venticinque, trenta persone ogni volta. Zodiac di vetroresina, gommoni o vecchie lance da pesca. Come quella affondata davanti a Cap Bon. I grossi scafi erano troppo ingombranti. Troppo lenti. E troppo spesso venivano rimandati indietro dalle motovedette tunisine. Dalla Libia però è diverso. I poliziotti corrotti garantiscono la protezione. I trafficanti procurano i passeggeri. E i broker portano i pescherecci. Sanno che ce ne sono decine e decine. Hanno già calcolato la flotta disponibile. Non solo nei cantieri di Sfax. Da Sousse a Gabès all'improvviso salgono i prezzi al mercato nero delle imbarcazioni. Quindicimila euro per un rottame scassato sono cifre mai pagate prima. E non sono nulla rispetto al guadagno. Un peschereccio può caricare trecentocinquanta persone. Millecinquecento euro per trecentocinquanta fa cinquecentoventicinquemila euro. In dollari, al cambio libico, sono circa la stessa somma. Va tolto il costo dello scafo. Va calcolato l'acquisto di pochi litri di nafta. Va certamente sottratta la tangente per i funzionari corrotti. Alla fine la spesa non dovrebbe superare i trentacinquemila euro. Il resto è l'incasso netto: quattrocentonovantamila euro. Equivale a dire che per ogni euro investito nel mercato dei nuovi schiavi, se ne guadagnano milletrecento. Un rendimento pulito del milletrecento per cento. Su ogni viaggio.

Al di là del confine, i broker di Sfax vengono accolti come benefattori. E i risultati si vedono in meno di un anno. La polizia tunisina aumenta i controlli lungo la costa. La rotta verso l'Europa si sposta in Libia. E gli sbarchi in Sicilia non si fermano. Eppure sembrano tutti soddisfatti. La dittatura tunisina. Il governo italiano. Il regime libico. Forse perché il prezzo dell'accordo non lo paga nessuno di loro. Lo pagano decine di migliaia di uomini e donne in viaggio dall'Africa all'Europa. Da quel momento la traversata del Mediterraneo è molto più pericolosa. E la loro vita diventa merce di scambio nella trattativa segreta tra Roma, Bruxelles e Tripoli. L'intenzione ufficiale è perdonare il colonnello Muhammar Gheddafi. Da capo del terrorismo internazionale a capo di Stato amico dell'Unione Europea. E, per proprietà transitiva, degli Stati Uniti. Ma sarebbe troppo semplice, se questo fosse l'unico obiettivo delle trattative. La politica internazionale è fatta di grandi menzogne. La verità sta sempre sotto la maschera delle versioni ufficiali.

Da allora il quadro non è cambiato. La visita alla medina dove gli armatori vanno a offrire i pescherecci da rottamare, la polizia militare di ronda nel porto di Sfax, la solitudine di questo viaggio verso la Libia aiutano a riflettere. A capire. Daniel, Stephen, Joseph e James, ovunque siano, non possono sapere di essere pedine di un risiko mondiale. Le orecchie risentono improvvisamente la voce infantile di Elvis. Il suo tono calmo e normale quando diceva «sono *stranded*, signore». Tre parole sussurrate come il sibilo dei tubi di gomma impugnati dai soldati. Solo che i colpi sulla carne guariscono. Le frustate che salgono dall'anima restano. E quella voce adesso è un dolore impotente che sale da dentro. Chissà dove sei, Elvis. Le palpebre litigano a lungo con gli occhi per rimandare indietro le lacrime. È forse per questo che la mente non decifra subito quella curva colorata appoggiata sulla linea che separa il mare dalla terra. I numeri sul contachilometri continuano a girare. Scorrono cinquecento metri. Seicento. Potrebbe essere una barca. Settecento. Eppure non ci sono case su questo tratto di costa. Senza case, dove vivono i pescatori? Ottocento. Appunto, una barca senza pescatori qui non può che essere destinata al traffico di immigrati. Novecento. E se stanotte c'è una partenza? Un chilometro. Devi scegliere: o vai a vedere cosa succede sulle spiagge al confine libico o ti fermi a controllare ogni barca che incontri. L'indecisione è anche colpa della filosofia di Yaya. Diceva che guardare il mondo troppo da vicino obbliga a perderne una parte. Ma lui durante la rivolta dei kel tamashek non doveva raccontare il mondo. Doveva sparargli da lontano. Yaya non ha mai fatto il giornalista infiltrato. Così passa un altro chilometro e mezzo. La giusta distanza per fare una scelta. Il ritorno sembra ancora più lungo dell'andata. Le barche sono due.

Il mare è a quasi un chilometro dalla strada nazionale. Ci si arriva a piedi camminando sopra un tappeto di erba secca e spine. A ogni passo qualche spillo si infila nella pelle dei piedi nudi allacciati dentro i sandali. Il legno dei due scafi è malconcio. La vernice scrostata ovunque. I colori tipici delle barche dei pescatori: bianco e rosso con le strisce blu. Sono barconi di cinque, sei metri di lunghezza. Li hanno tirati all'asciutto facendo scivolare le chiglie su due tronchi. E li hanno lasciati così come sono. Inclinati su un fianco, paralleli alla linea di costa. La barca più vicina è quella messa peggio. In mezzo allo specchio di poppa il fasciame è marcio. Hanno fatto un rattoppo. Ma una delle tavolette inchiodate sopra la linea di galleggiamento se n'è andata: da qui è possibile vedere il mare attraverso lo scafo. Non ci sono reti. Non ci sono galleggianti. Non ci sono casse termiche di polistirolo o cime arrotolate. Nessun indizio che questo sia un approdo di pescatori ma non è certo una spiaggia da tintarella e ombrelloni. La sabbia argillosa è dura e compatta come cemento. La spianata è una composizione colorata di fiori, sacchetti, bottiglie di plastica, lattine. Il mare davanti è piuttosto scuro. Questo posto è al centro del golfo e raccoglie gli scarichi che scendono dalle industrie di Sfax o risalgono dal terminal petrolifero di Gabès. Ma soprattutto questo posto non è deserto come appare.

Si alzano due ragazzi. Erano completamente invisibili dal campo di erba e spine. Devono essere rimasti a lungo seduti o sdraiati a osservare, nascosti dalla barca. «Allora» dice uno dei due in francese, «come va?» Si fanno avanti. Uno ha una maglietta rossa, bermuda con una vistosa marca italiana sui fianchi e grosse scarpe da ginnastica. L'altro, una polo bianca, pantaloni raccolti ai polpacci e niente ai piedi. La faccia di una persona spesso racconta il suo carattere. La loro non ha nulla di rassicurante. Sembrano scocciati. E più di tutto, quello con la maglietta rossa ha gli avambracci ricamati di cicatrici. Segni tipici di chi si taglia con lamette o coltelli per essere cambiato di cella o rinchiuso nell'infermeria di un carcere.

«Cosa vuoi?» chiede sempre lo stesso. «Sono qui di passaggio.» «Sei in vacanza?» «Sì.» Non ci si deve confessare subito. «E ti piace la Tunisia?» «Sì.»

«Ma come fa a piacere un posto così?» si mette a gridare lui, «guardati intorno. Questo posto è una merda. Qui nascono due categorie di persone. Quelle che sono già scappate in Europa. E quelle che stanno pensando a come fare per scappare in Europa. Tutti, anche i cani randagi, vogliono andarsene da qui. Di dove sei?» «Italiano.» Lui guarda l'amico. Il suo volto si rasserena. «Io sono stato tre volte in Italia» dice in perfetto italiano.

«E come mai sei ancora qui?» «Mi hanno espulso.» «Da dove?» «Da Agrigento e da Milano.» Se l'invenzione dei passaporti ha trasformato la vita in una partita a poker, la domanda da fare ora ha il peso di una scala reale.

«A Milano sei stato nel centro di detenzione per clandestini?» «Sì.» «E come si chiama?» «Via Corelli» risponde lui, ritrovandosi senza aspettarselo dall'altra parte dell'interrogatorio. «Anch'io sono stato rinchiuso nel centro di via Corelli.» Lui guarda sorpreso: «Come è possibile, non hai detto che sei italiano?». «Sono italiano. Ma è una storia lunga. Loro pensavano che fossi romeno.» Il ragazzo con la maglia rossa scoppia a ridere. «Allora siamo compari» dice. Traduce in arabo al suo amico. Porge la mano: «Piacere Khaled» si presenta, «andiamo, compare, che mi paghi una birra».

Khaled sale in macchina e indica dove andare. Ci si ferma davanti a un ristorante malandato lungo la strada nazionale. Due ragazze aspettano qualcuno su due sedie all'ombra di un pergolato. Una ha il volto mediterraneo. L'altra è alta e forte come le donne del Delta del Niger. «Il padrone è un mio amico. Affitta qualche camera» spiega Khaled, «se vuoi ci portiamo su le due ragazze.» «No Khaled, beviamoci una birra con calma e parliamo tra noi.» «Dammi i soldi e aspetta qui.» «Non ci fermiamo?» «Non possiamo» risponde Khaled, «l'alcol in Tunisia è vietato.» Prende la banconota da dieci euro ed entra nel ristorante. Esce con il proprietario. Si guardano intorno. Tornano dentro. Esce solo Khaled. «Apri il bagagliaio» dice. Va verso la strada nazionale e controlla in tutte e due le direzioni. Torna dentro. Esce con una cassa di lattine. «Aspetta a chiudere, ne ho comprate altre tre.» Alla fine il proprietario lo saluta chiamandolo capo. «Andiamo» ordina Khaled, «e stai attento a non farti fermare dalla polizia.»

Da queste spiagge partono traffici di ogni tipo. Ma per bere birra bisogna comportarsi come se in quelle casse ci fossero bombe a mano. «Fermati qua, vicino al mare» indica Khaled, «anche se ci vedono, da lontano penseranno che siamo fidanzati. Allora compare, come è successo che ti hanno chiuso in via Corelli?»

La lunga storia comincia nel 1998. Fino ad allora nell'Europa libera nessuno poteva essere imprigionato senza un processo davanti a un giudice. Nemmeno uno straniero. E per finire davanti a un giudice, uno doveva aver commesso un reato. Ma nel 1998 la nuova Europa sta per eliminare le frontiere interne. È il primo passo concreto verso la caduta delle barriere nazionali. Per entrare nel grande club, l'Unione chiede agli Stati membri una garanzia: gli immigrati clandestini devono essere davvero espulsi. In Italia, e non solo, la polizia sostiene che senza trattenere a lungo la persona da identificare, l'identificazione è incerta. E senza identità certa, nessun Paese d'origine accetterebbe il rimpatrio. A Roma la questione viene affidata a due ministri del governo progressista in carica. Due ex comunisti. Forse è per questo che i centri di detenzione da loro approvati assomigliano molto più ai gulag dell'Unione Sovietica, che agli uffici amministrativi di un Paese democratico. I primi tre vengono inaugurati nel 1999. Uno a Milano: una gabbia all'aperto lunga centodieci passi, larga novanta, con due file di container per dormire. Il secondo a Roma. Il terzo a Trapani, in Sicilia. Quello di Trapani è talmente attento ai principi di dignità sanciti dalla Costituzione, dalla Convenzione europea dei diritti dell'uomo e dalle norme di sicurezza, che dopo pochi mesi va a fuoco. Il governo, i ministri, le autorità ripetono che gli stranieri trattenuti nei centri restano cittadini liberi. Sono ospiti, non detenuti. Perché non avere i documenti in regola non è un reato. Solo una violazione amministrativa. Quel giorno i liberi cittadini ospiti a Trapani trovano i cancelli delle gabbie chiusi a chiave. L'incendio avanza. I guardiani non aprono. Muoiono in sei. Bruciati o asfissiati. Li chiamano Centri di permanenza temporanea per non confonderli con le carceri. E fanno bene. I detenuti di un carcere hanno più garanzie di difesa. Gli immigrati morti a Trapani non avevano avvocati di fiducia. E lo si vede alla fine dell'inchiesta. Nessun colpevole. Il caso finisce a Bruxelles. Ma anche l'Unione se ne lava le mani. Le leggi sull'immigrazione sono di competenza nazionale. Non riguardano l'Europa.

«Il tuo racconto mi aiuta a comprendere molte cose che mi sono successe» dice Khaled e apre la terza lattina di birra. «Ma non ho capito perché tu sei finito là dentro.»

«Perché in una democrazia non basta la libertà. Servono uomini liberi. E un uomo libero davanti a una censura fa una sola cosa: la aggira. Io per aggirare la censura, ho fatto finta di essere romeno.»

«Censura? In Italia?» ripete sottovoce Khaled. È abituato a parlare sottovoce. È nato e cresciuto sotto una ferrea dittatura. «Khaled, la legge con cui tu sei stato espulso impedisce tuttora di sapere cosa avviene nei centri di detenzione. La legge approvata dal Parlamento italiano non permette di visitarli. Non solo ai familiari dei liberi cittadini imprigionati là dentro. Nemmeno gli avvocati, nemmeno i giornalisti possono entrare. E spesso vietano l'ingresso perfino ai parlamentari.» «Anche in Tunisia nessuno può visitare un carcere.» Se non capisce, pazienza. L'importante è che non si domandi che lavoro faccio. È troppo presto per dirglielo. Ma se la birra farà il suo effetto, non lo chiederà.

«Lascia perdere il perché, Khaled. Volevi sapere come ho fatto. Ho aperto l'elenco telefonico di Nuoro, una città della Sardegna. E ho preso in prestito un nome tipico di quella regione: Ladu. Poi ho aperto l'elenco telefonico di una città dalle parti di Venezia. E ho trovato il cognome Roman. Ecco Roman Ladu, nato a Bucarest, il 29 dicembre 1970. La polizia mi ha fermato davanti a una scuola cattolica dove ero andato a chiedere l'elemosina. Mi hanno portato in ufficio. Credendomi un poveraccio, mi hanno spogliato nudo. Mi hanno infilato un dito nel culo. Mi hanno preso a schiaffi. Ma dalle menzogne nascono sistemi stupidi. Così non si sono accorti che Roman e Ladu sono due nomi italianissimi. E mi hanno chiuso in via Corelli. Come immigrato clandestino.»

Khaled ride fragorosamente con la bocca completamente spalancata. È già alticcio. «Cosa è successo poi?» «Dopo due giorni ho fatto sapere chi ero. Mi hanno liberato. E una volta fuori ho raccontato ciò che avevo visto. Per la prima volta in Italia veniva rivelato da un italiano cosa avviene dentro quei centri. Lo avevano già fatto alcuni immigrati scampati al rimpatrio. Ma nessuno aveva creduto loro.» Khaled scuote la testa e tracanna mezza lattina. «Il governo, per evitare polemiche, ha poi chiuso il centro di Milano. Una commissione di ispettori aveva stabilito che quella gabbia con le baracche all'aperto non garantiva il rispetto della dignità umana. Ne hanno costruito uno nuovo in cemento, con le stanze tirate a lucido, il filo spinato e le sbarre. Dalle baracche del gulag alla prigione psichiatrica, insomma. Io sono stato condannato a venti giorni di carcere per aver dato un

238

nome falso ai poliziotti. E i poliziotti, che mi hanno preso a schiaffi e infilato un dito nel culo, sono rimasti impuniti. Su di loro non è stata nemmeno aperta l'inchiesta.»

«Quando hanno preso me in via Corelli, dovevamo stare in baracche di ferro gelide. Nessuno riusciva a dormire perché la luce non si spegneva mai» racconta Khaled, «c'erano sbarre e filo spinato tutt'intorno.» «Sì, quella era la gabbia all'aperto. I fari la illuminavano giorno e notte. È la stessa in cui sono stato rinchiuso io.»

Sarà la birra che ormai gli è arrivata alla testa. Oppure la consapevolezza di potersi fidare. Khaled comincia a raccontare la sua vita. Parla per un'ora. «Gli accordi con l'Europa hanno reso le cose più difficili. Ma noi continuiamo a lavorare. Finché marocchini, tunisini, africani pagano per partire, noi siamo qui ad aspettarli.» Dice proprio «noi». È la persona giusta. «Lo sai come si chiama questo posto?» chiede all'improvviso. Già, mi sono appartato in riva al mare con un ex carcerato tunisino e non ho nemmeno cercato un cartello per sapere dove siamo. «Questo posto si chiama Chaffar. Tutta l'Africa conosce Chaffar. Perché Chaffar da sempre è la piana da cui partono le barche per l'Europa. Anche adesso che i grossi carichi salpano dalla Libia, noi continuiamo a lavorare con le barche piccole. Oppure accompagniamo tunisini, marocchini, algerini oltre il confine.»

Khaled ha ventisette anni. Anzi, il comandante Khaled. Così, dice vanitoso, l'hanno schedato negli uffici di polizia a Sfax. È un veterano di queste rotte. Ha già guidato tre pescherecci carichi di clandestini. Il primo l'ha rubato a vent'anni. Sì, rubato. Come fosse una macchina. Racconta che è entrato nel porto di Sfax a piedi. Ed è uscito tra i due moli frangiflutti. «Al timone della nave sono tornato a Chaffar. Ho preso a bordo venticinque persone con cui mi ero messo d'accordo. E ho puntato verso Nord. Fino in Sicilia.» Per tre volte è andato. E per tre volte è tornato dall'Italia. La prima e la terza da Milano e da Agrigento. Con un decreto di espulsione. La seconda perché gli mancava la Tunisia. Faceva il pescatore a Mazara del Vallo, in

Italia, la città più tunisina d'Europa. «Nel porto avevo visto un grosso motoscafo. Ho rubato anche quello. Mi sono seduto al volante e in tre ore sono arrivato a Cap Bon.» Sostiene che ha messo da parte l'idea di rubare ancora. «Due anni e sei mesi in un carcere tunisino per furto di navi lasciano il segno» dice e fa vedere le cicatrici sugli avambracci. Khaled i pescherecci non li pilota più. Adesso li riempie. Compra barconi in fin di vita a Sfax e li carica di clandestini.

«Non faccio grosse cose. Uno scafo con il minimo per navigare costa ventimila dinari, dodicimila euro.» «Ho parlato con i broker alla medina di Sfax, una lancia costa anche meno.»

«Sì, ma se è troppo piccola» spiega Khaled, «l'operazione non vale il rischio. Da uno scafo da ventimila dinari, se lo riempi con cinquanta clandestini, prendi venticinquemila dinari. Cinquemila li metti via. Sono più di tremila euro. Un guadagno ragionevole, da dividere con altre due o tre persone. Qui non chiediamo tanto come i libici. Se sono tunisini, pagano seicentocinquanta euro. Settecento i marocchini. Ottocento o mille gli africani. Riempi tre barche in un mese e fai un ottimo guadagno.» Khaled si ferma. Butta giù un altro sorso di birra.

«I broker a Sfax mi hanno detto che un peschereccio in rovina costa come un barcone più piccolo, è vero?» «Ma sì, al massimo arriva a ventimila euro se è una nave. Il prezzo è uguale perché non dipende dalle dimensioni dello scafo, ma dal rischio che si corre. Un barcone o un peschereccio valgono gli stessi anni di prigione. Ovvio che più riempi, più guadagni. Ma io non metto in pericolo i miei passeggeri. Non voglio casini. Niente incidenti. Niente bambini a bordo. Niente donne. Un mio amico ha perso un bambino in mare e ha avuto troppi problemi.»

È il momento di buttare la seconda scala reale. «Khaled, io ho lasciato quattro amici nel deserto. Forse partono da qui. Forse, se sono fortunato, li ritrovo. Mi fai assistere a una partenza?» Lui guarda verso il mare in silenzio. Ormai è buio e non c'è più differenza tra l'acqua e la terra. «Forse stanotte, se il vento si calma.» Da come lo dice, è ubriaco fradicio. «Andiamo» dice, «lasciamo la birra a casa mia. Poi ho bisogno di un favore da te.» «Se posso farlo, va bene.» «Ah, l'Italia, l'Italia» cambia discorso Khaled, «qua tutti vogliono andare in Italia. Io ci ho pensato la prima volta a diciotto anni. Vedevo gli altri che tornavano con i soldi, la macchina, le vacanze. Sarei diventato un povero pescatore, come mio padre. Oppure un raccoglitore di olive, come tanti altri qui. Ho detto: parto. Non avevo soldi. È per questo che ho rubato il primo peschereccio.» È definitivamente ubriaco. Meglio riprendere la guida del discorso: «Qual è il favore di cui hai bisogno, Khaled? Sempre che non sia andare a rubare un peschereccio». «No» sorride, «a Nakta, un paese qua vicino, stasera c'è un matrimonio. Ho promesso che sarei andato a casa della sposa a prendere le danzatrici berbere per portarle alla festa in piazza. Ormai è tardi, non trovo più un furgone. Possiamo andare con questa macchina?» «Possiamo. Ma solo se tu mi porti a vedere una partenza. È il favore che ti chiedo in cambio.» Khaled osserva il palmo della mano destra aperto davanti a lui. Ci pensa su. Lo stringe. «D'accordo» dice.

Quello che Khaled non ha detto prima è che le danzatrici berbere sono quindici e la casa della sposa è in cima a uno sterrato pieno di buche e pietre. Meno male che i noleggiatori di auto non vedono mai cosa fanno i loro clienti. Gli sposi, elegantissimi, aspettano seduti sotto una veranda tappezzata di tappeti. Saida ha 26 anni. Salim 33. Intorno a loro, soltanto donne. A parte lo sposo e suo cugino, non ci sono invitati maschi. La piccola damigella vestita di bianco come la sposa. Le nonne con addosso i veli colorati della tradizione berbera. Le invitate avvolte in splendide tuniche di seta cucite su misura. Soltanto donne. «Gli uomini aspettano gli sposi in paese» avverte Khaled prevedendo già la domanda. «Dovremo fare almeno tre viaggi.» «No» replica lui, «ne basteranno due.» Uno che carica all'inverosimile le barche di pescatori non vede limiti nel riempire questa piccola auto. C'è il portapacchi. Così quattro signore vengono fatte accomodare sul tetto. Le altre si schiacciano sui sedili posteriori. Le bimbe nel bagagliaio. Lungo la strada nazionale il corteo degli sposi è accolto a colpi di clacson. Le danzatrici rispondono con il tipico grido delle donne arabe. Khaled saluta tutti. Qualcuno gli stringe la mano attraverso il finestrino. «Buonasera comandante.» Bastano due viaggi. Anche stasera il comandante ha salvato la faccia.

La piazza è illuminata da cinque file di lampade al neon. Sul palco sta già suonando l'orchestra. C'è tutto il paese ad aspettare. Gli sposi scendono a fatica da un'auto grigia tirata a lucido e vanno a sedersi su un pulpito avvolto in un telo di raso bianco e blu. Alle spalle degli sposi, un'altra composizione di raso imita una vela. A prua brilla una decorazione di piccole lampadine colorate. A poppa lampeggia il profilo di un delfino. «Hanno messo su una barca perfino loro» ride Khaled. «È un pescatore?» «No» risponde, «Salim fa l'autista di camion. Seguimi che ti presento un amico.»

Bechir ha i capelli rasati e il sorriso bianchissimo. Ha 23 anni. L'ultimo compleanno l'ha passato in carcere. Anche lui è un ladro di pescherecci. «È colpa di Khaled.» Ridono tutti e due.

«L'ho visto un pomeriggio andarsene davanti ai miei occhi e ci ho provato anch'io» racconta Bechir, «ma è finita dopo tre giorni alla deriva. Senza bere né mangiare. Era una barca da quarantacinque cavalli. La stessa su cui lavoravo come pescatore, qui vicino, a Mahares. Il proprietario me l'ha lasciata perché andassi a fare rifornimento. Ho riempito il serbatoio, sono uscito dal porto e sono andato a Chaffar a caricare i miei migliori amici.» «Raccontagli pure il resto» gli dice Khaled. «Abbiamo puntato verso la Sicilia. Eravamo in quindici. Ci ha salvati un peschereccio tunisino. E ci hanno condannati tutti a un anno di carcere. Come fossimo tutti comandanti della barca.» «Chi era lo scafista?» «Il problema era proprio quello» ride Bechir, «nessuno era comandante e tutti volevamo farlo. Così a forza di dire vai di qua, gira di là, vai dritto, abbiamo passato tre giorni a girare intorno allo stesso punto. Fino a quando il motore si è rotto.»

Dopo lo sposo, il comandante Khaled è il più baciato alla festa. Tutti lo vogliono salutare. «Fammi accendere» dice Khaled e avvicina la sigaretta tra le labbra alle mani di un ragazzo.

«Certo comandante. Quando mi regali un viaggio in Italia?» gli chiede l'altro mentre scocca la scintilla dell'accendino.

«Quel ragazzo un lavoro ce l'ha» spiega poco dopo Khaled, «è il custode della spiaggia municipale. Ma hai sentito? Tutti vogliono andarsene da qui.» Il comandante s'avvia verso il prato dove gli invitati hanno parcheggiato. La storia degli ultimi quarant'anni di immigrazione in Europa è scritta sulle targhe delle loro auto. Parigi. Lione. Marsiglia. Monaco di Baviera. Novara. Napoli. Altre città italiane e francesi. «Khaled» esclama un uomo con la camicia fuori dai pantaloni e lo saluta in arabo. «Parla italiano che lui ti capisce» risponde Khaled e lo abbraccia. «Piacere» si presenta l'uomo. Abita in Friuli. Fa il muratore.

«Sono partito anch'io da Chaffar, su una barca di clandestini. Era il 19 ottobre 1996. Chi guidava ha sbagliato rotta. Cinque giorni in mare senza mangiare. Ma non c'era altro modo per entrare in Italia. Adesso sono un immigrato in regola.»

Khaled si è avvicinato a un altro uomo seduto su una sedia da picnic, nascosto tra le auto. Un po' ubriaco, un po' sbruffone, il Comandante vuole presentare anche questo suo amico. «Lui è monsieur D.» dice in italiano, «capisce soltanto l'arabo. Tra gli invitati ci sono i poliziotti. Non deve farsi vedere.» Parlano tra loro. Si salutano baciandosi le guance. «Andiamo» dice subito dopo Khaled. E torna verso le luci della festa. «Monsieur D. fa il marinaio. Ha cinque figli. Se ne sta in disparte perché da qualche giorno è un super ricercato.» «Che ha combinato?» «Ha rubato un peschereccio la settimana scorsa» ride Khaled, «il peschereccio del suo padrone. Voleva riempirlo di clandestini e fare il colpo della sua vita. Era un bel peschereccio. Ci stavano cinquanta passeggeri. Almeno venticinque, trentamila dinari di guadagno. Puliti. Una motovedetta l'ha intercettato subito dopo il furto. Lui ha puntato verso le secche di Sidi Mansour, a Nord di Sfax. Ha messo i motori al massimo e si è tuffato. Il peschereccio è andato ad arenarsi sulle secche. I poliziotti l'hanno trovato vuoto. Ma ormai sanno chi è il ladro.»

«E lui come è arrivato a terra?» «Ha nuotato. Cinque chilometri a nuoto. Lo faceva per i suoi figli, mi capisci?» Uno sguardo indietro. Giusto in tempo per fissare l'ultima immagine di monsieur D., il suo volto magro che spunta tra un cofano e un paraurti, i baffetti sopra la bocca piccola, il naso sottile. Rischia di essere arrestato, ma non vuole perdersi il matrimonio. Del suo aspetto, un particolare risalta su tutti. La disperata solitudine. «Dove vai, Khaled?» «Torniamo alla tua macchina. Andiamo sulla spiaggia a vedere la partenza.»

Una fila di vecchi furgoni Peugeot si avvicina all'acqua a fari spenti. Sono appena più grandi di un'auto familiare. Quella via di mezzo dalle sagome arrotondate che faceva da comparsa nel cinema francese anni Sessanta. Li hanno così caricati che a ogni buca risuona il colpo della marmitta sul terreno.

«Quanti sono?» «Una cinquantina» risponde Khaled e prende da sotto il sedile un'altra lattina di birra, «mi hanno detto ventiquattro marocchini. Il resto tunisini e africani.» «Dove li tenevate?» «I marocchini e gli africani chiusi in una stalla.» «E i tunisini?» «Per i tunisini non c'è problema. Sono sempre tunisini in Tunisia. Dormono da parenti oppure pagano un letto per dormire a casa di qualche amico.» «Amico loro o amico tuo?»

Khaled non risponde subito. È impegnato a controllare l'orizzonte buio. E poiché è ubriaco marcio, non riesce a fare due cose contemporaneamente. Risponde soltanto dopo aver guardato in tutte le direzioni. Deglutisce. Rutta. «Amici miei, amici loro. Tutta la piana di Chaffar partecipa.» Conta mentalmente i Peugeot. «Grazie a Dio sono arrivati tutti. Scendiamo dalla macchina.»

Il mare non si vede. Si sente soltanto il profumo di salsedine bagnato come nebbia che il vento forte strappa dall'acqua. Le sagome di quattro persone immerse fino ai polpacci tengono in posizione due grossi barconi. Dalle dimensioni potrebbero essere le due barche viste da queste parti nel pomeriggio. Khaled ora è il comandante e non risponde più alle domande. Gli autisti dei primi due furgoni della fila vengono ad abbracciarlo. Gli altri restano di guardia ai loro passeggeri. «Non fa-

244

teli scendere» ordina il comandante in arabo, «ho visto troppa polizia in giro.» Poi si volta: «Sugli ultimi, dopo i marocchini, ci sono gli africani» dice in italiano, «vai a vedere se ci sono i tuoi amici».

È una rassegna di corpi raggomitolati. Sudati. Chissà da quante ore stanno chiusi. Chissà da quanti giorni sono prigionieri di questi pirati. Ma così va il mondo. Loro aspettano. Non protestano. L'idea di poter rivedere, adesso, qui in fondo, il sorriso di Daniel, di Joseph, di Stephen, di James o di qualche altro compagno di viaggio accelera i battiti del cuore. Invece i finestrini mostrano soltanto grappoli di volti sconosciuti. Gli autisti hanno finalmente aperto i portelloni per farli respirare. Il Comandante dice qualcosa a voce alta. Chiede ai suoi complici di richiamare l'italiano.

«Ehi, italiano, io Mohamed» farfuglia un ragazzo dal gruppo dei marocchini, «vieni qui.» Coglie tutti di sorpresa. Gli autisti non lo lasciano continuare. Un botto e il portellone si chiude sulla sua voce. Lui prova a far scivolare l'indice sul vetro sporco. Cerca di dire qualcosa muovendo la bocca. Tenta di scrivere un messaggio sulla polvere che si è incollata al finestrino. Ma il suo guardiano se n'è accorto. Grida «la, la, la» no in arabo. E scarica una manata sulla lamiera della carrozzeria. Gli altri guardano. Stremati. Appiccicati. Mohamed ci riprova. Dietro di lui una mano più forte afferra il suo polso. Lo convince a smettere.

Nemmeno fossero bestie. Non possono parlare. Non possono scendere. Non possono sapere cosa sta succedendo. Arriva un altro furgone. Dal cassone scaricano due motori fuoribordo e due taniche di carburante. Non sono i motori da motoscafo che siamo abituati a vedere. Questi li hanno ricavati smontando pompe idrauliche, generatori di corrente o grosse falciatrici. Sono già alla loro seconda o terza vita. Ma Mohamed non può rimanere una voce imprigionata nel vetro. «Khaled, là dietro c'è un ragazzo che mi deve dire qualcosa. Se ordini ai tuoi di riaprire il portellone, sento cosa vuole.» «No» risponde il comandante. Deglutisce. Rutta. Sbadiglia. Guardano tutti verso il mare. Il numero dei loro ostaggi è aumentato. Hanno tunisini, marocchini, africani come dicono loro. E un italiano. Non ci si può certo suicidare dicendo a Khaled che è un pezzo di merda. Non si può nemmeno improvvisare la sceneggiata delle medicine. Questi trafficanti sono troppo sani, troppo ricchi, troppo scaltri per cascarci. Bisogna abbandonare Mohamed. E subire la volontà del comandante. Quando si sceglie di nuotare nella cacca, non ci si deve poi lamentare per il cattivo odore.

Khaled continua a fare l'amicone. «Stiamo aspettando che arrivi il peschereccio che abbiamo comprato a Sfax» spiega guardando sempre nella stessa direzione: «Accenderanno e spegneranno due volte una lampada. Noi lo caricheremo con queste due barche. Poi punteranno sulle isole Kerkennah. In ventiquattro, trenta ore vedranno le luci di Lampedusa. E se la mancheranno, meglio. Dopo quaranta saranno direttamente in Sicilia.» La domanda è inevitabile: «E se dopo quaranta ore non vedranno la Sicilia?». «Saranno morti.» La vista si annebbia. Non è salsedine. «Aspettiamo il segnale» ripete freddo il comandante.

L'unica luce sul mare è la pupilla brillante di Marte. Il pianeta rosso splende sopra Kerkennah, l'isola della Circe, di Ulisse, di Annibale in esilio, del presidente Bourguiba in fuga. L'isola del naufragio di duecentocinquanta eroi che per due cartoncini e trentadue pagine in mezzo non avevano alternative nell'inseguire la propria ambizione. Duecentocinquanta eroi sicuri di quello che stavano facendo. Perché a poche ore dall'Europa, come dicevano Daniel e Billy ad Agadez, Dio non ti può abbandonare. Dio però ha dimostrato una certa sbadataggine lungo la rotta degli schiavi. Sempre che non si voglia vedere ogni naufragio, ogni cadavere dal deserto alla Sicilia, come la realizzazione di un disegno superiore. Allora tanto vale urlare. Ribellarsi contro questa assurdità assassina. Gli eroi annegati davanti a Kerkennah non meritavano la protezione del loro Padre? I prigionieri chiusi nei bagagliai, qua accanto, prima di imbarcarsi non hanno diritto di sapere cosa ha deciso il mandante del loro destino? Eppure nessuno grida. Nessuno bestemmia. Nessuno si ribella. Sono più di cinquanta. Contro pochi trafficanti. Una rivolta è possibile. Ma poi dovrebbero vedersela con la legge tunisina che tanto piace all'Europa. Finirebbero in carcere per espatrio clandestino. Oppure verrebbero uccisi dai complici di Khaled. Questo sarebbe il premio. Allora il vero eroe è Amadou, il padre di Miriama. L'unico che ha avuto davvero coraggio. L'unico che, in mezzo alla massa in fuga, è rimasto un uomo. Libero di scegliere. Il peschereccio non si vede ancora.

Il comandante chiama con il cellulare. Aspettiamo da un'ora. Lui chiude la telefonata. Impreca in italiano. Dà ordini agli autisti in dialetto. «Non si parte» traduce Khaled, «troppo vento al largo. Prevedono trentacinque nodi stanotte, mare grosso. La nave è troppo vecchia per resistere. È tornata indietro.» I Peugeot se ne vanno in fila. I fari spenti. A ogni buca la marmitta picchia sul terreno. Mohamed resterà per sempre una voce imprigionata nel vetro.

Il comandante vive in una casa povera in centro al paese. Una stanza, una turca, un lavandino, una stufa per cucinare. Qualche materassino sul pavimento per dormire. Sicuramente non è la casa della sua famiglia. Questo è piuttosto il rifugio della sua banda. Stanotte ha voluto che rimanessi da lui. Fino a quando il carico di immigrati non parte, il messaggio è chiaro. «Tu resti mio ospite» ha detto durante il ritorno a Nakta. Si fida. Ma non al punto di lasciarmi andare. Inutile rivelargli che mi sta solo facendo un piacere. Non mi ha ancora chiesto perché sono così interessato al suo lavoro. Forse gli basta sapere che ho attraversato il deserto e che siamo stati compari di gabbia. In certi ambienti, ognuno ha i suoi segreti e se li tiene. Poi è troppo ubriaco per ragionare. Ha fumato e bevuto tutta notte. Non appena si sveglia accende la sigaretta e apre un'altra lattina. «Oggi dobbiamo tornare dall'amico» dice, «la birra è quasi finita.»

La mattina presto Nakta è un paese vuoto. Sono già tutti indaffarati. Gli uomini sulle barche da pesca. Le donne a battere lana grezza con le gambe in mare. Le ragazze in casa. I ragazzi in giro a cercare il comandante. Khaled va alla porta a sentire cosa vogliono. Torna. «Ho bisogno di un passaggio con la tua macchina» dice.

La giornata di un trafficante di clandestini in Nord Africa non è diversa da quella di un giornalista in Europa. Per quattro giorni il comandante di Nakta percorre avanti e indietro la costa in cerca di notizie. Spesso chiede di aspettarlo lontano dal luogo dell'appuntamento. Qualche volta non ha problemi a presentare i suoi amici. Khaled annota le informazioni su un piccolo quaderno. Ogni notte che torniamo nella sua stanza, lo prende da sotto il materasso. Scrive di nascosto qualche appunto. Lo rimette a posto. «Cosa scrivi sul quaderno?» Lui si volta irritato. Non gli va di essere stato scoperto e non risponde. Prima di dormire è meglio tranquillizzarlo. «Khaled, non so leggere l'arabo. Quindi non saprò mai cosa c'è scritto sul tuo quaderno. Era solo curiosità.» Ci pensa su qualche minuto. Se ne sta sdraiato sul materasso. Finisce la sigaretta. «Tengo il conto dell'immigrazione che arriva e che parte» dice. Sicuro che è una bugia. Più probabile che quello sia il registro di cassa della sua organizzazione. I crediti. I debiti. I ricavi. E le tangenti, che certamente qualche funzionario e qualche agente infedele incassano dal comandante. Quel quaderno è la cosa più pericolosa che ci sia qua dentro.

Il quarto giorno Khaled viene svegliato da una telefonata sul cellulare. Parla pochi minuti. Ringrazia qualcuno in arabo. «Il carico è partito. Brindiamo» annuncia e apre una lattina. Sono le sette. Non è il massimo cominciare la giornata con una birra. Per di più calda e scadente. E non c'è proprio niente da brindare se cinquanta persone stanno rischiando la vita in mezzo al Mediterraneo.

«Quando sono partiti?» «Stanotte.» «Potevamo andare a vedere.» Lui butta giù la birra senza rispondere. «Khaled, tu sei in grado di portarmi di nascosto a Zuwara e riportarmi indietro?» Ci pensa su. «No, hai la pelle troppo bianca. In Libia ti scoprirebbero subito.» «Nemmeno con la barba così lunga?»

«Già, se ti tagli i capelli a zero potresti passare per salafita» sorride Khaled, «ma resti sempre troppo pallido.» Si accende una sigaretta. «Invece ti andrebbe di imbarcarti e andare fino a Lampedusa?» chiede a bruciapelo e si scola come niente il resto della lattina.

Il silenzio dura quasi un minuto. Lampedusa e il suo aeroporto sono l'ingranaggio più importante nella macchina delle espulsioni. Lampedusa non è solo l'ingresso. È anche la porta d'uscita dell'Unione Europea. Sull'isola l'Italia ha aperto un Centro di detenzione che nessun osservatore esterno ha mai visitato senza preavviso. Avvocati, parlamentari, perfino gli inviati delle Nazioni Unite devono attendere giorni prima di ispezionarlo. E quando possono entrare, è in condizioni impeccabili. Pochi detenuti. Camerate pulite. Pasti abbondanti. L'esatto contrario della cronaca quotidiana degli sbarchi. Dove finisce la gente rinchiusa là dentro?

«Sarebbe interessante arrivare a Lampedusa. Faccio finta di essere un clandestino e mi faccio chiudere nel Centro di detenzione.» Khaled ride: «Tutto il mondo cerca di entrare in Europa senza farsi prendere. Tu invece fai di tutto perché ti arrestino. Se accetti, parti stanotte».

«Khaled, ti ringrazio per l'offerta. Io però la penso come un ragazzo che ho incontrato prima di attraversare il deserto. Un viaggio non vale la propria vita. Io voglio arrivare vivo.» «Non è detto che ogni viaggio finisca in fondo al mare. Se fosse così, non partirebbe più nessuno. Dio solo conosce il destino di ogni viaggio.» «Dio non c'entra niente con i vostri affari. Le barche affondano perché voi mettete in mare rottami, non perché l'ha deciso Dio. Ti rendi conto di quanto potere avete voi?» Khaled apre la seconda lattina della giornata.

«Comunque non salirai su un peschereccio. Quei ragazzi che l'altra mattina sono venuti a cercarmi hanno comprato uno zodiac nuovo. È una barca robusta, in vetroresina.» «La conosco.» «Hanno anche trovato un motore quasi nuovo da centocinquanta cavalli. Sono in cinque. Stanno vendendo gli altri posti per pagarsi le spese e avere qualche soldo in Italia.» «Quanta gente caricano?» «Non più di dieci persone. È un viaggio sicuro. Un'impresa, diciamo così, familiare. Passerete una notte in mare e sarete a Lampedusa.» «Quanto vogliono?» «Mille euro a loro e cinquecento a me.» «Seicento tutto compreso, Khaled.» «Mille.» «Lasciami qualche ora per decidere.»

Il comandante conosce bene quale dei due sentieri porta al mare. I rovi di spine si diradano davanti a una mezzaluna di sabbia bianca. L'acqua, distesa dal vento che soffia da terra, è una tovaglia piegata qua e là da qualche onda solitaria. Il sole si è da poco spento dentro un cielo carico di nuvole gialle. Le prime stelle della sera appaiono e scompaiono nelle rare macchie di cielo sereno. Khaled dice che sta arrivando una tempesta di sabbia dal Sahara. «Il tempo *meglio* amichevole per partire» sussurra storpiando un po' l'italiano, «con il vento in poppa arriverete in Sicilia senza motore.» In Sicilia però questo è scirocco. E il tempo che porta non è per niente amichevole.

Una cima di nylon legata attorno a un sasso trattiene lo zodiac vicino alla riva. I passeggeri aspettano seduti sulla spiaggia che faccia completamente buio. Sono tutti tunisini, non devono nascondersi. Khaled alla fine si è accontentato di mille euro. Li voleva subito in contanti. «Khaled, non ho mille euro con me.» E lui: «Se non mi paghi prima, chi mi garantisce che me li manderai dall'Italia?». «Non ci sono alternative. Facciamo così: ti tieni in pegno la macchina, il bagaglio, i miei documenti. Li devo per forza lasciare qui. Io porto con me la chiave. Quando tornerò in Tunisia a riprenderli, ti pago.» La proposta lo convince. È la garanzia migliore per verificare quanto il comandante si fidi di questi suoi amici. Se non fosse sicuro di rivedermi vivo, non mi lascerebbe andare senza aver prima incassato.

Il sentiero sforna un continuo viavai di ragazzi. Si salutano con abbracci e pacche sulle spalle. Non si capisce più chi parte e chi resta. Lo zodiac, sostiene Khaled, alla fine dovrebbe caricare quindici persone. E ce ne sono almeno il doppio. Basterebbe contare i sacchetti di plastica con bottiglie d'acqua, pane, scatole di sardine, biscotti. Ma qualcuno ne ha due. Qualcuno è senza. Un uomo con bermuda blu e canottiera rossa entra nella barca. Annuncia qualcosa in arabo e si mette a maneggiare intorno al motore. «Vai. Arrivederci» dice Khaled e continua a parlare con i suoi amici. Lo zodiac respira con il ritmo lieve di un'onda che arriva da lontano. È una brutta copia della marca famosa ovunque. Sedersi qui dentro dà i brividi. Il cuore batte rapido. Un sospiro senza fine attraversa lo stomaco. La mente vuole partire al più presto. E vigliaccamente sussurra a se stessa che almeno il passaporto è quello giusto. Che comunque vada il viaggio, non esiste pericolo di dover ripetere questa follia.

L'Africa galleggia davanti alla prua. Salgono gli altri. Ancora non si capisce quanti siamo. Se la barca è sovraccarica, non è un problema. Ci si alza in piedi, si saluta e si scende. Siamo a nove. Per ora. Nove passeggeri. L'uomo con la canottiera dà uno strappo al cavo dell'accensione. Il motore gorgoglia e si spegne. Lui grida. Di solito si prova ad accenderlo una seconda volta. Una terza. La quarta. Finché non parte. Invece l'uomo grida come un pazzo. Parla il dialetto di questa costa. Parole incomprensibili. Ma l'intonazione è la stessa in tutto il mondo. È successo qualcosa e lui sta imprecando come una furia. Quelli ancora sulla spiaggia si fermano ad ascoltarlo. Con le mani gli dicono di stare calmo. Di parlare più piano. Lui tira il filo di ferro che stringe tra le dita. Lo mostra a tutti. E impreca. Tira ancora e gli resta in mano l'intero pezzo. Dev'essere il meccanismo che collega il carburatore alla manetta dell'acceleratore sul fianco dello scafo. Si voltano tutti verso il comandante. L'uomo in canottiera gli mostra il danno e urla. Khaled gli risponde a un volume ancor più alto e agita il braccio destro in tutte le direzioni.

La storia è evidente. Il comandante ha venduto il motore ai proprietari dello zodiac. Loro in cambio gli hanno messo a disposizione due, tre o quattro posti perché anche lui potesse guadagnarci. Il motore glielo pagano così. Io faccio parte del pacchetto. Se questi trafficanti scoprono che sono uno dei clienti di Khaled, come minimo pretenderanno qualcosa. L'uomo con la canottiera grida sempre più forte. Non si controlla più. Ogni volta che apre bocca, oltre alle parole spara raffiche di sputi. Gli occhi gli sporgono dalle orbite. Le sue gambe camminano avanti e indietro. Se continua così, casca in mare. Nel suo agitar di braccia, qualcuno in acqua finisce davvero. Lui è ancora in piedi. Ma per i muscoli del viso non fa differenza. Non riescono più a trattenersi. Ridere nel mezzo di una discussione tra sgherri non è molto educato. Però fa bene. Scarica la tensione. Scaccia la paura. Rinfresca la mente. E la mente decide che la cosa da fare è scendere subito. Khaled se ne va urlando lungo il sentiero. Sparisce nell'oscurità. La sua voce risuona nell'aria. Sta forse elencando una serie di qualità dell'uomo in canottiera. Perché anche gli altri scoppiano a ridere. Il Comandante continua la sua litania. Perfino ora che è lontano. L'uomo in canottiera gli risponde. Dovrebbero starsene zitti. Se in paese hanno sentito le grida, qui tra un po' sarà pieno di polizia.

La macchina con il bagaglio e i documenti è parcheggiata vicino alla strada nazionale. L'unico rischio è che Khaled sia lì ad aspettare. Meglio andarci di corsa, provare ad arrivare prima di lui. Infatti il comandante di questo covo di pirati non c'è. L'occasione migliore per togliersi di mezzo. Sfax è a un'ora. Nello specchietto retrovisore rimbalzano i lampeggianti blu di due fuoristrada della polizia. Girano verso il centro di Nakta. Li hanno chiamati o forse passano per caso. Questo è un problema. Sfax è troppo vicina per andarci a dormire. Qualcuno in paese potrebbe rivelare agli agenti che negli ultimi giorni Khaled si faceva portare in giro da un autista italiano. Dovrei confessare che l'ho fatto perché è il mio lavoro. Ma in Tunisia, come in Libia, un giornalista libero è pericoloso: rischia più anni di carcere di un trafficante di schiavi.

La fuga si ferma a Kelibia che è già giorno. La strada porta all'entrata del porticciolo. Oltre, si arrampica sulla penisola di Cap Bon. Qui l'Africa finisce davvero. Ma Kelibia è in Africa soltanto per le convenzioni geografiche. Sugli ottantanove Fm la radio parla italiano. Suona l'intermezzo. La pubblicità lancia la moda per l'autunno. Annuncia le prestazioni dell'ultimo modello di auto. Il notiziario sul traffico spiega che l'autostrada tra Francia e Italia è bloccata, un Tir si è fermato in galleria. Perfino sullo schermo del telefonino le onde dei ripetitori europei sconfinano clandestinamente. Prima appare Tuntel, la compagnia nazionale di Tunisi. Poi si infila il logo di Tim. Poi ancora Tuntel. E ancora Tim. Tanto che per telefonare al vicino di casa da queste parti rischiano di dover pagare una chiamata intercontinentale.

Non è facile crescere qui e fingere di non sentire quello che succede a ottanta chilometri. È la distanza via mare tra questo porticciolo e l'isola italiana di Pantelleria. I due punti più vicini tra l'Africa e l'Europa, dopo lo Stretto di Gibilterra. La sottile membrana che separa il continente più affamato e il suo vicino più ricco. Ottanta chilometri appena. Più o meno gli stessi di un'andata e ritorno tra Roma e il suo aeroporto. Da Londra a Heathrow. Da Parigi al Charles de Gaulle.

Un europeo fuori stagione è un attrazione per i pescatori appena sbarcati. Kelibia è accogliente. Merita una sosta. E anche una lunga dormita. La sera l'appuntamento è sulla banchina del porticciolo. Alla fine Mohamed è l'ultimo ad andare a dormire. Anche perché non deve nemmeno tornare a casa. Vive sotto il grande portico del mercato del pesce. Ha i capelli rasati, la barba lunga. Dice di avere 38 anni. Gli amici l'hanno salutato chiamandolo Al Qaeda.

«Lo senti questo profumo?» chiede Mohamed all'improvviso, «lo senti, amico mio? A quest'ora della notte il vento viene dall'Italia. Questo è il profumo dell'Italia.» E fa un respiro profondo.

Racconta che è già stato in Europa. Cinque anni da clandestino tra i cantieri di Milano e la raccolta di pomodori al Sud. Non l'hanno mai messo in regola. Così ha perso tutte le sanatorie che gli sono passate sotto il naso. Fino a quando l'hanno espulso. Due anni fa, da Agrigento. Adesso fa il manovale. Costruisce le case di vacanza per gli europei. Villaggi che tra qualche anno avranno completamente cementato la costa tunisina.

Lavora per duecento dinari al mese, centoventi euro. È un'idea fissa. Tornare in Italia.

«Con un'espulsione alle spalle, non potrai più chiedere visti per dieci anni.» Mohamed si accarezza la barba lunga. «Lo so. E questo non è giusto. Ero più clandestino io o il mio principale che a Milano mi obbligava a lavorare senza documenti? Io sono stato espulso, lui continua a sfruttare gli stranieri.» «Potevi denunciarlo alla polizia, Mohamed.» «E sai come finiva? Lui pagava solo una multa. Io venivo rimpatriato. Gli italiani non capiscono una cosa. Noi veniamo da voi per lavorare. Possono fare leggi più severe. Ma io partirò lo stesso. Anche senza visto. Giuro su Dio che parto. Appena riesco, appena ho raccolto i soldi. Salgo su una barca e vado a Lampedusa. Troverò un lavoro in Sicilia come pescatore. Oppure a Milano come muratore. Oppure vado a raccogliere pomodori.» Mohamed inspira la brezza fino a gonfiare i polmoni. «In Italia respiri con la testa» dice: «Ho lavorato in Siria, Libia, Giordania. Ma l'Italia è diversa, l'Europa è diversa. Da voi siete liberi. Ti chiedo una cosa, amico mio».

Mohamed è uno schiavo assetato davanti a una pozza d'acqua. Ragionare a voce alta fa bene alla mente. Disseta il cervello. Lo fa più per se stesso. Perché con i suoi colleghi tunisini sicuramente non può parlare così. «Lo sai cosa succede se vai a riferire queste cose all'ambasciata tunisina a Roma? Loro avvertono la polizia di qui. E tra due o tre giorni vengono ad arrestarmi. Perché qui è perfino vietato essere poveri. È vietato lamentarsi. È vietato cercare un miglioramento. È vietato emigrare. Dobbiamo dichiararci tutti felici.» «Io non andrò a riferire all'ambasciata tunisina.» «Di questo non ho dubbi. Ma tu mi devi dare una risposta. Il governo italiano ha fatto pressione sul nostro perché i clandestini siano arrestati. Il governo italiano ha chiesto alla nostra polizia di fermare le partenze. Tanto che adesso salpano più a Sud, il viaggio è troppo lungo e le barche affondano. Dimmi allora perché l'Italia non fa pressioni sul nostro presidente perché ci conceda più libertà? Avete paura che noi diventiamo come l'Algeria? L'opposizio-

254

ne tunisina non è fatta di estremisti. Gli estremisti tunisini li avete allevati voi in Europa. Quella gente è partita laica. Sono diventati estremisti nelle moschee di Milano, di Vienna, di Londra. Bel risultato. Allora perché per noi non chiedete più libertà?»

La risposta è un lungo silenzio. Non può che essere il silenzio. «Se fossimo più liberi in Tunisia» continua Mohamed, «io non verrei in Italia. E ci sarebbe un clandestino in meno. Invece con una mano ci fate bastonare dal nostro presidente, con l'altra ci impedite di entrare legalmente. Eppure da voi il lavoro c'è. Un mio amico a Brescia dice che se lo raggiungo adesso, mi ha trovato un posto da muratore. Ma in Italia si può entrare solo da clandestini. Io tornerò con la barca, come l'altra volta. Finora ho risparmiato duecento euro. Me ne mancano cinquecento. Vedi amico mio, io queste cose le posso dire a te che sei italiano. Ma non posso dirle ai miei colleghi tunisini. Per questi discorsi normali, umani, in Tunisia ti arrestano.»

Kelibia è lontana dal vento sabbioso che ieri soffiava su Chaffar. Qui la brezza porta odori intensi di sale, di origano, di erbe bruciate dal sole. Forse è davvero profumo di Europa. Forse è soltanto l'anestesia che Mohamed si è scelto per calmare i dolori della sua anima.

«Perché ti chiamano Al Qaeda?» Lui sorride. Abbassa lo sguardo. «Ero un laico, è vero, mi sono avvicinato alla religione. Non quella degli estremisti. Però mi sono detto: forse è questo che vuole Dio. Ho scelto l'Islam come filosofia. Per sopravvivere. Per cercare una via d'uscita. È l'unico modo per non perdere la testa. Senza un lavoro sicuro non sono nemmeno riuscito a sposarmi. Io a trentotto anni non ho mai avuto una fidanzata, lo sai? Qui non puoi toccare una ragazza se non la sposi. E come faccio a sposarmi, se non ho un lavoro fisso? A Milano era diverso. Con qualche ragazza ci sono stato. Ma alla fine scoprivi che era una tossica o una mignotta. E allora a Milano ti convinci che non sei normale, che sei solo un somaro da lavoro. Ecco perché mi sono avvicinato alla religione.» Mohamed fa un lungo sospiro. «Tu però non mi hai risposto.

Tu vivi in Europa. Tornerai alle tue comodità, alla tua casa, al tuo lavoro. Al tuo Paese complice del nostro governo. E io tra cinque minuti vado a sdraiarmi sui cartoni del mercato del pesce. Ma dove era scritto che le nostre vite dovevano essere così? Io dovrei essere arrabbiato con te. Poi però mi dico: tu che c'entri? Allora perché doveva toccare a me? Cosa c'entro io con questo schifo? Eppure...» Mohamed guarda le stelle. Poi torna a fissare i suoi piedi nudi dentro gli zoccoli. «Eppure?» «Non smetterò mai di amare la vostra libertà. Per questo, giuro su Dio, io tornerò in Italia.»

La notte passa insonne. Un'intera notte seduto sugli scogli a contare le misteriose luci che lampeggiano al largo di Cap Bon. Mohamed se n'è andato a dormire senza un saluto. Si è alzato e ha trascinato gli zoccoli su cui le squame di pesce riflettevano i fari del porto come pietre preziose. Quel pomeriggio, all'arrivo a Dirkou, mancava un testo agli sguardi silenziosi di Daniel e di suo fratello Stephen. L'ha scritto poco fa questo filosofo scalzo che le sorti della vita hanno prestato alla pesca. La mattina dopo all'aeroporto di Tunisi la mente cerca ancora risposte alle sue domande. C'è coda al controllo passaporti. Il poliziotto digita i nomi su una vecchia tastiera. Controlla il risultato sullo schermo del computer. Restituisce il passaporto e prende quello successivo. Bisogna aspettare qualche minuto. Quindici persone. Poi lo schermo rivelerà se l'altra notte qualcuno ha fatto il mio nome. Come autista di Khaled, comandante dei pirati, mercante di schiavi. «Buongiorno» dice il poliziotto in francese. Prende i due cartoncini con le trentadue pagine in mezzo. Non digita nemmeno il nome al computer. Si accontenta della scritta «Unione Europea». Cerca il timbro di ingresso. Timbra l'uscita.

«Arrivederci, monsieur.»

8

James e Joseph
nella camera delle torture

Lei appare bellissima. Solo un poco più pallida, per la luce al neon nell'atrio dell'ufficio dove lavora. Non mi riconosce subito. I suoi occhi per qualche istante vagano smarriti. Disorientati dalla barba lunghissima. Dal fisico dimagrito. Dalla nostalgia che mi blocca in gola qualsiasi sorriso. Si dice che ogni viaggio sia fatto di un'andata e un ritorno. Ma è solo apparenza. Perché quello che Lei rivede tornare è il corpo. La mente non è mai più passata dal punto di partenza. Così ogni notte scorrono le immagini. Affiorano gli incubi. Risuonano le voci. E la mattina le mani vanno frenetiche ad accendere il computer. Ogni mattina con la speranza di leggere la risposta alle email inviate. Messaggi in bottiglia affidati a questo mare online su cui galleggia il nuovo mondo. Poche righe per sapere dove sono Daniel e Stephen. Joseph e James. Vera, Anthony e gli altri compagni del deserto. È così che Joseph e James rompono il lungo silenzio.

Sabato 27 dicembre, 4,41 del mattino. Ciao, speriamo che tu sia tornato a casa e abbia passato un bellissimo Natale con la tua famiglia. Noi non abbiamo potuto raggiungerti a Madama, perché il camion per il quale abbiamo pagato ha avuto ancora problemi. Grazie a Dio, qualche aiuto è arrivato. Ti contatteremo quando arriveremo a Tripoli. Anche perché abbiamo bisogno di informazioni da te. Speriamo che tu abbia le nostre foto. Ti auguriamo tutto il meglio per l'anno che arriva. Ciao per ora e molte molte grazie per tutto il tempo che abbiamo passato insieme. I tuoi amici liberiani di Dirkou, Joseph e James.

Mercoledì 31 dicembre, 29 minuti dopo mezzanotte. Mio caro fratello, siamo arrivati a Tripoli soltanto ieri. Dopo essere stati torturati, minacciati, rapinati e maltrattati dai militari del Niger. Siamo stati abbandonati nel deserto a Madama e abbiamo camminato per tre giorni senza cibo e vivendo solo di acqua. Fino a quando siamo stati arrestati da una pattuglia libica. Loro ci hanno esasperati a Horm dove ci è stato permesso di inviare una email. Quindi siamo stati trasferiti a Tripoli e scaricati senza alloggio né cibo. Noi al momento siamo sulla strada e malati per le torture nel deserto e anche per il freddo a Tripoli. Il freddo è tanto e non abbiamo riparo. Non sappiamo dove andare. Oltre a questo, non abbiamo soldi e le barriere della lingua stanno rendendo tutto più difficile. Accettiamo ogni informazione, ogni assistenza. Siamo ansiosi di poterci rivolgere all'ambasciata italiana e agli altri uffici che ci potranno aiutare. Ma siamo senza niente. Abbiamo davvero bisogno di soldi per muoverci e mangiare. Preghiamo perché Dio ti rafforzi e benedica... Non possiamo scrivere oltre, il tempo a disposizione è esaurito. Gli auguri per un felice e prospero anno. Con tanto affetto, i tuoi fratelli liberiani Joseph e James.

Venerdì 2 gennaio, 10,37 del mattino. Ciao fratello, grazie per tutti i tuoi sforzi. Ecco l'indirizzo che puoi usare per spedire i soldi: Mahmud Kara, Malta Slima. Dovresti mandare il denaro attraverso questo nome (Mahmud Kara) e inviarci la ricevuta via email, che noi porteremo a questo Mahmud Kara per avere i soldi. È l'unica persona che fa trasferimento di denaro qui e la procedura è questa. Dopo aver inviato i soldi, ci scrivi una email per informarci. Non vediamo l'ora di avere tue notizie presto. Ciao per adesso, Joseph e James.

Il regime del colonnello Gheddafi è ancora sotto embargo. Gli istituti finanziari europei e americani non possono aprire filiali in Libia. Ma è evidente. È soltanto una formalità. Attraverso Malta i soldi passano. Eccome. Meglio così. Joseph e James ricevono l'aiuto. E possono tenersi in contatto via email.

Lunedì 12 gennaio, 6,59 del mattino. Non abbiamo ancora avuto notizie dalle nostre famiglie. Ti darò un numero così puoi contattare mia moglie, perché lo so bene che lei sarà molto preoccupata per le mie condizioni. La Libia è molto difficile oggi. Un mucchio di gente non ha lavoro, oltre alle barriere della lingua e al razzismo. Noi viviamo al momento in un parcheggio d'auto, ma se possiamo avere un po' di soldi troveremo un posto. Mi sento colpevole perché mia moglie e mio figlio al campo profughi si aspettano da me che invii del denaro per sopravvivere e non è successo nulla. Sono stato invitato a una conferenza in Corea del Sud il mese prossimo. Sto aspettando la lettera degli organizzatori. Ho visto che la vita tra gli immigrati in Libia porta alla depressione. E porta al suicidio. Sono qui perché credo nel lavoro, non nell'elemosina. Per la guerra in Liberia non ho più avuto notizie di mia madre e non so cosa è successo. Potrei darti anche il suo numero di telefono. Scriverò ancora. Joseph.

Venerdì 23 gennaio, 9,11 del mattino. Abbiamo contattato il prete della chiesa cattolica San Francesco a Tripoli. Gli abbiamo presentato una lettera e lui ci ha detto di tornare domenica prima che cominci la messa, perché vorrebbe parlare con noi. Sotto trovi il numero per telefonare al campo profughi di Buduburam in Ghana. Chiedi di mia moglie o della moglie di James. Sono sorelle. Manda loro i nostri carissimi saluti. Per favore, cerca di capire come stanno i nostri figli e come sono le condizioni laggiù. Poi spiega loro che stiamo cercando di sistemarci e di trovare un modo per contattarle. Ciao, Joseph e James.

Domenica 25 gennaio, 4,17 del mattino. Un milione di grazie per aver contattato le nostre famiglie. Siamo davvero felici di sapere che sono vive e stanno bene. Possiamo finalmente sentirci in pace con noi stessi e sia ringraziato Dio per averci dimostrato misericordia e aver provveduto per le nostre famiglie. Siamo andati a incontrare il prete, padre Daniele, stamattina alla parrocchia. Ma ci hanno detto che era stato chiamato urgentemente a Bengasi e che sarà di ritorno stasera per celebrare la messa. Abbiamo incontrato padre Ahmed, un sudanese, e ci ha detto che se siamo alla messa delle sei lo incontreremo. Non abbiamo parlato di altro con lui. Penso che dobbiamo prendere un po' di appuntamenti con le ambasciate europee qui a Tripoli e speriamo di poterti dare qualche informazione. Aspettiamo tue notizie. Joseph e James.

Lunedì 2 febbraio, 2,41 di notte. Non abbiamo potuto incontrare il direttore dell'Istituto culturale italiano perché c'è qualche cerimonia religiosa qui che durerà fino a mercoledì. Abbiamo parlato con una signora della chiesa e ci ha detto che la chiesa non ha strutture per trattare la nostra questione. Così siamo stati consigliati di rivolgerci ad altre istituzioni. Perché, lei dice, la situazione in merito alla sicurezza e alle condizioni ambientali non aiutano. La signora ha detto perfino che l'Alto commissariato delle Nazioni Unite per i rifugiati non ha una rappresentanza effettiva qui e che, per questo, non possiamo ricevere nessun beneficio. Lei dice che poiché la Libia sta per riprendersi dalle sanzioni delle Nazioni Unite, ci vorrà tempo perché le cose migliorino. Abbiamo anche provato a contattare l'ambasciata italiana. Ci hanno solo risposto che come rifugiati di guerra saremmo stati trattati meglio se fossimo arrivati a Tunisi. Ciao per adesso. Joseph e James.

Venerdì 13 febbraio, 3,13 di notte. Non ci hanno lasciati entrare all'Istituto culturale italiano perché, da come abbiamo capito, i libici hanno organizzato lì un raduno di massa, per quale ragione non so. Ma abbiamo saputo che potrebbe durare dieci giorni. Forse il raduno finirà la prossima settimana. Torneremo a bussare alla porta per vedere. Cari saluti. Joseph e James.

Mercoledì 25 febbraio, 2,49 di notte. Come avrai capito, non ci hanno lasciati passare all'Istituto culturale italiano. Il primo ministro del tuo Paese era in visita. Comunque speriamo di tornare all'Istituto entro la settimana, poiché ci siamo andati tutti i giorni ma non potevamo entrare. Stiamo provando a trovare un lavoro. Ma chiedono il permesso di ingresso in Libia, una lettera di raccomandazione e altri documenti che chiamano partaka. I libici pagano a quarti, il che significa ogni tre mesi e lo stipendio sarebbe centocinquanta dinari al mese. Così stiamo andando in giro per vedere se riusciamo a ottenere questi documenti prima. Io (Joseph) ho ricevuto una lettera dall'Istituto sloveno per la salute pubblica che ci invita in Slovenia a una conferenza sui suicidi. Ma non pagheranno le spese di viaggio perché non abbiamo presentato in tempo la domanda per il rimborso. Ho chiesto di inviare una lettera di invito ufficiale alla loro ambasciata al Cairo per ottenere il visto. Loro sono d'accordo e io ho contattato l'ambasciata per sapere che documenti chiedono. Vogliono la lettera di invito ufficiale dalla segreteria della conferenza. Io dovrei spedire il mio passaporto con un corriere espresso e pagare le tasse via Western Union. Così loro possono preparare il visto e mandarmelo per il mese prossimo. Ti girerò le comunicazioni che mi inviano. Credo che potrebbe essere molto semplice ottenere il visto e poi stabilire una strada per uscire dalla Libia. Volendo Dio, andrà bene questo modo. Ho anche ricevuto una lettera di invito dal Canada per partecipare a una conferenza, in maggio quest'anno. Se posso arrivare in Europa da qui, il Canada sarebbe molto meglio per me per terminare il mio master all'università. Spero di sentirti presto. Tuoi Joseph e James.

Venerdì 12 marzo, 2,16 di notte. Grazie per l'aiuto in questo momento cruciale. Non abbiamo potuto rispondersi perché l'Internet point aperto anche la notte, dove di solito controlliamo le nostre email, ha avuto un guasto. Ecco perché non hai avuto nostre notizie. Ho appena scritto all'ambasciata slovena al Cairo per inviare il codice di controllo per il trasferimento del denaro. Ho chiesto di confermare. Oggi è venerdì e qui le normali attività sono chiuse per la preghiera. Abbiamo già prenotato l'albergo a Lubiana e l'hotel ci ha mandato la conferma. Spero tu stia alla grande. Joseph e James.

Chiusa la posta elettronica, sullo schermo del computer appare una notizia in arrivo da Washington. Lo stesso giorno, nelle stesse ore in cui Joseph e James stanno organizzando il loro viaggio in Europa. È un comunicato del governo degli Stati Uniti, rilanciato in tutto il mondo. «Il Dipartimento di Stato americano si è congratulato oggi con l'esercito del Ciad per il successo di un'operazione militare vicino al confine occidentale con il Niger.» Il ricordo va subito a Madama. Al cratere di sabbia rossa dove fanatici di Al Qaeda, trafficanti di cocaina e mercanti di schiavi si abbeveravano intorno allo stesso pozzo. La pelle è attraversata dalle sensazioni di quel pomeriggio. Quel brivido di paura e curiosità. Bastava guardare il titolo, sfuggito nella fretta della lettura: «Terrorismo, operazione contro salafiti».

Il comunicato parla proprio del Gruppo salafita per la predicazione e il combattimento. «Definito un'organizzazione terroristica dal governo di Washington.» Chi lo detta è Richard Boucher, portavoce del Dipartimento di Stato: «L'operazione dimostra che i governi stranieri possono lottare con successo contro il terrorismo, ha detto Boucher, che ha anche espresso le condoglianze dell'amministrazione americana per i soldati morti nell'operazione. Secondo quanto ha reso noto il governo di N'Djamena, negli scontri cominciati lunedì 8 marzo e durati due giorni, sono stati uccisi 43 estremisti e tre militari». La guerra non dichiarata sta dilagando lungo il ventesimo parallelo. «Boucher ha confermato che forze speciali statunitensi cominceranno nell'estate ad addestrare le truppe del Ciad nelle operazioni antiterrorismo. Analoghi addestramenti verranno organizzati per gli eserciti di Niger, Mali e Mauritania.» L'agenzia France Presse ha altri particolari: «I 43 membri del gruppo sono stati uccisi dopo due giorni di combattimenti: nove algerini, il resto di nazionalità nigeriana, nigerina e maliana. I membri del Gspc sono stati intercettati lunedì mentre arrivavano dal

Niger, ottanta chilometri all'interno del territorio del Ciad. Erano a bordo di sei veicoli pickup, ciascuno armato con una mitragliatrice pesante». Il nome del loro comandante è in fondo. Quasi alla fine dell'articolo: «Il numero due del Gspc, l'algerino Amari Saifi, detto Abderrazak il paracadutista, ha partecipato ai combattimenti».

Chissà cosa ci sarebbe successo, se fossimo rimasti al loro pozzo. Sembra di risentirli mentre discutono accanto ai bidoni dell'acqua. Yaya aveva intuito l'accento algerino. Nemmeno la sua voce era più tranquilla, dopo che Abderrazak gli aveva chiesto tutto su di noi. «Quell'uomo mi ha detto che è il capo di un convoglio di algerini e stranieri. Stanno attraversando il Sahara e si sono fermati qui.»

Sabato 13 marzo, 4,48 del mattino. Ciao fratello, domani controlliamo i prezzi dei voli e ti facciamo sapere al più presto. Joseph e James.

Martedì 16 marzo, 4,42 del mattino. Abbiamo chiesto il costo dalla Libia alla Slovenia con Austrian Airlines. Il prezzo è di quattrocentocinquanta dollari a persona. Oppure trecentosettantacinque il biglietto di sola andata. Non potevamo chiedere ad Alitalia perché erano chiusi. E Klm non vola in Slovenia direttamente ma si ferma a Trieste che però, abbiamo saputo, è vicina alla Slovenia ed è collegata con treno e autobus. I nostri migliori saluti. Joseph e James.

Martedì 6 aprile, 2,04 di notte. Stiamo andando a prenotare il volo. Lo faremo con Alitalia e Austrian Airlines. Per favore chiedi se comprando i biglietti in un'agenzia in Libia le loro compagnie non hanno problemi ad accettarli. I nostri migliori auguri di buona Pasqua. Joseph e James.

Mercoledì 14 aprile, 10,16 del mattino. Abbiamo prenotato con Alitalia e Austrian Airlines. Abbiamo anche contattato un'altra agenzia per il trasferimento dei soldi, che è più ragionevole.

L'ufficio di Abara si tiene il ventisette per cento. Quando ci hai mandato trecento dollari, Abara ci ha dato duecentoquarantacinque dollari. Questa nuova agenzia carica il dieci per cento. Mille grazie. Joseph e James.

Sabato 17 aprile, 3,48 di notte. Avevamo finito i soldi. Per questo non abbiamo potuto controllare le nostre email. Ci spiace per la perdita di vite dei nostri fratelli africani annegati vicino a Lampedusa. Hanno affrontato un'avventura così pericolosa e continuano a farlo. Noi siamo sempre più pronti al viaggio in Europa. Condividiamo i tuoi consigli e speriamo di poterli realizzare. Metteremo insieme qualche idea su cosa fare dopo la conferenza per chiedere asilo in Europa. Se senti mia moglie, per favore ricordale il mio compleanno (27 aprile) e dille che lo celebro con lei nello spirito. E manda il mio amore a mio figlio e auguragli buon compleanno, il primo maggio compie due anni. Per favore, tienici informati. Joseph.

Mercoledì 21 aprile, 7,38 della sera. Ti daremo l'informazione definitiva di quando partiremo per la Slovenia. Siamo riusciti a contattare il funzionario delle Nazioni Unite e ci ha detto che l'ufficio dell'Alto commissariato per i rifugiati in Libia non funziona come negli altri Stati. Loro possono darci una lettera di accettazione come rifugiati, ma questo non ci dà titolo a nessun beneficio. Ci ha ricordato che il nostro status qui è limitato perché la Libia non ha firmato il protocollo delle Nazioni Unite del 1951 sulla protezione dei rifugiati. Abbiamo anche controllato il programma per i rifugiati in Slovenia e non è molto incoraggiante perché hanno ricevuto molti profughi dalla ex Jugoslavia. Comunque stiamo continuando a cercare qualche altro Paese. Per favore ricorda a mia moglie del mio compleanno e dille che lo festeggio con lei anche se sono qui. E tante coccole a mio figlio. Joseph.

Il ventottesimo compleanno di Joseph è un martedì. La mattina, come tutte le mattine, le mani vanno più volte a digitare al computer l'indirizzo e la parola chiave. Ma non ci sono email. Nemmeno una risposta agli auguri. È durante una di queste ricerche che, verso mezzogiorno, sullo schermo appare la notizia del giorno. Tutti i siti di informazione danno lo stesso lancio di agenzia. «Il leader libico Muhammar Gheddafi è arrivato poco prima delle 11,30 a Bruxelles alla sede della Commissione dell'Unione Europea, accompagnato dal presidente Romano Prodi.»

Poco dopo, l'aggiornamento: «Muhammar Gheddafi era vestito con la tradizionale jallaba color marrone e portava il copricapo arabo in testa. Quando è sceso dall'auto bianca si è rivolto ai manifestanti, che lo hanno accolto davanti alla sede della Commissione, alzando i pugni chiusi. A quel punto i manifestanti che dalle 11 si erano riuniti davanti al palazzo Breydel per salutarlo con canti e inni, hanno cominciato a ritmare slogan di benvenuto e di sostegno ancora con più forza».

Gli hanno lasciato portare perfino la claque. Un lungo articolo di agenzia spiega che Gheddafi avrà un incontro a due con il presidente italiano della Commissione europea. Poi vedrà gli altri commissari e si fermerà con loro a pranzo. Nel pomeriggio Romano Prodi e Muhammar Gheddafi leggeranno insieme una dichiarazione. Quindi il colonnello libico stringerà la mano all'alto rappresentante per la Politica estera e la sicurezza comune dell'Unione Europea, lo spagnolo Javier Solana. E prima di sera entrerà a palazzo d'Egmont, sede del governo belga, dove sarà ricevuto dal premier Guy Verhofstadt. Alla fine, tutti insieme a mangiare. Gheddafi, i ministri del governo belga e altri esponenti del mondo politico ed economico di Bruxelles. Ecco come, in una sola giornata, vengono cancellati anni di battaglie per i diritti umani. Scorrono le foto ufficiali. Capi di governo. Ministri. Uomini d'affari. Le loro bocche sorridono sotto il paraocchi con cui fingono di non vedere la sanguinosa realtà. Migliaia di vite sacrificate in onore della ragion di Stato. E di portafoglio.

Non è scandaloso che si incontrino. È il prezzo della politica internazionale. Lo schifo è che nessuno abbia messo in agenda quanto sta per succedere in Libia. Per il presidente della Commissione europea è addirittura un giorno da ricordare. «Sono molto felice di questa visita di Gheddafi alla Commissione» dice nel pomeriggio Romano Prodi durante la conferenza stampa con i giornalisti di tutto il mondo, «oggi è stato un grande giorno.» Il colonnello gli è accanto. Le parole di Muhammar Gheddafi, secondo i resoconti delle agenzie, non possono essere più chiare: «Abbiamo bisogno delle imprese europee e americane per migliorare e modernizzare i nostri pozzi di petrolio e i nostri giacimenti di gas». È l'invito ufficiale alle compagnie degli ex nemici: scordiamoci il passato, venite a fare investimenti in Libia.

Mercoledì 28 aprile, 10,45 del mattino. In allegato trovi copia dei visti rilasciati dall'ambasciata slovena al Cairo. Che tu abbia un giorno benedetto. Joseph e James.

Lunedì 3 maggio, 10,29 del mattino. Pensiamo di arrivare in Slovenia il 6 maggio. Ma ci sono problemi con la prenotazione del volo. Ti informiamo al più tardi domani se andremo a Lubiana via Roma o via Milano. Scusa per non aver risposto alla tua email, ma era dovuto a circostanze al di fuori del nostro controllo. Ti auguriamo una splendida settimana. Joseph e James.

Domenica 9 maggio, 10,07 della sera. Speriamo tu stia bene. Purtroppo non siamo riusciti a trovar posto in aereo. Confermiamo che voleremo via Roma e pensiamo di poter arrivare martedì o mercoledì. Un milione di grazie. Joseph e James.

Martedì 11 maggio, 7,11 della sera. Ciao fratello, contiamo di arrivare domani intorno alle 11. Ti telefoneremo da Lubiana. Ancora un milione di grazie per l'aiuto. Arrivederci. Joseph e James.

Da Lubiana però non arrivano telefonate. Nemmeno email. L'unica notizia certa è che i due fratelli non sono in aeroporto a Roma. Joseph e James sono scomparsi.

Domenica 16 maggio, 5,27 del pomeriggio. Ciao fratello. Un milione di grazie per tutto. Stavamo per salire a bordo, sull'aereo dell'Alitalia. Ma siamo stati respinti dalle autorità libiche dell'aeroporto. Ci hanno chiesto dove avevamo trovato i visti e volevano sapere se erano falsi. Li hanno controllati e hanno verificato che i visti erano autentici. Allora hanno detto che dovevamo avere un visto di transito. Noi abbiamo risposto di no e il caposcalo Alitalia ha detto loro la stessa cosa che dicevamo noi. Quindi i libici hanno detto che non potevano permetterci dal loro Paese di raggiungere l'Europa. Noi abbiamo spiegato che il nostro Paese è al momento in guerra e nessun volo internazionale vi atterra. Loro hanno insistito nel dire che dovremmo ritornare in Africa occidentale per viaggiare in Europa. Dunque noi abbiamo chiesto loro qual è la differenza se andiamo dalla Libia all'Africa occidentale o dalla Libia all'Europa. È a quel punto che le autorità libiche hanno ordinato che dovevamo essere arrestati e detenuti. Siamo stati torturati per due giorni e rilasciati con la promessa che saremmo tornati in Africa occidentale entro sette giorni. Ci hanno avvertiti di non ritornare più qui. Noi abbiamo chiesto di essere rimpatriati a casa nostra e loro hanno risposto che non potevano deportarci in Liberia perché non c'è nessun volo diretto per la Liberia e la Liberia è in guerra, così siamo noi a dover lasciare il loro Paese. Siamo saliti all'ufficio Alitalia e il caposcalo ci ha detto che potrebbe aiutarci ma dipende dalla decisione delle autorità libiche. Lui ha spiegato che l'unica cosa che può fare è restituirci i soldi del biglietto e ci ha consigliati di evitare ulteriori violenze. Il caposcalo ha detto anche che i libici non permettono ai neri di viaggiare dal loro Paese all'Europa. Specialmente in aereo. Non sappiamo cosa fare ora. Rischiamo di far scadere il visto per la Slovenia. Abbiamo intenzione di andare in ospedale a medicare le ferite sui nostri corpi e in testa. Speriamo di avere tue notizie. Joseph e James.

Domenica 16 maggio, 10,36 della sera. Siamo appena ritornati dalla medicazione. Abbiamo scritto alla segreteria del congres-

so e loro ci consigliano di lasciare il Paese e di provare a raggiungere un luogo più sicuro da dove partire. Noi abbiamo tutti i documenti in regola. Ma siamo spaventati per quanto abbiamo sperimentato nei giorni passati. E abbiamo paura che se
continuiamo a sollevare questioni con le autorità, loro ci possano torturare ancora. Perché, come abbiamo sperimentato qui, i
libici sono persone che quando vai a far rispettare i tuoi diritti
di fronte agli abusi, fanno finta di non capire l'inglese o ti dicono che il loro capo è assente. Questo Paese è indecente. Stiamo
prendendo in considerazione altre soluzioni. Se ci sentiamo meglio domani, cercheremo di raccogliere qualche informazione
su cui decidere. Preghiamo di essere guidati dalla grazia speciale di Dio, perché non è facile. È davvero tutto difficile e duro
qui. Joseph e James.

Lunedì 17 maggio, 1,44 del pomeriggio. Cerchiamo di resistere. Non abbiamo alternative né scelte. Come ci hai detto, dobbiamo essere forti. Stiamo tentando ciò che è umanamente
possibile per essere davvero forti. Solo che non è facile. Abbiamo parlato con il caposcalo Alitalia, ieri all'aeroporto, e gli abbiamo spiegato ogni cosa che ci è successa. Lui ci vorrebbe aiutare, ma la situazione con la sicurezza qui è una questione molto delicata. Perfino la signora che ci ha venduto i biglietti era
nei guai ieri. Per questo il caposcalo ci ha detto che può soltanto rimborsarci i soldi e che non può fare di più. Non vuole avere problemi con le autorità libiche. Abbiamo cercato di far capire alla polizia che non avevamo bisogno di un visto di transito per l'Italia e questo è il motivo per cui Alitalia ci ha venduto
i biglietti. Ai poliziotti abbiamo spiegato che avevamo ricevuto
il visto dall'Egitto perché la Slovenia ha una sola ambasciata in
Africa. Abbiamo cercato di far capire che andavamo in Slovenia perché eravamo stati invitati a una conferenza. E le autorità ci hanno arrestati, per aver fatto domande alle loro domande. Siamo stati in altri uffici stamattina a presentare il nostro
caso e la sola cosa che ci hanno detto è che ci vuole tempo per
affrontarlo. E che dobbiamo prendere in considerazione il fat-

to che più noi corriamo dietro alla storia, più i giorni del nostro visto passano. Abbiamo contattato la segreteria della conferenza e ci hanno detto che loro possono seguire la questione ma non sanno quanto tempo ci vuole, né se la Libia ci permetterà di partire. Ci hanno consigliato di andare in un Paese più sicuro per noi da dove poter continuare il viaggio. Abbiamo cercato di far capire che il nostro visto sta scadendo e loro ci hanno risposto che se non partiamo per questa conferenza, possiamo andare alla prossima. Non sappiamo proprio cosa ci sta succedendo intorno, ma chiediamo a Dio di darci la saggezza e la forza per continuare. Siamo preoccupati per la reazione delle nostre famiglie: hanno tenuto così alte la loro speranza e la loro aspettativa per poi sapere che le autorità libiche ci hanno impedito di viaggiare da qui all'Europa. Questo è un viaggio verso la depressione, il risultato è il suicidio, è sapere che il tuo D-day è arrivato, per te, a portarti un nuovo inizio, un nuovo capitolo, la miglior decisione della tua vita, alla fine solo per essere imprigionato senza ragione. Solo per l'odio profondo della razza. Dio è l'autore e sarà colui che completerà il nostro viaggio. Ciao. Joseph e James.

Martedì 18 maggio, 2,54 del pomeriggio. Siamo appena tornati dall'ufficio del direttore Alitalia. Ci hanno detto che era impegnato e dobbiamo provare a incontrarlo domani mattina alle nove. Siamo anche andati all'ufficio di Lufthansa e ci hanno detto che questa settimana hanno un volo giovedì. Ma giovedì il visto sarà scaduto. La nostra presenza in Libia adesso è totalmente inutile. Non possiamo fare nulla e le nostre famiglie dipendono completamente da noi. Con tanto affetto. Joseph e James.

Giovedì 20 maggio, 12,45 del pomeriggio. Oggi scade il nostro visto per entrare in Europa. Siamo appena tornati dall'ospedale. Ci sono problemi con le nostre ferite, abbiamo molti dolori. Siamo andati all'ospedale libico e per poter essere curati, ci hanno chiesto di portare un documento con cui la polizia dichiara di aver commesso le torture. Siamo andati all'Alitalia e ci hanno restituito i soldi, anche se hanno trattenuto la tassa aeroportuale. Allora abbiamo pagato un'infermiera filippina che è stata molto gentile con noi e stiamo cercando di riprenderci. Dalla polizia è meglio non tornare. Un abbraccio. Joseph e James.

Venerdì 21 maggio, 7,41 del mattino. Ce la mettiamo tutta per essere tranquilli e forti e preghiamo affinché la protezione divina e la grazia speciale di Dio ci facciano superare tutto questo. Aspettiamo tue notizie. Joseph e James.

Sabato 22 maggio, 2,43 del pomeriggio. Speriamo tu sia in ottima forma. È stato bello sentirti al telefono oggi. Domani andiamo dall'infermiera filippina per sapere quando dobbiamo fare i raggi x. Perché ha detto che non può stabilire la causa del sanguinamento dal pene e la causa del sangue nelle feci. Le abbiamo spiegato come siamo stati aggrediti. Ci hanno picchiati avvolti in un asciugamano, in modo da non avere troppi segni sul corpo. Ci hanno torturati con bastoni e cavi. Questa è la ragione delle cicatrici e dei tagli che abbiamo sulla testa e vicino agli occhi. Lei ha detto che ci farà qualche esame, ma abbiamo bisogno di riposare e di non stare troppo al sole. Ha detto anche che dovremmo comprare un antitrombotico per diluire il sangue, degli antibiotici e altre medicine per i reni. Dopo i raggi ci darà un elenco di farmaci da comprare. È molto brava. Premurosa come una mamma. Noi cerchiamo di rialzarci sui nostri piedi. Dio sta facendo cose meravigliose nelle nostre vite. Sempre Joseph e James.

Alitalia vola in Libia con una licenza europea. È la compagnia del Paese dove è stata firmata la Convenzione europea dei diritti dell'uomo. Eppure non è riuscita a difendere i diritti e l'incolumità di due suoi passeggeri. Certo, il caposcalo è stato un gentiluomo. Ha restituito i soldi del biglietto. Mentre l'aeroporto di Tripoli incasserà la tassa. Joseph e James quasi gridavano stamattina quando lo raccontavano dal telefono dell'Internet point. Li hanno picchiati fino a farli sanguinare dal pene e dall'ano. E hanno dovuto pure pagare le tasse.

Non avevano un solo documento fuori posto. Il passaporto. Il visto sul passaporto. La tessera di riconoscimento libica. L'invito dell'Istituto per la salute pubblica di Lubiana. La lettera dell'Alto commissariato delle Nazioni Unite per i rifugiati. I biglietti. I soldi. Joseph e James avevano quanto serviva a rispettare le leggi che avrebbero incontrato lungo il percorso. Libia. Italia. Slovenia. Unione Europea. Nazioni Unite. Non potevamo che essere tutti fieri di due ragazzi come loro.

Oggi, domenica 23 maggio, non sono arrivate email da Tripoli. La sera tardi il telegiornale mostra le immagini di un ricevimento a Montecarlo. È la cerimonia di chiusura del Gran premio di Formula Uno. Il pomeriggio le case mondiali dell'auto si sono sfidate sul circuito del principato. Stasera vincitori e sconfitti, nobili e industriali, finanzieri e dame d'alto bordo sono ospiti del principe di Monaco. La telecamera insiste sul viso di un invitato e sulla sua barba nera tagliata con millimetrica attenzione. La giornalista parla con ammirazione di questo uomo carino, bravo, elegante, sportivo, figlio di un colonnello e calciatore in Italia. Gheddafi junior sorride e in abito scuro cammina verso i tavoli.

Proprio il rampollo del colonnello. Gli sgherri pagati da suo padre hanno appena massacrato di botte due profughi in fuga dalla Liberia in guerra. E l'Europa di Stato, nobile e finanziaria, ne riceve con gli onori il figlio. Gioca a calcio in Italia, lui. A Perugia. L'hanno tesserato come fosse un campione. E nessuno, nessun calciatore italiano o straniero, nessun allenatore, nessuno tra i proprietari di squadre, nessuno tra i politici italiani ed europei, né di destra né di sinistra, ha avuto la delicatezza di chiedergli in cambio una semplice condizione. «Bello mio, ti facciamo giocare da noi. Ma tuo padre deve almeno...»

Si avvicina un'altra notte di incubi. Non serve addormentarsi per vederseli scorrere davanti. Questi incubi appaiono da svegli. Perché Joseph e James hanno fatto il più colossale, drammatico, stupido errore che poteva capitar loro. L'errore di fidarsi della legge. Di entrare in Europa dall'ingresso principale. Di muoversi da cittadini liberi. Di rinunciare allo sbarco a Lampedusa. Di ascoltare a Dirkou i racconti sulle barche che affondano. E del loro errore, al mondo esiste un solo responsabile. Io. Portare fino in fondo il viaggio è troppo difficile. Ciascuno deve scegliere per sé. Non è un'impresa per la quale uno si possa permettere di dare consigli. Se fossero saliti su una barca di clandestini, Joseph e James sarebbero sicuramente arrivati. Avrebbero denunciato alla conferenza di Lubiana la tragedia dei suicidi tra i bambini soldati. Forse avrebbero già chiesto asilo. Era un loro diritto. Certo, sarebbero potuti annegare. A questo punto, però, cosa cambia? Invece hanno creduto nella legge. Nell'Italia. Nell'Europa. Negli ideali della guerra contro Hitler e Mussolini. Nello sbarco in Normandia. Nella libertà. Insieme, non avevamo fatto i conti con le menzogne del nuovo mondo. Non resta che contattare il rampollo del colonnello libico.

La mattina dopo al telefono il signor G, ex collaboratore del figlio di Gheddafi, sostiene che il presidente della sua squadra di calcio non può fare niente.

«Sai, che deve dire? Mica può telefonare al colonnello e chiedergli di lasciar partire due profughi liberiani.» «Peccato, sarebbe un bel gesto per Gheddafi. E per il calcio.» «Lo so. Ma perché non vieni alla presentazione della finale di Supercoppa? Giocheranno a Tripoli. Mercoledì c'è la conferenza stampa, a Milano. Verrà il figlio di Gheddafi. Così magari lo vedi e gli parli.»

A Milano viveva e lavorava il cittadino liberiano più famoso. George Weah è uno dei più grandi goleador nella storia recente del Milan, squadra di cui è proprietario il capo del governo italiano. Il Milan si contenderà la Supercoppa. E al suo presidente è affidata la conferenza stampa con il rampollo del colonnello. Ci sono tutte le coincidenze perché Joseph e James possano finalmente partire da Tripoli. L'appuntamento con il signor G è davanti alla stazione Centrale. Non è facile riconoscere un volto mai visto da una confusa descrizione telefonica. Così, prima del suo arrivo, gli occhi inseguono decine di persone che non c'entrano nulla.

La stazione Centrale, ogni stazione, è l'ombelico del pianeta. Proprio qui quasi un anno fa, prima di partire per Dakar, un ragazzo liberiano e il suo amico del Camerun avevano raccontato il loro viaggio sui camion del deserto. Era bastato chiedere ai nuovi abitanti della città che ogni domenica si ritrovano nella grande piazza. Quella sera la prima domanda fu in italiano. «Scusate, chi di voi è arrivato dalla Libia?» Guardarono. Nessuno rispose. La seconda in francese. Nessuna risposta. La terza in inglese. «Chi è stato a Dirkou?» Silenzio. Non rimaneva che voltarsi e andarsene. «Perché ti interessa Dirkou?» chiese all'improvviso qualcuno alle spalle. Una voce profonda. Tranquilla. Ci si guardò negli occhi. Per dichiararci reciproca fiducia. «Voglio andarci in vacanza.» «A Dirkou?» domandò il liberiano: «Sei pazzo?». Era il momento di aprire la carta del Sahara sul cofano di un'auto parcheggiata. Accorsero quasi tutti. Mani nervose si muovevano tra la Nigeria e Lampedusa. Dita emozionate sfioravano i colori della sabbia. Si fermarono su Agadez, Dirkou, Gatrun, Sebha. I lampioni che quella sera illuminavano la piazza scintillavano negli occhi più commossi.

«La conferenza stampa è alla sede della Federazione italiana calcio» dice il signor G. Alto, grosso, la camicia azzurra bagnata di sudore, l'accento dell'Italia centrale. Ha preso a cuore la storia di Joseph e James. «Io ti porto ma non posso fare di più» mette subito in chiaro. È già abbastanza. Il quartier generale dell'organizzazione calcistica più spendacciona al mondo è nella zona a luci rosse della città. Ogni vizio ha il suo prezzo. Si sale all'ultimo piano di una palazzina grigia da guerra fredda. Nella stanza di moquette azzurra e fari accecanti sono già piazzate le telecamere dei telegiornali. Il presidente del Milan entra inseguito da assistenti e giornalisti. Va a sedersi sul piccolo palco. Subito dopo una folla di guardaspalle accompagna il figlio di

Gheddafi. Lui si siede a sinistra del presidente. Le guardie del corpo si piazzano agli ingressi della sala. La conferenza può cominciare. Parlano del giorno e dell'orario della partita. Della grande occasione di amicizia tra Italia e Libia. Del grande valore dello sport nelle relazioni tra i popoli. Delle trattative tra le due sponde del Mediterraneo che hanno impegnato il governo, il suo capo nonché proprietario della squadra che giocherà la finale. I giornalisti italiani sono preparatissimi. Fanno domande di ogni tipo sul calciomercato. Non una sul rispetto dei diritti umani in Libia.

È il momento di alzare la mano. Prendere la parola. Strappare al rampollo del colonnello la promessa davanti a tutti che Joseph e James potranno chiedere un altro visto e partire per l'Europa. Oppure è meglio aspettare la fine e avvicinarlo prima che esca?

Il presidente del Milan sta rispondendo a un giornalista della televisione di Stato. L'attenzione viene attirata dai guardaspalle. Anzi, dall'auricolare all'orecchio sinistro di uno di loro con il filo a spirale che scende nel colletto della camicia ed è collegato chissà dove.

Sono sicuramente agenti dei servizi segreti libici. Proteggono il figlio del loro capo dello Stato. Fino a pochi anni fa hanno organizzato attentati in mezza Europa. Hanno addestrato terroristi. Ucciso gli oppositori all'estero. Fatto esplodere il Boeing 747 americano della Pan Am. Abbattuto nel deserto il Dc10 francese della Utah. Sentiranno la domanda in inglese o la traduzione in arabo. Avvertiranno i loro superiori. Cercheranno Joseph e James per tutta Tripoli. E se questo accade, chi li salverà? Potrebbero accusarli di spionaggio per aver fatto uscire notizie sull'attività di polizia in aeroporto. Potrebbero arrestarli. Farli sparire. Come si può credere alla parola di un colonnello sanguinario diventato democratico soltanto perché l'hanno deciso il presidente della Commissione europea, i suoi alleati francese, tedesco, inglese e il suo avversario al governo in Italia? Come potrei illudere Joseph e James chiedendo aiuto al sorriso gelido di questo rampollo? Oggi, qui dentro, hanno ricoperto di calce viva decenni di morti innocenti. E su quei cadaveri vogliono addirittura giocare una partita a calcio.

Il signor G, seduto accanto, non capisce cosa sta succedendo. «Io ho finito, grazie di tutto.» «Ma non tenti di parlare con lui?» chiede pronunciando la elle come se fosse una maiuscola. «Non serve, grazie, scendo. Ti aspetto fuori.» Ci salutiamo davanti alla stazione. Non ci rivedremo più. Joseph e suo fratello James sono scomparsi. Tutte le email al loro indirizzo restano senza risposta. Il 22 maggio hanno scritto l'ultima. Dovevano tornare dall'infermiera. Fare i raggi. Scoprire la causa delle emorragie interne.

Domenica 6 giugno, 9,13 della sera, finalmente. Ciao fratello, la nostra salute ha problemi. Comunque con la volontà di Dio, stiamo tenendo duro e proviamo a tornare sulle nostre gambe. Ti scriviamo domani. Dio ti benedica. Joseph e James.

Lunedì 7 giugno, 2,09 del pomeriggio. Speriamo tu stia molto bene. Noi siamo stati male, abbiamo avuto complicazioni. Dio comunque è stato con noi e stiamo migliorando un poco. Abbiamo fatto i raggi x e il responso parla di sanguinamento interno. Non ci sono fratture o danni alle ossa. Ci hanno consigliato di non stare al sole per l'aumento delle temperature quaggiù e per le nostre condizioni di salute. Se Dio vorrà, andrà tutto bene. Questo è il perché non hai avuto nostre notizie. Questo è il risultato per essere passati attraverso la sicurezza di qui. Scriveremo ancora. Con affetto. Joseph e James.

Mercoledì 9 giugno, 11,55 del mattino. Ciao, stiamo prendendo le medicine ora. Tutto è sotto il controllo di Dio. Grazie per aver contattato le nostre famiglie. Siamo molto preoccupati per loro. Comunque l'infermiera filippina sta facendo bene e stiamo molto meglio di una o due settimane fa. Almeno possiamo muoverci adesso. Abbiamo tolto i cerotti dai nostri corpi e le ferite stanno guarendo. I tagli e i lividi stanno migliorando. Ci hanno picchiati anche con le manette oltre che con i bastoni. A causa dei colpi con le manette io ho una ferita sulla testa. James è stato bastonato su una mano, sulle spalle e anche sul retro della testa. Ti auguriamo una splendida giornata. Joseph e James.

Venerdì 23 luglio, 11,51 del mattino. Speriamo tu stia bene. Scusaci per il lungo silenzio, ma era pericoloso venire all'Internet point. Noi stiamo meglio e in buona salute finalmente. Lunedì ci metteremo in contatto con la nostra ambasciata e ti faremo conoscere i nostri prossimi piani d'azione. Abbi cura di te. Joseph e James.

Domenica 25 luglio, 2,43 del pomeriggio. Stiamo bene, solo che ci sono stati arresti di massa di immigrati neri e deportazioni in tutto il Paese. Noi preghiamo perché la speranza e la volontà di Dio ci proteggano affinché riusciamo a lasciare la Libia. La cosa peggiore è che se ti arrestano, ti mandano in prigione per un periodo tra i tre e i sei mesi prima del rimpatrio. Comunque noi non usciamo di casa fino a quando le cose non miglioreranno. Il nostro vicino è stato preso ieri. Ciao per adesso. Joseph e James.

Venerdì 6 agosto, 2,41 del pomeriggio. Ciao fratello. Siamo molto preoccupati per gli arresti e le deportazioni degli immigrati. Con affetto, speriamo di avere tue notizie. Joseph e James.

Martedì 17 agosto, 3,39 del pomeriggio. Ciao fratello, siamo spaventati dal dover prendere in considerazione il rischio di dover attraversare il deserto del Niger. Che esperienza tremenda e orribile è viaggiare in quelle remote regioni. A ogni modo Dio sarà sempre lì per noi. La situazione si sta deteriorando di giorno in giorno. Non c'è lavoro, trovar da mangiare è un problema poiché non abbiamo abbastanza soldi. Ci sono profondi sentimenti di sospetto nei confronti di noi neri, la xenofobia è al massimo, noi saremo molto felici e molto grati a Dio quando riusciremo a partire per l'Africa occidentale. La polizia sta facendo violente retate e mette a segno il maggior numero di arresti e deportazioni nelle comunità di immigrati di Nigeria, Ghana, Eritrea e Niger. C'è stata una grande rissa tra nigeriani nella Medina qui a Tripoli, intorno all'area chiamata il Mercato africano. E questo rende la situazione peggiore per tutti gli immigrati africani nel caso la polizia intervenga. Abbiamo deciso di stare lontani dalla strada fino a quando la situazione non migliora. Stiamo bene solo che qui è molto più caldo che in Liberia dove in questo periodo dell'anno cade molta pioggia. Un milione di grazie per tutti i messaggi da parte delle nostre famiglie rimaste in Ghana. Molto gentile da parte tua chiamarle. Passa una meravigliosa settimana. Joseph e James.

Sabato 21 agosto, 11,48 del mattino. Da adesso al mese prossimo ci sarà una grandissima festa qui. Ha a che fare con la celebrazione dell'anniversario della rivoluzione del colonnello Gheddafi. La sicurezza sta stringendo i controlli e gli arresti di immigrati si sono intensificati. Specialmente dal momento che c'è stato un enorme trasferimento di africani neri come risultato della demolizione del campo di Terek Mata (sulla strada dell'aeroporto) da parte della polizia della capitale. Alcuni capi del campo, specialmente nigeriani, sono stati arrestati per traffico di immigrati, di droga, bevande alcoliche e altri crimini. Il problema è che il comandante di un distaccamento di polizia nella vicina comunità di Abuselem era stato fregato dai trafficanti e aveva minacciato di usare il suo potere per cancellare il campo. E così ha fatto. Ospitava almeno cinquemila immigrati neri e alcuni facevano traffici illeciti con la complicità dei poliziotti. Ma a causa dei maltrattamenti, delle proteste, delle accuse e di ogni sorta di male, c'è sempre stato uno scontro violento tra fazioni opposte per la guida del campo, sostenuta da alcuni personaggi importanti. Questo ha portato molti capi attuali e precedenti nella prigione di massima sicurezza di Jetlida. Ora che Terek Mata è cancellata, sta lavorando il vecchio campo di Aljezahra. E tutto l'affare parte da lì adesso. C'è stata una grande rissa ieri tra cinque sudanesi, come risultato di risentimenti per la guerra civile in Sudan. Questo campo ha molti arabi e discendenti di

277

Paesi arabi ed è rifugio dei baroni della droga, del traffico di immigrati, della prostituzione e di tutto quanto puoi nominare. I giovani sono stati danneggiati da questi affari. Ma questo problema è sopra di me e solo l'intervento di Dio può migliorare la situazione. Ti dico sulle nuove rotte da Agadez alla Libia nella mia prossima lettera. Scriverò ancora e continuerò a pregare per l'intervento di Dio. Con affetto. Joseph (e James).

Lunedì 23 agosto, 11,29 del mattino. Per quanto ci riguarda, stiamo solo in attesa guardando in alto a Dio per sopravvivere e pregando di partire presto, perché io sono molto stanco della vita. Comunque questo ti fa avere un senso di appartenenza e ti fa conoscere come la propria casa sia meglio di qualunque altro posto. Sabato c'è stato un volo che ha rimpatriato ghaniani e un altro che ha riportato indietro nigeriani, secondo il piano di deportazione. Alcuni sono stati autorizzati a tornare nelle loro case qui e a prendere il loro bagaglio. Ma la gente sta ancora entrando in massa in Libia via Arlit in Niger e Tamanrasset in Algeria, poi verso le montagne dell'Hoggar e poi a Ghat in Libia. Il viaggio è pericolosissimo e provoca un mucchio di morti. Sebbene sia una vecchia rotta, ha avuto una riscoperta in tempi recenti. Questo perché la rotta di Dirkou è stata chiusa dalle forze di sicurezza libiche: diciotto persone sono state abbandonate nel deserto durante il rimpatrio e sono morte. C'è molta preoccupazione tra noi immigrati neri. Gli stranieri portati dai trafficanti (burga) lungo la rotta dell'Hoggar di solito vengono maltrattati o uccisi se si rifiutano di dare i loro soldi e le loro cose agli ex ribelli tuareg e ai membri della tribù dei busso del Niger. I busso sono in contatto e lavorano con gli autisti dei pickup Toyota che fanno affari con il trasporto illecito di sigarette ed esseri umani. Poi bisogna arrampicarsi a piedi sulle montagne per quattro giorni o una settimana per arrivare a Ghat, in Libia. Durante la salita ci sono molti morti per fame, sete, ferite e per le cadute dalle pareti di roccia. Dicono che mentre si sale su quella montagna si avvistano molti scheletri e tombe di pietra. C'è tanta sofferenza semplicemente per la falsa impressione che in Libia ci sia benessere e che raggiungere l'Europa da qui sia facile. Ma molti restano *stranded* perché non possono verificare quello che viene loro detto. E finiscono con il commettere crimini per sopravvivere o per raggiungere l'Europa. Quelli che riescono con successo a entrare in Europa vengono usati come mezzo per convincere molti altri che la via è facile. Questo affare è organizzato dai capi (mudin) che pagano una commissione ai burga per ogni persona che portano per la traversata. Questi mudin chiedono più di mille dollari a ogni passeggero sulla barca. Ma altri raccolgono i soldi e si mettono d'accordo con la polizia per far arrestare gli stranieri e farli incarcerare, per rubare a loro volta altro denaro. Questo provoca un grande caos tra passeggeri, burga, mudin e polizia. Comunque la gente se ne approfitta e le barche stanno partendo ancora. Anche se non sappiamo se sopravvivono o no. I mudin si arricchiscono con gli immigrati che pagano per la loro morte in alto mare. Ma se tu ottieni un visto per viaggiare legalmente, non ti permettono di partire perché nessuno può trarre vantaggio da te. Preghiamo che Dio aiuti noi e i nostri fratelli in Africa affinché conoscano i fatti ed evitino di correre rischi. Credo che la gente abbia bisogno di conoscere quanto sia pericoloso e altri debbano essere messi sotto pressione per far finire l'affare. Molti Stati africani stanno perdendo le loro risorse umane attraverso questo commercio. Ti racconterò altro sulla rotta di Dirkou nella prossima lettera. Continuiamo a pregare per fermare questi traffici. Joseph e James.

Mercoledì 25 agosto lo scambio di favori tra Italia e Libia è sempre più evidente. La notizia della giornata arriva in redazione con un'agenzia delle 10,03 della sera. È una dichiarazione da Tripoli del capo del governo italiano, Silvio Berlusconi: «La cooperazione italo-libica per il governo dei flussi migratori regolari e il contrasto dell'immigrazione clandestina sia da esempio per i rapporti tra Europa e Africa». Berlusconi e Gheddafi hanno appena avuto un lungo incontro e si sono fatti fotografare sorridenti. Da vecchi amici.

Giovedì 26 agosto, 11,57 del mattino. Facciamo del nostro meglio per sopravvivere. Ci hanno detto della visita del tuo primo ministro qui, ma ti darò più dettagli domani. Ti scriverò anche di tutta la situazione a Dirkou. Abbi cura di te, con tanto affetto. Ciao, Joseph e James.

Venerdì 27 agosto, 10,09 del mattino. Ciao fratello, abbiamo appena saputo che uno dei voli che rimpatriava cittadini di Nigeria ed Eritrea è stato dirottato e costretto ad atterrare in Sudan dagli eritrei. Altri ghaniani sono stati deportati oggi e quasi settemila tra loro si sono registrati per il rimpatrio volontario così come nigeriani, maliani e nigerini. C'è paura alla Medina, nel cuore di Tripoli e al Mercato africano, dietro il palazzo degli Emirati (palazzo Bushufata). Il nostro tempo al computer è scaduto. Ti scrivo domani. I nostri migliori saluti. Joseph e James.

Sabato 28 agosto, 11,32 del mattino. C'è sempre molta più paura nella comunità di immigrati. Anche noi siamo spaventati che la situazione intorno degeneri in uno scontro pieno tra neri e cittadini libici, come è successo durante le espulsioni di massa del 2000. La tensione sta davvero crescendo. Il presidente del Mali, Amadou Toumani Touré, era in Libia ieri e circa tremila tra i suoi connazionali sono già stati schedati per le deportazioni. Alcune nazionalità stanno approfittando dei rimpatri per lasciare il Paese, altre sono furibonde. Molti governi stanno chiedendo spiegazioni, specialmente quando i connazionali tornano a casa senza i loro beni. Trecento ghaniani sono partiti ieri e molti di più sono stati registrati per le operazioni. Il pastore della Chiesa unita ha fatto appello alla comunità perché approfitti per partire subito evitando così deportazioni violente dopo. Ha detto che la prevenzione è meglio della cura. La situazione a Dirkou è davvero catastrofica. Malattie, fame, morte e indicibili sofferenze umane. Gli organizzatori dei viaggi ad Agadez stanno dicendo ai passeggeri che la rotta che porta in Libia via Dirkou è aperta solo per raggiungere Dirkou, dicono che più avanti la via è stata chiusa dalle pattuglie libiche del deserto.

Ma incoraggiano a pagare fino a sessantamila franchi e abbandonano le persone da qualche parte nel Sahara costringendole così a camminare e aggirare le pattuglie a piedi per entrare nel territorio libico. Se puoi resistere al caldo, sopravvivi. Se non resisti, muori o se sei preso dai militari libici, ti rimandano indietro a Dirkou senza soldi, solo con un humza (pane) e ti lasciano *stranded*. Il comportamento delle forze di sicurezza del Niger e degli autisti non è diverso nei confronti della gente che finisce *stranded* a Dirkou. Come sai il Niger è un Paese colpito dalla povertà e le forze di sicurezza assegnate lungo questa rotta vivono sui viaggi degli immigrati verso la Libia. Dirkou ha bisogno urgente dell'attenzione internazionale per salvare vite umane. La cosa peggiore è che la gente continua a essere deportata nel deserto dai militari libici. E quando gli immigrati tornano ai loro Paesi in Africa occidentale attraverso questa rotta, l'esercito del Niger li maltratta e li minaccia più che all'andata perché credono che portino soldi e bagagli. Questa rotta è diventata di giorno in giorno pericolosissima per chi viaggia. Ma i burga continuano a portare stranieri in Libia perché questo è il loro modo di fare affari, qui, insieme con i loro mudin. Così la situazione non cambia: l'Europa protesta per i morti e il flusso di immigrati illegali, la Libia e i trafficanti guadagnano mentre i Paesi africani perdono le loro risorse umane. Noi continuiamo a pregare perché questo commercio si fermi e si salvino vite umane. Abbi un fine settimana benedetto. Ricordati di scriverci lunedì. Ciao, Joseph e James.

Martedì 31 agosto, 4,24 del mattino. Un milione di grazie per aver contattato le nostre famiglie. Ci dà davvero gioia e sollievo. Siamo preoccupati per loro e imbarazzati nel chiederti sempre di chiamarle. Ma comunque grazie per la tua comprensione e l'affetto. Qui ormai è semplicemente terribile per tutti gli immigrati neri. I cittadini libici si stanno facendo giustizia da soli e ci stanno prendendo a sassate. Sono diventati molto ostili nei nostri confronti. Abbiamo letto su un giornale di Tripoli che gli immigrati stanno insabbiando l'economia del Paese. Ma la vera questione non è stata trattata e i libici non hanno nessuna voglia di trattarla. Preghiamo Dio di non essere aggrediti fino a quando non possiamo lasciare la Libia. Uscire è diventato un problema e naturalmente dobbiamo sopportare la fame e altre difficoltà. Il padrone della stanza dove dormiamo ci sta facendo storie con l'affitto e non prende in considerazione il fatto che noi siamo inseguiti nelle strade e non c'è nessun modo di guadagnare denaro per pagare l'affitto e mangiare. Saremmo molto felici di andarcene. La situazione peggiora e ci sta togliendo il nostro diritto di vivere come creature di Dio. Noi preghiamo perché Dio ti protegga. Joseph e James.

Venerdì 3 settembre, 11,34 del mattino. Attualmente la situazione è degenerata in una totale ondata di maltrattamenti pubblici, perfino dagli anziani e dai vecchi (shabani). Ti chiedono dove lavori, dove abiti, come ti mantieni in Libia. Noi abbiamo sempre detto loro che non capiamo la lingua araba giusto per evitare molestie. Se solo osservi attentamente come questa gente si comporta in generale, vedi che fondano il loro giudizio contro i neri su una colpa collettiva. Se un nero commette un delitto, significa che tutti i neri sono colpevoli di quel delitto. Comunque credo che la loro capacità di ragionamento sia molto debole perché sono stati tenuti fuori dalla globalizzazione e al confino per così tanto tempo. Penso che la visita del tuo primo ministro qui ha portato un poco di sollievo. Lui ha enfaticamente detto loro che l'Italia e il suo governo sono gli unici amici affidabili che hanno in Europa per adesso. Ho capito che i libici chiedono risarcimenti al tuo Paese per la guerra che ha portato alla morte della loro guida Omar Muktar. Se è così, allora questa è la volta che le famiglie liberiane comincino a chiedere un risarcimento ai libici perché il Fronte patriottico nazionale della Liberia (gruppo ribelle) è stato addestrato, armato e rifornito da qui. Questo è un segreto che tutti conoscono. La Libia ha aiutato i ribelli a destabilizzare tutta la regione dell'Africa occidentale: Liberia, Sierra Leone, Guinea senza dimenticare la Costa d'Avorio. Queste guerre hanno causato più di centocinquantamila morti soltanto in Liberia e questi governi hanno beneficiato del traffico di diamanti, oro e legname. Così io penso che anche noi abbiamo diritto a un risarcimento. Per quanto riguarda i mudin e i burga, i burga sono di solito neri africani e i mudin sono libici. Con affetto. Joseph (e James).

Martedì 7 settembre, 2,02 di notte. È vero che l'Italia sta deportando gli immigrati in Libia? Ci sono state notizie del genere qui e l'ho sentito più volte e ho pensato di chiedere conferma a te. Siamo stati informati dal consolato nigeriano che i nigeriani devono presentarsi tranquillamente e registrarsi per il rimpatrio. Altrimenti il mese prossimo le retate potrebbero essere molto più massicce di adesso e potrebbe succedere l'inferno. Un altro gruppo di ghaniani è partito ieri. Sono stato alla loro ambasciata la settimana scorsa per raccogliere informazioni su ciò che attualmente non va al campo profughi di Buduburam dove vivono i nostri familiari. Ho intuito che alcuni giornali in Ghana hanno raccontato una storia secondo cui liberiani e alcuni ghaniani si stavano addestrando per rovesciare il governo e cose simili. L'esercito del Ghana ha occupato il campo profughi per cercarli. Questo ha provocato abusi e minacce così ora i rifugiati sono sotto stretta sorveglianza delle forze di sicurezza. Ho saputo che ci sono gruppi di ghaniani e di nigeriani che non vogliono lasciare la Libia. Comunque sono scelte individuali. Spero che comprendano le conseguenze. Con un forte abbraccio. Joseph e James.

Venerdì 17 settembre, 9,55 del mattino. C'è molto vento oggi e la sabbia soffia da tutte le parti. La gente prevede che la stagione fresca stia arrivando. Ci sono stati scontri sanguinosi ad Aljezahra la notte scorsa. Alla fine due ragazzi sono stati uccisi e potrebbero essercene altri feriti. Tutto è cominciato quando uomini armati hanno rapinato il negozio di un uomo d'affari nigeriano e sono scappati con un po' di soldi e merce. Non è finita lì, ma è continuata per molto tempo. La polizia è stata chiamata per salvare la situazione. La tensione è altissima in quel campo africano per ora. Preghiamo Dio che doni loro saggezza e fermi la violenza. Joseph e James.

Nelle stesse ore, mentre Joseph e James tornano al loro nascondiglio dopo aver scritto l'email, il ministro dell'Interno italiano riferisce al governo i risultati della collaborazione con la Libia. La notizia arriva nelle redazioni con un comunicato ufficiale alle 6,52 della sera. «La lotta alla immigrazione clandestina funziona» sostiene il ministro dell'Interno, «il rimpatrio produce i suoi effetti positivi e il fenomeno degli sbarchi si sta limitando anche grazie al prezioso aiuto delle autorità libiche. Per questo l'Italia sta lavorando intensamente per la rimozione, almeno parziale, dell'embargo alla Libia.» Nella dichiarazione, riportata dalle agenzie, il ministro dice che è un'infamia chiamare lager i Centri di detenzione per stranieri. «In quei centri» ricorda, «ogni immigrato trova un'accoglienza dignitosa: ha la doccia, il telefono, le sigarette.» Il comunicato aggiorna i dati sulle deportazioni. «Dall'inizio dell'anno» spiega il ministro, «sono stati oltre 42.000 gli immigrati clandestini respinti alle frontiere o espulsi. Fino al 15 settembre abbiamo avuto 22.961 respinti alle frontiere e 19.356 espulsi. Quindi tra respinti ed espulsi sono 42.317. Gli immigrati sbarcati sulle coste italiane dall'inizio dell'anno sono stati 9707, mentre nel solo fine settimana scorso sono stati 838, per lo più provenienti dalla Libia. Nelle ultime quarantotto ore sono stati rinviati ai Paesi di origine o di ultima provenienza 370 di questi immigrati, e altrettanti ne saranno rimandati nei prossimi giorni. Tutto ciò avviene con l'aiuto prezioso delle autorità libiche.»

Il piano si compie domenica 26 settembre. Alle 10,27 della sera l'agenzia Ansa da Roma annuncia il ritorno definitivo della Libia nella comunità internazionale. «Via l'embargo» è scritto nel lungo lancio, «arrivano gli aiuti alla Libia, sotto forma di uomini e mezzi, per permettere un efficace contrasto all'immigrazione clandestina. L'accordo è stato definito oggi con la visita nel Paese nordafricano del ministro dell'Interno italiano, che ha incontrato prima il collega libico e poi il leader Muhammar Gheddafi, a cui ha consegnato un messaggio personale del presidente del Consiglio, Silvio Berlusconi. Abbiamo fatto il punto, ha spiegato il ministro al termine dell'incontro, sui problemi della lotta al terrorismo e alla criminalità organizzata e sullo stato di attuazione del programma italo-libico sull'immigrazione, alla luce del nuovo scenario creatosi con l'abolizione dell'embargo europeo e delle misure economiche contro la Libia.» Non una sola parola sulle violazioni dei diritti umani. Sulle deportazioni di massa nel deserto. Sugli arresti arbitrari e le torture. Un silenzio che nasconde la complicità dell'Italia e dell'Europa. Infatti, per il ministro dell'Interno italiano è un successo. «I risultati finora raggiunti sono decisamente soddisfacenti. Come dimostra l'intensa attività di contrasto al traffico di esseri umani e di immigrati clandestini che si è svolta sulle coste della Libia, sia per autonoma iniziativa di quel governo, sia in collaborazione con l'Italia in virtù degli accordi già stabiliti. Ciò ha consentito il rimpatrio nei Paesi di origine di molte migliaia di clandestini» dichiara il ministro all'agenzia Ansa, «di cui circa 4500 in partenza per l'Italia.»

Martedì 28 settembre, 3,54 di notte. Mi fa male l'occhio sinistro in questi giorni. Non so a cosa è dovuto il problema ma penso sia causato dal cambiamento del tempo. Fa un po' più freddo qui e la notte scorsa è caduta molta pioggia. Così abbiamo sperimentato le perdite del tetto di tutta la stanza dove siamo ora. Ho detto a James che è una pioggia di benedizioni perché, in tutti i nove mesi passati in Libia, questa è la prima gentilezza. Come stai? Con affetto, Joseph (e James).

Lunedì 4 ottobre, 5,19 del mattino. Ciao fratello, grazie per le informazioni e i soldi. Più e più persone hanno realmente espresso la disponibilità a lasciare la Libia volontariamente. La situazione economica sta peggiorando e la brutalità della polizia contro gli immigrati aumenta di giorno in giorno. Ci sono più di cinquanta liberiani detenuti in un campo di deportazione e non sono stati rimpatriati. Non c'è assistenza in questo campo e sappiamo che sono stati torturati. Loro hanno chiesto al governo di essere almeno rimandati indietro. Ma non c'è stata risposta. Solo nigeriani, ghaniani e cittadini di altre nazioni dell'Africa occidentale vengono rimpatriati. Abbiamo saputo da una fonte affidabile che i liberiani saranno detenuti fino a quando il governo della Liberia non potrà dimostrare la sicurezza del Paese e l'intenzione di accettarli. Puoi immaginare questo: quanto tempo resteranno prigionieri? Alcuni dichiarano di essere cittadini di altri Paesi così possono essere deportati in quei Paesi. Ma non è facile, perché il nostro accento liberiano è diverso dagli altri. Noi preghiamo per l'intervento divino. Il tempo è finito, scriveremo ancora. Joseph e James.

Martedì 5 ottobre, 2,39 del pomeriggio. Ci spiace, ma non sappiamo molto di più di quelli rimandati indietro dall'Italia ieri. Comunque sono stati rinchiusi nel campo dei deportati. I libici intendono processarli davanti a una corte ma poiché i rimpatriati sono troppi, hanno deciso di imprigionarli. Le condizioni nel campo sono disumane. Sappiamo che i deportati non mangiano abbastanza e sono ammassati come pesce affumicato in scatola. Vengono picchiati dalla sicurezza con crudeltà e sadismo. I libici si sono rivolti a numerose ambasciate qui perché identifichino i loro connazionali e rilascino i certificati di identità per il rimpatrio. I poliziotti torturano gli stranieri reclusi. Abbiamo saputo che un liberiano di nome Kesseley è morto per il pestaggio. Era stato preso a Misurata, una città a circa un'ora di auto da Tripoli, dove anche alcuni ghaniani e nigeriani erano stati prelevati negli impianti delle compagnie petrolifere e portati nei campi di detenzione. Al Mercato africano ieri, un giornalista straniero con il suo operatore è venuto a chiedere l'opinione della gente. Non erano accompagnati da agenti in borghese. Così la polizia dal palazzo degli Emirati li ha raggiunti e portati in ufficio per l'interrogatorio. Li ha rilasciati poco dopo e quando sono ritornati al Mercato africano per intervistare gli immigrati, un gruppo di libici è arrivato con i martelli a minacciare i neri. Il giornalista è dovuto andarsene. Abbiamo saputo che all'inizio o alla fine del mese di Ramadan la polizia farà retate di casa in casa per prendere gli stranieri. Ci sono stati rastrellamenti nel quartiere che ospita immigrati neri a Bengasi e un ultimatum è stato dato perché se ne vadano anche da Zlentes, un villaggio tra Misurata e Tripoli. La situazione può degenerare in piena violenza se continua così, perché la gente comune in Libia vuole prendere la legge nelle sue mani. Le deportazioni sono troppo violente. I libici girano con quei furgoni con la gabbia dietro, si avvicinano nelle strade e raccolgono i neri. Cercheremo di saperne di più sul campo di detenzione. Preghiamo perché i libici possano comportarsi in modo più appropriato. Joseph e James.

Il 7 ottobre, un giovedì, il capo del governo italiano atterra di nuovo a Tripoli. Silvio Berlusconi è atteso a Mellitah sulla costa del Mediterraneo. Deve inaugurare il gasdotto che collega la Libia all'Italia. Il discorso del premier italiano esordisce con una frase che fa subito il giro del mondo: «Muhammar Gheddafi è un grande amico mio e dell'Italia. È il leader della libertà, sono felice di essere qui». Leader della libertà, addirittura. Quando l'interprete traduce la frase in arabo, il colonnello sorride. Nessun capo di governo l'ha mai chiamato così. Berlusconi è euforico. E quando è in questo stato, i suoi consiglieri sanno bene che non misura mai le parole. Ma che importa cosa dice, davanti al valore degli affari in gioco. Il nuovo gasdotto ha un peso strategico per l'Europa. Fornirà il dieci per cento del fabbisogno nazionale italiano. E una parte è destinata alla Francia. Significa che almeno sei milioni di italiani e qualche francese che ogni giorno cucinano e si riscaldano con il gas, dovrebbero festeggiare questo giorno. Il 7 ottobre. La stessa giornata in cui i libici celebrano la vendetta contro la feroce occupazione fascista di Benito Mussolini.

Domenica 10 ottobre, 5,22 del mattino. Ciao fratello. Numerosi immigrati di Liberia, Mali e Camerun ieri sono stati deportati a piedi attraverso il deserto dalla Tunisia. Erano scappati lungo la costa, avevano dovuto camminare nell'acqua per quattro o cinque ore e superare le barriere del confine tra Libia e Tunisia. Tra loro c'è una donna incinta, una liberiana. Da quello che abbiamo sentito dalle notizie che circolano in Libia i terroristi volevano usare le barche per entrare in Europa e provocare terrore. Ma ci siamo resi conto che la mobilitazione contro l'immigrazione illegale ha preso differenti ramificazioni. I cittadini vittime della guerra e delle instabilità politiche, dovrebbero essere considerati come richiedenti asilo. Invece sono stati arrestati e rimpatriati nei Paesi dove potrebbero essere sottoposti a persecuzioni. C'è un liberiano di nome Kosha che è stato preso e rimpatriato con alcuni nigeriani in Nigeria ed è stato arrestato all'aeroporto di Lagos e accusato di attività sovversive tenendo conto dell'attuale crisi nello Stato del Delta in Nigeria. Altri liberiani sono stati arrestati in Ghana, in Mali e in Costa d'Avorio dove erano stati deportati. Ma la polizia qui non fa distinzione tra rifugiato, richiedente asilo, migrante economico. Loro credono che tutti gli immigrati neri sono immigrati economici, in cerca di lavoro. Ho fatto un sogno la notte scorsa. Mi ero incontrato con mio figlio e lui cominciava a chiedermi della sua scuola, mi diceva che vuole andare a scuola, ma sembrava che io fossi senza soldi e non potevo soddisfare la sua richiesta. A quel punto mi sono svegliato e ho cominciato a pregare. Hai parlato con la mia famiglia recentemente? Spero di non crearti problemi se ti chiedo di chiamarli. Scriveremo ancora. Joseph (e James).

Lunedì 11 ottobre, 10,01 del mattino. Abbiamo saputo che il tuo primo ministro era qui qualche giorno fa e la sua visita era finalizzata alla questione dell'immigrazione illegale. La situazione è esplosiva e ci sono state grosse retate nei quartieri che ospitano immigrati neri. Più di venticinque lavoratori sono stati prelevati dall'impianto di una compagnia di gas vicino a Zuwara e il Mercato africano è stato interessato oggi dai rastrellamenti. Alcuni immigrati neri che avevano un po' di denaro e non volevano essere chiusi nei campi di deportazione per le terribili condizioni, si sono pagati il viaggio da Tripoli giù fino a Gatrun e Agadez verso i rispettivi Paesi. Ma molti sono stati lo stesso arrestati dalla sicurezza libica ai vari posti di blocco fuori Tripoli e rinchiusi nel centro di detenzione. La polizia li sospetta di voler sfuggire alle deportazioni viaggiando verso altri paesi o città per nascondersi. Molti sono tornati in Algeria o in Marocco attraverso il deserto. Abraham, l'amico diplomatico che giorni fa hai chiamato per contattarci, è stato arrestato dalla polizia e la sua casa saccheggiata dagli Asma boys, i ragazzi del potere. Abraham adesso è al campo di detenzione. Lui era arrivato in Libia con un visto e ha un permesso di residenza. Anche la casa del suo vicino, un impiegato addetto ai visti di un'ambasciata dell'Africa occidentale, è stata saccheggiata e i suoi familiari arrestati. Lui non c'era. Era tornato nel suo Paese per partecipare al funerale di suo padre. Molti poliziotti approfittano della situazione per fare razzie nelle case degli immigrati. La polizia ha bisogno di essere istruita sui diritti delle persone, anche degli immigrati illegali, richiedenti asilo e rifugiati. Se solo sei un nero africano, ti considerano colpevole di immigrazione illegale. Nonostante questo, il traffico di immigrati continua. C'è gente che dovrebbe partire oggi in barca e io ho provato a convincere un ragazzo del Ghana su cosa sta succedendo, spiegandogli che se prova ad andare in Italia, verrà sicuramente deportato in Libia come gli altri che sono stati rimpatriati pochi giorni fa. Gli ho detto anche del pericolo del mare. Lui ha deciso di rinunciare e di chiedere indietro i suoi soldi. Ma il suo contatto sostiene che hanno usato i soldi per comprare la lampa-lampa, la barca che porta a Lampedusa, e che non possono restituirglieli. Ha pagato mille dollari americani per la sua morte in mare aperto. Ho sentito che il ministro degli Esteri libico ha detto che ai deportati vengono dati duecento dollari. Ma questo è falso. Continuo domani. Non mi sento bene. Ho un terribile raffreddore e mal di testa. Ciao. Joseph (e James).

Mercoledì 13 ottobre, 11,19 del mattino. Siamo stati appena avvicinati dalla moglie del padrone della stanza. Ci ha domandato perché se a tutti i neri è stato ordinato di andarsene, noi siamo ancora in giro. Ci ha chiesto poi se noi abbiamo frigorifero, televisore, videoregistratore da vendere e le abbiamo detto che noi non abbiamo niente. Questo è il chiaro segnale che, se avevamo davvero quegli articoli, lei poteva denunciarci agli ufficiali dell'immigrazione e quando noi venivano arrestati, lei aveva la possibilità di saccheggiare le nostre cose. Grazie di tutto. Ciao, Joseph e James.

Venerdì 15 ottobre, 4,54 del pomeriggio. Il Ramadan è appena cominciato e questo è il mese nel quale non puoi fare nulla con i libici, perché sono molto pigri e deboli. Stanno in casa fino alle sei del pomeriggio. Comunque possiamo farcela. È tutto folle qui intorno, perché sembra che quando i libici digiunano è il momento in cui diventano più arroganti. Con tanto affetto. Joseph e James.

Domenica 17 ottobre, 11,20 del mattino. Siamo usciti oggi a cercare notizie. L'impressione fuori è che la comunità internazionale europea sia una fabbrica di bugie. Gli immigrati qui sono arrabbiati e preoccupati per l'accordo tra Italia e Libia. Lo considerano un ulteriore modo con cui l'Italia promuove gli abusi contro i diritti umani in Libia. Gli italiani hanno visto cosa è successo qui nel 2000 contro gli stranieri eppure aggiungono insulti alle ferite, ha detto un rifugiato che si sente profondamente tradito dall'attuale situazione. Ci sono campi di deportazione dove la gente è torturata. Io credo che il governo italiano abbia dipinto rifugiati, richiedenti asilo e immigrati per ragioni economiche in malo modo davanti all'opinione pubblica fingendo che ci siano terroristi che si infiltrano con lo scopo di attraversare il mare e raggiungere l'Italia. Cosa che può anche essere vera per certe ragioni interne. Comunque solo Dio conosce ciò che è meglio. Anch'io sono d'accordo che vanno trovati altri modi per salvare le vite umane in mare, ma allo stesso modo firmando questo accordo l'Italia ha promosso violazioni di massa contro i diritti umani.

Per quanto riguarda Abraham, dopo che lo hanno arrestato, è stato semplicemente deportato in Mali, che non è il suo Paese d'origine. Abbiamo ricevuto una sua email dal Mali. Aspettiamo che ci scriva ancora. Ciao. Joseph e James.

Martedì 19 ottobre, 10,14 del mattino. La cosa più sorprendente è sapere che la gente è ancora a Zuwara, chiusa in numerosi campi dei mudin, a guardare che tempo fa per partire con le lampa-lampa. Il traffico verso l'Italia su barche di plastica e pescherecci continua e la polizia libica non sta facendo niente per arrestare i trafficanti. Ho saputo dal campo di detenzione che una donna liberiana di nome Felicia della comunità Kru in Liberia è rinchiusa con un bimbo di due mesi e sono in condizioni deplorevoli, ma le autorità non fanno niente per dare loro un trattamento migliore. Ci sono questioni che dobbiamo guardare: le autorità libiche non vogliono fare nulla per fermare i trafficanti che dirigono l'affare delle lampa-lampa a Zuwara. I libici stanno riempiendo i campi di deportazione senza rispettare le necessità essenziali e non vogliono rimpatriare gli immigrati in tempi brevi. Le forze di sicurezza sono semplicemente impegnate in una caccia all'uomo. Ed è un vero disastro umanitario, una vera catastrofe, un'onda di violenze senza legge, nessuna regola legale. Ma io so che noi sopravviveremo con Dio al nostro fianco. Un abbraccio. Joseph (e James).

Mercoledì 20 ottobre, 11,10 del mattino. Ciao fratello, speriamo che tu stia bene. Non abbiamo ancora avuto notizie da Abraham, ma un amico ci ha detto che stava andando a casa dal Mali attraverso la Guinea. Un abbraccio forte. Joseph e James.

Venerdì 22 ottobre, 9,10 del mattino. Abbiamo saputo che la polizia segreta sta monitorando le telefonate sui cellulari e sulle linee fisse. La polizia segreta è famosa per essere aggressiva e brutale. È successo che due diplomatici dello Zimbabwe e del

Gambia sono stati picchiati dagli agenti per aver introdotto in Libia bevande alcoliche e oro grezzo dalla Tunisia e dal Gambia. Sono stati dichiarati persone non grate ed espulsi. Il fatto è che qui molti diplomatici di Paesi colpiti dalla povertà sono coinvolti in affari illegali. La maggior parte contrabbanda bevande alcoliche e sostanze proibite dalla Tunisia e dai Paesi confinanti, destinate ai cosiddetti locali per funzionari e per ricchi, ben sapendo che queste cose sono vietate. Ma questi diplomatici accumulano enorme benessere da quei commerci, a volte con l'aiuto delle forze di sicurezza locali. Chi mi ha raccontato queste cose, mi ha consigliato di essere molto attenti e prudenti quando siamo in giro per strada, perché prevede che ci saranno violenze inarrestabili subito dopo il Ramadan. Il mio bruciore di stomaco è esploso stanotte alle tre e da stamattina ho un forte mal di testa e la mia urina ha di nuovo un colore giallo intenso. Ma stasera starò sicuramente meglio. Ciao per adesso. Joseph (e James).

Giovedì 28 ottobre, 5,42 del pomeriggio. Speriamo che tu e tutta la tua famiglia stiate benissimo. Noi facciamo davvero fatica a dire di star bene. Grazie per tutto, soprattutto nel tenerci in contatto con le nostre famiglie. A causa del Ramadan qui, non possiamo trovare cabine telefoniche funzionanti la mattina negli orari in cui l'ambasciata slovena in Egitto è aperta. I loro orari vanno dalle dieci a mezzogiorno dal lunedì al giovedì. Grazie a Dio tre giorni fa siamo riusciti a contattarli e ci hanno detto che hanno rispedito i nostri passaporti con un servizio di corriere il 19 ottobre e ci hanno dato il codice di spedizione. Ci avevano concesso un altro visto per la Slovenia, ma i passaporti non sono mai arrivati a noi e il visto rischia di scadere un'altra volta. Senza passaporti non possiamo nemmeno pensare di tornare dalle nostre famiglie. Abbiamo provato a rintracciare i documenti sul sito Internet del corriere ma senza risultato. Siamo andati all'ufficio di Tripoli a cercare e ci hanno detto che il loro sistema di Internet era bloccato così non hanno potuto seguire il percorso dei nostri documenti per gli ultimi due giorni. Ti saremmo molto grati se tu potessi chiamare l'ambasciata slovena in Egitto e chiedere loro di contattare lo spedizioniere al Cairo per sapere da lì dove sono finiti i passaporti. Ancora molte grazie per tutto. Con affetto. Joseph e James.

Sabato 30 ottobre, 8,25 del mattino. Non abbiamo ricevuto i documenti. In caso siano stati persi, dovremo contattare direttamente il nostro ministero degli Esteri, dar loro i numeri di passaporto, copia dei nostri certificati di nascita, i nostri numeri nazionali di identificazione, poi mandare tre fototessera e centocinquanta dollari a testa per il rilascio dei passaporti all'estero, e anche pagare per spedire e per ricevere i documenti, uno spreco di tempo e denaro che però potrebbe essere l'unico modo per uscire da questo buco di inferno. I libici sostengono che quanto sta succedendo è la vendetta contro i loro vicini arabi (Tunisia, Egitto, Algeria e Marocco). Stanno dicendo che durante gli anni delle sanzioni delle Nazioni Unite e dell'isolamento internazionale, quei Paesi rincaravano i prezzi delle merci esportate in Libia e aumentavano le tariffe delle società di trasporto libiche verso di loro. Due giorni fa più di quattrocento egiziani sono stati deportati e le autorità di qui si sono rifiutate di consegnare loro i cento dollari di compensazione promessi. Abbiamo anche saputo che due immigrati dell'Africa occidentale avevano deciso di presentarsi per il rimpatrio volontario, ma sono stati picchiati e mandati via e avvertiti che devono aspettare fino a quando non saranno arrestati dagli ufficiali dell'immigrazione. Un forte abbraccio. Joseph e James.

Domenica 31 ottobre, 5,21 del mattino. Ciao fratello, altri ghaniani stanno arrivando da Bengasi e da altre città e paesi per il rimpatrio volontario e due voli sono decollati negli ultimi giorni per la Nigeria trasportando immigrati. Circa quattrocentocinquanta ghaniani stanno aspettando il volo per il Ghana. Abbiamo appena saputo che è scoppiata una grave crisi religiosa in Liberia con diverse chiese e moschee bruciate e il governo provvisorio ha imposto lo stato di emergenza nella capitale. Sono molto spaventato, soprattutto per mia madre e gli altri membri della mia famiglia ancora in Liberia. Comunque Dio ha sempre il controllo di tutto. Con tanto affetto. Joseph (e James).

Martedì 2 novembre, 8,12 del mattino. È arrivato un enorme sciame di cavallette su quasi tutta Tripoli, specialmente vicino alla costa, da ieri sera alle 5,30 e continua ad arrivare tuttora sulla città. C'è qualche accenno di pioggia per questo pomeriggio. I nostri migliori saluti. Joseph e James.

Venerdì 12 novembre, 8,16 del mattino. Ciao fratello, com'è Roma? Penso splendida. Un milione di grazie per le notizie dalle nostre famiglie a casa, siamo sollevati nel sapere che sono ancora tutti vivi e che stanno lottando per resistere. Grazie per l'aiuto e per aver fatto loro capire la nostra situazione sulla permanenza qui e sul nostro ritorno da loro. Il Ramadan terminerà domani e i musulmani stanno pregando per celebrarne la fine. Ciao per adesso. Joseph e James.

Lunedì 15 novembre, 13,59 del pomeriggio. Grazie per tutto, stiamo decisamente meglio in salute. Solo che il freddo si sta intensificando e come promesso dalle autorità libiche, si sta preparando la deportazione di massa annunciata per la fine del Ramadan. Noi immigrati stiamo solo aspettando il momento. Ma ciò che è più sorprendente è che c'è ancora una larga comunità di stranieri tenuta tuttora in prigione sotto la pretesa che solo quando il numero sarà sufficiente, verranno rimandati indietro. Abbi cura di te stesso. Joseph e James.

Giovedì 18 novembre, 2,45 del pomeriggio. Fratello, è successo qualcosa di tremendo intorno a un posto chiamato Cremia, che ospita una comunità nera molto grande. Molti immigrati sono stati arrestati e hanno perso le loro proprietà. Anche in un'altra area chiamata Saradine ci sono state le stesse incursioni e ai neri è stato chiesto di andarsene. Ti daremo più informazioni nella prossima email. Ti auguriamo uno splendido fine settimana. Joseph e James.

Sabato 20 novembre, 1,06 del pomeriggio. Ciao fratello, dobbiamo stare nascosti perché i rastrellamenti si stanno intensificando di giorno in giorno e tutto dipende solo dalla protezione di Dio. La polizia sta arrestando gente da tutte le parti. Cremia è stata svuotata e molte persone le hanno mandate al campo di deportazione. Le forze di sicurezza hanno minacciato di muoversi molto presto contro il Mercato africano e gli abitanti di Aljezahra. Abbiamo saputo che Gheddafi ha detto che soltanto il Sudan verrà risparmiato, per la guerra nella regione del Darfur. Ma in realtà la polizia non sta risparmiando nessuno dalle cose che abbiamo visto succedere qui. Il peggio è che tengono gli stranieri nei campi per più di sei o sette mesi fino a quando raggiungono un numero sufficiente prima di essere deportati nel loro Paese. È l'esempio di Liberia, Guinea e altre nazioni che hanno una piccola comunità di immigrati qui. Guarda fratello, noi siamo davvero stanchi e afflitti per questa situazione. Ci troviamo nel posto sbagliato al momento sbagliato. Se noi fossimo nel posto giusto le nostre vite sarebbero cambiate in meglio e avrebbero saputo migliorare e fare progressi. La vita qui ci porta alla frustrazione e alla disperazione. Non trovano più i nostri passaporti e per cercarli pretendono di essere pagati. Purtroppo, senza documenti non possiamo nemmeno prelevare i soldi che ci hai spedito.

Aspettiamo il momento in cui potremo finalmente uscire da questo posto di paura e soffocamento. Abbiamo perso la stanza dove dormivamo, ci danno tre giorni per lasciare la casa senza restituirci i soldi che avevamo anticipato. Anche l'amico che stava con noi è dovuto andare. Il padrone della casa voleva contattare la polizia perché fosse cacciato e messo in un campo di detenzione. Grazie a Dio il clima qui non è troppo freddo e non si muore se si dorme all'aperto. Il freddo può aver contribuito alla morte di molta gente nel deserto, indebolita dai maltrattamenti nelle mani delle forze di sicurezza. Una mamma liberiana di nome Mamie con i suoi due bambini è stata mandata in un campo di deportazione dopo che il padrone di casa l'aveva trascinata dalla polizia perché, diceva, rivoleva la sua casa e l'affitto della donna non era ancora scaduto.

Il 28 novembre è il compleanno di mia moglie (Diana) e io e James qui stiamo sempre peggio. Vorrei tantissimo essere là con la mia famiglia. È passato più di un anno da quando abbiamo lasciato il campo profughi in Ghana e siamo partiti. Un anno senza nessuna conquista in ogni senso, tranne il degrado e la sofferenza umana. Ma so che Dio cambierà la situazione molto presto perché rimanere in questo Paese è davvero una punizione. Dio ha detto che ci aprirà una via di fuga. *He said He makes a way of escape for us.* Ciao per adesso, Joseph e James.

9

Bilal in mare.
Lampedusa, Italia

Le onde arrivano in serie di sette. La settima onda è grossa abbastanza da riuscire a portarci fuori vincendo la forza delle altre. Steve McQueen e Dustin Hoffman sono minuscoli sul bordo della scogliera. Pronto? Ti devo dire una cosa. Louis, tu non mi devi dire niente. Ho cambiato idea, mi dispiace. Lo so. Morirai, lo sai no? Può darsi. Ti prego, non andare. Si abbracciano per l'ultima volta. Steve McQueen lancia il sacco pieno di noci di cocco e salta più lontano che può dalla parete di roccia. Nuota tra onde spaventose. Sale sul sacco che galleggia come una zattera. Si spinge al largo. È salvo. Dustin Hoffman ha gli occhi commossi. Annuisce. Sorride. Steve McQueen si affida supino alla corrente. Gambe e braccia larghe, la sua voce risuona sull'oceano. Maledetti bastardi, sono ancora vivo. Papillon riuscì a tornare e per il resto dei suoi anni visse da uomo libero. Questi edifici una volta sede dell'infame colonia penale della Guyana francese non gli sopravvissero.

I titoli di coda del film di Franklin J. Schaffner meritano di essere letti fino all'ultimo. Lei riaccende la luce. «Cosa c'è da sorridere?» Se n'è accorta e adesso ha lo sguardo sorpreso. La soddisfazione è così forte che è impossibile nasconderla. A volte le scoperte sono a portata di mano. Come quel giorno in Niger. Davanti alla giraffa di Dabous, scolpita sul megalite alle porte del Sahara. La mente già conosce le risposte. Solo che gli occhi non le sanno ancora leggere. Ci voleva Steve McQueen per rendere possibile ciò che soltanto pochi minuti fa sembrava inavvicinabile. «Potrei fare come Papillon.» «Fare cosa?» chiede Lei. «Vado a Lampedusa, mi butto dalla scogliera. Mi ripescano, dico che sono straniero e mi faccio rinchiudere. Papillon l'ha fatto per scappare dall'isola. Io lo faccio per farmi prendere.» Lei resta in silenzio. Spegne il televisore. «Andiamo a dormire» dice.

«Buongiorno a tutti, il mare è bello oggi.» Gli incontri con gli sconosciuti sono sempre carichi di adrenalina. Non sai mai se ti faranno uno scherzo o rispetteranno l'appuntamento. Nemmeno lui mi ha mai visto prima. E ripete la frase per farsi riconoscere. «Buongiorno a tutti, il mare è bello oggi.» «Il mare è sempre bello, Abdel.» Si volta. Sorride. Ci si va a sedere in un bar affacciato sul porto vecchio di Genova. Le mura ocra della città al tramonto mascherano le montagne che circondano il golfo. L'inverno è alla fine. Abdel è magro. Piccolo. Abbronzato. Muove nervosamente le mani intorno al bicchiere. Bisogna metterlo subito a suo agio. «Prima di tutto, grazie per aver accettato questo incontro.» Lui sorride di nuovo. Ma solo per un attimo, veloce come lo scatto di una fotografia. «Io faccio il giornalista, ma non è di te che mi devo occupare. Non so quale sia il tuo vero nome e non lo voglio nemmeno sapere. Questa per te è una garanzia. Non so nemmeno se sei marocchino, tunisino, algerino.» «Marocco» dice lui. Anche se qualcosa nel suo aspetto ricorda i berberi della Tunisia.

«Devo parlare con qualcuno che è stato chiuso nel centro di Lampedusa. Voglio conoscere tutto ciò che succede dal momento in cui uno straniero viene rinchiuso nella gabbia. Tu mi puoi aiutare?» Il suo sorriso questa volta si illumina come il sole sui campi tra le nuvole di temporale. «Perché vuoi sapere cosa succede a Lampedusa?» chiede Abdel. «Perché l'Italia ha chiuso gli zoo nelle sue città. Sei mai stato a Milano?» «Sì» risponde lui con lo sguardo un po' sorpreso. «Il Comune di Milano ha chiuso il suo zoo perché i cittadini sensibili e indignati non potevano più vedere scimmie, leoni e giraffe prigionieri in gabbia. Era il 1992, ricordati questa data.» Abdel annuisce sempre più stupito.

«Nel 1999, appena sette anni dopo, l'Italia e i milanesi hanno invece costruito una grande gabbia e ci hanno messo dentro uomini e donne. E nessuno dei milanesi, degli italiani sembrava più indignarsi. Adesso di gabbie come quella ce ne sono in tutta Italia. E la gabbia di Lampedusa è diventata una macchina infernale. L'ingranaggio centrale delle deportazioni di massa messe in atto dall'Italia con la complicità della Germania e dell'Unione Europea. La più grande deportazione che coinvolge l'Europa dalla fine della Seconda guerra mondiale. Il tradimento degli ideali di libertà, uguaglianza e fraternità. Decine di migliaia di deportati in cambio di contratti per l'importazione di gas dalla Libia e per l'ammodernamento dell'industria petrolifera libica. Te lo dico senza mezzi termini. La gabbia di Lampedusa oggi è diventata la vergogna della nostra democrazia. La più grande menzogna dell'Europa unita che stiamo costruendo. Ecco perché mi interessa sapere cosa succede là dentro.»

Abdel muove lentamente le labbra prima di parlare. «Io nella gabbia di Lampedusa ci sono stato e sono riuscito a uscire. Ho finto di essere un profugo palestinese per evitare l'espulsione. Mi sono studiato l'accento, le usanze della Palestina. Ero partito dalla Libia e non potevo tornarci. Perché i libici sbattono in prigione senza processo tutti gli immigrati rimpatriati dall'Italia.»

L'amica volontaria in un'associazione di rifugiati ha mantenuto la promessa. Aveva detto che con il suo passaparola mi avrebbe fatto incontrare la persona giusta. Poi aveva fatto girare la parola d'ordine perché all'appuntamento ci riconoscessimo. Abdel è la persona giusta. Racconta la sua storia. Elenca in ogni minimo dettaglio cosa gli hanno fatto dal momento in cui è entrato nella gabbia. «Ma l'accertamento dei nomi è preciso? Uno che è già stato schedato, che ha precedenti penali, viene sicuramente scoperto?» Abdel ride: «Tu vuoi entrarci. Guarda che è impossibile. Magari da lì puoi scappare. Ma è impossibile entrarci se non sei uno straniero. È troppo controllata». «Lascia perdere, non ti ho detto che voglio entrarci. Cerca di ricordare anche gli episodi di cui hai sentito parlare. Come avviene l'accertamento dei nomi?» «Guarda» risponde Abdel, «un tunisino che era con me ha detto di chiamarsi Barra Naiek, che praticamente vuol dire vaffanculo. E i poliziotti italiani l'hanno registrato come Barra Naiek. Ma è pericoloso per te. C'è molta corruzione.» «Come puoi provare che c'è corruzione?» Abdel sospira.

«Ti racconto una storia che conosco bene, la storia di capitan Hussein. È uno scafista tunisino che lavora con l'Italia. Parte da Mahdia, in Tunisia. Lui sbarca i suoi clienti sulla costa della Sicilia vicino alla casa di un'amica italiana che lo ospita. Poi va a Roma in ambasciata, si fa dare il lasciapassare per uscire dall'Italia dicendo che ha perso i documenti. Torna in Tunisia e organizza un altro viaggio.» «Ma lui non sbarca a Lampedusa?» «Sbarcare a Lampedusa senza essere avvistati dalla guardia costiera adesso è difficile. E poi Lampedusa è un'isola, dove scappi? Ma alla fine anche la guardia costiera fa parte del meccanismo.»

«Non ti seguo, Abdel. Parli della corruzione? La guardia costiera fa un lavoro eroico. Loro rischiano la vita per salvare le persone in mare.»

«No. Dico che fa parte del meccanismo nel senso che è la guardia costiera a trasferire a Lampedusa i passeggeri intercettati in mare. Ammettiamo l'ipotesi che una barca punti verso la Francia e una verso la Sicilia. Se vengono intercettate, tutte e due le barche finiscono sempre a Lampedusa. Chi organizza i traffici in Libia se n'è accorto. Così hanno provato a spedire pescherecci più piccoli, con meno carburante e più persone a bordo. È come se affidassero alla guardia costiera il completamento del viaggio, mi capisci? Questo però aumenta i pericoli: cosa succede ai passeggeri se la loro barca con poco carburante non viene intercettata? Quando mi sono imbarcato sapevo già che era come la roulette. Se non morivamo, da Lampedusa una parte di noi sarebbe stata deportata in Libia, un'altra trasferita in Italia e poi liberata con il foglio di espulsione. Una volta in Italia strappi il foglio e fai quello che faccio io, lavori in nero. La gente si imbarca comunque sperando di avere questa chance.

Voi italiani per non pagare le tasse prendete chiunque in nero. Muratori. Imbianchini...» Abdel beve l'ultimo sorso di birra. «Badanti, camerieri, braccianti. È questo il motore dell'immigrazione clandestina.»

«Non si può dare la colpa alla guardia costiera. Il pattugliamento del mare ha salvato migliaia di persone. Non è causa loro se Lampedusa è più vicina all'Africa che all'Italia. Lo schifo è quello che succede prima e dopo.» «Certo» replica Abdel, «dicevo soltanto che la realtà è questa.» «E il tuo scafista era capitan Hussein?» Lui sorride, si accarezza la barba sfatta. «Posso avere un'altra birra?» chiede e risponde: «No, non sarei finito a Lampedusa. Il mio scafista era egiziano. Capitan Hussein costa troppo. Perché è uno dei pochi che riesce a evitare la guardia costiera e a sbarcare i suoi clienti direttamente in Sicilia. Ma per questo, si fa pagare più del doppio. Prima ti dicevo che c'è sicuramente corruzione perché lo scafista egiziano durante la mia traversata ha telefonato con il satellitare a Crotone, in Calabria nel Sud dell'Italia. A Crotone c'è l'altro centro di detenzione da cui partono le deportazioni per la Libia».

«Lo conosco. Ma chi chiamava?» «Un amico. Un complice, penso. Parlavano arabo. L'egiziano gli ha comunicato quale nome avrebbe usato con la polizia a Lampedusa in modo che, come le altre volte, fosse inserito nell'elenco e trasferito a Crotone.» «Per essere riportato in Libia?» «No, in Libia finirebbe in prigione come tutti gli immigrati rimpatriati dall'Italia. A Crotone l'egiziano paga centocinquanta euro a un'organizzazione e lo fanno scappare. Adesso sai come funziona. Come per capitan Hussein. Lo scafista va poi all'ambasciata egiziana a Roma, si fa dare i documenti dicendo che li ha persi e torna in Egitto. Da regolare, in aereo, come un turista. Da qualche tempo, anche per le pressioni europee, è reato emigrare illegalmente da Egitto e Tunisia. Ma non è reato se un egiziano o un tunisino entrano legalmente in Libia e da qui passano illegalmente in Italia. Sai quanto guadagna uno scafista per questa giostra?» «No.» «Seimila euro a viaggio. Sono quasi tutti egiziani perché adesso quella che lavora forte è la mafia egiziana.

301

I tunisini mettono i vecchi pescherecci. I libici offrono le spiagge. Gli egiziani danno gli scafisti. Ci sono pescatori del Delta del Nilo che hanno smesso di lavorare con il pesce. Ora portano clandestini a Lampedusa. Dicono siano i più bravi marinai del Mediterraneo.»

«Quelli dell'organizzazione sono italiani?»

«Sono italiani quelli che inseriscono il nome dello scafista nell'elenco dei trasferimenti da Lampedusa. Ma sicuramente non sono loro le persone corrotte. Sarebbe troppo facile. A Crotone gli affari sporchi sono delegati a gente del Darfur e del Bangladesh che entra a dormire nel centro di detenzione. Non c'è controllo. Sopra di loro, però, so che hanno sempre la mafia egiziana. A volte sequestrano gli immigrati che aiutano a scappare, per farsi dare altri soldi dalle loro famiglie. Lo so perché non è la mia prima volta in Italia. A Crotone mi hanno tenuto due mesi. Là molti si sono inventati qualcosa per guadagnare dagli immigrati. Qualcuno vendeva perfino le sigarette. Dieci sigarette, dieci euro. Il regolamento prevede dieci sigarette al giorno e gratis.» «Che schifo.» Abdel ride e butta giù la birra fredda. «Questo è il mondo, amico mio.»

«Senti, ti faccio una domanda e la dimentichi subito. Secondo te, c'è modo per me di entrare in Libia e imbarcarmi su un peschereccio?» Lui già prima di rispondere dice no con la testa. «Sei bianco. Non ti è possibile infiltrarti nelle organizzazioni in Libia. Ti ammazzerebbero. Sono spietati. In Libia, si conoscono sei grandi boss dell'immigrazione clandestina. E ogni boss ha le sue spie. Uno dei grandi capi si chiama Ayman. Ha trenta, trentadue anni. È proprietario di negozi a Zuwara. Per la partenza di ogni peschereccio, i poliziotti libici incassano fino a ventimila dollari. Parlo di dollari americani. Ogni viaggio sono almeno centosessanta passeggeri. Ciascuno paga millecinquecento dollari. Oppure millecinquecento euro. In Libia valgono lo stesso, fai tu i conti.» «È un guadagno mostruoso, lo so.»

«In genere la tangente è di cinquemila dollari a poliziotto per fingere di non vedere la barca in partenza. E di solito i poliziotti sono due. Ma sulle grosse partenze i poliziotti che arrivano sono quattro e la tangente sale così a ventimila dollari. È successo che una notte gli scafisti non hanno pagato. La polizia ha sparato contro la barca. Stavano caricando gli immigrati e hanno lasciato alcuni morti sulla spiaggia. È un fatto che non ho verificato di persona, ma secondo chi me l'ha raccontato sarebbe successo nel 2004. Adesso in Libia la situazione è davvero brutta. La polizia sta deportando migliaia di immigrati nel deserto. Perfino gli egiziani. Alcuni li hanno rimpatriati in camion, senza acqua, chiusi dentro un container. E sono arrivati in Egitto morti per il caldo. Tutti in Libia sanno che queste operazioni sono finanziate dall'Italia.» «Ho amici in Libia, me l'hanno raccontato.»

«La Libia fa una doppia politica. Ufficialmente asseconda le richieste europee. Ma il guadagno è così alto che sulle spiagge i mudin, i trafficanti, continuano il loro lavoro. Parla tu adesso. Prima mi hai detto che un anno e mezzo fa hai attraversato il Sahara. Qualcuno di quelli che erano con te è riuscito ad arrivare?» «Non lo so. Su decine di email che ho spedito, soltanto due compagni di viaggio hanno risposto. Sono ancora bloccati in Libia. Di tutti gli altri non ho saputo più nulla.»

«Amico mio, non so cosa vuoi fare. Ma se entri a Lampedusa, stai molto attento. Durante la mia detenzione, in ottobre l'anno scorso, nel centro c'erano funzionari della polizia libica.» «Funzionari libici? È contro le convenzioni internazionali.» «Certo, ma la polizia italiana sul suolo italiano ha autorizzato i libici a interrogarci. Conosco bene la materia. Violazione della Convenzione di Ginevra che vieta il *refoulement*, le espulsioni di massa. Violazione dell'articolo 13 della Convenzione: diritto di ricorso contro l'espulsione. Violazione dell'articolo 3: trattamenti inumani e degradanti. E fai attenzione a un'altra cosa. Non ti fidare nemmeno degli italiani. Se ti scoprono e ti massacrano di botte, hanno tutto il mare a disposizione per farti sparire.»

Ci salutiamo con un abbraccio. Come compagni di viaggio arrivati alla meta. Sappiamo tutti e due che non ci rivedremo mai più.

Mercoledì 16 marzo è pronta una nuova lista di uomini e donne da deportare. Alle 2,10 del pomeriggio, le prime notizie con il linguaggio burocratico delle agenzie: «La destinazione per centottanta persone, in partenza dal centro di prima accoglienza di Lampedusa, sarà la Libia. Il ponte aereo attivato dal ministero dell'Interno che verrà effettuato con due aerei C130 dell'Aeronautica militare, ha un piano di volo riservato. Da fonti attendibili è però confermato che la destinazione dei due aerei è la Libia». Per pudore lo chiamano centro di accoglienza, ma è la stessa grande macchina infernale. Alle 7,03 della sera, un aggiornamento: «Le autorità locali hanno negato stamani ai rappresentanti dell'Unhcr, l'Alto commissariato delle Nazioni Unite per i rifugiati, l'accesso al centro di permanenza temporanea di Lampedusa». Alle 8,04 della stessa sera l'inviato delle Nazioni Unite sull'isola denuncia la violazione del diritto internazionale da parte dell'Italia. «Nessuna risposta ci è stata ancora data dal ministero dell'Interno per accedere al centro di Lampedusa» rivela il capo della sezione italiana dell'Unhcr. I rimpatri vengono però rinviati al giorno dopo.

Alle 8,14 della sera di giovedì 17 marzo, i lanci di agenzia riassumono cosa è successo. «Ci sono voluti gli aerei di una compagnia privata per portare in Libia i centottanta immigrati che ieri sarebbero dovuti partire con due C130 dell'Aeronautica militare. Così il ponte aereo da Lampedusa a Tripoli si è aperto con un velivolo croato dell'Air Adriatic che, ironia della sorte, si chiamava My dream, il mio sogno. Il piano preparato dai funzionari del ministero dell'Interno prevedeva entro oggi il trasferimento di quattrocento persone. Ma qualcosa non è andato per il verso giusto e nel centro di prima accoglienza restano ancora seicentotredici persone, ammassate in una struttura che ne può accogliere centonovanta.» Quel qualcosa che non ha funzionato è evidente. Un conto è il colonnello Gheddafi. Un altro sono i suoi soldati. Le forze armate libiche non volevano vedere nei loro aeroporti i C130 militari italiani. Quando era tutto pronto, hanno vietato gli atterraggi. Così il governo di Roma ha dovuto noleggiare l'aereo della compagnia croata.

Venerdì 18 marzo, la protesta delle Nazioni Unite è ufficiale. «L'Alto commissariato per i rifugiati ha espresso oggi a Ginevra profonda preoccupazione per la deportazione ieri in Libia di un gruppo di centottanta persone dall'isola di Lampedusa. L'Unhcr» spiega il portavoce dell'Alto commissariato, «non ha potuto accedervi e non sembra che l'Italia abbia preso le precauzioni necessarie per garantire che nessun vero rifugiato fosse deportato in Libia. Tale Paese non può essere considerato sicuro sotto il profilo dell'asilo. La Libia non ha ratificato la Convenzione del 1951 sui profughi e per l'Unhcr c'è il rischio reale che persone che necessiterebbero della protezione internazionale, siano rimpatriate con la forza.» Mai, dalla fine della Seconda guerra mondiale, l'Italia aveva commesso violazioni tanto gravi del diritto internazionale. La denuncia prosegue. «Le autorità italiane hanno respinto la richiesta d'accesso al centro di prima accoglienza che era stata formulata da un funzionario dell'Unhcr presente sull'isola. La preoccupazione dell'Unhcr» spiega da Ginevra il portavoce, «è anche dovuta alle notizie sull'arrivo a Lampedusa di ufficiali libici ai quali è stato dato il permesso di avvicinare le persone rinchiuse nel centro. Nell'eventualità della presenza di richiedenti asilo libici nel gruppo, questo sarebbe contrario ai principi fondamentali per la protezione dei rifugiati. Un episodio simile si era verificato in ottobre quando, dall'isola di Lampedusa, oltre mille persone erano state rinviate in Libia.»

Lo stesso giorno le Nazioni Unite criticano le procedure seguite dai governi di Roma e Tripoli: «L'Unhcr deplora la continua assenza di trasparenza da parte delle autorità italiane e libiche che non placa i sospetti di eventuali violazioni del diritto internazionale». Nuova protesta ufficiale da Ginevra, venerdì 15 aprile: «L'Alto commissariato delle Nazioni Unite per i rifugiati ha ribadito oggi la propria preoccupazione per la situazione a Lampedusa». Giovedì 19 giugno, la denuncia contro quanto accade sull'isola arriva dagli Stati Uniti. L'Italia è messa sotto accusa dal referente americano dell'Unhcr, lo Us Committee for refugees and immigrants. Se ne parla in un rapporto sulla situazione mondiale dei rifugiati, presentato nella sede dell'Onu a New York: «Nell'ottobre scorso l'Italia ha espulso sommariamente dall'isola di Lampedusa verso la Libia oltre mille persone, senza permettere loro di presentare domanda d'asilo. Inoltre, ai rappresentanti dell'Alto commissariato per i rifugiati venne accordato il permesso di entrare solo dopo che le autorità italiane avevano espulso le mille persone e ne avevano trasferite altre cinquecento». Il rapporto condanna anche la Libia. Per il rimpatrio in Eritrea di centodieci profughi che chiedevano asilo.

Una reputazione senza precedenti per l'Italia contemporanea. Solo che gli italiani non se ne accorgono. Le tre tv di Stato non ne parlano. Tanto meno i tre canali nazionali di proprietà del capo del governo. Quello che appare ai telegiornali è il solito autoelogio di parlamentari e ministri. Come oggi, venerdì 16 settembre. Il centro di detenzione di Lampedusa è stato appena ispezionato da una delegazione del Parlamento europeo. Perché sia efficace, un'ispezione dev'essere improvvisa. Gli europarlamentari aspettavano da aprile. Quando li hanno lasciati finalmente entrare, hanno trovato nove stranieri nella grande gabbia. La delegazione è stata accompagnata a vedere camerate deserte e profumate di candeggina. Uno spot pubblicitario. Conclusa la visita, la coalizione che forma il governo italiano adesso invita il mondo a copiare il modello Lampedusa. «Un motivo di orgoglio, un esempio da seguire in Europa» dichiara al telegiornale del pomeriggio un europarlamentare del partito degli ex fascisti: «Ho trovato tutt'altro che un luogo di degrado dove vengono violati i diritti umani. Bensì, una gestione perfetta e un comportamento ineccepibile di civili, militari e forze di polizia che operano con estremo sacrificio e impegno».

«Ciao, cosa stai combinando in questo periodo?» La sua voce al telefono è sempre allegra. Anche se le cause che segue sono le più sventurate tra gli sventurati sulla terra, non perde mai l'equilibrio tra il mondo che la circonda e il suo buonumore. «Avvocatessa, come stai? C'eri anche tu alla visita a Lampedusa?» «Questa volta no, ma mi hanno detto che è stata una farsa. Hanno svuotato il campo prima dell'arrivo della delegazione. C'erano più europarlamentari che immigrati.» «Ti leggo dal giornale la dichiarazione della deputata francese che ieri guidava la delegazione. Dice che ha assistito a una sceneggiata drammatica da parte delle autorità italiane. Altri hanno detto che hanno trovato il centro svuotato, ripulito e lustrato come una sala da ballo. Non perdiamo mai occasione per le nostre figure di cacca davanti all'Europa.»

«Purtroppo sì. Ma non ti chiamo per questo. Voci bene informate mi dicono che stai facendo un sacco di domande in giro sul funzionamento del centro di Lampedusa. Ti serve aiuto?» «Sei gentilissima, al momento no.» «A me puoi dirlo, devo preoccuparmi?» «No, perché?» «Mi hai capito.» «Prima di chiamare l'avvocato, di solito uno deve farsi arrestare.» «Ecco, appunto.» «Ma va là, so a cosa pensi.» «E la cosa mi preoccupa.» «No, pensi male.» «Ricordati che se hai bisogno, chiunque in qualunque momento può nominare il suo avvocato.» «Già, poi non lo lasciano entrare al colloquio. Invece, sai dove sono finiti gli stranieri tolti da Lampedusa?» «Li hanno visti caricare a decine sugli aerei con i polsi legati da fascette di plastica.» «Libia?» «Probabilmente sì. Stiamo cercando di avere i nomi degli espulsi per presentare un altro ricorso alla Corte europea dei diritti dell'uomo. Ma il ministero dell'Interno impedisce ogni accertamento.» «Senti, se mai un giorno dovessi avere bisogno di aiuto, non potrò scoprirmi. Ti chiamerò e ti dirò che sono andato al mare.» «Bravo, così magari mi vuoi dire che sei in vacanza e io corro come una matta a cercarti. E poi non è facile avere contatti con l'esterno.»

Ha ragione. Bisogna inventarsi un'altra soluzione. «Allora facciamo così. Riceverai una telefonata.» «Da chi?» «Da mia moglie. Darò a Lei il tuo numero. Ma non ne dovete parlare al telefono. Ti chiamerà e ti dirà che sono andato al mare a fare windsurf. E se vuoi, mi puoi raggiungere. Questa è la frase che ti devi ricordare.» «Quando?» «Quando cosa?» «Andrai a fare windsurf.» «Guarda che è un'idea impossibile.» «Non fare sciocchezze.» «E infatti non faccio nulla.»

Peccato non poterle dire niente. Non è mancanza di fiducia. Ma ognuno deve rispondere delle proprie scelte. Informare altre persone significa renderle complici. E poi l'Italia è il Paese più intercettato d'Europa. Lasciarsi scappare qualcosa al telefono, potrebbe mettere in allarme la catena gerarchica dello Stato. Lampedusa è troppo importante per loro.

Lei aspetta seduta al tavolino del bar in piazza. «Sei già qui, scusami sono in ritardo.» «Come al solito» dice Lei, «ma si sta bene. C'è una bella luce.» «Ho fatto quasi due ore di nuoto, l'acqua oggi era gelida.» Finita l'estate il lago è sempre più freddo. Soprattutto adesso che in montagna è caduta la prima pioggia d'autunno. Lei guarda dritto negli occhi.

«Tu non hai resistenza a nuoto. Mi prometti che userai un giubbotto di salvataggio?» «L'ho comprato prima, al supermercato. Un giubbotto per bambini.» «Per bambini? Ma ti terrà a galla?» «È più piccolo, più facile da nascondere. Basterà.» Lei all'improvviso prende un pacchetto dalla borsa. Un cubo di cartone bianco con un fiocco bianco.

«È un regalo per te. Su, aprilo.» Due scarpine bianche da neonato. Gli occhi parlano prima che le labbra ritrovino le parole confuse dall'emozione. «Ho sempre sognato di dirtelo in questo modo» dice finalmente Lei. «Hai già ritirato gli esami.» «Volevo farti una sorpresa.»

La volta in cui ne ho più sentito la mancanza è stato al ritorno dall'Africa. Un bimbo al quale raccontare le storie di Joseph e James, Daniel e Stephen, degli uomini e delle donne che affrontano a mani e piedi nudi il Sahara e i suoi pirati, dei gin che ti aspettano vicino alle montagne, dei miraggi che riflettono l'acqua dove non c'è più da migliaia di anni. E adesso quel bimbo è arrivato. «Ehi, non è ancora arrivato» frena Lei, «aspettiamo le conferme prima di dirlo in giro. Però guarda i valori.» «Sono altissimi. Saranno due gemelli.» «Oh, oh» ride Lei.

Per la prima volta da mesi, passano ore di allegria senza che la mente ricada nella trappola di Lampedusa. Il pensiero si riaffaccia la sera tardi. Sarà una delle tappe più difficili e rischiose del lungo viaggio. «Lascio perdere. Dovresti restar sola non so per quanto tempo. E in un momento così delicato. Ci ripenso tra un anno.» Lei risponde con la calma che ha solo chi conserva dentro di sé un grande coraggio. Il suo è un ragionamento di poche parole. «Non serve che tu ti fermi adesso. Forse tra un anno avrò più bisogno.» «Posso rinviare di qualche mese.» «Eh no, così se non ti rilasciano, rischi di perderti la nascita. L'unica cosa che ti chiedo è di essere prudente. E di non tentare di partire dalla Libia o dalla Tunisia. Adesso siamo in due ad aspettarti.» Lei non ha mai saputo del tentativo fallito dalla spiaggia di Chaffar. Ma non ce ne saranno altri.

Il piano prosegue come stabilito. Una sera a cena con monsieur H e sua moglie il discorso va agli ultimi sbarchi. Monsieur H se ne intende. È nato nel Maghreb e per arrivare in Europa ha attraversato a piedi tutti i deserti che si affacciano sul Mediterraneo. A piedi dal Maghreb alla Grecia. E poi in nave in Italia.

«Ho bisogno di una consulenza. Escluso che la mia faccia possa sembrare senegalese o marocchina, secondo te se venissi dal Nord Africa o dal Medio Oriente, che nazionalità potrei dichiarare?» Monsieur H sorride. «Cosa stai combinando?» «È meglio che tu non sappia nulla o ti ritirano la cittadinanza italiana.» «Sì, sei un po' pallido per fare il senegalese» dice lui, «potresti dire di essere algerino. Un algerino discendente da coloni francesi. Oppure iraniano.» «Iraniano no, metterebbe in allarme troppe persone. Io pensavo curdo. Curdo iracheno. I curdi hanno la carnagione chiara.» «Sì, curdo va bene e in Iraq c'è la guerra. Puoi sempre dire che sei in Europa per chiedere asilo» osserva monsieur H.

«Allora mi presento: Bilal Ibrahim el Aziz.» «Lascia perdere el Aziz. C'era il ministro Tareq Aziz, è un cognome troppo conosciuto in Iraq. Devi essere più insospettabile. Prova... Prova el Habib. È un bel cognome ed è diffuso in tutto il mondo arabo.» «Bilal Ibrahim el Habib, molto lieto.» «Perché hai scelto Bilal? È un nome molto importante nella storia dei popoli arabi.» «Sì, ma non l'ho scelto solo per questo. Bilal è un nome breve, facile da ricordare. Ma soprattutto è un nome bello da sentire.»

«E da dove viene Bilal?» domanda monsieur H sempre più solleticato dalla curiosità che l'ha portato in giro per il Mediterraneo, salvandolo. «È nato ad Assalah, distretto di Aqrah, Kurdistan iracheno. Da genitori cristiani.» «Cristiani?» chiede monsieur H, «sì, hai ragione. È meglio se dici che sei cristiano, visto che da italiano conosci meglio la cultura cristiana di quella musulmana. Perché se vai in un posto dove ci sono musulmani, sicuramente ti chiedono di che religione sei e magari vogliono farti ripetere il Corano a memoria.» Lui, tra i laici più idealisti che abbia mai incontrato, conosce bene il fervore degli arabi. «Soprattutto gli egiziani» dice, «sono come certi veneti o certi italiani del vostro Sud.»

«Ma Assalah esiste?» chiede la moglie di monsieur H. «Esiste Aqrah, tra le montagne nel Nord dell'Iraq. Assalah me la sono inventata adesso.»

La mattina della partenza bisogna ripassare insieme le procedure. Giusto per tirarmi fuori dai guai nel caso di imprevisti. Lei rilegge il foglio con le istruzioni.

«Ti ho scritto il numero del direttore de "L'espresso" e del caporedattore. Sanno già che sentirò solo te, così mi dici come stai e come sta il nostro fagiolino. Ti chiamerò sul telefonino che ho comprato per l'operazione, non sul tuo. Tu li terrai informati. Ma non chiamarli con quel telefonino. Altrimenti lo rendi tracciabile e possono smascherarmi: il telefono a schede del centro di Lampedusa è sicuramente controllato. L'altro è invece il numero dell'ufficio stampa del ministero dell'Interno. Ovvio che non sanno nulla e non vanno chiamati mai. Ma se tra dieci giorni non riuscite ad avere mie notizie nemmeno con l'intervento dell'avvocato, bisogna chiedere a loro dove mi hanno sbattuto.» Lei lo sottolinea con il pennarello rosso.

«Se rispettano il regolamento, dovrebbero lasciarmi telefonare non appena sono dentro. Ma dubito che succeda. Allora al quarto giorno di silenzio chiami il numero dell'avvocato.» «Lei sa tutto?» «No, non sa niente. Per scherzo le ho detto la frase che dovrebbe metterla in allarme. Ti ho scritto anche quella. Le dici chi sei. Pronunci esattamente la frase. E le dai il mio nome di copertura. L'avvocato può chiedere un colloquio e se la lasciano entrare, può verificare se sono dentro. Non nominare mai il mio cognome vero però. Nemmeno la parola Lampedusa. È un avvocato scomodo, fa bene il suo mestiere. È facile che le sue telefonate siano intercettate.» «E se viene a Lampedusa e non ti trova?» «Può essere che mi abbiano trasferito a Crotone. È il suo lavoro, sa come muoversi per chiedere un colloquio.» «Ma sei sicuro che non ti deportino in Libia? Possono imbarcarvi senza dirvi nulla» suggerisce preoccupata. «I voli di rimpatrio avvengono sempre di giorno.» «Cosa c'entra?» «Potrò guardare la posizione del sole. La Libia è a Sud Est. Crotone a Nord Est. Ho visto le previsioni meteo. Ci sarà sole per almeno dieci giorni, in volo lo vedrei dal finestrino. Se decolliamo e andiamo a Sud Est, mi qualifico, chiedo protezione umanitaria al comandante dell'aereo e mi faccio riportare in Italia. Se ci trasferiscono a Crotone, me ne sto zitto e continuo l'inchiesta. Porca miseria, non abbiamo scritto il nome sul giubbotto di salvataggio.»

Lei va a consultare il libro del suo corso di arabo. «Può andar bene abbondanza? Molti pescherecci si chiamano così.» «No, non mi sembra attendibile in Libia.» Sfoglia il dizionario. «E felicità?» «Brava. È quello che a tutta l'umanità manca. La ragione per cui la gente emigra. Sì, La felicità 3. Il giubbotto di salvataggio di una nave che si chiama La felicità 3.» Lei trova la parola: «As-soror si dice. As-soror talata. Ma cosa è successo a questo giubbotto? È sporco di grasso». «L'ho sporcato in garage con l'olio della macchina. Per farlo sembrare più vissuto.» Si è seduta al tavolo della cucina. Alza lo sguardo dal foglio su cui sta provando a scrivere As-soror talata con un pennarello nero. Ride. «Tu sei tutto matto» dice Lei, «e io sto qui a darti retta.»

Gli indumenti da portare stanno in un borsone sportivo. Un pile pesante. Una camicia a quadri colorata. Un paio di ciabatte di plastica consumate. Il giubbotto di salvataggio rosso. Più i vestiti che ho addosso. Pantaloni neri. Maglietta nera a maniche lunghe. Anche il borsone è nero. A tutto è stata tagliata l'etichetta. Se vogliono controllare, non devono leggere scritte in italiano e nemmeno il marchio made in Italy. La mente ripassa ogni cosa. I soldi. Cinquecento dollari americani e trecento euro. Sono nel taschino del giubbotto con il fischietto di emergenza. I dollari arrotolati ermeticamente in un foglio di cellophane e nastro adesivo. La capsula è stata sigillata alle estremità con la fiamma di un accendino. Gli euro sono sciolti, si bagneranno. Ma serviranno per mangiare in questi giorni. E poi le prove nella scodella con acqua e sale hanno dimostrato che i colori delle banconote europee sono più resistenti dei verdoni americani.

L'aereo del pomeriggio vola su batuffoli di nuvole che nascondono il mare e la Sicilia. Lentamente, inesorabilmente sto diventando Bilal Ibrahim el Habib. Nato il 9 settembre 1970 nel villaggio immaginario di Assalah, distretto di Aqrah, Kurdistan iracheno. Non ho quasi più nulla di mio addosso, a parte la patente e la carta d'identità. Orologio, portafoglio, telefonino, passaporto sono rimasti nella cassaforte della redazione. Bilal non deve possedere nulla di tutto questo. Invece di affaticarmi a ripassare la sua storia familiare, però, potevo dormire. A Lampedusa non resterà molto tempo per riposare. Ma mancano pochi minuti all'atterraggio. La mente si tiene compagnia con la struggente melodia di *River of life*. Era da settimane che non riaffiorava la nostalgia del deserto. E immediatamente, dopo la musica, riemerge la voce di Daniel. La sua battuta rubata a Goethe davanti alla meraviglia notturna del Ténéré. Sarebbe fantastico ritrovarlo a Lampedusa. Finalmente al di qua del mare. La nostalgia, il dolore dell'anima. È il giusto tormento per sentirsi fino in fondo uno dei tanti Bilal. Uno tra le migliaia di uomini e donne costretti a lasciare a casa i loro amori per incamminarsi lungo il fiume della vita.

Le rocce infuocate di Punta Raisi dominano l'aeroporto di Palermo. Si atterra con il sole basso che allunga le ombre. L'auto noleggiata è pronta al parcheggio. Si va a Sud, ad Agrigento. La costa europea che si affaccia sull'Africa. Il Tempio della Concordia brilla nel buio come un'astronave appena sbarcata da un volo di millenni. L'ultima notte di comodità è in una pensione sulla Valle dei Templi. Il giusto panorama per inventarsi gli ultimi particolari della vita di Bilal.

«Parli la mia lingua?» chiede all'improvviso in americano una ragazza sulla trentina, seduta al tavolo accanto. Gli sguardi si incrociano. La ragazza sorride. «Ho finito la mia cena, posso dividere un bicchiere di vino con te?» «Certo, prego.» E si siede bruscamente senza lasciare il tempo di porgerle la sedia. Sembra un po' sbronza. «È un paesaggio bellissimo, unico» dice. Il profilo dei suoi occhi è marcato da un sottile filo di matita. Il vestito attillato le fascia un corpo bello, sicuramente rassodato da ore di palestra. Un vestito nero. Lungo fino alle caviglie. Fin troppo elegante per la serata. Forse le è andato male un appuntamento.

Devo sembrarle strano. I capelli rasati. La barba lunga da mesi. L'abbigliamento totalmente nero. Il completo ideale del ladro notturno. Una via di mezzo tra Diabolik e Paperinik. E forse la ragazza se n'è accorta. Continua a fissare come sono agghindato. «Ho lasciato i miei amici a Lampedusa» racconta, «stiamo facendo le vacanze in barca nel Mediterraneo. Io però non avevo mai visto Agrigento. Allora stamattina ho preso l'aliscafo e sono venuta qui. È bellissimo, vero?» «Sì, Agrigento è...» «E tu perché sei solo?» interrompe la risposta, «sei in vacanza?» «No, sono qui per lavoro.» «E che lavoro fai?» Meglio lasciar cadere la domanda. Mentre si accende la sigaretta, impiega qualche secondo a far incontrare la fiamma con il tabacco. È davvero sbronza. In un sorso si beve un altro mezzo bicchiere di rosso.

«Allora cos'è questo tuo lavoro che ti porta in giro la sera tutto solo?» insiste. Bilal si è preparato a rispondere alla polizia. Il nome di suo padre. Di sua madre. La sua vita. La fuga dal Kurdistan. Il lavoro che faceva in Turchia. Il viaggio in nave. Lo sbarco a Lampedusa. La sua meta. Non prevedeva di dover dare spiegazioni a una turista americana un po' alticcia. Bilal non può dirle di essere Bilal. Ma nemmeno raccontarle la verità. La ragazza non capirebbe. Il mondo dei migranti è irraggiungibile dalla terra dei ricchi. È per questo che la risposta se ne esce senza pensarci troppo. «Riparo ventilatori. Impianti di aria condizionata.» «Oh, interessante» e si aspira una boccata di fumo, «stasera faceva un caldo tremendo nella mia camera. Forse l'aria condizionata non funziona.» «Forse, sì, è ancora estate qui. E tu di cosa ti occupi?» «Moda e turismo. Scrivo per riviste inglesi e americane.» Ci mancava una giornalista, stasera. «Sei una giornalista?» «Sì, e tu conosci giornalisti?» «Io? No, no. Non ne conosco.» «Io conosco qualche giornalista italiano. Ma vivono a Roma e Milano.» Bene. E se questa me la ritrovo a Lampedusa mentre sto per buttarmi in mare? «Facciamo una passeggiata?» chiede la ragazza. «Sei gentile davvero, grazie. Ma domani comincio a lavorare molto presto. Devo dormire.» «Allora andiamo a dormire insieme?» dice lei stringendo ancor di più i suoi occhi scuri e sottili. «Grazie, ma non posso accettare.» La ragazza scoppia a ridere. «Non volevo invitarti a dormire con me. Ma se non ti va di passeggiare, vado a dormire anch'io. È stato un amabile *misunderstanding*.» Sì, certo. Un amabile malinteso.

La mattina la sveglia suona molto presto. Prima di lasciare l'albergo, l'ultima telefonata è per il caporedattore. «Hai visto stamattina il telegiornale?» chiede lui. «Stanotte dal posto dove stai andando hanno avvistato una barca con centosessanta persone.» «Saranno i miei compagni di branda. Volevo dirti che è tutto come previsto. Da questo momento terrò i contatti solo con casa, come sai. Sto andando a Porto Empedocle all'imbarco. C'è un aliscafo alle due e mezzo oggi pomeriggio. Tanti baci a tutti.» «Buona fortuna.»

Tutto come previsto? Non proprio. «Mi spiace» risponde l'uomo alla biglietteria, sulla banchina di Porto Empedocle, «oggi l'aliscafo è pieno.» «E domani?» «Domani anche. A Lampedusa c'è il concerto con tutti i vip stasera, domani e dopodomani sera.» «Alla faccia dei vip.» «Se volete vi metto in lista d'attesa» dice il bigliettaio, «però vi consiglio di andare a prenotare un posto sulla nave che salpa stanotte. Altrimenti rischiate di non partire. La nave arriva a Lampedusa domattina.»

Nell'era delle comunicazioni è davvero scomodo non avere un cellulare in tasca. Perché i telefoni pubblici non li mantengono più come una volta. Il primo è rotto. Il secondo fuori servizio. Il terzo ha la cornetta strappata. Il quarto, dopo almeno un chilometro a piedi, funziona. Lei risponde subito. «Volevo fare una prova per vedere se il telefonino suona e soprattutto se mi ricordo il numero a memoria. Per favore, chiama la redazione, avverti il caporedattore e spiega che c'è un ritardo. L'aliscafo è pieno. Prendo la nave stanotte. Ma arrivo domani mattina. Quindi tutto il lavoro e il conto alla rovescia per avvertire l'avvocato è rinviato di ventiquattro ore.» «Non avevi prenotato l'aliscafo?» «No, avrei dovuto lasciare troppi nomi in giro. Ma è meglio così, saranno tutti distratti da 'sto concerto dei vip. Come sta il fagiolino?» «Il fagiolino sicuramente bene. Oggi è la sua mamma un po' preoccupata. Sii prudente.» «Lo sarò.» Altro chilometro a piedi per ritornare al porto.

L'autunno è cominciato da due giorni. Ma fa ancora molto caldo. Il maresciallo della guardia di finanza si rinfresca sventagliando una cartelletta piena di fogli. Lui e i suoi colleghi se ne stanno davanti all'attracco dell'aliscafo. Sicuramente controlleranno i documenti dei passeggeri. Dunque, non posso liberarmi della carta d'identità. Potrebbe servire all'imbarco. Nella busta indirizzata alla redazione finisce soltanto la patente. «L'ufficio postale? Dovete tornare in centro, lungo il viale principale» spiega il maresciallo, «lì trovate la posta.»

La busta scivola con un tonfo soffice nella pancia rossa della buca delle lettere. Via un altro pezzo di me stesso. Adesso bisogna trovare un supermercato e fare qualche provvista. Intanto l'acqua. Tutte le bottiglie hanno scritte in italiano stampate sulla plastica e sui tappi. Tutte, tranne una marca nascosta sullo scaffale più basso. Non ci sono nomi sul tappo e l'etichetta è adesiva. Va bene, basta strapparla. Nessun clandestino è mai sbarcato a Lampedusa con bottiglie d'acqua italiana. Lo stesso vale per le schede telefoniche. E per il pane. Le pagnotte pugliesi sono da escludere. Così come le forme di pane siciliano con i semi di sesamo. Un poliziotto potrebbe facilmente insospettirsi se le trovasse nella borsa di un immigrato. Ecco il tipo che va bene. Confezioni in sacchetti di plastica con sei panini morbidi. Qualcosa del genere l'ho vista anche a casa di Khaled, in Tunisia. Adesso ci vorrebbe un companatico sostanzioso. Accanto allo scaffale del pesce c'è una pila di scatole di sardine. Tolta la copertura di cartoncino con l'etichetta in italiano, rimane la latta nuda color oro. L'unica scritta è il timbro: Product of Morocco. Sono le stesse scatole che vendono ad Agadez. Sembrano fatte apposta. Ultima cosa che manca, un tubetto di supercolla a presa rapida.

È tutto quanto servirà per essere Bilal. Il biglietto della nave. Tre schede telefoniche. La carta d'identità. Gli euro avanzati e la capsula con i dollari. Il tubetto di colla. Il borsone nero. Il giubbotto salvagente. La camicia. Il pile. Le vecchie ciabatte. La bottiglia d'acqua da un litro e mezzo. Sei panini. Tre scatolette di sardine.

La cosa da fare ora è prendere la supercolla e spalmarsela sui polpastrelli delle dita. L'ideale sarebbe nascondersi nel bagno di qualche bar. Spalmarsi la colla in pubblico potrebbe attirare l'attenzione. Se non della neurodeliri, almeno di qualche poliziotto. Ma prima di trovare un bar aperto, il corso centrale di Porto Empedocle si svuota. È come se qualcuno d'accordo con tutti avesse richiamato donne, pensionati, commercianti. Tutti a casa alla stessa ora. Scendono fragorosamente le saracinesche di lamiera. Mani invisibili chiudono le imposte sulle facciate illuminate dal sole. A questo punto non serve nascondersi. Basta sedersi su una delle panchine lungo il viale. La supercolla secca immediatamente sulla pelle. Le dita vanno tenute ben larghe. Giusto per non rimanere incollati con le mani in pose strane. Questo cancellerà il mio passato nel centro di detenzione di Milano. Forse nessuno ha aggiornato i computer di polizia scrivendo che Roman Ladu non è un nome romeno, ma un'italianissima combinazione sardoveneta. L'importante è che durante l'identificazione a Lampedusa non mi scoprano subito. Almeno per ventiquattro ore. Se la colla regge, le impronte digitali sembreranno un confuso quadro impressionista. L'alternativa era l'acido solforico. Ma non ci si deve mai calare troppo nella parte.

Visto che tutto il paese è andato a pranzo o a fare la siesta, ci si può concedere ai reclami della pancia vuota. Il cameriere della piccola trattoria si accorge subito delle squame bianche che si sollevano dal palmo e dalle dita. È un tipo magro e cordiale. Congeda tutti i clienti con una forte stretta di mano. E quando arriva il mio momento, se ne sta alla larga. La scena è divertente. La porta resta aperta. Il cameriere raccoglie piatto e posate dal mio tavolo proteggendosi con un tovagliolo. Poi va dietro il banco a lavarsi le mani. Lo stratagemma funziona.

Manca un quarto d'ora alla partenza dell'aliscafo. Il molo è pieno di donne sulla quarantina e ragazze più giovani. Vanno a Lampedusa per il concerto pop di fine estate. La lista d'attesa non è lunga. Davanti, due uomini in tuta da ginnastica e mocassini, la faccia cotta dal sole. Hanno l'accento del posto. Sono sicuramente pescatori di ritorno sull'isola. Poi tocca a una mamma e alle due figlie adolescenti. C'è posto anche per Bilal. Da questo momento non si torna più indietro. La banchina accanto all'aliscafo è transennata. Il maresciallo della guardia di finanza legge i documenti e apre le borse. Non a tutti i passeggeri. Speriamo non guardino nel borsone. Il giubbotto di salvataggio con la scritta in arabo, i capelli rasati e la barba lunga potrebbero far scattare paranoie da antiterrorismo. Un sistema per evitare l'ispezione forse c'è. Di solito basta farsi da parte e lasciar passare le persone in fila. Voltarsi e fingere di aspettare qualcuno. Quando sono tutti a bordo, l'equipaggio toglie gli ormeggi. È il momento di salire sulla passerella. Questa è fatta. Il maresciallo, come previsto, non controlla.

L'aliscafo esce dolcemente da Porto Empedocle. Lascia questa terra che ha dato al mondo un premio Nobel per la letteratura e qualche milione di emigranti. Si accelera e si rallenta perché un'onda più alta ha fatto perdere l'assetto. Si riparte. L'attenzione è subito attratta da un profilo già visto. Una ragazza in calzoncini e canottiera seduta a prua, su una delle poltrone di destra. I capelli neri sciolti sulla schiena le nascondono i contorni del volto. Ma è lei. È la giornalista americana. Non è il caso di avvicinarsi a salutare. Va tenuta alla larga. Il viaggio dura quattro ore. C'è tempo per dormire. E, al risveglio, per portarsi avanti con il lavoro. Deve essere distrutto tutto quanto di italiano è nascosto in tasca. Lo sciacquone del bagno può essere d'aiuto. Il biglietto dell'aliscafo finisce nel water a pezzettini. Il problema è la custodia di cartone. Bisogna bagnarla a lungo con l'acqua prima di riuscire a romperla. Altrimenti lo scarico si ottura. Poi tocca al biglietto della nave: stanotte partirà con un posto vuoto. Ogni volta lo sciacquone risucchia nel suo profondo i frammenti. Poi ecco la carta d'identità. Peccato, è nuovissima. Lo strappo la divide in due metà esatte. A sinistra l'uomo che sono stato finora, il giorno e il luogo di nascita, la residenza, la cittadinanza italiana. A destra la foto plastificata con il volto barbuto di Bilal che mi guarda.

Una fotografia scattata pochi giorni fa, prima di chiedere all'anagrafe il rinnovo del documento. L'unico atto ufficiale che sposa le mie solite generalità con questa nuova faccia. Ma no, è meglio non buttarla. In biglietteria dicevano che al concerto di stasera ci sono molti vip. All'arrivo, la polizia potrebbe controllare chi sbarca. Anche se ormai è rotta in due, la carta d'identità si legge ancora. All'uscita dal bagno, una fila di sguardi impazienti protesta senza parlare per l'attesa. Qualcuno si accorge delle squame sulle mani. Ha ragione, fanno piuttosto schifo. Passa un'altra ora monotona e non finisce mai. Fino a quando molti passeggeri si alzano e si accalcano a prua. Lampedusa appare all'orizzonte come una tavola inclinata nei finestrini annebbiati di salsedine. Fa improvvisamente freddo. Mi tremano le gambe. Sarà l'emozione. Forse la paura. Perché quella che affiora dal mare non è soltanto un'isola. Per migliaia e migliaia di uomini e donne è il mito della propria vita. È l'illusoria statua della libertà dell'Unione Europea. La mostruosa dea che decide a caso, nella sua roulette diurna e notturna, chi vive e chi muore. Lampedusa è il volto contemporaneo di Circe. E come la maga di Ulisse, fa ancora prigionieri tra gli eroi che la sfidano dal mare.

Nella brezza risuona una canzone famosa. Parla di un viaggio e del paradiso come destinazione. Il concerto è già cominciato e la folla accorre verso le spiagge. Ma la destinazione di Bilal stasera porta precisamente all'opposto. È incredibile che su pochi chilometri quadrati di roccia possano convivere l'allegria delle vacanze e la sofferenza del centro di detenzione. Eppure da anni abitano sotto lo stesso cielo. Come fratelli che dopo la lite non si guardano più in faccia. In mezzo ci sono loro, i lampedusani. Spettatori involontari di una partita che ha il mondo come campo di gioco. Aggrappati per non emigrare alla fragile salvezza del turismo, come i sopravvissuti del mare si aggrappano agli scogli scivolosi della loro isola.

Non c'è tempo da perdere. Prima che faccia buio bisogna decidere da quale versante saltare. E soprattutto devo chiamare Lei. L'ultima telefonata. «Sono già sull'isola. Stanotte vado. Quindi il conto dei giorni torna indietro di ventiquattro ore...» Lei fa una domanda inaspettata: «Come stai?» La strada davanti scende dritta fino alla scogliera. Ora che il sole è tramontato, il mare sta perdendo colore. Un'inchiesta sotto copertura può sembrare romantica dal di fuori. Una volta che ci sei dentro però è un lavoro maledettamente razionale. Il romanticismo si ferma al momento in cui decidi di entrare mani e corpo nelle storie del mondo. Poi svanisce. Il resto è studio. Raccolta di informazioni. Analisi delle carte geografiche. Ma la sua domanda, l'intonazione della sua voce ricordano che puoi conoscere tutto quanto c'è da conoscere. E alla fine sei solo un uomo. Qualunque sforzo Bilal possa compiere questa notte per scoprire la verità, mai nessuno taglierà i fili che ci legano alle nostre origini come burattini sulla scena del palco.

«Come stai?» ripete Lei. «Tranquillo e in forma. E tu?» «Ho un po' di nausea. Ma è normale. Sta crescendo. Hai la mia invidia per quello che stai facendo. Il fagiolino sarà fiero di suo padre.» «Non c'è nulla di cui essere fieri. Sono arrivato a Lampedusa dalla via più comoda. Guarda che mancano pochi centesimi nella scheda. Parlami tu fino a quando non cade la linea...»

Resterà sì e no mezz'ora di luce. Via le schede telefoniche. La carta d'identità non può andare nel cestino. Se qualcuno la trova e la consegna ai carabinieri dell'isola potrebbero rintracciarmi. Va bruciata. C'è una rivendita di sigarette. «Mi spiace, non ho più un solo accendino» spiega il tabaccaio, «li ho venduti tutti per il concerto.» «E fiammiferi?» «Nemmeno.»

Quella sera a cena la moglie di monsieur H ha raccontato che suo zio, partigiano nella Resistenza durante la Seconda guerra mondiale, per sfuggire a un controllo si è mangiato l'intero passaporto. La carta d'identità è più dietetica. Almeno la pagina di cartoncino. Per l'altra metà plastificata prima o poi un accendino si trova.

Il vento soffia da Nord Est. Quindi il versante settentrionale è battuto dalle onde. A Est c'è il paese. Le scogliere più alte sono a Ovest. E Bilal non è Steve McQueen. Non resta che cercare il Sud nel labirinto di case e muri a secco. Gli ultimissimi colori del tramonto aiutano a trovare la direzione. Ma quando fa buio non è facile continuare a orientarsi su un'isola mai vista prima. La carta geografica scaricata da Internet non dava dettagli. E qui è pieno di viottoli e sentieri. La prima insenatura ai piedi della collina va scartata perché è cala Guitgia, quella del concerto. C'è il chiosco di un tabaccaio. E hanno accendini. Non appena le case si diradano, in mezzo al paesaggio si apre un cratere. È la seconda insenatura. Cala Croce. E anche questa è da scartare. La spiaggia in fondo alla scarpata e la baia sono illuminate da un riflettore. Ci sono sdraio, ombrelloni. Ragazzi con bottiglie di birra in mano. E appena sopra, brilla l'insegna di una pizzeria. Il parcheggio è pieno. Auto, moto, un traffico di fuoristrada. La strada gira intorno e sale verso un promontorio. Arrivati in cima, ci si affaccia su una strettissima gola di rocce. Le onde entrano lente verso la piccola spiaggia di sabbia bianca. Non c'è luna in cielo. Ma gli occhi si sono presto abituati a distinguere le forme della costa. Il promontorio è punta Pagghiareddu, o almeno così dovrebbe essere. Dunque l'insenatura è cala Madonna. E anche lì ci sono sdraio, ombrelloni e turisti illuminati a giorno da un faro.

Inutile andare oltre. Più avanti l'isola è deserta. Il piano prevede che qualcuno senta le grida dalla scogliera e chiami la guardia costiera. È pazzesco dover fare questa sceneggiata. Ma è l'unico modo per entrare nella grande gabbia di Lampedusa e scoprire cosa succede. Nemmeno gli osservatori delle Nazioni Unite hanno avuto il privilegio che, forse, inshallah, se Dio vuole, stanotte avrà Bilal.

Le piccole spiagge delle due insenature sono troppo affollate e troppo illuminate. Scendere ed entrare in mare senza essere visti è impossibile. L'ultima speranza di un tuffo soffice dalla sabbia a zero metri di altezza svanisce qui. Oltre, le rocce non concedono approdi. Non ci sono alternative. Bilal deve saltare dalla scogliera. Intorno alla chiesa bianca di cala Madonna però c'è un'altra festa. Centinaia di persone assistono a una messa all'aperto. Così anche questo pezzo di costa è da scartare.

Una passeggiata al buio. Lungo i muri a secco che recintano i terreni. È il modo migliore per distendersi, far passare il tempo e vedere cosa c'è dopo. Si può sempre saltare da cala Greca o addirittura da cala Galera, le due insenature successive. E poi risalire a nuoto fino a punta Pagghiareddu. Il problema può essere la corrente. Le carte batimetriche di questi fondali trovate in una libreria universitaria a Roma avevano frecce orientate verso Sud Ovest. Altre carte verso Sud Est. In ogni caso la corrente porta in Africa e non è consigliabile seguirla. Magari si potesse fare una prova generale. E poi, il pile appesantito dall'acqua terrà a galla? Riparerà sufficientemente dal freddo?

C'è qualcuno lungo la strada. I fari lontani di un'auto rivelano all'improvviso quattro occhi. Due cani. Fanno la guardia a un terreno. Oppure sono randagi. Uno è bianco, l'altro scuro. Quando si avvicinano, è come se si presentassero. Ringhiano.

Quello bianco è un terranova. Il suo collega scuro, un giganteso rottweiler. Dietrofront. Da qui si sale sulla montagna. Ci sarà un modo per superare i muri a secco e avvicinarsi alla scogliera. Il terranova si ferma. Il rottweiler decide di passare la serata in compagnia. Forse ha fame. Insegue il pezzo di pane lanciato il più lontano possibile. Lo annusa e torna indietro. Senza mangiarlo. Solo che cammina in mezzo alla strada. Arrivano due moto e per non investirlo rischiano di finire nei campi. Fai un passo. Il cane fa un passo. Ne fai due. Lui ne fa due. Ti fermi. E il rottweiler si ferma. Ma sempre in mezzo alla strada. Nemmeno i sassi lo spaventano. E al solo tentativo di spingerlo indietro, mostra i denti e abbaia. «Cosa faccio, mi tuffo e tu ti tuffi? Sarei il primo clandestino sbarcato con il suo cane. Secondo te, chi mi crederebbe?» Lui ascolta. Poi riprende ad annusare i bordi della strada. Il muro a secco. Ecco cosa fare. Camminare sul muro a secco. Dopo pochi passi il muro gira a destra. Il rottweiler va dritto. E il paesaggio si dissolve nel buio.

Si sente il mare. Sempre più vicino. Accanto al muro appare un passaggio che sembra una mulattiera. Va verso la scogliera. L'ultimo pezzo di identità deve essere bruciato prima di arrivare sulla costa esposta al vento. L'accendino non vuole accendersi. Nemmeno proteggendo la pietrina con la mano. La fotografia prende finalmente fuoco. Ma una raffica soffia via la pagina ormai accartocciata dal calore. E dove passa, incendia l'erba secca. Altro che finto clandestino rinchiuso a Lampedusa. Qui la serata finisce in manette come piromane. Le suole degli scarponcini saltano da una fiamma all'altra. Bisogna picchiare forte con i piedi. I deboli bagliori finalmente si spengono. È di nuovo buio. L'accendino resta su una pietra del muro a secco. Bene in vista, in modo che di giorno qualcuno possa raccoglierlo. La pagina plastificata è un sottile foglio carbonizzato. Un calcio deciso con la suola polverizza la cenere. Ora sono davvero Bilal Ibrahim el Habib.

La mulattiera termina davanti al vuoto. Con un giro ad anello. Questo è il percorso usato dai fuoristrada per pattugliare la costa. Bilal non torna indietro. Raggiunge per la prima volta il bordo della scogliera. Camminare qui sopra è difficile. Lampedusa affiora dal Mediterraneo con una cattedrale di lame di roccia taglienti. Ogni passo finisce traballando su una cuspide o dentro una crepa. Le onde non si vedono da quassù. Si sente soltanto il loro respiro lento. Bilal raccoglie una pietra e la butta. Dal buio sale il suono di un colpo secco. Riprova. Stessa risposta dagli scogli invisibili. Riprova più a sinistra. Adesso è il tonfo tipico di una pietra caduta nell'acqua profonda. Riprova altre tre volte spostandosi di pochi metri. Anche lanciando il sasso proprio sotto la parete. La risposta è sempre rassicurante. Tre pietre piatte una sopra l'altra bastano per marcare il posto. È così buio che ogni volta che un'auto percorre una curva lontana, il fascio dei fari illumina Bilal. E proietta la sua ombra su tutto il promontorio.

Troppo rischioso fermarsi. Ma non ci sono protezioni. Niente alberi. Niente cespugli. Il nascondiglio più vicino è una spaccatura trovata per caso. Tra due rocce, pochi metri sotto la mulattiera, a metà della scarpata che si inabissa a picco nell'oscurità. Bilal si sistema scomodamente. Apre il borsone, prende il giubbotto di salvataggio e se lo schiaccia sotto la schiena. La superficie è così ripida che sdraiandosi si ritrova quasi in piedi. I fari delle auto arrivano anche qui. Meglio coprire la pelle pallida della fronte. Nella tasca del pile c'è il bandana nero. Non ci aveva pensato prima e se lo lega in testa. Bilal si guarda intorno. Ormai è troppo buio. Non può cercare un altro posto da dove saltare. È il momento di recuperare le forze per la notte. Apre una scatoletta e mangia le sardine con le mani. Le avvolge nel pane, beve un po' d'acqua. Quando ha finito il pesce, Bilal rovescia l'olio in una mano e se lo spalma sulla faccia. Poi sul collo. Tra i capelli. Sulla maglietta. Sui pantaloni. Bilal deve puzzare. Ha viaggiato dalla Turchia all'Italia nascosto nel container di una nave. Versa altro olio su una mano. E si accorge di essere osservato. I fari di un'auto fotografano due occhi. Soltanto per un istante. Dopo è troppo buio per capire chi sia. Il rumore si avvicina. È lui. Ancora quel rottweiler.

Subito un fascio di luce taglia la notte proprio dietro il cane. Si perde nel cielo. Il fascio ruota su se stesso e contemporaneamente la scogliera si macchia di blu. Un blu a intermittenza. Bilal racchiude tutto se stesso tra le rocce che lo ospitano. Il lampeggiante si ferma proprio sopra di lui. All'altezza dell'anello con cui termina la mulattiera. Il rottweiler sembra non farci caso. Soltanto quando il rumore del fuoristrada è lontano, si prende la sua dose meritata di sassi. Il cane sbuffa. Scompare nel buio. La notte sarà lunghissima. La mente è sveglia più che mai. Ma il corpo deve dormire. Gli occhi restano chiusi e costringono i muscoli a rilassarsi. Bilal crolla in un sonno profondo. Nessuno sull'isola si accorge di lui.

Si risveglia agitato e sudato. Il dolore di uno spillo gli trapassa le ossa. Dalla nuca ai fianchi, l'effetto spigoloso delle pietre sotto la schiena. Saranno almeno le tre di notte. Bilal ha la sensazione di avere dormito a lungo. Troppo a lungo. La brezza porta a intermittenza il ritmo di una canzone. Possibile che suonino a quest'ora? L'aria soffia sulla scogliera le grida di una folla allegra. Lo spettacolo sta cominciando. Alle tre? Bilal sbadiglia e osserva le stelle. Si sbagliava. Dalla posizione del Grande Carro nel nero del cielo, non sono ancora le nove. L'ora di inizio del concerto. Forza, perché aspettare la notte? Non puoi buttare la sera così. Bilal si fa coraggio. È più sollevato, ora che ha davanti tutto il tempo che vuole. Rimette la scatola di sardine vuota dentro il borsone. Ne apre una seconda. Giusto una fessura sufficiente a rovesciarsi altro olio di pesce addosso. Si infila il pile pesante. Chiude nella borsa il giubbotto di salvataggio. E striscia come un serpente fino al bordo della mulattiera. Prima del tuffo, bisogna controllare che non ci siano pattuglie intorno. Lo accolgono soltanto gli sbuffi del vento notturno. Bilal continua a guardarsi alle spalle e cammina barcollando sulle lame di roccia. Ritrova i tre sassi sul bordo della scogliera. Si siede. Toglie in fretta gli scarponcini. Gli stessi che l'hanno accompagnato attraverso il Sahara, da Dakar fino alla spiaggia dei pirati. E in tante altre avventure. Si sfila le calze. Riempie ciascuna scarpa e ciascuna calza con un grosso sasso, perché affondino. E le lascia cadere in mare. Indossa il giubbotto di salvataggio. Lo lega più stretto che può e si avvicina al baratro. Il salto non supererà i tre metri. Forse. È così scura questa notte senza luna che è come affacciarsi sul bordo dell'universo. L'acqua non si vede. Qualcosa si muove. Una freccia carica di paura attraversa i nervi dello stomaco. È il rottweiler. Ormai, con il giubbotto rosso fosforescente addosso, Bilal sa che è troppo visibile. Non può perdere tempo. Lancia il borsone in mare. Si prepara al salto. Il signor Bilal Ibrahim el Habib ha fatto per anni il marinaio sui mercantili turchi. Deve sapere che, anche cadendo in piedi, l'impatto con l'acqua sarà violento. Le braccia devono stare incrociate davanti al petto. Le mani calcate sulle spalle. Perché il salvagente non scappi via. Il mento schiacciato sul torace.

Prima del salto bisogna sincronizzarsi con il ritmo del mare. Entrare in acqua quando l'onda è più alta. Sfruttare la risacca. E allontanarsi subito dalle rocce. Per mesi ho immaginato questo momento. Da quando lo scorso inverno ho rivisto Papillon lanciarsi dentro l'oceano. E adesso che l'attimo è arrivato, non posso nemmeno fermarlo e guardarmelo. Uno. Due. Addio rottweiler. Al tre il freddo già avvolge il corpo. E che freddo. Forse questa parte andava preparata meglio. Non è più piena estate. La pelle si mette a tremare. Il respiro aumenta. La schiena si inarca attraversata da lunghe scosse incontrollabili. Ma non c'è tempo per riscaldarsi. La scogliera è troppo vicina. Il cane randagio si affaccia alla sommità. Forse guarda perplesso in basso. La sua sagoma tozza resta immobile. E subito scompare lasciando il posto a una manciata di stelle.

Bilal recupera il borsone. Spinto dalla corrente, sta scivolando lentamente in Tunisia. La borsa, gonfia d'aria, aiuta soprattutto a galleggiare. Bilal la sistema sopra il petto. Passa la cinghia sotto la nuca. Non aveva mai provato questa posizione a dorso. Ma era certo che funzionasse. Con la testa sorretta dalla cinghia, le mani aggrappate al borsone e il giubotto galleggiante è come starsene in poltrona. Il suono delle onde e una sottile schiuma bianca separano il Mediterraneo dall'Europa. È la voce sinistra della scogliera. Bilal deve spingersi molto più lontano. A ogni bracciata si accorge che dalle mani e dagli avambracci si staccano sciami di scintille verdi. Ma è ancora presto per distrarsi e godersi la nuotata.

Quando è abbastanza al largo si lascia trasportare per scoprire la direzione della corrente e del vento. L'impatto con il freddo dell'acqua non si è ancora spento. Adesso Bilal sta battendo violentemente i denti. Il cielo e il mare hanno lo stesso colore. Nell'oscurità anche le onde lunghe e alte si materializzano soltanto all'ultimo momento. È come se si staccassero senza motivo dal cielo per andare a suicidarsi contro la parete di roccia. La brezza porta al largo. E la corrente pure. Si deve avvicinare al più presto a punta Pagghiareddu. Mentre nuota a dorso, altre scintille si staccano dal corpo di Bilal. Una scia di perle verdi, bellissime, si allungano nel mare. C'è così tanto plancton qui che per illuminarlo basta agitare l'acqua cristallina. E questo è un rischio. Perché dalla riva qualcuno potrebbe accorgersi prima del previsto.

Il piano prevede che Bilal resti in acqua almeno un'ora. Giusto il tempo che il freddo e la salsedine raggrinziscano e sbianchino a dovere la pelle. Un occhio allenato capisce subito se un corpo è rimasto in ammollo ore o pochi minuti.

Le onde entrano dolcemente nello stretto imbuto di cala Madonna. Il faro là davanti illumina un gruppo di ragazzi seduti sulla sabbia. Una piccola barca di legno è ancorata a un centinaio di metri da loro. Bilal si rovescia a pancia sotto. Nuota spingendosi soltanto con le gambe. Il naso appena sopra l'acqua per respirare. Le mani aggrappate al borsone. Raggiunge senza il minimo rumore la poppa della barca. Questo è un nascondiglio perfetto. Si guarda le mani. L'acqua salata ha già fatto effetto. Ha completamente tolto lo strato di colla che doveva confondere le impronte digitali. Pazienza. Almeno i brividi si sono spenti. Il corpo si è riscaldato. Bilal sente di poter rimanere in acqua l'intera notte. A volte si sporge dalla poppa per controllare che ai ragazzi non venga in mente di nuotare fino alla barca. Continua a muovere le gambe. Per riscaldare il sangue. Ma soprattutto per lo spettacolo delle perle di plancton che scintillano intorno ai suoi piedi. Ancora un'occhiata ai ragazzi. Non c'è più nessuno. E adesso chi sentirà le grida di aiuto?

Anche il promontorio è deserto. Nel cielo sopra il paese si inseguono grossi dischi luminosi. Il vento porta le note di qualche canzone. Il volume del concerto è al suo massimo. Perché succeda qualcosa, bisogna uscire da cala Madonna. Nuotare al largo. Andare in mare aperto anche per evitare di essere risucchiati contro gli scogli. A qualche centinaio di metri dall'isola galleggia un piccolo mercantile all'ancora. Se a terra sono scomparsi tutti, ci si può far ripescare dall'equipaggio della nave. Chiameranno la capitaneria di porto. Prenderanno il clandestino. E la fine sarà la stessa. Quando è al largo, affiora per un attimo il pensiero degli squali. Non la pinna. Soltanto il pensiero. E subito dopo l'immagine delle migliaia di uomini annegati in questo mare. Fa impressione sentirsi avvolti dalla stessa acqua. Essere accarezzati dalle onde nere che arrivano dalla stessa direzione da cui loro erano partiti. Forse è per questo che Bilal non si sente stanco. Sa di essere un pessimo nuotatore. Di solito la sua resistenza non supera i cinquanta metri. Ma stanotte le sue mani sono calde e forti come non lo sono mai state. Le bracciate lo portano ancora fuori tanto da avere davanti agli occhi la sagoma scura di quasi tutta l'isola. Un'onda più alta permette di valutare meglio la distanza della nave. Saranno quasi due chilometri. Troppo rischioso andare così lontano.

Bilal si riposa abbandonandosi alla deriva. Una raffica più determinata delle altre lo avverte che il vento da terra sta rinforzando. Ormai è una brezza tesa e per contrastarla servono bracciate decise. Su punta Pagghiareddu brillano le finestre di una grande villa. Ora c'è movimento. Un traffico di ragazzi, auto, scooter. Forse il concerto è finito. Bilal grida. *Help*, allungando la e all'infinito. Si sorprende di avere ancora tutto quel fiato. *Help*. Ma non è sicuro che la voce superi il fragore delle onde contro la scogliera. Nuota fino a un centinaio di metri dalle rocce. *Help*. Eppure da qui si sente benissimo il rumore di auto e scooter. Perfino le voci delle persone che entrano nella villa. Forse è un albergo. *Help*. Rallenta una piccola auto. Entra nel giardino della villa. Esce un uomo. Ascolta l'aria. E risponde. «He, he, cu c'è?» Come «cu c'è»? Uno grida dal mare e questi rispondono cu c'è? La voce raccoglie tutte le energie del corpo. Esce violenta. Profonda. Animale. *Heeelp*. L'uomo sparisce nel giardino della villa. Tutto inutile.

Bilal è sorpreso. Indignato. Arrabbiato con tutto il mondo. Uno chiede aiuto e questi lo sfottono. Non ci crede. Ma come può essere che quell'uomo non abbia capito? Forse, adesso, in ammollo, bisogna inventarsi un altro piano. Accidenti alla sua pelle troppo chiara. Bilal sa che se anche si presentasse alla stazione di polizia fradicio e puzzolente, lo prenderebbero per un turista ubriaco. Rischierebbe di essere identificato in ufficio. Non nel centro di detenzione. E sarebbe una beffa. Passano altre ore di acqua e grida. La corrente spinge lentamente al largo. Lui per rimanere fermo continua a nuotare. Vede e sente tutto quello che succede intorno alla villa. Un uomo si affaccia al portone aperto. Sta per chiuderlo. Ecco, il piano è fallito. *Heeelp*. L'uomo si ferma. Si avvicina alla scogliera. Ma subito dopo torna nel giardino della villa. Esce una piccola auto, la stessa di prima. Ha i fari abbaglianti accesi e si ferma sul bordo della scogliera con la luce puntata verso il mare. L'uomo scende dall'auto. Grida anche lui: «Chi è? C'è qualcuno in mare?». Dal giardino della villa escono altri uomini. «Chi c'è?» grida un altro. La voce di Bilal esce ancora più forte. Una scarica di caldo attraversa il corpo. Dai piedi nudi alla testa. «Forza, forza» dicono sulla scogliera, «c'è qualcuno in mare.» *Help*. Si fa coraggio. Bilal, è fatta. Un gruppo di persone si affaccia in cima alla parete di roccia. Adesso vanno recuperate tutte le forze. Nessuno deve scendere. Nessuno deve tuffarsi. Nessuno deve rischiare la sua vita per salvare Bilal. Lui aveva previsto questo momento e se l'era preparato. Allontana il borsone e nuota a stile libero. Veloce come non ha mai nuotato. È forse il passaggio più pericoloso. Aggrapparsi alla scogliera. Arrampicarsi in cima. Solo con le sue energie. E deve fare presto se vuole anticipare i suoi soccorritori.

C'è una sporgenza che sembra costruita apposta. Bilal la nota appena nel buio. Mentre nuota, lo incuriosisce soprattutto la poca schiuma che la circonda. Significa che lì l'impatto delle onde è più morbido. Del resto nessuno ha tempo di cercare un approdo più comodo. Sfiora finalmente la roccia. Sente subito che è scivolosa come ghiaccio. Ma ha la forma di una scalinata. Con le mani accarezza i gradoni sconnessi, ricoperti di conchiglie affilate come coltelli. Un'onda lunga lo sorprende alle spalle. Bilal afferra la sporgenza e si arrampica rapido. Prima che l'onda successiva lo riporti in mare. Sale di qualche metro. Fino alla folla di uomini e donne che lo aiuta a camminare e a sdraiarsi su quel balcone naturale. «Ma questo da dove arriva?» chiede un uomo con la pancia dei cinquant'anni, maglietta, calzoncini e ciabatte da spiaggia. «E chi lo sa» risponde un altro e si volta a guardare l'orizzonte nero: «Ha il giubbotto di salvataggio. Sarà caduto da una barca a vela».

Comincia malissimo. Ma Bilal non parla italiano. Non deve capire cosa dicono. Il vento è freddo. Fa freddissimo. Bilal vuole alzarsi. Si guarda per la prima volta i piedi e le mani. Si impressiona. Sono bianchi come la neve. Deve alzarsi immediatamente per rimettere in circolo il sangue. Ma i due che si occupano di lui lo obbligano a stare sdraiato. «E pensare che questo poveretto erano quasi cinque ore che chiedeva aiuto» racconta all'altro, l'uomo in calzoncini, «l'ho sentito gridare. Credevo fosse uno dei turisti ubriachi che dormono in spiaggia e gli ho perfino risposto "cu c'è?". Madonna mia, perdonami. Questo si è ghiacciato. Sta tremando.»

I due a turno strofinano con forza i piedi e il petto. Quello con i calzoncini e ciabatte ha l'accento di Lampedusa. L'altro sembra di Roma. L'uomo in calzoncini si toglie la maglietta. La stende su Bilal e a pancia in giù gli si sdraia sopra. Pesa, accidenti. Ma il suo calore passa di corpo in corpo. «Forza» grida verso la villa in cima al promontorio, «qualcuno porti una coperta che questo sta morendo di freddo.» Adesso anche lui avrà freddo. «Dai, ti portano una coperta e ti scaldi» dice mentre in ginocchio va a strofinare i piedi. Il tremore di Bilal è ancora convulso. «Parli italiano?» chiede l'uomo con l'accento di Roma, un uomo alto, con scarpe alla moda, jeans e maglione di cotone. Bilal non risponde. Non può. «Io Pietro, tu?» Bilal non deve capire. Pietro si china su di lui. «Io Pietro» insiste battendo la mano sul petto, «e tu?» Bilal lo osserva in silenzio. Poi spara: «Bilal. Bilal Ibrahim».

«Ibrahim? Ma questo è un clandestino» esclama il soccorritore in calzoncini e ciabatte. «Dobbiamo chiamare un'ambulanza. Per favore, chiamate un'ambulanza e dite che abbiamo ripescato un clandestino. Bisogna chiamare i carabinieri, qualcuno chiami i carabinieri» ordina Pietro ai curiosi in cima alla scogliera. «Forza che ti riscaldi» dice l'uomo in calzoncini e con le sue mani grandi continua a strofinare il petto e i piedi: «Ma se questo è arrivato qui, non sarà solo. Ci saranno altri poveretti finiti in mare». I due uomini si alzano e guardano il vuoto alle loro spalle. Bilal non deve procurare allarme. «No other people. Bilal, only Bilal» ripete e mima il numero uno con l'indice della mano destra. «Che dice?» chiede il soccorritore in calzoncini, «io non parlo inglese.» «Nemmeno io» risponde Pietro. «Bilal one. Only Bilal.» Niente da fare. «Sarà arrivato con una barca carica di clandestini» spiega Pietro, «guardate, c'è qualcosa in mare. Ci sono dei morti. È un cadavere.» L'annuncio zittisce il brusio dei curiosi. Bilal li vede guardare tutti nella stessa direzione. Solleva di poco la testa, senza farsi rimproverare. E nel fascio dei fari dell'auto che ancora illuminano l'acqua, scopre che le onde stanno consegnando a cala Madonna un fagotto nero. Gli stanno restituendo il borsone.

Bilal tenta di spiegare in inglese che non è un morto. Dice di no con le dita e con la testa. Ma nessuno lo ascolta. «È un cadavere» sentenzia l'uomo in calzoncini, «portatemi una zappa che lo vado a tirare a riva.» In cima alla scogliera, qualcuno senza aspettare dice che bisogna richiamare i carabinieri e avvertire che c'è un morto. L'uomo con la zappa segue da riva il percorso del borsone che, beato lui, galleggia verso un approdo molto più facile vicino alla spiaggia. La zappa entra in acqua con un leggero tonfo. Aggancia la cinghia. «Non è un morto» urla il soccorritore in calzoncini, «è un borsone.» Lo aprono accanto a Bilal. Il brusio dei curiosi si riaccende e aumenta di volume. «C'è una camicia. Delle scatolette. Una poltiglia. Ci sono le sue ciabatte. Poveretto, questo è davvero un clandestino» scuote la testa l'uomo in calzoncini, «ma come è arrivato fin qui?» Pietro si rivolge ancora agli altri in cima alla scogliera: «I carabinieri, qualcuno ha chiamato i carabinieri?». «Dicono che sono tutti impegnati al concerto, ci sono i politici stasera» rispondono da lassù, «stanno provando a chiamare la guardia costiera.»

Bilal si ritrova sdraiato sotto un asciugamano da spiaggia e una pesante coperta di lana. I suoi occhi osservano le facce di soccorritori e curiosi che gli si sono raccolti intorno. All'improvviso, tra loro appare un ragazzo abbronzato vestito di bianco. Ispeziona il giubbotto di salvataggio. Lo posa accanto al borsone.

«Parli inglese?» chiede in inglese. Bilal annuisce. «Da dove vieni?» «Kurdistan.» «Dove sono gli altri che erano con te?» «Non c'è nessuno, sono solo.» «E come sei arrivato fin qui?» «Con una nave. Poi su una lancia che è affondata. Poi a nuoto.» «Da solo. Sei sicuro?» «Sì, da solo. Non c'erano altri con me.» Il ragazzo in completo bianco si alza e parla al cellulare.

«Dice che è solo. Sì, comandante, faccio controllare la costa. Se è arrivata una barca, potrebbero essere nascosti tra gli scogli. Oppure questo qua è arrivato a nuoto come diversivo. Per distrarci e far sbarcare gli altri. Sì comandante, hanno già chiamato l'ambulanza. La persona è in ipotermia. Ora lo portano al pronto soccorso.» Bilal non può replicare a quelle frasi in italiano. Ma fa quello che può in inglese. Dice che non ha freddo, che sotto la coperta si sente molto meglio. E soprattutto che non devono cercare nessuno perché è completamente solo.

L'ufficiale della guardia costiera non lo ascolta nemmeno. Saluta il pubblico e se ne va.

Qualcuno alle spalle di tutti dice che l'ambulanza si è persa. Decidono di mandare due ragazzi in scooter a indicare la strada. Bilal fa capire che può camminare. Ma non glielo consentono. Lo stendono su una barella e così arriva al pronto soccorso.

10

Centro di detenzione.
Lampedusa, Italia

«È in ipotermia» dice il medico a una infermiera dopo aver controllato le mani e i piedi di Bilal: «Prenda un flacone di soluzione fisiologica e lo metta sotto l'acqua calda. Quando è tiepido, glielo iniettiamo. Non dev'essere rimasto molto a bagno. Ma la temperatura del mare è scesa a diciannove, venti gradi». Da anni Lampedusa è il crocevia del mondo. E nessuno ha istruito questi soccorritori a parlare inglese. Nemmeno francese. Tanto meno l'arabo. Un infermiere a gesti dice di togliere i vestiti bagnati. Via i pantaloni di tela neri. Via il pile pesante che si illuminava di plancton. Via la felpa. Via la maglietta di cotone. «Tutto. No, no» grida l'infermiere, «i boxer no.» Bilal torna sul lettino. Gli iniettano l'ago della flebo. Gli attaccano gli elettrodi dell'elettrocardiografo. Si avvicina un'infermiera dal volto dolcissimo. Lo guarda.
«Have you pain?» gli chiede sottovoce. «Pain?» «Yes, have you pain?» ripete lei concludendo la domanda con un sorriso. «No pain. No pain.» Bilal vorrebbe capire se hanno avvertito i carabinieri. Se entrerà nella grande gabbia. Le fa qualche domanda. Ma l'infermiera non sa dire altro in inglese. «Cuore regolare» informa il medico staccando gli elettrodi. Misurano la pressione. Normale. L'infermiera con il viso dolce torna con un bicchiere di latte caldo. Una collega più anziana porta un panino con formaggio e prosciutto. Bilal non sa chi lo aspetta fuori. Se non vuole sollevare sospetti non deve mangiare prosciutto: qualcuno potrebbe pensare che sia musulmano. Bilal osserva il

panino senza morderlo. «Qualcosa non va?» chiede l'infermiera. Bilal la guarda. «Ah, ho capito» dice lei e semplicemente toglie il prosciutto. «Che ha?» chiede un uomo alle spalle. «È per quella cosa che io non capisco: queste persone non mangiano carne di maiale. Ma se è abituato così» spiega la donna, «dobbiamo rispettarlo.»

Un infermiere vuole sapere nome e nazionalità. L'infermiera che parla un po' di inglese traduce. Bilal risponde. E con uno stratagemma cerca di farli parlare sul suo futuro. Bastano poche parole comprensibili in tutte le lingue del mondo. «Station, please? Station?» Si avvicina un uomo senza camice bianco. E in siciliano stretto commenta la domanda: «Ohé, questo figlio del mare vuole andare alla stazione. No, amico mio, qua niente station. Qua sei a Lampedusa. Qua niente station, niente treni. Qua c'è solo il mare». Ritorna l'infermiera più giovane. «Dove vuoi andare?» chiede in inglese. «Germany.» Un altro infermiere finisce di scrivere il referto. «Che dissero i carabinieri, vengono?» chiede ai colleghi. «Adesso tu vai con i carabinieri» dice l'infermiere senza camice. Bilal lo ascolta. L'altro intuisce che non ha capito. «Tu carabinieri, police.» «Police, no police» supplica Bilal e guarda l'infermiera giovane. «Eh, tesoro mio, che ci devo fare? Ti dobbiamo consegnare ai carabinieri.» Bilal è al capolinea. Nemmeno lei ormai si sforza più a parlare inglese. Subito dopo l'aria porta un pezzo di discorso sottovoce: «Mi fa tanta pena, dovevamo proprio chiamare i carabinieri?». «E come facciamo a lasciarlo libero?»

Arrivano i carabinieri. Le donne escono. Bilal deve togliersi anche i boxer. «Sono bagnati» avverte un infermiere, «mettiti queste cose asciutte.» È un completo azzurro da sala operatoria. Ma devono averlo lavato nell'acqua bollente. I pantaloni si sono accorciati e coprono a malapena l'inguine. Il camicione è così stretto che è impossibile alzare le braccia. L'infermiere fa fatica a nascondere la risata. «Scusami, amico mio» dice, «ma non avevamo altri vestiti.» Bilal sorride per ringraziarlo. I carabinieri hanno il passo svelto. Troppo lungo per questi pantaloni rattrappiti. Chiudono Bilal dentro la loro macchina nera. I fari attraversano il paese deserto. Fino a una strada senza uscita accanto all'aeroporto. In fondo a destra c'è un cancello verde. Decorato alla sommità da una matassa di filo spinato. Apre un carabiniere in tuta antisommossa. Stivali anfibi e pistola nella fondina.

Davanti a questo cancello finiscono i nobili sentimenti dell'umanità. Quel sentir comune che ci unisce come individui liberi di pensare. Che non fa differenze tra gli uomini e le donne. E dimentica cosa sono. Amici o nemici. Connazionali o stranieri. Cittadini o clandestini. Qui finisce quella forza grandiosa che stanotte ha spinto uno sconosciuto di Lampedusa a prestare la sua maglietta e a sdraiarsi sul mio corpo infreddolito. Che ha riempito di sorrisi l'infermiera del pronto soccorso e ha convinto la sua collega a togliere, semplicemente, la fetta di prosciutto. Oltre questo cancello entrano in scena gli accordi di Stato. Le menzogne dei loro governi. Il tradimento dei loro parlamenti. Grazie a questo cancello verde non siamo più individui. Ma siamo quello che siamo.

Bilal cammina goffamente in mezzo ai carabinieri. «Dal pronto soccorso ci hanno consegnato questo» dicono i due militari al collega in tuta antisommossa. Bilal viene accompagnato a testa bassa fino a un piccolo cortile dove aspettano altri carabinieri e un ragazzo, con la divisa gialla della società privata che gestisce il centro. Il ragazzo offre un bicchiere d'acqua e quattro confezioni di cornetti. Poi toglie da un sacchetto una maglietta di cotone e una tuta da ginnastica. Una tuta bianca con quattro righe blu sui fianchi. «Mettiti queste che stai più caldo» dice. «Come ti chiami? Da dove vieni?» vuol sapere un carabiniere. «I don't understand» sussurra Bilal, non capisco. La domanda viene rifatta in inglese maccheronico: «What is ze contry you are from?» «Kurdistan.» «Kurdistan? Ma se questo è più bianco di me, come fa a essere curdo?» dice in siciliano e ride un carabiniere molto abbronzato, «io sì che sono nero e potrei essere curdo.» Bilal tiene gli occhi bassi sulle sue ciabatte logore e ascolta i discorsi. «Un curdo che parla inglese. Sarà. Non è che questo è un giornalista americano della Cnn infiltrato qui dentro?» «Sì, o magari è un giornalista italiano?» «Ma va', gli italiani non fanno queste cose» risponde la prima voce. Pericolo scampato. «Bilal, you must tell ze verity» urla un carabiniere, «devi dire ze verity.» «Ze verity, understand? Se no bam bam» e mima gli schiaffi. Verity? In inglese verità si dice truth. Sarà un errore o un tranello?

«Bilal vieni» lo chiama il ragazzo con la divisa gialla. Trascina un materassino di gommapiuma preso da una pila di materassi. Lo sistema in corridoio, tra una fila di cessi puliti e la porta di un altro gabinetto molto sporco. Poi ricopre il materassino con un lenzuolo di carta sottile. «Stanotte lo facciamo dormire qui» dice il ragazzo ai carabinieri. Un altro immigrato sta russando, avvolto come una mummia in una coperta. Da una porta semichiusa si intravedono le sagome di decine di donne stese sul pavimento. E un bambino. Bilal va al gabinetto e viene pedinato da un carabiniere. Al ritorno trova il suo posto occupato. Più di duecento mosche hanno pensato che quel lenzuolo bianco e sottile come carta igienica fosse per loro. Ma sono mosche educate. Si alzano quando Bilal arriva. E si riposano su di lui soltanto dopo che si è sdraiato. Il tentativo di scacciarle è una battaglia persa.

Dal pavimento sale un fortissimo odore di urina. Dal soffitto la luce non si spegne mai. I carabinieri ridono e parlano a voce alta tutta la notte. È difficile prendere sonno. E poi c'è il problema del colore della pelle. Quel carabiniere se n'è accorto. Occorre inventarsi una spiegazione credibile prima di domani mattina. Forse questa può andare. Bilal è così pallido perché il papà è curdo, ma la mamma è bosniaca.

L'alba si annuncia con un fragore assordante. Nel dormiveglia sembra il rumore di un aspirapolvere. No, forse è una lucidatrice. Ma no, è troppo forte. Nessuno sta facendo pulizie. La puzza risolve il mistero. Sì, queste sono esalazioni di jp, il carburante degli aerei. Ecco cos'è: l'aeroporto accanto. C'è sempre un aeroporto vicino a questi centri di detenzione. Un Airbus sta facendo manovra e spara il getto dei due motori dritto dentro le finestre dove dormono le donne e i bambini. È ancora buio. Ma ormai sono tutti svegli. Dalla stanza accanto escono ragazze eritree o etiopi. Altre appaiono da una seconda porta. C'è anche una donna incinta, ha già il pancione. Il conto è subito fatto. Tra teenager e adulti sono quasi una cinquantina. In più ci sono Bilal e l'altro uomo che dorme in corridoio. Per tutti esiste un solo water, quattro docce e qualche lavandino. Bilal li ha contati. Stanotte non ha fatto altro che andare in bagno. Colpa del liquido che gli hanno iniettato con la flebo. I carabinieri credevano si stesse prendendo gioco di loro. Si sono anche arrabbiati di brutto. Soprattutto quando Bilal ha sbagliato gabinetti. I carabinieri non vogliono che si usino le loro turche. Le uniche che profumano di candeggina.

Per evitare domande e guai, meglio fingere di dormire. Ma Bilal osserva e ascolta. C'è un viavai di carabinieri e qualche poliziotto intorno a lui. Si chiedono se sia davvero curdo. I militari che stanno terminando il turno di guardia portano i colleghi che li sostituiranno a vedere l'uomo arrivato a nuoto. Alcuni di loro parlano ad alta voce in corridoio. «Curdo quello? Ma quello è pallido come un milanese.» Se va avanti così, recitare la parte diventa davvero difficile. Perché quando avranno le impronte digitali, se telefonano alla polizia di Milano, scopriranno la verità.

Le ragazze africane passano il tempo ad annodarsi treccine. Una di loro, che non avrà più di vent'anni, ha tutte le unghie smaltate a metà. La parte sopra è abbellita da un leggero velo perlaceo. La parte sotto è cresciuta senza cura. Forse dove finisce lo smalto è cominciato il suo viaggio. Fuori, nel piccolo cortile, pendono scarpe bagnate, pantaloni e maglie delle ultime approdate qui. Ieri sera sono sbarcati 161 immigrati. Poi altri 37. E poi Bilal. C'è un libro del Corano messo ad asciugare al sole. «Bilal» urla forte una voce. «Tu» dice un poliziotto e con la mano fa capire che bisogna seguirlo.

È subito chiaro come lavorano. Hanno affidato alla polizia militare, cioè i carabinieri, la sorveglianza e la sicurezza interna. E alla polizia di Stato l'identificazione e l'interrogatorio degli stranieri sbarcati. Speriamo sia facile come in Svizzera, quando Bilal era Agron Ndreci. Quel giorno avevano chiamato l'interprete. I poliziotti ticinesi facevano le domande in italiano. L'interprete traduceva in albanese. E Agron Ndreci, che non parlava albanese, aspettava la fine della traduzione e rispondeva fingendo un italiano ridicolo e traballante. L'interrogatorio andò avanti per più di un'ora. Fino a quando l'interprete non fece una sua domanda. In albanese, ovviamente. Agron Ndreci, per non scoprirsi, gli rispose due volte con le uniche parole di albanese che conosceva: «Buongiorno, buonanotte, uno, due, tre, grazie molte, arrivederci. Come stai?». I poliziotti rimproverarono l'interprete. Gli dissero che non dovevamo parlare lingue che loro non capivano. Non si accorsero che nemmeno noi due ci eravamo capiti. Allora bastò lo sguardo. Agron Ndreci guardò l'interprete così male che lui, essendo solo uno studente di medicina arrestato per immigrazione clandestina, si spaventò e rimase zitto. Ma questi di Lampedusa non sono poliziotti distratti come gli svizzeri. Sono siciliani prestati dalle squadre antimafia. Gente abituata a leggere negli occhi oltre che nelle parole.

L'ufficio identificazione è una grande stanza con quattro scrivanie. Bilal va a sedersi in fondo a destra. Di fronte a lui due agenti in borghese, un computer e un ragazzo con il volto berbero. L'interprete. «Parli arabo?» chiede in arabo. «Sì» risponde in arabo Bilal. «Da dove vieni?» «Vengo dal Kurdistan» dice in arabo Bilal ma continua in inglese: «Vorrei continuare in inglese. L'arabo non è la mia lingua. Gli arabi hanno occupato la mia terra». La scelta della lingua è al primo posto nell'elenco «Diritti degli immigrati» scritto su carta intestata della prefettura e appeso in corridoio. All'interrogatorio si aggiunge una ragazza. Indossa una maglietta mimetica dell'esercito americano. La chiamano Dottoressa. Vuole sapere tutto. Bilal racconta che vuole andare in Germania. Dice di essere stato chiuso in un container in Turchia, caricato su un mercantile e messo su una lancia a motore a qualche miglio dalla costa italiana. Poi la lancia si è spaccata. È affondata. Lo specchio di poppa non ha retto il peso del motore. E Bilal si è salvato a nuoto. Vogliono sapere della scritta in arabo sul giubbotto salvagente. «C'è scritto: La felicità 3. Forse è il nome di una nave» spiega l'interprete berbero. «Tu sai cosa c'è scritto?» chiede la Dottoressa in inglese. Bilal risponde in arabo guardando l'interprete. «Sì, As-soror talata.» E poi in inglese guardando la Dottoressa: «La felicità. Tutti noi siamo venuti in Europa in cerca di felicità». «Bene. Adesso ricominciamo l'interrogatorio daccapo» annuncia la Dottoressa.

Bilal deve ripetere tre volte la storia del suo viaggio. Cercano di metterlo in contraddizione. Un agente in borghese gli fa una domanda tranello: «Se sei curdo, parli urdu». «No» lo blocca Bilal, «l'urdu è una lingua del Pakistan.» Gli chiedono che cosa pensa del governo di Erdogan in Turchia. «He is no good» niente di buono. Vogliono sapere cosa mangiava sulla nave. Quanto ha pagato. In quale città è stato chiuso nel container. «Due settimane nel container, ma come faceva ad andare al cesso?» sbotta il poliziotto che scrive al computer. La Dottoressa traduce. E Bilal ripete la storia che ha sentito raccontare da tanti immigrati veri. «Facevo pipì da un buco nella lamiera. Per il resto, ogni due giorni quando era già buio, mi portavano fuori. Fino al gabinetto. Ma non ho visto il nome della nave. Mi tenevano sempre la testa bassa.» Loro si arrabbiano: «Bullshit, stronzate» grida la Dottoressa, «ci stai raccontando un sacco di palle. Tu non vieni dalla Turchia». Bilal si sente perso. Forse hanno intuito qualcosa. Giusto il tempo che la Dottoressa riprenda fiato. «Tu arrivi dalla Libia. E quella scritta in arabo lo dimostra» dice lei convinta: «Noi adesso ti rimandiamo da Gheddafi». Si avvicina un altro poliziotto in borghese, il più grosso di tutti. «Dottoressa, ce lo lascia un attimo che lo portiamo nella sala delle torture?» Ma forse è solo un modo per capire se Bilal parla italiano. E per spaventarlo.

L'interrogatorio si abbassa finalmente a un volume più umano. La Dottoressa prende il telefono e protesta con la caserma dei carabinieri. Perché, dice, chi ha prelevato Bilal al pronto soccorso non ha scritto il verbale e nessuno sa dove sia stato pescato e chi lo abbia portato nel centro. Ovviamente Bilal non fa nulla per risolvere il dilemma. La Dottoressa maltratta il suo interlocutore. «Come?» alza ancor più la voce: «Adesso chiudiamo la gente nel centro e non la registriamo nemmeno? Ecco, se ha deciso così il maresciallo, devi dire al maresciallo che è un coglione». Subito dopo torna a sedersi accanto alla scrivania e ricomincia l'interrogatorio. Daccapo. Chiede del viaggio. Del lavoro che faceva Bilal. «Che lavoro faceva?» chiede l'agente al computer che non capisce l'inglese. «Dice che faceva il worker sulle navi, l'operaio.» Bilal continua il racconto e la Dottoressa traduce: «Era solo in barca e quando la barca è affondata, ha proseguito a nuoto fino alla costa. Sarà stata una carretta». «Sì, stu figghiu è arrivato su una *caretta caretta*, la tartaruga» risponde l'altro agente in borghese rimasto in silenzio ad ascoltare. Dall'inizio non ha mai smesso di guardare dentro gli occhi di Bilal. Può essere facile inventarsi una storia. Ragionare sulle risposte e prevedere le domande fino a guidarle. Ma è impossibile nascondere una risata. La battuta era azzeccata e a Bilal scappa da ridere. Deve fingere sbadigli e smorfie di stanchezza per nascondere il fatto di avere capito non solo la frase in italiano, ma perfino le parole in dialetto siciliano.

Bilal si accorge che l'agente che lo sta fissando ha gli occhi chiari. Di ghiaccio. Lo sguardo serio. Ma anche la faccia simpatica. «Dottoressa, mi scusi, lasci che faccia io le domande» la interrompe il poliziotto al computer. «Questo qua è un figlio di mignotta. Non vede che le sta rispondendo esattamente quello che lei vuole sentirsi dire?» «Ma no» dice la Dottoressa, «continuo io. Lei non parla inglese.» «Però lei è troppo buona. Non si faccia impietosire da questo qua.» Ritorna nella stanza l'agente con gli occhi di ghiaccio. Si avvicina a Bilal: «Erdogan, you love Erdogan?» gli chiede ancora. Bilal finge una smorfia di fastidio: «Noi siamo curdi. A noi non è consentito parlare di politica turca. E poi io vengo da un piccolo villaggio di montagna. Lì non si parlava di Erdogan». All'improvviso all'agente viene in mente di controllare le mani. Passa l'indice con cui spara sulla pelle del palmo e delle dita di Bilal. «Questo ci piglia per il culo, Dottoressa» grida e continua a sfiorare la mano di Bilal. «Questo qua non ha calli, questo è uno che studia.» Bilal segue il suo ragionamento. Si prepara mentalmente le risposte per contrastare qualunque insinuazione prevedibile. Ma ancora una volta resta spiazzato. «Sarà uno che ha studiato in moschea» sentenzia l'agente: «Cosa ha detto? Che sua madre è bosniaca? Buoni quelli». L'agente con gli occhi di ghiaccio si mette a gridare come un pazzo: «You are terrorist. You Iraq, you terrorist. You solo in mare, you terrorist». Il collega al computer lo sostiene: «Sì, questo qua è un militare. Uno che arriva a nuoto di notte ha sicuramente un addestramento militare. Dobbiamo stare attenti perché questo qua è venuto in Europa a fare un attentato».

Bilal lo osserva con l'espressione di chi non capisce. «You terrorist» grida l'agente con gli occhi di ghiaccio. Bene, erano tesi. Si sono scaricati. Adesso è il momento di riprendere in mano la partita. Bilal butta lì una frase che vale un poker. «Me terrorist?» «Yes» urlano i due poliziotti. «No terrorist, my father is Christian.» «Che ha detto, Dottoressa?» «Che suo padre è cristiano» traduce lei. Come previsto, si calmano. «Così ci ha già detto prima» ricorda l'agente, «che dobbiamo fare Dottoressa?» «Non mi convince» risponde lei, «mettiamolo nella gabbia. Poi vediamo.» Ora occorre una bellissima azione di contropiede. Bilal ripesca la storia della stazione. Serve a conquistarsi simpatia. E funziona sempre. «Station? Ma che station?» dice l'agente con gli occhi di ghiaccio. Va vicino alla grande carta geografica del Mediterraneo. «Bilal, oh Bilal, guarda. Sei qui. Questa è Lampedusa. Questa è la Sicilia. Sicilia station. Lampedusa no station. Mare, acqua, sea. Capito? Bilal è qui» e indica con un dito il puntino giallo di Lampedusa circondato dal blu. «Ma questo credeva di andare in Sicilia e l'hanno buttato in mare a Lampedusa» conclude la Dottoressa con i suoi, «poveraccio. L'hanno pure fregato.» Non è bello raccontare bugie di fronte a chi cerca di far bene il suo mestiere. Bilal ricambia la compassione con un sorriso triste. Non aveva alternative.

Dopo l'interrogatorio bisogna lasciare le impronte digitali. Le dita e il palmo delle mani vanno premuti sul vetro rosso di uno scanner. Si è automaticamente schedati. Fuori, ventuno teenager aspettano il loro turno. Avranno tra i 15 e i 20 anni. Visti insieme sembrano una classe di liceali in gita. Sono tutti di Kerouane, in Tunisia. Tutti vicini di casa. Tutti partiti con la stessa barca. Tutti tranne due ragazzi egiziani, Youssef, 23 anni, e il suo amico Tareq. Si presentano. Ma Bilal non può sedersi accanto a loro. Un altro poliziotto lo chiama. Gli consegna un biglietto con il numero di matricola 001: «Non lo perdere» e lo affida ai carabinieri. I militari vanno davanti a un grande cancello verde incorniciato su tutti i lati da altre matasse di filo spinato. Un carabiniere apre il lucchetto. Poi sblocca il catenaccio. Subito dopo il cancello si richiude.

Io e Bilal siamo dentro. E non c'è una sola ragione per gioire.

Centinaia di immigrati sono seduti sull'asfalto in file da dieci. Li hanno messi tra due baracche prefabbricate e quattro container. «Oggi siamo a quota 447» aveva detto qualcuno nell'ufficio identificazioni. I carabinieri gridano e ridono. Sulla tuta hanno il distintivo rosso del reparto «1 Brigata Mobile». «Vai in fondo, muoversi, muoversi» urla uno dei militari. Bilal va a sistemarsi dietro a tutti. Tra un cinquantenne magro e piccolo con la maglia di Bergkamp e due ragazzi egiziani. Due rigagnoli di liquido violaceo escono da una porta a destra e scivolano sotto i piedi delle ultime file. Il liquame puzza di urina e fogna. «Seduti» urla uno dei carabinieri. Poco più di vent'anni, grosso, pallido, con gli occhiali: «Sit down, my friends, sit down» ordina. «Ma qui in fondo è una schifezza» dice un collega. È un ragazzone con accento napoletano. Assomiglia vagamente a Robert De Niro e intanto per gioco ne imita le pose. «Il maresciallo ha detto di farli sedere» risponde l'altro. «Sit down, my friends. Sit down.» Grida di nuovo. Sorprende alle spalle un ragazzo che non si è ancora seduto. Lo frusta sulle orecchie con i suoi guanti in pelle.

Bilal e gli altri si erano accovacciati sulle caviglie. Per non sporcarsi con il liquame putrescente. Ma non basta ai carabinieri. Per evitare botte bisogna rassegnarsi e bagnarsi il sedere. Là davanti l'interprete berbero e un poliziotto in borghese chiamano i prossimi che lasceranno il campo. Nome, secondo nome e cognome. Poi ripetono dal cognome, secondo nome e nome. Un aereo è in partenza. Forse per la Libia. Nessuno spiega nulla. Il carabiniere con i guanti di pelle tenta di chiudere a calci la porta da dove escono i liquami. Si piazza in posizione strategica. Sempre con i guanti frusta sulle orecchie chi viene chiamato dall'interprete. Qualcuno deve ripassargli davanti per andare a prendere in camerata il sacchetto con le sue poche cose. E si riprende un'altra sventola. Ride il carabiniere. Ridono tutti i suoi colleghi.

Quello che assomiglia a Robert De Niro adesso ce l'ha con un tunisino e i suoi capelli grigi. Lo scova seduto in mezzo al gruppo. «Ma questo quanto è vecchio. Che lavoro può fare in Italia? Guarda che qua quelli della tua età vanno in pensione, mica vanno a cercare lavoro.» Il tunisino lo guarda senza capire. «Eh ciao» chiude il discorso il carabiniere. Altra frustata sulle orecchie di qualcuno davanti. È sempre il militare grosso, con occhiali e guanti in pelle. Per loro è solo un gioco. L'interprete e i poliziotti fanno finta di non vedere. Ma tra le file sedute a terra, ragazzi e uomini mormorano la loro rabbia. «Italiano, puttana, cornuto» sussurra lo smilzo con la maglietta di Bergkamp. E osserva davanti al suo naso la pistola Beretta legata alla coscia del finto Robert De Niro. Guarda, lo guardiamo tutti, soprattutto il caricatore nell'impugnatura. La pistola carica passa avanti e indietro a pochi centimetri dagli sguardi. Il piccolo Bergkamp si volta verso Bilal e i due egiziani. Con un cenno del capo fa l'occhiolino e indica l'arma. È solo uno scherzo. Ma tutti sicuramente pensiamo alla stessa immagine. In quanti secondi un esasperato può sfilare quella pistola dalla fondina e puntarla contro i militari? Questi ragazzini in divisa nera sono una squadra di irresponsabili. In nessun Paese perbene il personale di sorveglianza entra nei luoghi di detenzione con armi cariche.

Non sembra per niente un centro di accoglienza, come avevano detto solo pochi giorni fa alcuni europarlamentari italiani. Dov'è il motivo di orgoglio nazionale? Qual è l'esempio da seguire in Europa? In questa grande gabbia non c'è nemmeno l'atteggiamento di rispetto che i poliziotti dell'ufficio di identificazione avevano alla fine mantenuto. Bilal e tutti gli altri devono rimanere seduti e rannicchiati per più di un'ora. Perché dopo l'appello si resta in coda per il pranzo. Un piatto di plastica con pasta e tonno. Un altro con bocconcini di pesce fritto (forse) e verdura in agrodolce. Un panino. Una mela. Una bottiglia di due litri d'acqua, da dividere in due. E senza bicchieri. Un'occasione per socializzare. Ma anche un rischio se qualcuno è entrato con malattie infettive.

Nemmeno Bilal è stato visitato dal medico del centro. Si mangia per terra sotto il sole rovente, appoggiando pane e mela sull'asfalto o sui muretti. Il pomeriggio bisogna trovare un posto dove ripararsi dal caldo. Tutti i letti a castello delle camerate sono occupati. Dormono a decine perfino sui tavoli della mensa. Nessun assistente, nessun sorvegliante spiega a Bilal cosa deve fare. Dietro alla mensa-dormitorio c'è qualche materassino lasciato da chi è stato appena deportato. Guardando meglio, molti sono pieni di insetti minuscoli. Forse pulci. E non ci sono nemmeno le lenzuola di carta per proteggersi. Bilal le ha abbandonate fuori perché un poliziotto gli aveva fatto capire che ne avrebbe avute di pulite una volta dentro la gabbia. Non era vero. Bilal ritrova in un angolo il sacco nero dell'immondizia dove al pronto soccorso avevano infilato i suoi vestiti bagnati. Li stende ad asciugare sul filo spinato. Poi crolla sfinito sotto il sole. È la fine di una giornata cominciata ieri mattina. Bilal si addormenta. Unica protezione, la testa avvolta nell'asciugamano che gli hanno dato come coperta.

Lo risveglia un egiziano. «Ehi, ashara-ashara» dice e scappa via. Ashara? In arabo significa dieci. «Ashara-ashara» urlano pattuglie di carabinieri entrate nel campo con i manganelli. Qualcuno li ha infilati nel cinturone. Altri li tengono in pugno. Bilal imita ciò che fanno tutti. Bisogna andare a risedersi sul viale dei liquami. In file da dieci. Ashara-ashara, appunto. «My friends, sit down» urla un carabiniere. «Cornuti, seduti» ordina un suo collega e ridono tra loro. È per un altro trasferimento. Questa volta si sa che l'aereo Alitalia parte per Crotone. Chiamano anche uno degli egiziani seduti accanto a Bilal stamattina. Sembra molto rispettato qui dentro. A pranzo il compagno di bottiglia, un ragazzo tunisino con cui Bilal ha dovuto dividere l'acqua, ha detto che è lo scafista che ha guidato la barca di centosessantuno immigrati arrivati ieri sera. È di Rosetta, sul Delta del Nilo. Pelle chiara, capelli neri voluminosi e spettinati. Un ragazzo giovane. Ha sicuramente molto meno di trent'anni. Lui si alza. Ride scavalcando i corpi accovacciati sull'asfalto. Abbraccia l'altro egiziano seduto stamattina vicino a Bilal. Un ragazzo alto con capelli e baffetti biondi che dice di chiamarsi Sherif. Lo scafista entra in una camerata. Esce con lo zainetto e va a presentarsi al cancello. «Questo qua è la terza volta quest'anno che passa da Lampedusa» lo indica a voce alta all'uscita un appuntato dei carabinieri. Ma il fatto che dovrebbe stupire il personale di sorveglianza non è questo. Il fatto più interessante è perché lo scafista sia rimasto rinchiuso a Lampedusa meno di ventiquattro ore. E sia già stato trasferito a Crotone. Proprio come diceva Abdel, il prezioso informatore incontrato a Genova.

Prima del tramonto la polizia chiama fuori Bilal per un nuovo interrogatorio. Seduto alla scrivania, davanti al computer, c'è lo stesso agente in borghese di stamattina. Indica la sedia vuota. Bilal si accomoda e tiene la testa bassa. L'agente esplode. «Tu sei uno stronzo. Perché sei già stato in Italia. Eh sì, sei romeno e parli italiano. È scritto qui.» Il poliziotto mostra un foglio senza che Bilal possa leggerlo. «Ti hanno preso a Milano nel 2000, questura di Milano. Tu sei Roman Ladu, nato a Bucarest il 29 dicembre 1970, figlio di Lotar.» Hanno scoperto il precedente. È finita. Le grida richiamano un collega. «*Ce face?*» chiede avvicinandosi all'orecchio di Bilal. «Che gli stai dicendo, mica parla siculo questo» lo interrompe il poliziotto seduto al computer. «Ce face vuol dire come stai in romeno» spiega l'altro. Poi si avvicina ancora all'orecchio di Bilal. Un po' a destra e un po' a sinistra. E sussurra: «Pizda, pizda, pizda, pizda, pizda». Un modo poco elegante usato in Romania e altrove per chiamare i genitali femminili. Non era immaginabile una situazione del genere. A Bilal viene da ridere. Ma non deve far capire che conosce la parola. Altrimenti verrebbe immediatamente espulso in Romania. Deve trovare qualcosa di neutro da leggere. Per impegnare la mente e non lasciarsi coinvolgere in questo goffo interrogatorio. Lo sguardo fissa il vuoto. Mentre legge e rilegge in silenzio la scritta di un adesivo incollato sulla cornetta del telefono. «Polizia di Stato, polizia di Stato, polizia di Stato...» Si stanca prima il poliziotto. «Tutti i romeni ridono quando sentono la parola pizda. E questo non ride per niente. Per me non è romeno» spiega al collega seduto al computer. «Oppure è soltanto frocio» conclude quell'altro. Nessuno parla inglese. Ancora un punto a favore di Bilal. Perché così ha la scusa di non capire. E nessuno si arrabbia se lui resta semplicemente zitto.

È una caccia all'uomo. Una caccia all'uomo psicologica. Perché l'uomo l'hanno già catturato. Ma i poliziotti non sanno chi sia. E in questo inseguimento mentale devo stare attento. Decifrare tutti i discorsi. Tutti i segni della realtà che mi circonda. Quando è necessario, con una frase, una parola, una smorfia, devo rifugiarmi in qualche riparo della logica. Oppure neutralizzare l'attacco di una domanda con una risposta altrettanto efficace. Ormai la parte fisica del lavoro è conclusa. Dalla grande gabbia non posso più uscire. Anzi non devo uscire. Bilal è dove voleva essere. Devo soltanto cercare di mantenerlo qui il più a lungo possibile. Il viaggio ora è solo nella mente. Io da solo in fuga. Inseguito da una squadra di poliziotti sospettosi e decisi a smascherare i tanti dubbi che hanno. L'esistenza di un immigrato si riduce a un gioco di ruolo. Una snervante, spericolata fuga nelle regole del linguaggio. Nelle parole. Nell'immenso apparato di segni che definisce un uomo buono o cattivo. Tranquillo o aggressivo. Semplicemente in base a come appare.

Subito dopo il tramonto i poliziotti ci riprovano. Il sole se n'è già andato e ha lasciato la sua splendida scia di colori. Riappare l'agente con gli occhi di ghiaccio. È con il collega che di solito scrive al computer. I due chiedono ai carabinieri di aprire il cancello della gabbia. «Bilaaaal» gridano. Quando arriva, l'agente gli parla solo in italiano: «Dai, vieni che ti interroghiamo un'altra volta». È sabato. La giornata quasi alla fine e i due sono ancora al lavoro. Bilal deve comportarsi come il portiere a fine partita. Fare melina e buttare la palla dei sospetti il più lontano possibile. Bilal risponde, in inglese, che così non capisce. L'agente chiama l'interprete. Una ragazza dall'accento marocchino. Una che non aveva ancora visto. Piccolina, graziosa. È lei che decide la destinazione di migliaia di espulsioni. Stabilisce l'origine degli immigrati arabi ascoltando la loro inflessione. «Parli inglese?» le chiede l'agente. «No, pochissimo. Solo italiano e arabo» risponde lei. «Ma questo vuole parlare inglese» le dice l'agente. «Certo, perché è romeno. Questo ci prende per il culo, non è mica iracheno» s'arrabbia l'altro collega. «Dai, prova a vedere se davvero viene dall'Iraq come dice» sbuffa l'agente.

«Buonasera, parli arabo?» chiede la ragazza in arabo. «Sì» è la facile risposta in arabo. «Come ti chiami e da dove vieni?» È la quarta o quinta volta oggi che sente la stessa domanda. Bilal risponde a spanne. Sempre in arabo. Lei chiede qualcos'altro. Ma Bilal non capisce. A questo punto bisogna assaggiare la prontezza di riflessi dell'interprete. Basta buttare lì una battuta vaga e vedere cosa succede. «Inshallah» se Dio vuole. Altra domanda incomprensibile. «Inshallah» ripete Bilal. E allarga le braccia come un predicatore. Nuova domanda. Bilal ne intuisce il senso. Ripete in arabo che viene dal Kurdistan. Che è salito su una safina kebira, la grande nave. E adesso è a Lampedusa. Altra domanda incomprensibile. «Grazie a Dio, sì» improvvisa Bilal. Poi dice in inglese che siccome l'arabo è la lingua dell'occupazione del Kurdistan, lui si rifiuta di parlare arabo e se proprio nessuno a Lampedusa parla curdo, può parlare inglese. Bilal non conosce il curdo.

Ma nemmeno l'interprete lo parla. Lei, nel suo inglese approssimativo, insiste nel dire che i poliziotti vogliono continuare in ufficio, non qui davanti al cancello. E poiché Bilal sa l'arabo, l'interrogatorio può essere fatto in arabo. Bilal, sempre in inglese, dice alla ragazza che i suoi occhi sono belli. È l'azzardo per capire se anche lei stia bleffando. Alla fine nessuno dei due capisce più il senso del discorso. «Mi spiace, non so cosa dici» si scusa lei, «non posso interrogarti in inglese.» «Bukara» le dice Bilal dopo mezz'ora di fughe e inseguimenti tra i misteri delle lingue. «Bukara? Domani? Chiede di essere interrogato domani, in inglese» spiega l'interprete ai poliziotti. Loro guardano l'orologio. Allargano le braccia rassegnati. «Va be', facciamo domani mattina con l'altro interprete» dice l'agente con gli occhi chiari, «ma almeno hai capito se è curdo o romeno?» «Non è romeno» risponde candidamente la ragazza, «l'arabo lo parla benissimo.» I carabinieri richiudono la catena del cancello. Esame superato sul campo. Ma si può parlare benissimo una lingua se si conoscono non più di venti parole? Bilal, con le mani aggrappate alle sbarre come le scimmie allo zoo, guarda l'interprete andarsene via. Quanti ne ha mandati in Libia senza capire da dove venivano?

Dietro di lui centinaia di persone hanno assistito alla discussione. Dentro qualsiasi gabbia, qualunque cosa rompa la monotonia è una grande attrazione. Alla fine la folla si dirada, come al termine di uno spettacolo in piazza. Bilal rivede Youssef e Tareq, i due ragazzi egiziani incontrati stamattina davanti all'ufficio di polizia. Poi conosce Temer, che ha 26 anni e in Egitto faceva l'istruttore di nuoto. E ritrova Sherif, l'amico dello scafista trasferito a Crotone. Quindi Cherriere, una faccia da turco che dice di essere tunisino. Parla cinque lingue: arabo, italiano, inglese, tedesco e francese. Va studiato con attenzione. Fa molte domande. Vuole sapere tutto e subito. E già si vede che ha molta familiarità con i militari. Tra carcerieri e prigionieri, Cherriere ha scelto se stesso. Il potere ha sempre bisogno di gente come lui.

Bilal gira fino a tardi tra le baracche di lamiera. Osserva i volti di chi è seduto a chiacchierare su muretti e marciapiedi. Ma degli amici che sperava di incontrare, i compagni di viaggio del Sahara, Daniel, suo fratello Stephen e tutti gli altri, non c'è nessuno.

La notte trascorre all'aperto. Non ci sono letti su cui dormire. Ci si sdraia sotto le stelle. Bilal non ha coperte. Soltanto l'asciugamano, ormai inzuppato di umidità. Il materassino di gommapiuma è infestato di insetti. Il cuscino è il sacchetto nero dell'immondizia con i vestiti ancora bagnati, la bottiglia d'acqua scambiata dopo cena con una mela e due dei cornetti che gli avevano dato all'arrivo. Ripassa la sua lunghissima giornata. Memorizza ogni particolare. Ogni voce. Scopre che conosce già la lingua della gabbia. Uno slang che mescola arabo, inglese e italiano. Come *ashara-ashara*. E poi *maifrend*, il modo con cui carabinieri e polizia chiamano tutti. E *cornuti*, plurale di *maifrend*. *Fisa-fisa*, gridato quando gli ordini devono essere eseguiti velocemente. *Mangeria* o *mangaria*, l'ora dei pasti. *Kulu-kulu*, la distribuzione della cena e del pranzo. E asciugamano, che qui non è solo un rettangolo di spugna di cotone. Significa anche: coperta, cuscino, parasole, pantaloni, separè al cesso, turbante, fazzoletto, stuoia. Perché nell'essenzialità della gabbia di Lampedusa l'asciugamano sostituisce tutte queste cose. Ma adesso, anche se è notte fonda, Bilal deve prepararsi all'interrogatorio decisivo. Ormai tra poche ore.

Bisogna decidere fra due soluzioni. Dire: sì, Roman Ladu sono io, sperare che non facciano ulteriori ricerche e inventarsi un'altra storia. Oppure continuare a fingere di non capire e rimanere in rigoroso silenzio. In un caso o nell'altro, potrebbero comunque telefonare alla questura di Milano: dove certamente si ricordano chi è davvero Roman Ladu. Il risultato è la seconda notte di insonnia. Meglio sfruttare l'ora e la calma per andare in bagno a lavarsi.

I gabinetti nella grande gabbia di Lampedusa sono un'esperienza indimenticabile. Il prefabbricato che li ospita è diviso in due settori. In uno, otto docce con gli scarichi intasati. Quaranta lavandini. E otto turche, di cui tre stracolme fino all'orlo di un impasto cremoso. È la sorgente dei due rigagnoli viola. L'altro settore ha cinque water, di cui due senza sciacquone. Cinque docce. Otto lavandini. Dai rubinetti esce acqua salata. E non è una sensazione piacevole per chi ha la pelle scottata dal sole, ferita dal viaggio, penetrata dalla scabbia, oppure ustionata dalla benzina che quasi sempre bagna i corpi ammassati sulle barche. Non ci sono porte. Non c'è elettricità. Non c'è privacy. Si fa tutto davanti a tutti. Qualcuno si ripara come può con l'asciugamano. E non c'è nemmeno carta igienica: ci si pulisce con le mani. Lì dentro è meglio andarci di notte perché di giorno il livello dei liquami sul pavimento è più alto dello spessore delle ciabatte e bisogna affondarci i piedi. Ma anche il pediluvio nel lavandino prima di uscire diventa un problema. Non appena si sfila il piede, la ciabatta galleggia e naviga con la corrente. Bilal prova a sincronizzarsi. Lascia cadere la ciabatta a monte della corrente. Si lava in fretta il piede nel lavandino. E lo infila nella ciabatta prima che sia troppo lontana. Funziona. Del resto non ha nemmeno sapone. Quindi non c'è rischio di perdere troppo tempo con l'igiene.

Eppure il 15 settembre un parlamentare europeo della destra xenofoba ha detto che il centro di Lampedusa è un hotel a cinque stelle. E anche che lui ci abiterebbe. Lo stesso giorno in cui il Ministero dell'Interno ha fatto trovare soltanto 9 reclusi alla delegazione di Bruxelles. La stessa settimana in cui i trafficanti avevano deviato tutte le rotte dei barconi fino in Sicilia. Chissà, forse nelle case della destra di oggi è normale avere i pavimenti coperti di liquami putrescenti. La maggior parte degli immigrati rinchiusi qui dentro invece viene da case pulite. Case in cui si entra addirittura a piedi nudi.

La colazione è un bicchiere di latte freddo, due cornetti e la bottiglia d'acqua da dividere in due. All'ashara-ashara del mattino i carabinieri contano le file e si accorgono che mancano cinque persone. Si consultano davanti a tutti, convinti di non essere capiti. E decidono di non segnalarlo. Impossibile sapere chi sia scappato perché non si fa nessun appello nominale. I reclusi vengono solo contati. A metà della recinzione che separa dall'aeroporto, proprio dietro uno dei pali con le telecamere a circuito chiuso, il filo spinato è tagliato. E sul palo sono rimasti due lacci di stoffa bianca. Forse legati lì per facilitare la presa di chi si è arrampicato fin sopra la rete. Dev'essere una via di fuga usata altre volte. Bilal l'ha scoperta ieri sera camminando lungo il perimetro per contare con i passi le dimensioni della gabbia. I carabinieri rifanno il conto un'altra volta e rimettono tutti a sedere sotto il sole. Si resta così per ore perché c'è un altro ashara-ashara. Devono partire tutti gli eritrei e gli etiopi sbarcati una settimana fa. Tra loro, un'intera famiglia di fratelli e cugini: gli Abraham, con cui Bilal ha fatto colazione. Sono scappati dall'Eritrea per non essere mandati al fronte. Raccontano che vogliono continuare a studiare in Europa. Uno di loro, è una promessa dell'atletica. Bilal l'ha visto allenarsi lungo la rete della gabbia. Di corsa già la mattina alle sei, mentre lui se ne stava ancora sdraiato sul materassino lurido.

Ci sono molti minorenni, rinchiusi da giorni insieme agli adulti. Anche se la legge lo vieta. Un carabiniere davanti allo schieramento di reclusi seduti a terra mostra un grosso telefonino. Qualcuno si copre gli occhi con le mani. Ma non si capisce perché. Ahmed Ibrahim è accovacciato dietro Bilal. Dice che sta male. Ha un'infezione intestinale. Chiede di andare ai bagni e dopo qualche minuto i carabinieri gli danno il permesso di alzarsi. Al gabinetto ci resta un bel po'. «È tornato quello che è andato in bagno?» domanda più tardi uno dei militari. «E no che non è tornato, adesso vado a fare un giro.» Altri chiedono di andare in bagno. Ma i carabinieri dicono che per colpa di Ahmed Ibrahim non va più nessuno. Dopo quasi mezz'ora Ahmed riappare. Sudato e sfinito. «Tu» gli urla il carabiniere che poco fa mostrava il telefonino, «tu sei un cornuto.» Ahmed lo guarda spaventato. «Sei un cornuto. Vai a sederti e non ti alzare più.» I colleghi ridono.

Alla fine partono in centocinquanta. Forse per il centro di detenzione di Caltanissetta o forse deportati altrove. Dopo ore sotto il sole, ci si rialza e ci si risiede subito dopo. Chiamano l'ashara-ashara del pranzo. Bilal si mette in terza fila. Un'altra lunga attesa. Seduti e rannicchiati. Si avvicina il carabiniere con il grosso telefonino. È il meno robusto tra i suoi colleghi. Ha capelli neri curati. Un neo ben visibile sulla guancia destra. Un bracciale argentato e uno di cuoio con medagliette dorate al polso destro. E un orologio con cinturino in pelle al polso sinistro. Dopo aver fatto sentire un po' di musica techno, schiaccia un altro tasto e il telefonino comincia ad ansimare. Lui si china. Mostra lo schermo ai minorenni seduti accanto a Bilal. Sono immagini di un film porno scaricate forse da Internet. Il carabiniere si rialza e sorride: «E dopo, shampoo» annuncia ai minorenni mimando il gesto della masturbazione. I ragazzini ridono. Un militare si china di nuovo sulla prima fila. La percorre e pretende che tutti guardino. Un trentenne si copre gli occhi con le mani. È uno dei ragazzi che ieri sera ha guidato la preghiera sul marciapiede che i musulmani usano come moschea. È un praticante e non vuole guardare. Il carabiniere con il neo gli strappa le mani dagli occhi: «E guarda che così impari» dice piazzandogli lo schermo davanti al naso. Il trentenne si volta. Guarda Bilal con gli occhi lucidi di rabbia e umiliazione. Un altro carabiniere alle loro spalle scherza con il collega: «Lascia perdere che quello è frocio».

Arriva il loro comandante. È l'appuntato che ieri, per la sua libera uscita, è passato davanti al cancello vestito con bandana rosso, camicione e pantaloni fino al polpaccio. E il tormento non finisce. L'appuntato vuole farsi fare una foto in piedi davanti ai reclusi seduti a terra. Lui grida «Italia» e tutti devono alzare il pollice destro e rispondere «Uno». «Forza» dice un altro carabiniere, «chi non risponde "uno" non mangia.» Bilal non risponde e non alza nemmeno il braccio. Il carabiniere lo vede. Bilal lo sfida fissandolo negli occhi. Quello abbassa lo sguardo. Fatta la foto, l'appuntato chiama Cherriere. Ormai è chiaro. Il misterioso tunisino è l'unico vero mediatore culturale. L'unico capace di parlare con tutti. Di sedare le tensioni. Se lo può permettere perché con tutte le lingue che sa vive al di fuori degli Stati. Al di fuori delle divisioni. Al di fuori della religione, che anche dentro questa gabbia classifica gli uomini tra cristiani e musulmani. Cherriere può permetterselo perché la sua vita è al di fuori della legge. Qualunque essa sia. A cominciare dalla legge non scritta che regola il rispetto tra reclusi. Ieri sera i carabinieri l'hanno addirittura chiamato davanti a tutti perché andasse a fare la doccia calda nei loro bagni. Quanto costa tanta ospitalità? Di sicuro gli avranno chiesto di capire chi è questo uomo con la faccia barbuta che si fa chiamare Bilal.

Non hanno ancora servito il pranzo e al cancello appaiono i due poliziotti in borghese. Bilal finge di non vederli. L'agente con gli occhi di ghiaccio lo chiama. Deve presentarsi immediatamente. Un carabiniere apre il lucchetto che blocca la catena al cancello. Si va di nuovo in ufficio. L'interrogatorio più duro. Solita scrivania. Solita sedia. C'è un poliziotto mai visto prima: «Ciao Roman, allora sei romeno?». Bilal ha scelto di non rispondere. Mai. Aspetta che lo facciano sedere. Invece lo lasciano in piedi. I due agenti in borghese che si sono occupati di lui gli sorridono oggi. Prendono da un angolo il giubbotto di salvataggio sequestrato all'arrivo e glielo fanno indossare. Bilal si guarda intorno sorpreso. L'agente con gli occhi chiari glielo allaccia alla vita. Dove si va adesso?

Vogliono solo fare una foto con lui. Una foto ricordo. Un poliziotto si mette a destra. L'altro a sinistra. Il terzo schiaccia il pulsante della piccola macchina digitale. «Rifacciamo. Bilal sorridi. Smile.» Bilal non capisce. Si aspettava l'interrogatorio decisivo. Invece i poliziotti stanno giocando con lui. Poi gli fanno togliere il giubbotto. E chiamano un carabiniere perché sia riaccompagnato nella gabbia. «Buona fortuna, Bilal» gli dice l'agente con gli occhi di ghiaccio. E gli dà una pacca sulla spalla.

Siamo solo marionette di un gioco più grande di noi. Anche poliziotti, sorveglianti, carabinieri lo sono. E ciascuno si ricava il suo spazio di umanità. Anche Bilal. Sorride a pensarci. Chissà se un giorno ritroverà i due agenti che l'hanno interrogato. Forse potrà farsi una risata con loro e rivedersi in quella foto.

Arriva il pomeriggio. Nessuno chiama più Bilal. L'asfalto e le baracche di lamiera sono roventi. I carabinieri stanno ascoltando a tutto volume i risultati delle partite di calcio. Non si sa che ore sono. Bilal dovrebbe chiederlo. Alle tre deve mettersi in una posizione visibile dall'esterno. È l'unico modo per provare la sua presenza nella grande gabbia. Il caporedattore ha incaricato un fotografo. E il fotografo non sa nulla del perché di quegli scatti. Gli hanno soltanto chiesto di riprendere il centro di detenzione di Lampedusa alle tre di domenica pomeriggio. Da fuori perché è inutile chiedere permessi, nessun estraneo può entrare. Nemmeno Bilal conosce chi arriverà. Sa solo che il fotografo indosserà una camicia rossa.

Il segnale tanto atteso gracchia nella radio di servizio dei carabinieri. Come un regalo mandato da chissà chi. Per sentire le comunicazioni, nel fragore della radiocronaca delle partire, hanno alzato tutti i volumi possibili.

«Uno da due.» «Avanti due.» «C'è un tale che fa fotografie al nostro obiettivo. Che facciamo, gli sequestriamo la macchina?» «Ricevuto, aspettate.» «Due da uno.» «Avanti uno.» «Lascialo perdere. Purché non si avvicini troppo.» «Ricevuto.»

Bilal si alza dal muretto dove se ne stava seduto. In una lenta passeggiata, percorre il perimetro della gabbia sul lato rivolto al paese. Eccolo. Un uomo su uno scooter lungo la strada che costeggia l'aeroporto. Cinquanta metri proprio dietro il furgone antisommossa dei carabinieri di guardia. Ha la camicia rossa. È lui. Adesso Bilal deve solo immaginare che foto scatterebbe a se stesso se fosse contemporaneamente qui dentro e là fuori. Una foto vale più di tutte: Bilal in piedi, davanti alla baracca di lamiera, con la faccia barbuta che spunta dietro le spirali di filo spinato.

Deve solo distrarre i carabinieri che ascoltano le partite dentro il furgone. Bilal li guarda. Loro gli rispondono con una raffica di gestacci. Il fotografo può prendersi tutto il tempo che vuole. Più tardi Bilal chiede in inglese a un dipendente con la

354

divisa gialla di poter comprare una scheda telefonica. L'altro risponde che solo il direttore può decidere se dare le schede. E che comunque il direttore non c'è. Bilal ricorda che è un diritto fondamentale telefonare ai familiari. Il dipendente risponde che lui non può farci nulla. «Il regolamento è così.» Non è vero. Ma il regolamento che conta qui non è quello scritto sulla carta.

Su uno spiazzo di ghiaia appuntita si gioca a calcio. Non ci sono scarpe per tutti. Così metà dei giocatori calza la destra. L'altra metà la sinistra. E i due portieri parano i tiri a piedi nudi. Bilal è tra gli spettatori e accanto a lui, seduti sul muretto, chiacchierano Cherriere e una donna con la divisa gialla della società che gestisce il centro. Lei gli parla in italiano, convinta che Bilal non capisca. E gli racconta sottovoce che lo scafista di Rosetta trasferito ieri a Crotone era sbarcato con lo zainetto pieno di soldi. «Cinquemila euro in contanti, hanno detto i poliziotti che li hanno contati. E con quello zainetto pieno di soldi è ripartito.» Cherriere le domanda qualcosa. «Ma se erano soldi suoi, non potevano sequestrarli» risponde la donna.

Poco dopo Cherriere si rivolge a Bilal. «Allora sei iracheno?» gli chiede in inglese. «Così vorrebbero gli iracheni e i turchi. Ma io sono curdo.» Cherriere sorride sotto il suo ciuffo di capelli neri come l'inchiostro. Ha i lineamenti affusolati degli europei. Non sembra proprio tunisino. «Nel 1993 ho portato 241 come te dalla Turchia all'Italia.» «Come me chi?» replica Bilal distratto dalla rivelazione. «Come te curdi» dice Cherriere, «da Smirne alla Calabria su una nave piena.» «La guidavi tu?» «Sì e senza bussola. Solo con l'aiuto delle stelle» racconta Cherriere e guarda il cielo. «Ma qual è il tuo vero nome? Qui dentro lo puoi dire» domanda a un certo punto. Fa sicuramente la spia. «Bilal.» E lui: «Cherriere». È un altro harrak. Uno scafista.

La sfida a calcio si interrompe con un grido. È il motivo per cui Bilal non si è unito al gioco. Un sasso appuntito ha tagliato da parte a parte il piede nudo di un ragazzo. Dall'alluce al calcagno. Nell'azione, la ferita ha lanciato schizzi di sangue sui suoi avversari. Il ragazzo viene portato a spalla in infermeria e ricucito. La partita riprende. Più accesa di prima. Approdare vivi a Lampedusa è come sopravvivere a un incidente aereo. Lo si vede soprattutto negli adolescenti. Sembrano agitati dalla stessa sindrome. Non hanno paura di farsi male. Dopo il Sahara, dopo il mare, che pericolo può essere uno spiazzo di sassi appuntiti?

A metà pomeriggio, in mezzo al traffico di aerei che scaricano turisti sull'isola e gas sui reclusi, si alzano in volo due elicotteri di soccorso. Virano a Sud. Si sparge la voce che in mare abbiano avvistato una barca alla deriva. Poco prima di cena cala il silenzio. All'improvviso. Un pulmino e un'ambulanza lasciano davanti al cancello ventuno immigrati neri. Sono sfiniti. Affamati. Seccati dal sale e bruciati dal sole e dalla benzina sulla pelle. Passano davanti agli sguardi fissi sulla loro sofferenza. Vengono fotografati e registrati dalla polizia. Spogliati e perquisiti dai carabinieri. Ricevono un tè caldo, un cornetto, l'asciugamano e chi ha i vestiti logori, anche la tuta bianca o blu con le righe ai fianchi. Non si reggono in piedi. «Ancora un giorno in mare e questi sarebbero morti» dicono i carabinieri al di là delle sbarre. Dopo appena mezz'ora il cancello si apre e a gruppi di sei vengono spinti nella gabbia. Non sanno dove andare. Barcollano. Due sono senza scarpe e quando vedono le condizioni dei gabinetti tornano al cancello a chiederne un paio. Il capoturno della società che gestisce il centro li rimanda indietro in malo modo. Dice che tutti hanno avuto le scarpe. E se le hanno già perse, peggio per loro.

Cherriere impone ai carabinieri che gli ultimi arrivati possano prendere la cena per primi. Il medico ha mandato nella gabbia un uomo malato di scabbia. Quel ragazzo non riesce nemmeno a sedersi per le piaghe su tutto il suo corpo. Cerca di farsi capire. Se si piega, le ferite sulla pelle secca si aprono e sanguinano. Ma i militari insistono perché si metta seduto come tutti. L'ultimo entrato deve avere un colpo di sole perché continua a ciondolare. Risalta il bianco degli occhi. Le pupille gli cascano all'indietro dentro l'orbita. I carabinieri lo fanno andare

356

su e giù tre volte. «Quanto ha bevuto questo? *Guarda come dondolo, guarda come dondolo*» ride e canta un militare. Il primo a opporsi è Bilal. Seduto a terra, richiama l'attenzione di un altro carabiniere. Poi interviene Cherriere e insieme ottengono che anche il ragazzo con il colpo di sole sia messo in prima fila accanto ai compagni di viaggio. Bilal e Cherriere si fissano negli occhi ringraziandosi per il reciproco sostegno. Uno dei due militari coinvolti nel gioco parla di Bilal con un collega, convinto di non essere capito: «A questo qua dobbiamo insegnargli a farsi i cazzi suoi». Ma per le scarpe non c'è niente da fare. «Le scarpe le abbiamo date a tutti, dite a quei due che non scassino la minchia» urla il capoturno con la divisa gialla. È un uomo con i capelli bianchi, brusco, nervoso. Molto diverso da Angelo, Andrea o il cuoco, gli unici dipendenti sempre disponibili anche se lavorano sodo tutto il giorno. Così quei due ragazzi devono rassegnarsi. Ed entrare a piedi nudi nella melma infetta dei bagni.

Dopo cena gli ultimi arrivati discutono della loro rotta. Sulla lamiera del primo prefabbricato vicino al cancello, mesi fa hanno dipinto la mappa. La Libia, Zuwara, le onde, Lampedusa, la Sicilia, una barca carica di volti. Ora che sanno di essere vivi, ne parlano come un gruppo di amici in fondo a un viaggio in autostrada. Con le dita indicano i passaggi, gli intoppi, gli errori. «Abbiamo perso l'orientamento più o meno qui e siamo rimasti in mare sette giorni» racconta Johnathan: «Mia moglie diceva: we gonna die, moriremo. Ma io le dicevo: no, Dio ci porterà in Europa». Vengono dai Paesi della costa atlantica. Sono neri africani. Per loro i trafficanti libici non hanno speso nemmeno uno scafista. Hanno affidato la barca e il timone a Johnathan, uno dei passeggeri. Conoscono Agadez, Dirkou, Madama, il Mercato africano di Tripoli, il campo di Terek Mata. Ma quando sentono nominare i cognomi di Daniel, Stephen, Joseph, James e di qualche altro, dicono di non conoscerli. Hanno vissuto negli stessi luoghi. Senza incontrarli. «Scusaci amico» dice a un certo punto Johnathan a Bilal, «andiamo a dormire. Siamo sfiniti.» Prima di unirsi ai compagni di viaggio, Johnathan si avvicina alla rete che separa la gabbia dal cortile. Chiama la moglie dalla piccola sezione femminile. Lei arriva e attraverso le maglie strette, si sfiorano le dita. Gli altri uomini si ritrovano nella camerata di fronte ai bagni. Hanno trovato alcune brande libere, dopo i trasferimenti di oggi. Prima di sdraiarsi, si mettono in circolo. Si danno la mano. Sono quasi tutti cristiani pentecostali. Intonano un gospel di ringraziamento. La loro voce profonda nel buio fa tremare le lamiere. Piangere è l'unico sfogo possibile.

Bilal esce dalla camerata e va a vedere cosa succede al cancello. Osserva un inserviente della cucina passare sotto le sbarre della gabbia piatti di pasta avanzata. Chi ha ancora fame si mette in coda per raccoglierli. È un gesto amichevole. Ma a Bilal ricorda quando era bambino. Quando il nonno allo stesso modo dava da mangiare a Miki, il cane sempre chiuso nel recinto. Stanotte c'è una branda su cui dormire. Stesso materasso di gommapiuma e stessa coperta usata da chissà quante centinaia di persone. È la baracca di Sherif, il ragazzo con i capelli e i baffetti biondi. Ci sono altri scafisti egiziani con lui e alcuni loro passeggeri, come Temer. Ci si saluta al buio. Prima di addormentarci; si scherza e si parla del mondo stando sdraiati. Ma la notte finisce presto. La sveglia è un lamento. Si alzano in molti e vanno a cercare chi sta male. Forse viene dalla prima camerata. Avvicinandosi, il lamento prende la melodia di una canzone stonata: «*Ma quanto tempo e ancora, ti fai sentire dentro, quanto tempo e ancora...*». Sale da oltre il cancello. Sono i carabinieri. Giocano in piena notte al karaoke con il computer portatile della polizia su cui hanno registrato i nomi dell'ultimo sbarco. Sono le quattro e mezzo del mattino. È lo stesso turno che ieri ha mostrato le scene porno sul telefonino. C'è anche l'appuntato. Se ne stanno seduti di spalle alla scrivania lasciata in mezzo al cortile. Non si accorgono che i reclusi affacciati al cancello stanno ridendo di loro. Si torna a letto. Ma non si riesce più a dormire per ore. Un grosso Airbus della Windjet continua a girare a bassa quota sopra Lampedusa. La torre di controllo ha le luci spente e i piloti

aspettano che qualcuno si presenti al lavoro per farli finalmente
atterrare.

Bilal si addormenta che è già chiaro. Viene svegliato dalle preghiere cantate dai pentecostali di Johnathan. Si sono messi in
cerchio sul piazzale, a piedi nudi sui sassi appuntiti. E proprio
davanti alla finestra della camerata. Ritmano il gospel battendo
forte le mani. Uno li guida con le invocazioni. Gli altri ripetono. Sembrano stare meglio. Tranne il loro amico con la scabbia
che li ascolta in disparte e continua a grattarsi sotto la tuta. Sherif salta giù dal letto a castello dicendo qualcosa in arabo. Ha il
tono della protesta. Si infila le ciabatte di gomma. Mette sulla
spalla l'asciugamano. Bilal lo segue con lo sguardo. La sua branda permette di vedere in tutte le direzioni. Fuori dalla finestra
di fronte e fuori dalla porta alle sue spalle. Sherif va in bagno a
lavarsi. Poi a pregare. I musulmani si ritrovano sul marciapiede
dove hanno disegnato con il gesso un grande quadrato perché
nessuno lo calpesti con scarpe o ciabatte.
   Subito dopo colazione, Bilal deve risolvere il problema più
serio. Far sapere a Lei che sta bene. Contando dal tuffo in mare, è arrivato il quarto giorno. E se non fa qualcosa, questo sarebbe il terzo giorno di silenzio. Anche lui è teso. Non vede l'o-
ra di sapere come procede la gravidanza. La possibilità di contattare la famiglia è al secondo posto tra i diritti degli immigrati,
secondo l'avviso che la prefettura ha fatto appendere nelle camerate e nei bagni. Ma Bilal ha visto che nemmeno gli altri riescono a telefonare. Ogni volta che chiedono di ricevere o comprare una scheda telefonica, i dipendenti della società che gestisce il centro rispondono: «Non io, direttore». Oppure: «Bukara, domani». Oppure: «Non scassare la minchia».
   Bilal deve telefonare. Prova il vecchio sistema di aprire la linea con un pezzo di fil di ferro. Ma i nuovi telefoni a scheda sono schermati. Non funziona. Ha un'idea: il 118 risponde gratis.
Prova e il 118 risponde. «Ho bisogno di aiuto, sono chiuso nel
centro per immigrati di Lampedusa e non ci lasciano telefonare» dice in francese, «devo avvertire la famiglia, per favore, vi

do un numero di telefono italiano, chiamate e dite che Bilal è vivo. Vi costa meno di un euro.» Centinaia di papà e figli qui dentro hanno la stessa grave necessità. Su richiesta di Bilal, per non impegnare la linea, il primo operatore passa la chiamata a un numero interno. «Vuole un medico al centro di Lampedusa?» domanda una dottoressa in inglese. «Non un medico. La mia famiglia ha bisogno di sapere che sono vivo. Chiedo a lei come persona. Un favore. Chiamare la mia famiglia. È in Italia. Le costa...» «Mi spiace, non è nei nostri compiti» dice la dottoressa e chiude. Bilal riprova componendo a caso un po' di numeri verdi. All'800-400-400 risponde lo sportello di Madre segreta, un ufficio di assistenza della Provincia di Milano. È un ente pubblico di volontari. Sicuramente saranno più sensibili. «Madre segreta, buongiorno» risponde la voce di una ragazza. «Do you speak english, please?» «Yes, I do.» Bilal le prova tutte. Lei sostiene che per queste cose deve rivolgersi alla polizia. Bilal ripete che è dentro la gabbia di Lampedusa. Che la polizia scarica la questione sulla società che gestisce il centro. E che la società rinvia al direttore che non c'è mai. Le spiega che le schede telefoniche le compra lo Stato. Almeno una all'arrivo di ogni immigrato. E quindi le paga anche lei, giovane volontaria e cittadina italiana. Ma a Lampedusa le schede non vengono distribuite. «Mia moglie aspetta un bambino. Se chiami questo numero italiano, saprà che sono vivo.» Bilal si espone fin troppo davanti agli altri che lo ascoltano: «Fallo per mia moglie, please. Io questo favore lo chiedo a te come persona. Un giorno potrebbe succederti di avere lo stesso bisogno. Lavori o no per un ufficio che si chiama Madre segreta?». «Ma tu sei un clandestino» risponde la ragazza. Dopo mezz'ora di tentativi, si inventa perfino una legge: «Non posso. La legge sul terrorismo mi vieta di fare questa telefonata». «Ma non esistono leggi di questo tipo.» Anche lei chiude.

È l'umiliazione più grande. Più dolorosa delle botte nel deserto. Più bruciante dell'arroganza dei militari. Un esperimento brutale. La rivelazione più agghiacciante. Non le ho chiesto di ospitarmi a casa sua. Nemmeno un passaggio in auto. Semplicemente di fare una telefonata. Il tempo di dire tre parole destinate a una donna incinta: Bilal è vivo. Può un gesto di umanità fare così paura? Verrebbe voglia di abbattere questo cancello. Srotolare a mani nude le matasse di filo spinato. Strappare le divise a questi prezzolati che non hanno altra forza se non la loro prepotenza. Eppure nemmeno loro hanno colpe. Sono soltanto figli del mondo. Ma cosa hanno fatto i clandestini al mondo per meritarsi questo?

Bilal si accorge che deve contenersi. Lo stanno guardando tutti. Anche i carabinieri. Adesso il problema è spiegare agli altri affamati di telefonate come ha fatto a chiamare senza usare la scheda. Gli si fanno tutti intorno. Ed è così che Bilal scopre la verità. Gli era sfuggita forse perché lui l'arabo non lo parla. Gliela spiega in francese Hussein, un ragazzino sbarcato nelle stesse ore di Bilal con il gruppo di adolescenti partiti da Kerouane, in Tunisia. «Le schede le hanno gli scafisti egiziani» dice Hussein, «le fanno pagare venti euro l'una. Se hai i soldi, chiedi a loro.» «Venti euro una scheda da tre euro? E come fanno ad averle se non possono uscire?» Il sorriso di Hussein è la giusta risposta a una domanda così ingenua. Avrà sedici, diciassette anni. Ha ancora la maglietta e i jeans puliti. La sua barca non ha avuto problemi. Hussein si siede su un muretto e racconta dei suoi compagni di viaggio.

«Siamo tutti amici dello stesso quartiere. Finita la scuola abbiamo chiesto ai genitori i soldi per partire. È meglio partire da minorenni perché i minori non possono essere rimpatriati. Questo è il trucco. Io spero di arrivare in Francia dove c'è mia nonna, vicino a Tolone. Ma dimmi Bilal, tu sei con Bin Laden?» Chiude il pugno e alza il pollice: «Bin Laden, eh?» ripete la domanda sottovoce. Bilal non risponde. E l'altro fraintende. Quella domanda però non può essere lasciata in sospeso. Così dopo un po' Bilal torna da Hussein. «Tu hai studiato, vuoi andare in Francia. Vesti come gli europei. Se ti piace lo stile di vita di Bin Laden, perché non sei andato in Afghanistan o non cerchi lavoro in Arabia Saudita?» Hussein si guarda intorno prima di rispondere. «Io amo l'Europa e voglio viverci. Mi piace Bin Laden non per come vorrebbe trasformare il mondo, ma perché è l'unico che ha avuto il coraggio ed è riuscito a colpire l'America. Solo per questo.»

Il discorso cade perché si avvicina lo smilzo con la scritta Bergkamp sulla schiena. E anche perché Bilal ha finito le parole. Cerca di immaginare la propria faccia. Pensa agli angoli delle sue labbra che si distendono dentro le guance. Sotto i baffi ormai confusi nella barba lunga. Da giorni non si guarda. Forse è già cambiato. Vorrebbe avere uno specchio. Qui. Davanti. Subito. E scrutare com'è lo sguardo di uno che viene scambiato per un terrorista assassino.

«Bilal, vieni a fare un giro» ordina lo smilzo. È tunisino pure lui. Parla un ottimo francese. Si cammina lungo il perimetro della gabbia. «Bilal, Bilal. È importante camminare, sai? Aiuta a far girare i pensieri. Altrimenti diventi matto qui dentro.» Si ferma e guarda negli occhi.

«Hai problemi, Bilal?» Riprende a camminare. «Perché ti abbiamo visto tutti. Te ne stai sempre solo, non parli con nessuno. Qui tutti ti guardano, sai? Tutti parlano di te. Sei l'unico sbarcato a nuoto in Europa» e ride. «Non è proprio così.» «E poi ieri sera ti abbiamo visto come hai difeso quel poveretto malato davanti ai carabinieri. Ci vuole coraggio.» «Ho solo chiesto che lo facessero sedere.» «Senti Bilal, ho visto che tu non fumi.» «No.» «Stasera mi dai la tua razione di sigarette?» «Mi spiace, l'ho già promessa metà a Sherif e metà a quel ragazzo di prima.» «Ma lui è un bambino, per questo non gli danno le sigarette.» «Hussein, un bambino? Lui è grande. Ha attraversato il mare come te.» «Non importa, è un bambino. Stasera all'ashara-ashara della cena quando ci danno le sigarette, vengo a cercarti.» La gabbia è così. Rende impossibili le abitudini più normali. E, anche se hanno sfidato il mondo a mani nude, trasforma gli uomini in accattoni.

A tarda mattina, un grido squarcia il brusio dalle parti del cancello. «Bilaaal.» Lui è troppo vicino per defilarsi e andare in qualunque camerata a fingere di dormire. «Bilal, dove cazzo sei?» È il poliziotto che ha verbalizzato l'interrogatorio al computer. Sembra piuttosto agitato. «Aprite il cancello» grida ai carabinieri, «Bilal seguimi.» Bilal non deve capire l'italiano e resta fermo. L'agente si volta e lo prende per un braccio. Lo fanno sedere nel cortile, davanti all'ufficio delle identificazioni. «Senti» dice il poliziotto a una ragazza mulatta con i capelli rasta, «qui c'è qualcosa di strano. Chiedigli se ha chiamato un avvocato.» Sentire la domanda, offre qualche secondo di vantaggio per preparare la risposta. «Sono l'interprete» dice la ragazza e traduce in inglese la domanda. Sbagliare risposta adesso, significa far fallire l'operazione. Bilal ci pensa su ancora. E fa sì con la testa. «Come si chiama l'avvocato?» chiede l'interprete con un sorriso. «Non lo so.» Lei traduce e il poliziotto s'infuria. «Com'è possibile che questo cornuto chiama un avvocato e non sa nemmeno come si chiama?» Lei traduce in parole gentili la giusta osservazione. «Io non ho chiamato l'avvocato» spiega Bilal con calma, «io ho chiamato un amico e gli ho chiesto di mandarmi un avvocato. Io sono curdo e la famiglia del Kurdistan in Europa è grande.» La ragazza annuisce. Traduce. «Rimettetelo nella gabbia» ordina il poliziotto a due carabinieri.

Hanno già servito il pranzo. Stanno per sbaraccare il tavolo, i pentoloni e i pacchi d'acqua con le bottiglie di plastica che di solito abbandonano per ore al sole. Il brigadiere che oggi comanda la squadra di carabinieri vede arrivare Bilal. Apre il cancello e blocca il cuoco. «Ce n'è ancora uno» gli dice. Bilal entra nella gabbia. Prende il piatto di plastica con la pasta. Il secondo è qualcosa di fritto con verdura sottaceto di contorno. Poi la mela. Se ne sta andando così. «Aspetti, ha dimenticato il pane» gli dice il brigadiere. Bilal si volta. E mentre si sta voltando, si accorge di aver risposto a una frase in italiano. Un errore imperdonabile. Ma ormai è tardi. Il brigadiere non conosce la storia di Bilal. Semplicemente gli sorride. Gli mette il pane sul piatto. Bilal lo ringrazia in arabo. E il brigadiere, premendogli leggermente la mano sulla schiena, lo indirizza verso il pezzo di marciapiede ancora libero.

Bilal si siede sull'asfalto e si accorge che non si è voltato per la frase in italiano. No, si è voltato per la gentilezza con cui è stata pronunciata. Addirittura nella forma di cortesia. L'ha già notato in mattinata quel brigadiere con la sua squadra di ragazzi. Sono militari in uniforme antisommossa. Ma non gridano. Non insultano. Non umiliano nessuno. Nella gabbia sono vietati gli accendini e loro a turno si avvicinano alle sbarre del cancello per accendere la sigaretta a chi vuole fumare. Parlano dando del lei. Trattano gli stranieri da uomini. Allora è ancora possibile essere uomini qui dentro. Quel brigadiere dovrebbero farlo generale. È sicuro che non succederà mai.

Sotto il sole alto del pomeriggio, Bilal cerca un posto all'ombra. Va a sedersi proprio sotto la grande mappa del Mediterraneo dipinta sulla lamiera della prima baracca. Gli altri gli fanno spazio. «Bilal, Bilal» dice Sherif, imitando le grida del poliziotto. Bilal sorride. «Da dove vieni?» chiede Sherif in arabo. Bilal risponde in arabo. Parlano a lungo e quando Bilal non riesce a spiegarsi, uno dei ragazzini tunisini traduce dal francese. Sherif dice di essere siriano. Poi spiega che la sua famiglia quando era piccolo è andata a vivere in Egitto e lì ancora abita. «Quando sei arrivato?» «Venerdì, Bilal, quando sei arrivato tu.» «E dove vuoi andare?» «In Egitto» risponde Sherif. «Sei sbarcato a Lampedusa per andare in Egitto? Non resti in Europa?»

Sherif muove nervosamente la testa per dire di no ed emette un «ah» con la bocca semichiusa. Si resta per un po' in silenzio. Bilal improvvisamente si ricorda che sabato Sherif ha abbracciato lo scafista di Rosetta, quello con lo zaino pieno di euro. Anche lui era arrivato venerdì sera. Prova e riprova la domanda nella mente. Poi la butta lì. «Sherif, enta harrak?» Sherif si volta di scatto. Osserva e resta in silenzio. Non vuole dire se anche lui è uno scafista.

Davanti al cancello sta succedendo qualcosa. I carabinieri passano avanti e indietro di corsa. Vanno a ricevere qualcuno. In mezzo a loro appare una ragazza alta. I capelli biondi raccolti in una lunga treccia. L'accompagna la Dottoressa, il commissario di polizia che all'interrogatorio indossava la maglietta mimetica dell'esercito americano. La ragazza passa davanti alle sbarre e guarda dentro. Non può fermarsi. Bilal non capisce se lei l'ha riconosciuto. Ma davanti al suo sguardo si è sentito completamente nudo. Poco dopo due carabinieri aprono il cancello. C'è il brigadiere perbene. «Chi è Bilal? Prego.»

La ragazza è seduta in una stanza vuota, accanto all'ufficio identificazioni. Soltanto due sedie. Una di fronte all'altra. La stessa stanza dove venerdì notte dormivano sul pavimento decine di donne e qualche bambino. Un poliziotto socchiude la porta. Siamo soli. Ci guardiamo. Restiamo a lungo in silenzio. «È meglio parlare sottovoce e non in italiano. La stanza può essere microfonata.» La ragazza annuisce. «Parli inglese?» «No, ti spiace se parliamo francese?» dice in francese. «Il mio francese fa ridere, ma ci provo... È molto peggio di quanto non vi abbiano mai fatto vedere.» «Lo immagino.»

«Ogni giorno partono aerei carichi di gente.» «Lo so... Avevo trentuno nomine. Ne hanno deportati trenta senza che potessi incontrarli. E si rifiutano di dire dove. Sei rimasto l'ultimo.» «Allora lo stratagemma ha funzionato. Lei ti ha chiamato oggi?» «Sì, mi ha detto che eri al mare a fare windsurf e che, se volevo, potevo raggiungerti. Soltanto l'idea mi ha raggelato il sangue. Avevo già chiesto di incontrare gli altri trenta, ho soltanto aggiunto il tuo nome.»

«E come sta Lei?» «Bene. Mi ha detto di dirti che va tutto bene.» «Grazie.» «Dovrei ringraziarti io. Senza di te, oggi qui non mi avrebbero lasciata entrare. Succede spesso. Fissi l'appuntamento, ma prima che arrivi trasferiscono le persone che devi incontrare.»

«Hai qualche scheda telefonica?» «Ne ho qualcuna. So che servono sempre.» «Me le puoi passare?» «Sicuro, guarda che qui dentro sei un libero cittadino. E io oggi sono il tuo avvocato. Piuttosto, ti hanno già portato dal giudice?» «Qui non esiste nessun giudice.» «Ma sono già scaduti tutti i termini di fermo preventivo.» Bilal risponde alzando le spalle.

«È così, avvocato. Ti daranno problemi per questa visita.»

«Non possono. Tu sei mio cliente e io sono l'avvocato. Adesso c'è un segreto professionale tra noi. E se tu mi chiedi di non rivelare nulla, io sono obbligata a rispettare il segreto sul contenuto del nostro colloquio.» «Tanti stranieri avrebbero bisogno di un avvocato qui.» «Lo so, ma senza una nomina dal di fuori non me li fanno incontrare.» Si apre la porta. «Avvocato, vuole dell'acqua?» chiede un poliziotto. Lei ringrazia e rifiuta. Poi guarda in silenzio ogni particolare della tuta bianca. Ogni piega. Ogni macchia.

«Devo rientrare nella gabbia. Lei chiamala subito e dille che è dura, ma sto bene.» «Lo vedo, hai la faccia stravolta.» «Ma no, è un albergo a cinque stelle.» «Posso scattarti una foto con il telefonino? Per ricordare questo momento.» «Va bene. La metterai nel fascicolo.» Scatta la foto. Ci alziamo contemporaneamente. «Io dopo un colloquio qui dentro, do sempre un abbraccio ai miei clienti.» «Non posso abbracciare una donna. Qualcuno pensa per sbaglio che io sia un integralista. Lasciamogli il dubbio. Ti abbraccio con il cuore.»

Si riapre la porta. «Avvocato, tutt'apposto? Possiamo portarlo via?»

La voce di Lei è bellissima. Capisce al volo e risponde subito in arabo. Bilal parla a tutto volume perché gli altri intorno al telefono a schede sentano bene. Poi continua sottovoce, in inglese. «Mi ha richiamata l'avvocato. È stata gentilissima» dice Lei, «e poco fa il tuo caporedattore. Hanno appena ricevuto le foto. Ti hanno visto dentro. Dicono che sono venute benissimo.» «E little bean come sta?» «Chi?» «Il nostro fagiolino.» Due ragazzi si avvicinano troppo. Bilal inventa sul momento una lingua che possa suonare come un dialetto curdo. Lei ride. «Ti chiamo più tardi. Ti devo dare qualche informazione da far arrivare al mio direttore. Ma adesso ho troppi curiosi intorno.»

Si vede che oggi è passato un avvocato. Nel tardo pomeriggio viene finalmente distribuita la prima scheda telefonica. Una sola da tre euro. Per chi deve chiamare in Egitto o in Ghana, è solo il tempo di pronunciare una sillaba. Bilal regala la sua a

Hussein. È sollevato. Come se le parole di Lei gli avessero lavato via la stanchezza. Ristabiliti i contatti con l'esterno e neutralizzati gli interrogatori, adesso può concentrarsi esclusivamente su cosa succede nella gabbia. Torna a sedersi accanto a Sherif. Lui gli chiede a gesti se ha da accendere. Bilal risponde in arabo di no, nessuno ha accendini qui. Sherif replica con una frase incomprensibile. «Dice che tu gli hai promesso le dieci sigarette che ti danno stasera» traduce in inglese un ragazzo che gli sta sempre appresso. È egiziano pure lui. Sherif ripete la frase in inglese quasi perfettamente. Non è vero che parla soltanto arabo. Quando restano soli, Bilal riprende il discorso.

«Enta harrak?» Sherif sorride. Prende il portafoglio. Svuota i grani di sabbia e di sporco nascosti tra le pieghe. Cade un'agendina scritta in arabo. Poi una fototessera. Sherif la raccoglie e la regala a Bilal. Sherif nella foto ha la camicia azzurra. Pulita. La barba appena rasata. È serio. «Perché?» «Souvenir» risponde lui. Bilal si ritrova quattro sigarette in tasca. Le teneva di riserva per qualsiasi necessità. Gliele dà in cambio.

Sherif fa un'altra domanda in arabo. E alla fine della frase porta la mano al cuore. Non la sa tradurre in inglese. Ripete la domanda in arabo. Bilal vede passare Youssef. «Tu parli inglese, Youssef. Aiutami per favore.» Il ragazzo egiziano ascolta e traduce: «Lui vuole sapere se il tuo cuore sta con i musulmani o con i cristiani». Bilal nota che Youssef ha una piccola croce tatuata all'interno del polso destro. È un cristiano copto. Sherif è musulmano. Ora qualunque risposta verrà sicuramente amplificata dal passaparola. Così Bilal rischia di giocarsi la fiducia che si è guadagnato in tutte e due le comunità.

«Youssef, digli che sono curdo.» «Questo l'ha capito» replica Youssef, «ma sei curdo musulmano o curdo cristiano?» «Digli che mio padre è cristiano e mia madre è musulmana bosniaca.» Sherif capisce la risposta e si rivolge direttamente a Bilal. «Mama, baba, Bilal, ok? Bilal, Islami?» Bilal non vuole offendere nessuna religione.

«Senti Youssef, spiega a Sherif che io sono prima di tutto curdo e sto con la mia gente. Poi rispetto tutte le religioni e tut-

367

te le persone.» Sherif si arrabbia. «Vuole sapere» traduce Youssef, «com'è possibile che in Iraq un cristiano abbia potuto sposare una musulmana. Dice che non è possibile.» Un pasticcio. Sherif, che di certe cose se ne intende più della polizia, sta completando ciò che non è stato chiesto negli interrogatori. Bilal trova la soluzione guardando per un istante la luce romantica del sole al tramonto.

«Youssef, i miei genitori si sono conosciuti in Germania dove erano emigrati per lavorare. E si sono sposati in Germania. Non in moschea, né in una chiesa, ma in municipio. In Germania si può. Poi sono tornati in Kurdistan e sono nato io.» Youssef traduce e Bilal si accorge che intorno si sono raccolti decine di curiosi. Molti hanno la loro domanda da fare a Bilal.

«Chiedono tutti come hanno potuto sposarsi se sono di due religioni diverse» traduce Youssef. Ecco il risultato di chi predica lo scontro di civiltà. Bisogna riprendere in mano la situazione. Bilal finge di offendersi. La giusta sceneggiata.

«Youssef, spiega che mio padre e mia madre sono prima di tutto un uomo e una donna. Si sono scelti e si amano così come sono. Si sono sposati senza chiedere permesso a nessuno. Così si usa in Europa. Ed è per questo che io voglio andare in Germania.» «Ma Bilal è musulmano o cristiano?» alza la voce Sherif. Adesso anche Youssef fa domande. Vuole capire se Bilal è cristiano oppure no. Perché ci si deve per forza schierare? Perché questi uomini chiusi in gabbia hanno bisogno di sentirsi servi? Bilal non ha voglia di fingere una risposta qualsiasi. Risponde sincero, forse calcando un po' la voce. «Non sono né cristiano né musulmano. La mia religione è la libertà. Non sempre è possibile difenderla ma» aggiunge senza che gli altri possano capire, «è per questo che sono qui.»

Youssef traduce. Il pubblico reagisce con un lungo mormorio. Sherif sorride ironico. Indica con un gesto del braccio le matasse di filo spinato che ci circondano. «Libertà» ripete in inglese. Ma di questo non ha proprio diritto di parlare. È per colpa di gente come lui che è stata costruita la gabbia di Lampedusa. Lo si sente a pelle. Un egiziano che sbarca a Lampedusa per tornare in Egitto. Sherif ha tanto da raccontare. E forse è per questo che voleva conoscere la religione di Bilal. Perché, dal suo punto di vista, solo tra musulmani ci si possono confidare certi segreti.

La sera, dopo cena, si prepara un'altra notte d'inferno. A Lampedusa sta arrivando una barca alla deriva con quasi trecentocinquanta stranieri. I poliziotti dell'ufficio identificazione e i dipendenti del magazzino tornano al lavoro. Anche i carabinieri della Brigata Mobile sono pronti per le perquisizioni. Ma stanotte è di turno una squadra di persone per bene. La comanda il brigadiere in servizio all'ora di pranzo. Bilal lo vede passare al di là del cancello. E per la prima volta lo guarda bene in faccia. Un cinquantenne, più o meno. Magro, con pochi capelli grigi tagliati a spazzola. Quando arrivano stremati i primi passeggeri della barca, i suoi militari si fanno capire a gesti. Lavorano tutta la notte. Con rispetto. Senza mai urlare.

Quella successiva è una giornata umida. Molti hanno la pelle della fronte e delle mani ricoperta di punture. Le più grandi sono zanzare. Le più piccole forse pulci. Bilal ogni volta che cerca di attraversare indenne la toilette pensa alle case dei parlamentari della destra xenofoba. È una giornata di attesa. I trasferimenti annunciati ieri sono rinviati perché la polizia deve prima identificare gli ultimi arrivati. È l'unico giorno in cui vengono pulite le camerate. Ma uno dei dipendenti con la tuta gialla usa la stessa scopa con cui ha appena rimosso i liquami dai bagni. Così i resti di feci e urina vengono equamente distribuiti sotto tutte le brande. Hanno provato a mandare un autospurghi nel pomeriggio. Ma le schifezze dei gabinetti invece di essere aspirate sono state sparate tutt'intorno alle turche. Anche nel mangiare c'è qualcosa che non quadra. Sabato sera, e poi ancora altre volte, la piccola cotoletta non sembrava carne. Era pan grattato, farina e forse uovo. Perché se quella è carne, dev'essere di un animale estinto. È troppo friabile. La si può perfino tagliare con il fragile cucchiaino di plastica: spesso l'unica posata distribuita agli ultimi che si mettono in coda per l'ashara-ashara. Se fosse così, vuol dire che a Lampedusa qualcuno spaccia pan grattato per carne. Bilal e gli altri vengono privati non solo della libertà. Anche delle proteine.

La sera al tramonto scoppia una lite tra i passeggeri della barca arrivata stanotte. I carabinieri entrano nella gabbia di corsa. Manganelli in pugno. E gli animi si calmano. «Cherriere, Cherriere» gridano i militari. «È a dormire» dice lo smilzo che indossa sempre la maglia di Bergkamp. «Vai a chiamarlo.» «Cherriere» il comandante della sorveglianza lo prende sotto braccio, «spiega a questi cornuti che se vogliono muoversi liberamente qui dentro, devono stare buoni. Altrimenti sappiamo noi come trattarvi. Vi chiudiamo nelle camerate e da lì non esce nessuno. Spiegaglielo subito.» Non è il brigadiere gentile. Cherriere lo guarda con un sorriso beffardo. «Litigano per dei soldi» spiega, «sono spariti durante il viaggio in barca. Ma oggi nemmeno io riesco a parlare con loro.»

La sera tardi Bilal riconosce Cherriere nel buio. Sta fumando seduto sul marciapiede della baracca dove dorme. «Cherriere, Cherriere, c'è tensione stasera.» «È questo gruppo di egiziani appena arrivato. Dove ci sono egiziani ci sono problemi» dice lui. «Senti Cherriere, come faccio a fuggire da qui?» Lui continua a fumare. Alza lo sguardo. «Da qui è difficile. Lampedusa è un'isola. Ma se ti trasferiscono a Crotone, te la puoi cavare con centocinquanta euro. A Bari è gratis. Puoi scappare la notte, saltando la rete e seguendo i sentieri. A Caltanissetta e Trapani no, se ti chiudono lì dentro esci solo quando lo decide la polizia.» «E chi decide chi va a Crotone, Bari o negli altri posti?» «Non lo so» parla e fuma Cherriere, «lo decidono loro. La polizia.»

La notte smentisce le previsioni di Cherriere. Passa tranquilla. Sherif si alza che è ancora buio. Salta dal suo letto e sbatte contro qualcosa. Esce imprecando in arabo. Bilal lo sente e dopo un po' lo raggiunge. Passeggia lungo la recinzione che separa la gabbia dalla pista dell'aeroporto. «Caldo» dice Sherif. È davvero una notte afosa. Di quelle che non lasciano dormire.

Bilal non vuole essere la causa di tensioni religiose. Ma soprattutto vuole capire se Sherif gli stava per raccontare qualche storia. La prende molto da lontano. Usando soltanto le parole in inglese che Sherif può capire. Gli racconta del viaggio sui camion lungo la pista degli schiavi. E dei giorni passati a Chaffar. Lui curdo, finito a fare da autista ai trafficanti tunisini. Non gli può rivelare tutto, ovviamente. E Sherif, che conosce poco la geografia, non si chiede come mai un curdo sia passato da Agadez. Si siede sul muretto che circonda lo spiazzo con i sassi appuntiti. Anche Bilal si siede.

Sherif confessa che lui è un harrak. A volte guida i pescherecci. A volte fa il meccanico di bordo. Perché i motori sono vecchi e c'è sempre qualcosa da riparare. Bilal gli domanda se non ha mai avuto paura. «Paura?» ripete Sherif in inglese e aspira una boccata di fumo. «Ringrazio Dio» risponde in arabo. Bilal lo invita a non scomodare Dio. Gli chiede se è mai morto qualcuno dei suoi passeggeri. Lui spegne la sigaretta sul cemento. Si passa tutte e due le mani nei capelli. «L'harrak è un lavoro difficile.» E comincia a raccontare di un naufragio. Dice che sono morti in tanti. Non ha mai saputo quanti. Erano partiti dalla Libia e stavano passando davanti alle isole Kerkennah in Tunisia. O almeno così sembrava. Il mare si è gonfiato quando avevano girato la prua verso Lampedusa e la Sicilia. Ci vuole un po' perché Sherif trovi le parole adatte. Ogni tanto le pronuncia in arabo. Quando non riesce a farsi capire, si spiega a gesti. Oppure fa disegni sulla ghiaia. Avevano le onde contro. Erano così carichi che non riuscivano più ad avanzare. Sono rimasti alla deriva. Hanno cominciato a imbarcare acqua dalle fiancate. Ma il peschereccio era grosso. Era stato rinforzato con tronchi di legno prima di salpare. E ha retto a lungo in quelle condizioni. Forse più di dieci ore. Fino alla rottura del timone. Dev'essere stata proprio quella la causa. Il peschereccio si è messo di traverso. Ha imbarcato altra acqua. Il motore bagnato si è spento. E dopo un po' lo scafo si è rovesciato. «In quanti sono morti?» «Tanti, tanti» dice Sherif. «Conoscevi qualcuno di loro?» Sherif si ripassa le mani nei capelli. «Il meccanico.» Dice che si chiamava Said o Shaid, lo pronuncia in tutti e due i modi. Racconta che Shaid era chiuso nella stiva dove c'era il motore. Non voleva stare in mezzo ai passeggeri. Non è mai sicuro stare con i passeggeri, non sai mai chi sale a bordo. E indica dove stava il «meccanico» nel disegno del peschereccio sulla ghiaia. Quando si è rovesciato, non ha potuto aprire la botola. Sherif è caduto in mare e si è tenuto a galla fino all'arrivo dei soccorsi. Il giorno dopo.

«Sherif, tu eri al timone?» Lui scuote la testa. Lo fa sempre quando deve dire che non ha capito. «Eri tu il capitano?» Sherif scuote di nuovo la testa. Porta le mani accanto alle orecchie e mima il gesto della preghiera. Si alza. Trascina le ciabatte di gomma fino al lato opposto della gabbia. E va a genuflettersi nella moschea disegnata con il gesso sul marciapiede.

Il sesto giorno da Bilal è un mercoledì. L'ashara-ashara di mezzogiorno è una parata fascista. Sono i militari dello stesso turno di ieri sera. La stessa squadra che sabato ha fatto sedere Bilal, Sherif e gli altri nei liquami. Un carabiniere si affaccia ai tre gradini che portano alla prima baracca. Mette le mani ai fianchi come faceva Benito Mussolini e urla davanti agli stranieri seduti sull'asfalto. «Fratelli.» «Fratelli?» gli chiede un collega. «E perché vuoi chiamare italiani questi cornuti?» I militari scoppiano a ridere. Secondo l'appello di stamattina, nella gabbia ci sono seicento uomini. Più le donne nella sezione femminile. Il brigadiere che comanda questi ragazzini un po' a Mussolini ci assomiglia. Mette le mani ai fianchi e anche lui molleggia sulle ginocchia. «Camerati» grida. Poi saluta i colleghi battendo i tacchi con il braccio destro teso. «No» lo corregge un carabiniere, «questo è il saluto nazista. Quello fascista è così: Italiani!» Si aggiunge un altro militare: «La prossima volta a questi ci insegniamo a cantare *Faccetta nera*».

La notte sono di turno gli stessi ragazzi. E dimostrano di che pasta sono fatti. I reclusi sono a dormire. Bilal è nascosto dietro una rete. Ascolta e osserva. Un'altra notte durissima. I poliziotti hanno lavorato fino a tardi per gli ultimi interrogatori sullo sbarco di lunedì sera. Adesso ci sono 180 nuovi arrivi da registrare. Perquisire e sistemare. Seduti su un muretto, due gemelline di due anni, la mamma e il papà. Nel cortile, i carabinieri con mascherina e guanti in lattice cominciano subito a controllare tasche e borse. Li aiuta un collega in borghese, forse fuori servizio. Basette curate. Capelli neri pettinati con il gel. Maglietta alla moda.

«Spogliati nudo» dice il carabiniere in borghese. Il ragazzo in canottiera di fronte a lui trema per il freddo e la paura. Non capisce. Resta immobile un minuto intero. «What is the problem?» urla il carabiniere e gli tira uno schiaffo sulla testa. Il ragazzo, pallido e magro come uno scheletro, non smette di tremare. Secondo schiaffo. Altre persone in quel momento sono nude davanti ai carabinieri per la perquisizione corporale. Vengono tutte prese a schiaffi. Da mezz'ora quei ragazzi parlavano di fare il corridoio. E nel gergo militare non è un ambiente che unisce due locali. Cosa sia lo dimostrano poco dopo. Una fila di sei stranieri da portare nella gabbia passa in mezzo a loro. E ciascun militare sfoga la sua razione di schiaffi in testa. Quattro carabinieri, due per parte. Fanno un totale di quattro schiaffoni pro capite. Appare finalmente il brigadiere che a mezzogiorno imitava Mussolini. Potrebbe fermare il pestaggio. Invece non rimprovera nessuno. «Questo ti dà problemi?» chiede al collega in borghese con il gel nei capelli. E senza aspettare la risposta, spara un pugno sullo sterno del ragazzo magro. Lui proprio non capisce che cosa ha sbagliato. È ancora in piedi immobile. Sempre in canottiera. Passa un'altra fila di immigrati. Altro corridoio. Altri schiaffi. Questa volta li accompagna un dipendente della società di gestione. Uno con la divisa gialla, il pizzetto e una piccola cicatrice vicino al naso. È lo stesso che una sera, quando un ragazzo ha chiamato i musulmani alla preghiera, si è messo ad abbaiare ogni volta che sentiva il grido *Allahu Akbar*. Il brigadiere guarda e ride. Davanti alla nuova fila di immigrati da portare nella gabbia ora si piazza lui. Fa il passo dell'oca. Con le mani finge di impugnare una lancia. «Avanti marsch!» ordina. E la fila di uomini stravolti barcolla e lo segue. Bilal non pensava arrivasse a tanto. Quel brigadiere ieri l'aveva visto portare un malato in braccio. Dall'infermeria alla sua branda.

Gli schiaffi risuonano nell'aria per mezz'ora. Finalmente una funzionaria di polizia se ne accorge. È una ragazza bionda, piccola, che di giorno raccoglie i capelli dentro un bandana. «Maresciallo» dice nervosa, «vada di là a vedere cosa stanno facendo i suoi ragazzi. Perché sento troppe mani che si muovono.» Il maresciallo volta l'angolo e raggiunge gli altri carabinieri: «Uhe ragazzi, mi raccomando». E si mettono a ridere tutti insieme. Gli ultimi sei immigrati vengono portati dentro la gabbia a notte fonda. Vanno a dormire sull'asfalto perché non ci sono più brande. I carabinieri festeggiano con una grigliata nel cortile davanti agli uffici della polizia.

Il sonno di Bilal dura meno di due ore. Per la rabbia e per lo schifo di ciò che ha visto. Ciascuno può pensare quello che vuole dell'immigrazione. Ma prendere a schiaffi i ragazzi appena sbarcati, è l'insulto più brutale alla dignità. Già per il fatto che questi carabinieri siano rimasti indifferenti al loro coraggio. Insensibili alla grande lezione di vita che hanno dato. È quello che i militari, quando si concedono onorificenze, chiamano sprezzo del pericolo. Il paragone forse è esagerato. Però è come se gli ufficiali dell'aeronautica americana avessero preso a ceffoni gli astronauti appena sbarcati dalla luna. Bilal non ne può più. Ha finito gli anticorpi. Si alza prestissimo. E va a sedersi vicino alla rete che separa la gabbia dal cortile dove ha visto picchiare gli immigrati nella notte. Sul piazzale con i sassi appuntiti, i ragazzi di Johnathan stanno cantando il gospel mattutino. Bilal sta ascoltando un poliziotto che al telefono protesta con il Ministero. Forse è un sindacalista. Dice che da mesi non vengono pagati gli straordinari.

Si avvicinano due compagni di stanza. Uno si vede subito che è Temer. È il più alto nella gabbia. L'altro è un ragazzo di cui Bilal non conosce il nome. Gli si siedono accanto. Sono arrivati insieme. Sabato. Su un gommone. Erano partiti in trenta. Quattro li hanno persi in una notte di burrasca. Il primo è caduto in mare. Il secondo si è tuffato a prenderlo. Gli altri due sono caduti dentro un'onda. E a quel punto nessuno se l'è più sentita di morire da eroe. L'amico di Temer estrae un piccolo Corano dalla tasca della tuta. Comincia a recitare. Ci provano da ieri sera. Si sono messi in testa che Bilal deve imparare a pregare. Bilal invece vorrebbe continuare a origliare i due carabinieri che si sono fermati dove prima stava telefonando il poliziotto. Nascosti proprio dietro la rete stanno parlando delle botte della notte. «Bilal, ripeti con noi» dice Temer convinto che uno possa leggere l'arabo senza averlo mai studiato. Il risultato è che i carabinieri se ne accorgono. E allontanano i tre pronunciando parole che dimostrano il loro bagaglio di conoscenza su tutti gli usi possibili dell'organo genitale maschile.

Bilal torna a nascondersi vicino alla recinzione quando il sole è già alto. L'amico di Temer lo vede e lo raggiunge di nuovo. Bilal gli dice a gesti di fare silenzio. Gli spiega sottovoce che adesso vuole soltanto vedere cosa fanno i militari. «Ma ti vediamo solo» risponde lui, «dormiamo sotto lo stesso tetto, vogliamo aiutarti.» È sincero. Se va avanti così, però, diventa impossibile lavorare. Gli altri stanno semplicemente aspettando che succeda qualcosa nella loro vita. Bilal no. Deve ascoltare, vedere, memorizzare il più possibile. Non ha nemmeno la possibilità di prendere appunti. E se questi pretendono di insegnargli l'arabo in una settimana, rischia di dimenticarsi tutto il resto. Sta succedendo esattamente quello che aveva previsto monsieur H, la sera che avevano deciso che cognome dare a Bilal. Forse è stato un errore inventarsi la storia della mamma bosniaca. L'amico di Temer insiste. «Andate via di lì, cornuti. Via, via.» Ecco, i militari hanno sentito. Uno stress imprevisto. Come una salita ripida quando tutto sembrava ormai in discesa. Bisogna liberarsi di questo pedinamento asfissiante.

È così che Bilal decide di affrontare Temer. Lui è sicuramente il suggeritore. Un ragazzone di oratorio che sente la missione di fare il bene. Ovunque e comunque.

«Temer, ti devo parlare di una cosa personale.» «Andiamo in camera» dice lui. «No, dentro ci sono gli altri. Siediti sul muretto.» Bilal è particolarmente ruvido. Sa che non ha possibilità di ripetere il tentativo. Temer lo ascolta. Gli risponde che non deve avere paura della polizia. E che tutto dipende dalla volontà di Dio. Sia per i cristiani, sia per i musulmani.

«Temer, io non sono qui per parlarti di Dio. Ma se tu credi, Dio sa perché sono qui. Adesso stammi a sentire, tu e i tuoi amici quando mi vedete solo, vicino alla rete, non vi dovete più avvicinare.» Da questo momento Bilal scandisce in inglese ogni singola frase. Cerca le parole che un fedele devoto, non importa se musulmano o cristiano, può meglio capire. Esagera anche un po'.

«Io sono sbarcato qui con un incarico importante. Io *devo* arrivare in Germania. Non ti posso dire nulla. Ma se tu e i tuoi amici continuate così, la polizia mi scopre. E tutto questo sarà avvenuto per colpa tua.» Lui fissa la barba lunga di Bilal. I capelli rasati. Le mani. Sembra spaventato. «Va bene» sussurra Temer, «dirò agli altri di non darti fastidio se questa è la tua volontà.»

Bilal corre subito al telefono. Ha un appuntamento con Lei. Deve dettarle qualche dato sugli sbarchi. Invece quando sente la sua voce, è come se le immagini dei pestaggi gli si proiettassero davanti. E lo aggredissero con un dolore immenso. Non riesce a parlare. Gli scendono le lacrime. «Come stai? Tutto bene?» chiede Lei, calmissima e bravissima, «forza.» «Scusami, sarà la tensione, la stanchezza. Qua dentro picchiano la gente. Sono arrivate anche due gemelline stanotte, dovevi vederle. Come sta il nostro fagiolino?»

Finita la telefonata, Bilal va a guardare gli aerei carichi di turisti attraverso la rete accanto all'aeroporto. Lo raggiungono tre ragazzi mai notati prima. Si presentano, sono egiziani. «Abbiamo saputo della Germania.» «Cosa avete saputo?» «Congratulazioni Bilal. Noi siamo con te» e a turno lo abbracciano forte. Hanno sicuramente frainteso. Ma che diavolo ha raccontato Temer?

Sei di sera, poco prima dell'ashara-ashara della cena. Una voce femminile chiama Bilal. «Bilal Ibrahim El Habib» e subito dopo inverte l'ordine, «El Habib Ibrahim Bilal.» «Aiwa» risponde Bilal.

«Domani mattina alle otto al cancello» dice l'interprete in arabo, la stessa che nel lungo interrogatorio di sabato aveva escluso che Bilal fosse romeno. Lui intuisce. Ma non capisce tutte le parole. «Quale città?» prova a domandare. «Agrigento» risponde l'interprete. «Vai via. Vieni trasferito» gli dice Cherriere in francese e ripete a voce alta perché tutti sentano: «Bilal va via». Davanti a Bilal si forma una coda di prigionieri che vogliono salutarlo. Rachid, 31 anni, marocchino, gli spiega cosa succederà: «Me l'ha raccontato mio cugino. Ti danno un foglio di via. Tu per cinque giorni lo tieni e ti sposti fin dove devi arrivare. Poi lo butti. È l'unico modo per rimanere in Italia. Io farò così, a Padova da mio cugino ho già un lavoro che mi aspetta». «Ma cosa succede se la polizia ti scopre?» «No, è difficile che ti scoprano» risponde. «L'importante è fare come mio cugino. Andare a casa subito dopo il lavoro, non rimanere in giro fino a tardi la sera. E non frequentare altri immigrati.»

Lui forse non lo sa. Ma è esattamente quello che facevano milioni di neri nel Sud Africa dell'apartheid. La rinuncia alla propria libertà di vivere. Rachid solo adesso sorride. Stanotte quando è sbarcato, per evitare il rimpatrio in Libia, ha raccontato alla polizia di essere palestinese. E stamattina era disperato. Perché nella gabbia nessuno conosceva il prefisso telefonico di Gaza. Era sicuro che nell'interrogatorio gliel'avrebbero chiesto. Sembrava un liceale impreparato all'esame di maturità. Stasera invece è convinto che sia andata bene. I poliziotti non gli hanno domandato niente di così difficile.

La sera sbarcano altri trecentocinquanta immigrati. È ancora il turno del brigadiere gentiluomo. Nessuno viene picchiato. Non appena entrano nella gabbia John, 27 anni, partito dal Togo, e altri suoi compagni di viaggio chiedono dove si possa mangiare. Il personale con la divisa gialla fa sapere che il primo pasto sarà distribuito solo l'indomani mattina. «We are starving, abbiamo fame. Non mangiamo da sette giorni» trema e grida John: «Quando siamo sbarcati ho visto un negozio. Volevo comprare qualcosa. Ma la polizia ci ha detto che non potevamo e che qui dentro avremmo mangiato. Abbiamo i nostri soldi. Se siamo liberi, perché non possiamo comprare da mangiare? Che mi diano un permesso, apro io un ristorante qui dentro».

Bilal vede passare il medico con il camice verde, lo chiama e gli spiega la situazione. «Porto qualche brioche» dice il medico in francese. Invece sparisce e non porta nulla. John e gli altri vanno a dormire sul marciapiede. Sono finiti anche i materassini. Un isterico funzionario in borghese rovescia una lattina di Coca Cola. La butta addosso ai reclusi attraverso le sbarre del cancello. «Perché questo?» grida Temer, «siamo clandestini, non siamo animali.» Il funzionario si scusa. Le camerate sono strapiene di gente sdraiata fin sotto le brande. La radio accesa in cucina tiene compagnia a tutto volume. Suona per caso una canzone di tanti anni fa. Dice esattamente ciò che centinaia di bimbi penseranno ogni giorno dei loro papà rinchiusi qui dentro. *«How I wish, how I wish you were here»* come vorrei tu fossi qui.

Bilal va a sdraiarsi in branda. Non riesce a dormire subito. Le parole della canzone lo riempiono di paura. Guarda il mosaico di corpi sul pavimento. Li osserva uno accanto all'altro, rannicchiati su un fianco nella luce gialla dei riflettori che scende dalle finestre aperte. Quella musica fa da colonna sonora a una scena da fine del mondo. Così, si domanda, pensi di saper distinguere il paradiso dall'inferno, i cieli blu dal dolore? È questa l'angoscia che lo sta tormentando da quando è entrato nella gabbia. Bilal mormora come una preghiera tutta la canzone. Sai distinguere un campo verde da un freddo binario d'acciaio? Un sorriso da un velo? Pensi di saper distinguere? E ti hanno costretto a barattare i tuoi eroi in cambio di fantasmi? Cenere infuocata al posto degli alberi? Aria bollente in cambio di una brezza fresca? La fredda comodità al posto del cambiamento? E hai scambiato una parte da comparsa nella guerra, per un ruolo di comando in una gabbia? Come vorrei, come vorrei tu fossi qui. Siamo solo due anime perse che nuotano in una boccia per pesci, anno dopo anno, correndo sopra la stessa vecchia terra. Cosa abbiamo trovato? Le stesse vecchie paure...

Bilal si risveglia sudato. Si mette seduto sulla branda. Ha visto il vero fondo del baratro. Quella lenta spirale che ha cominciato a discendere quando è atterrato a Dakar. Bilal scopre per la prima volta di avere il terrore di diventare cinico. Di ritrovarsi assuefatto alla violenza. Di non avere più gli anticorpi per distinguere il paradiso dall'inferno. E se io un giorno considerassi tutto questo normale? Un hotel a cinque stelle? Un motivo di orgoglio nazionale?

Quando esce per la sua doccia notturna, Bilal deve stare attento a non inciampare. A non calpestare mani e piedi. Vede che anche il marciapiede e i viali d'asfalto tra le baracche sono una distesa di schiene, braccia, gambe, teste che tentano di riposare. Torna e trova la sua branda occupata da due uomini. Sono le ultime ore nella gabbia. Può anche rimanere alzato. Il cielo è illuminato da lampi e fulmini. Il temporale dura poco ma gli scrosci d'acqua risvegliano e bagnano le centinaia di persone che si erano addormentate all'aperto. Davanti al cancello stanno registrando i passeggeri di un nuovo sbarco. E i carabinieri stanno ancora picchiando i ragazzi che perquisiscono. È cambiato il turno. Sono arrivate le squadre del brigadiere che assomiglia a Mussolini e di quell'altro che gira con il bandana. I primi a prenderle sono due immigrati di mezza età. Vengono scelti perché non si sono seduti all'ordine dei militari. Uno lo chiamano Maradona. Volano sberle e per Maradona anche calci. Si fermano solo quando passa il tenente in borghese. Un ragazzo con il pizzetto, incapace di controllare i suoi sottoposti. E infatti loro ricominciano quando il tenente se ne va. Prendono a schiaffi un ventenne che non capisce che cosa deve fare. E altri due ragazzi che all'ordine sit-down non si sono seduti. Li picchiano violentemente, come non hanno mai fatto prima. Per poi scoprire che non avevano capito, perché i due ragazzi parlano soltanto arabo e francese. Bisogna fermare questo schifo.

È un fatto di dignità. Se davvero Bilal sa ancora distinguere il paradiso dall'inferno, deve dimostrarlo. Grida in inglese con tutta la voce che ha. «State picchiando la gente, perché?» Osserva la scena da un buco nel telo verde che ricopre la recinzione tra la gabbia e il cortile. Con una mossa di karate un militare cerca di colpirlo affondando il suo scarpone nella rete. Bilal si allontana. Ripete la frase in inglese. E va via. Viene chiamato fuori, nel cortile. È un faccia a faccia tesissimo. Gli occhi di Bilal dentro gli occhi di un carabiniere con i capelli brizzolati e la mascherina bianca per nascondersi. «What's the problem?» grida il carabiniere. «You are beating that people. Why?» «Beating? Che cazzo vuole, rimettetelo dentro» dice l'altro ai colleghi. Bilal viene spinto dentro il cancello. Ma almeno i militari smettono di picchiare.

Quel carabiniere con la mascherina ha qualcosa di disumano. Anzi, di più: qualcosa di bionico. Non nella voce, no. Nemmeno negli avambracci palestrati che si prolungano dalle maniche arrotolate della divisa. Bilal si volta a guardarlo. Al di là della rete è tornato a perquisire i sopravvissuti sbarcati prima dell'alba. Anche gli altri militari come lui hanno qualcosa di bionico addosso. Risalta un particolare che Bilal ha notato fin dal primo giorno qua dentro. Ma non ci aveva mai riflettuto. Quei militari sono ragazzi viziati dalla tecnologia. Hanno tutti l'ultimo modello di telefonino. E anche l'ultima novità di auricolare. Quello senza fili. Grande come un mollusco da infilare dentro l'orecchio. Ecco la stranezza: mentre il carabiniere con la mascherina vomitava tutto il suo disprezzo su Bilal, l'orecchio destro gli lampeggiava. Un piccolo led azzurro brillava a intermittenza a indicare che il mollusco tecnologico era in funzione. E adesso, guardandoli meglio, ciascuno di quei militari ha un led azzurro che luccica. *Blink, blink, blink.* Sembrano burattini radiocomandati. Forse non bisognava gridare al di là della rete. Forse bastava riderci sopra fragorosamente. Che autorità è, se a rappresentarla sono uomini violenti con le orecchie che lampeggiano?

Quando il sole è alto, nella gabbia sono ammassate milleduecentocinquanta persone. Così dicono i carabinieri, durante l'appello. Un ashara-ashara che si allunga in file da dieci per tutto il perimetro. Tutti devono sedersi per terra. Bilal cerca di rimanere vicino al cancello. «Questo è 'o Professore» dice di lui un carabiniere a due colleghi, «avete visto cosa ha fatto prima? Questo qua poi lo chiamiamo fuori e gli diamo una ripassata.» Ma cinque minuti dopo è la polizia a chiamare fuori Bilal. Lui si volta per l'ultimo sguardo. Gli fanno fretta. C'è solo il tempo di vedere Cherriere in piedi mentre aiuta i carabinieri a contare le file degli ultimi arrivati. Con gli occhi cerca Temer, che stanotte preso dagli incubi gridava in arabo e piangeva. E lo vede seduto, accovacciato nell'ashara-ashara con Sherif e gli altri compagni di stanza. Ma anche loro sono troppo lontani per andare a salutarli. Non c'è più posto nella gabbia nemmeno per camminare.

Una spinta leggera del poliziotto accompagna Bilal al cortile vicino all'uscita. Lo aspetta il gruppo che sta per essere trasferito. Nove adulti e trentacinque tra bambini e ragazzini. Bisogna sedersi sull'asfalto. Un ragazzo con la divisa gialla distribuisce una maglietta bianca a tutti e le scarpe ai tre ancora a piedi nudi. Poi ci consegnano una bottiglia d'acqua e un sacchetto a testa con due panini e una pesca per il pranzo. I ragazzini chiedono che siano restituiti i loro soldi. Bilal, dopo che gli avevano aperto la capsula con i dollari, è stato autorizzato a tenerli con sé. Ma i minorenni hanno dovuto depositarli in segreteria. I carabinieri li hanno accompagnati all'uscita senza dire loro che sarebbero stati portati via.

«Oggi non è giornata, non c'è nessuno in ufficio che possa restituire quei soldi» sostiene il giovane con la divisa della società che gestisce il centro. «Sono centinaia di euro, per loro è importante partire con i soldi» avverte Bilal in inglese. Un carabiniere dice di no con il dito. Bilal insiste. Il militare allarga le braccia e fa capire che è meglio lasciar perdere. Arriva la Dottoressa, la funzionaria di polizia che aveva partecipato al primo interrogatorio. Dà le ultime istruzioni ai due carabinieri della scorta. «Sul molo troverete i fotografi dei giornali. Possono fotografare quello che vogliono» dice, «ma se si avvicinano troppo, informateli che nel gruppo ci sono anche i minorenni. Loro sanno che le foto dei minorenni non vanno pubblicate.»

Più che il diritto alla privacy, a questi ragazzini interessa riavere i loro soldi. Devono rimettersi seduti. Partono senza. Prima che ci facciano salire sul pulmino, corrono verso di noi due militari della squadra che mercoledì ha inscenato la parata fascista. Vengono a spiegarci la loro filosofia di vita. «Ricordatevi» pontifica uno dei due recitando come un attore, «siamo nati da un buco, viviamo per un buco e finiremo tutti in un buco.» All'imbarco del traghetto i fotografi sono tre. Chissà di quali giornali. Bilal, strategicamente, finge di sistemarsi le ciabatte di gomma. Lo fa per prendere tempo e scendere dal pulmino per ultimo. Se la scorta si comporta come tutte le scorte al mondo, i due carabinieri si metteranno accanto al prigioniero in fondo alla fila. Succede esattamente così. Una foto perfetta. I due militari ai fianchi. Uno in divisa ordinaria. L'altro in uniforme antisommossa. Il blu del mare e le case di Lampedusa sullo sfondo. Le cime degli ormeggi. Le catene gialle del portellone del traghetto. E Bilal perfettamente in mezzo. La tuta bianca e le quattro righe blu. Stretto nella mano sinistra, il sacco nero dell'immondizia con i vestiti che indossava quando è stato ripescato. Nella mano destra, la bottiglia d'acqua. Lo sguardo beffardo dritto dentro i teleobiettivi. Bilal rallenta il passo. Vede i diaframmi aprirsi e richiudersi al centro delle grandi lenti. La foto che mancava è tra quegli scatti. Ora basta solo rintracciarla.

Si cammina sotto gli occhi curiosi degli ultimi turisti della stagione. E si naviga fino a sera nella sala soggiorno della nave. Un brigadiere e altri due carabinieri gentili montano la guardia. Il mare è in burrasca e i minorenni sono i più spaventati. Leggono il Corano dall'inizio della traversata. Un ragazzo di 16 anni è sicuro che ci stiano portando in Libia. E per pregare si genuflette verso prua. Nemmeno ascolta i suoi amici quando gli dicono che La Mecca è nella direzione opposta. Così quando di pomeriggio appaiono sull'orizzonte le montagne della Sicilia, gli altri lo prendono in giro. Si incollano al finestrino e gridano: «Jebel Sci-

sciglia». Ridono. A Porto Empedocle i quarantacinque devono salire su un'autobus, fermo in mezzo a una giostra lampeggiante di auto della polizia. La carovana parte verso la questura della città. Bilal si ritrova seduto vicino a Youssef, l'egiziano ortodosso che l'aveva aiutato nella discussione con Sherif. L'autobus entra nella Valle dei Templi. Passa davanti al tempio della Concordia illuminato dai riflettori. Youssef lo indica e si volta verso Bilal: «Un tempio greco, questo è uno dei posti più belli sulla terra». «Ci sei già stato?» «No» risponde. «Conosci Agrigento?» «Sono laureato in Storia antica, Università del Cairo» rivela Youssef. Bilal e gli altri otto adulti vengono separati dai minorenni. I teenager sono destinati a un istituto in attesa di essere affidati ai parenti già in Italia. Gli adulti ricevono su tre fogli la dichiarazione che sono espulsi, un sacchetto con due panini e una bottiglia d'acqua. Alla fine risalgono su un furgone che parte a tutta velocità. «Bilal, ho paura. Secondo me ci portano in Libia» dice Abdrazak, marocchino, 18 anni. È arrivato a Lampedusa sulla barca guidata da Sherif e dall'egiziano di Rosetta. Ma stasera nessuno torna in Libia. Si finisce alla stazione.

Un ispettore di polizia va a fare il biglietto per nove. Poi tutt'insieme si corre saltando i gradini della scalinata. Giù fino al binario. E il treno è già partito. L'ispettore si arrabbia con il capostazione. «Minchia, è sempre in ritardo. Proprio stasera doveva essere in orario?» Nuova corsa in auto, furgone e sirena fino ad Aragona, la stazione successiva. Questa volta il treno non è ancora arrivato. «Ragazzi ascoltatemi» spiega un funzionario in inglese, «adesso andrete a Palermo. Avete cinque giorni di tempo per lasciare l'Italia. Se dopo cinque giorni scopriamo che siete ancora in Italia, sarete arrestati. È chiaro? Adesso andate, siete liberi.»

Anche Bilal è libero. Nonostante il suo alter ego romeno. E la condanna a venti giorni di carcere per aver denunciato le condizioni del centro di detenzione di Milano: particolare sfuggito ai computer della polizia. Gli altri non capiscono e restano impalati sui gradini del treno. «Siete liberi, andate.» Adesso hanno capito. Esultano. «Italia» gridano. E alzando il pollice ripetono in coro: «Uno». Esattamente come facevano i carabinieri. Uno dei ragazzi si attacca al collo dell'ispettore che sorride. Ma preferisce non essere baciato. «Vai, vai, figghiu miu. Buona fortuna.» Tutti, tranne uno, hanno già un lavoro o un parente che li aspetta. A Milano. Torino. Napoli. Catania. Sul treno scoppia una discussione sulla durata del viaggio. «Bilal, fammi vedere il biglietto» dice Youssef. «Vedi, sul biglietto c'è scritto che ci sono centotrentasei chilometri. Tra quanto tempo arriviamo?» «Due ore, credo.» «Non è possibile, Bilal» dice Youssef, «per così tanti chilometri ci vorranno almeno cinque ore.» Bilal ride. Gli altri otto lo guardano senza capire perché si diverta tanto.

La prima telefonata in stazione è per Lei. La notte scorre lentissima. Un po' a passeggiare. Un po' a dormire sulle panche in marmo. L'ultimo ostacolo è il bigliettaio, la mattina dopo. È convinto di avere davanti immigrati che non parlano italiano e li insulta. Bilal non vuole rispondergli. Cerca tra gli italiani in coda qualcuno che parli inglese o francese. Un anziano con in mano la trivella di un pozzo risponde in tedesco. E Bilal, in tedesco, gli chiede un aiuto a comprare i biglietti. L'anziano fa da interprete. Ogni frase passa dall'arabo al francese. Dal francese al tedesco. Dal tedesco all'italiano. E viceversa. Il bigliettaio maltratta anche l'anziano. Dice che non c'è bisogno che aiuti questi ragazzi. E rischia di far perdere il treno a tutti quanti. «Lei che c'entra? Se ne vada» insiste il bigliettaio. «Crede che non li capisca?» Bilal ripassa quel poco di dialetto siciliano che ha imparato sui libri. Raccoglie tutte le sue forze ed esplode: «Ma se nun capisti mancu l'italiano, lo fate o no 'sta minchia di biglietto?» Il bigliettaio sorpreso si mette subito al lavoro. E borbotta: «Questo signore disse di non capire l'italiano, invece il siculo parla». L'anziano con la trivella osserva Bilal in silenzio. Lo sta studiando. Ma non osa chiedergli nessuna spiegazione. «Che lingua era Bilal?» domanda invece Abdrazak, «era curdo?»

L'anziano accompagna i ragazzi al marciapiede. «Mi raccomando» dice a Bilal in tedesco, «per prima cosa imparate la lingua. È il primo strumento per farsi rispettare. Io sono stato quarant'anni in Germania e all'inizio giravo con un piccolo dizionario. Perché io i tedeschi non li capivo proprio.» Sul treno ci si siede in scompartimenti diversi. Loro hanno già capito che come stranieri è meglio non fare numero. Bilal va accanto a Youssef e al suo amico Tareq, che non parla mai. Youssef racconta che in Lombardia ha un cugino. Gli ha promesso un lavoro come muratore.

«Ma tu sei laureato in Storia. Non era meglio trovare lavoro come insegnante in Egitto?» «Un muratore clandestino in Italia guadagna più di un professore in Egitto» spiega semplicemente Youssef. «Passando dalla Libia hai rischiato di morire.» Youssef gli sorride dietro i suoi occhiali grandi da miope. A vederlo sembra ancora un universitario che vive il suo tempo in biblioteca. Un po' cicciottello, le mani pallide, la faccia assonnata di chi trascorre le notti a studiare. Ma Youssef conosce molto meglio di Bilal come gira il mondo. «È pericoloso, sì. Noi però non abbiamo alternative per entrare in Europa.» Parla dei suoi giorni in Libia prima di imbarcarsi. «Due o tre settimane di attesa, credo. Ho perso il conto. Ci tenevano chiusi in un posto recintato come a Lampedusa. Anche là ho visto picchiare gente. Ma era peggio. I guardiani non ci lasciavano uscire all'aperto e dovevamo stare sempre in silenzio.»

Bilal si ricorda di avere in tasca la foto di Sherif. La mostra a Youssef: «Lui è l'harrak che ti ha portato a Lampedusa». Youssef afferra la foto. La bacia tre volte. Poi la stringe al cuore. «Sì, ero sulla sua barca» conferma. «È vero che abbiamo rischiato di morire. Ma noi siamo nati dalla parte sbagliata del mondo. Se non rischiamo, non otteniamo nulla da questa vita.»

L'Italia scorre ai finestrini. Dopo una fermata Bilal e Youssef aiutano una signora e la sua madre vecchissima a sistemare le valigie sul portabagagli. «Grazie ragazzi.» «Eh, mamma, non capiscono l'italiano...» dice la signora. Bilal prova a buttar lì un saluto in tedesco. La signora si scioglie in un sorriso. Non c'erano dubbi. È cresciuta in Germania. Chiuso in questo scompartimento ci sono tre generazioni di emigranti. «Mia madre ha lasciato la Sicilia nel 1954» racconta, «e io sono nata lassù.»

Roma appare al tramonto. Le cupole delle chiese sfocate nella foschia e l'ammasso di case. Bilal e Youssef vanno a godersi il paesaggio al finestrino in corridoio. «Cosa farai Bilal?» gli chiede Youssef mentre scendono alla stazione Termini. «Adesso vi aiuto a trovare il binario dell'Eurostar per Milano.» «Ma tu passi da Milano per andare in Germania?» vuol sapere Youssef. «No, mi fermo a Roma per ora. Troverò qualcuno qui.» Il cartello delle partenze è proprio lungo il marciapiede: «Ecco. Binario tre, Eurostar per Milano». «Sì Bilal, ma prima di andare al binario ti accompagniamo. Tu dove devi andare?» «No, Youssef, noi dobbiamo separarci qui. Se la polizia vi trova con me, voi passate dei guai.» «Non importa. Non ti lasciamo solo.» «Youssef, Tareq, grazie ma adesso voi andate. Il vostro viaggio non è finito.» Ci abbracciamo. Una stretta forte. I due ragazzi si allontanano. Scompaiono per sempre tra i passeggeri che continuano a scendere dal treno arrivato dalla Sicilia. Bilal carica sulla spalla il sacco nero dell'immondizia che lo accompagna dalla notte dello sbarco. Adesso può buttarlo. Lo solleva davanti agli occhi. Lo guarda cadere dentro il cassonetto di fronte alla stazione. Sono le sette di un sabato sera. Sabato primo ottobre.

La notte a casa passa completamente insonne. Finisce alle quattro del mattino in strada. Ad aspettare l'alba. È stato facile diventare Bilal. È bastato polverizzare con la suola l'ultima cenere della carta d'identità. Ma da allora Bilal non se n'è più andato. In un sacco ermetico sopra l'armadio c'è la sua tuta bianca con le righe blu ai fianchi. Non l'ho mai lavata. Ogni tanto ne annuso l'odore acido di sale e sudore. Giusto per ricordarmi che non è importante dover sempre distinguere. Perché sulla rotta degli uomini semplici l'inferno è inferno. E quello che sembra il paradiso quasi mai è un paradiso.

11

Da Nord a Sud

È difficile non essere Bilal. Io e lui camminiamo sugli stessi passi. Ci sediamo al volante della stessa macchina. Rispondiamo alle stesse telefonate. Una di queste arriva un pomeriggio di mezza estate. Direttamente sul numero interno della redazione. Una voce e un nome sconosciuti.

«Scusami se ti disturbo» esordisce la ragazza, «ho avuto il tuo numero da amici di amici che abbiamo in comune. Ho bisogno di una consulenza. Un consiglio per il mio fidanzato.» Racconta che l'uomo con cui vive è tunisino. Ha un bel lavoro. Grafico in un'agenzia di pubblicità o qualcosa del genere. Dopo anni da clandestino, ha potuto chiedere per la prima volta il permesso di soggiorno. «Glielo dovrebbero consegnare a giorni» spiega la ragazza, «ma ha ricevuto una lettera di invito in questura. Deve presentarsi domani mattina. È normale?» «Forse manca qualche documento.» «No, questo è sicuro. Sono mesi che ha consegnato tutto quello che serviva» risponde lei. «Strano, i permessi di soggiorno vengono consegnati in prefettura.» «È quello che dicono tutti.» «Avete letto bene la convocazione in questura? Magari serve ancora un certificato, un bollo, il pagamento di una tassa. Di solito è scritto cosa manca.» «Niente. Ci sono appena la data e l'ora di convocazione.» Se è andata così, la ragione può essere soltanto una.

L'ultima legge sull'immigrazione voluta dal governo di centrodestra è spietata. Perfino più crudele di quella precedente, con cui i due ministri ex comunisti avevano rispolverato gli zoo rinominandoli Centri di permanenza temporanea. Ma come fai a dirlo al telefono, come un gelido oncologo quando diagnostica il mese della morte al suo paziente? Meglio prenderla da lontano.

«Forse c'è qualche problema.» «È quello di cui ho paura» dice la ragazza sottovoce, «non ci dormiamo la notte, ma non capiamo quale sia questo problema.» La domanda non è carina. Però va fatta: «Il suo fidanzato ha precedenti penali?». «No» risponde lei. Lascia passare qualche istante. «Cioè no, una cosa ce l'ha» rivela. «Che cosa?» «Il furto di una maglietta ai grandi magazzini. È successo a Roma, più di dieci anni fa. Una cosa da ragazzi.» «L'hanno denunciato?» «L'hanno preso subito e condannato per direttissima. Due o tre mesi con la condizionale. La maglietta l'ha restituita, una roba da niente.» «Credo che il problema sia proprio la condanna per furto. Avete intenzione di sposarvi? Potrebbe essere una soluzione.» «No, non pensiamo di sposarci» spiega lei. «Allora al suo fidanzato restano purtroppo due possibilità. Una è andare in questura e affrontare le conseguenze.» «E cioè?» «Finire rinchiuso nella gabbia di via Corelli, essere espulso in Tunisia e aspettare i dieci anni previsti dalla legge prima di chiedere un nuovo visto di ingresso in Italia...» «È pazzesco.» «L'altra è non presentarsi in questura e vivere non so fino a quando da clandestino. In questo caso, però, nella richiesta di permesso di soggiorno voi avevate scritto il vostro indirizzo?» «Sì, certo» conferma la ragazza. «Quindi dovrete cambiare casa. Perché se lui non si presenta in questura, la polizia appena può verrà sicuramente a cercarlo.» «Ma il mio fidanzato non ha ucciso nessuno. Ha rubato una maglietta tanti anni fa, non ha mai più commesso un solo reato. Non possono fargli perdere il lavoro per una sciocchezza del genere». «Mi spiace. Il furto è sempre un furto. E la legge su questo è intransigente. Forse vi conviene parlare con un avvocato. Basta una denuncia per vedersi rifiutare il permesso di soggiorno. Il suo fidanzato è stato addirittura condannato.» «Con la pena sospesa, però. E non ha scontato un solo giorno di prigione. Era appena arrivato in Italia, viveva per strada in quel periodo. Può capitare a tutti un colpo di testa.»

La discussione va avanti per quasi un'ora. Lei insiste. Vuole che qualcuno, nemmeno lei sa chi, faccia qualcosa. «È pazzesco» ripete. «Lo so che è pazzesco. E lo è ancor di più perché se il suo fidanzato rischia di dover lasciare l'Europa per il furto di una maglietta, la legge che stabilisce questo è stata approvata anche da parlamentari sotto inchiesta per mafia o per altri gravi reati. Ma non poteva che essere così. Basta sapere chi sono i due ministri che danno il nome alla legge sull'immigrazione. Uno è il capo di un partito xenofobo. L'altro è un ex camerata. Che cosa ci si poteva aspettare da loro? Né io, né lei, né il suo fidanzato possiamo fare nulla. Potete incaricare un avvocato perché vada in questura a informarsi. È l'unico modo legale per sapere se c'è un'espulsione in corso.» Lei nel frattempo ha detto qualcosa. Il tono sembrava interessante. Alla mente però è sfuggito il significato. «Ho detto che la xenofobia proprio non la sopporto» ripete lei, «ma quell'altro ministro a me piace. Io l'ho votato.»

È come se per un attimo gli sguardi di Joseph, James, Stephen, Daniel si fossero voltati tutti, contemporaneamente, verso la stessa direzione per risentire la risposta. Come se tutti i camion che in questo momento stanno attraversando il Sahara avessero spento il motore per far risuonare meglio quelle parole. Bilal sa benissimo che ho un sincero rispetto per qualsiasi opinione altrui. E che il voto, qualunque sia, va sempre accettato. È il principio fondamentale di una democrazia. Ma Bilal ha visto troppe violenze negli ultimi mesi per non cogliere l'incoerenza. E purtroppo è proprio lui a prendere il sopravvento nella telefonata.

«Chi?» chiede sapendo dove vuole arrivare. «Lui, quel ministro lì. Io l'ho votato» risponde ancora la ragazza. «Il loro programma elettorale contro gli immigrati era chiaro» le dice Bilal, «era scritto. Doveva conoscerlo. Vive con un clandestino, no? Doveva informarsi prima di andare a votare.» «Non è possibile che la legge sia così spietata» insiste lei: «Voi giornalisti dovreste fare...». «Guardi» la interrompe Bilal, «è un'ora che ne stiamo parlando. L'unica cosa che posso fare è darle un consiglio. Vada subito da lui e gli chieda scusa. Gli dica che è colpa sua se sarà rimpatriato. Perché lei, quel giorno, ha votato per l'espulsione del suo fidanzato.» La ragazza non parla più. Si sente solamente il suo fastidioso respiro. Troppo vicino al microfono della cornetta. Bilal aspetta gentilmente. Fa un lungo sospiro. Chiude la telefonata.

Il grado di civiltà di una nazione lo si misura dalla condizione delle carceri. Non esistevano i Centri di permanenza temporanea, quando l'illuminismo europeo aveva pronunciato la celebre frase. Ma il grado di inciviltà, come lo si misura? Non si può scappare da questa domanda. È un martello che continua a picchiare sui pensieri. Arrivati dopo tre anni in fondo al viaggio, da Dakar a Lampedusa, da Lampedusa all'Europa, non ci si deve fermare. Bisogna avere il coraggio di continuare. E camminare senza paura sul fondo del baratro. La risposta, forse, è solo quaggiù.

Il baratro si apre ovunque. Lo puoi trovare perfino a Treviso. Una delle città più ricche al mondo, a pochi chilometri di pianura dallo splendore di Venezia. Giardini, canali, antiche mura circondate da moderne fabbriche. A Treviso amano soffrire. Da anni rinunciano al piacere di una sosta nei loro bellissimi parchi. Il sindaco ha fatto smontare tutte le panchine. Perché così gli immigrati non ci si possano sedere. I concittadini non hanno protestato. Hanno rieletto lo stesso sindaco. Treviso è la cartolina di un'Europa ordinata. Pulita. Legale. Per vedere la sua seconda faccia, basta aspettare qualche ora. Il tempo che il sole tramonti e scenda la notte. Le strade che portano alla città senza panchine si riempiono di ragazze. Due ogni cinquanta, cento metri. Rigorosamente in piedi, ovviamente. Migliaia di minigonne, calze a rete, tacchi a spillo. E nemmeno un'italiana. Le ragazze bianche vengono dall'Europa dell'Est. La maggior parte però arriva dall'Africa. Le più fortunate hanno viaggiato in aereo. Ma se ti avvicini e pronunci la parola Dirkou, quasi tutte sorridono e si coprono la bocca con la mano. Poi ti chiedono timide come mai conosci il nome dell'inferno da cui sono passate. Ecco a chi fare la domanda. Chi meglio di una prostituta ha interrogato gli uomini di una nazione?

La prima ragazza non vuole nemmeno salire in auto. È giovanissima, magra, praticamente nuda. «Vai via, io vado solo con gli italiani» dice al finestrino. «Io sono italiano.» «Ma fammi il piacere, tu hai la faccia da albanese. Ciao.» È sempre Bilal che, nascosto da qualche parte, gioca i suoi scherzi.

Giulia invece apre la portiera in piena notte, senza farsi problemi. Per trenta euro, dieci minuti. Ha un'età indefinita, acqua e sapone. Tra i 16 e i 18 anni. Giulia è il nome d'arte, o di battaglia, con cui si presenta. Indica la strada fino a un parcheggio senza lampioni. Solleva la maglietta e comincia a scoprirsi il seno adolescente. «Non spogliarti, devo solo farti una domanda.» Lei si ferma stupita. Si abbassa la maglietta bianca fino all'ombelico. Richiude le gambe. Accende una sigaretta. «Dimmi.» «Che immagine hai degli italiani?» Sorride. Rialza il sedile reclinabile. «Un corpo addosso, con le braghe abbassate e il portafoglio in mano.» «Come?» «Un corpo addosso» ripete, «con le braghe abbassate e il portafoglio in mano.» Lo dice come se stesse pensando a una cosa per lei normalissima. Come se non avesse conosciuto altro. «Il portafoglio in mano?» «Sì, certo» spiega Giulia, «la gente di qui è molto legata ai soldi. Gli uomini tengono il portafoglio in mano anche quando fanno sesso. Non lo lasciano in tasca. Hanno paura che, mentre ti scopano, tu glielo possa fregare.»

Giulia non verrà mai celebrata in nessuna enciclopedia fotografica. Ma la sua immagine è decisiva, penetrante, immediata come certi scatti di Robert Capa ed Henri Cartier-Bresson. La foto più efficace tra i tanti ritratti patinati di questo nuovo mondo.

A quasi trecento chilometri da Treviso, sulla statale che collega Milano alla Svizzera, il fondo del baratro lo vedi anche quando fa giorno. Soprattutto, quando fa giorno. Cerro Maggiore è un grosso paese più o meno a metà strada tra la potente metropoli e il confine. Poco prima dell'alba le prostitute africane se ne vanno. E sugli stessi marciapiedi si schierano decine di uomini. Succede anche d'inverno, quando alle sei del mattino è ancora buio. Bisogna mescolarsi tra loro per capire cosa vogliono. Stamattina fa caldo. Sono le ultime settimane prima delle ferie di agosto. I ragazzi più giovani si mettono in mostra in canottiera. Oppure con magliette aderenti a maniche corte. Stanno immobili. In piedi. Un poco di profilo. Qualcuno stringe i pugni per gonfiare i bicipiti. Come i culturisti, sotto i riflettori. Auto e furgoni rallentano. Quasi si fermano. Gli uomini al volante guardano attenti. A volte inchiodano. Si affacciano al finestrino. Fanno la loro contrattazione. Parlano con le vocali aperte del Nord. Molti hanno la cadenza sbrigativa della Sicilia. Solo una minoranza di questi uomini al volante tradisce l'accento del Nord Africa. I primi a essere scelti sono i ragazzi con i corpi più massicci. Poi tocca agli uomini con le facce esperte e i calli sulle mani. Sarà un caso. Ma noi, gli ultimi cinque rimasti sul marciapiede, siamo i più magri.

Si avvicina un furgone bianco. «Come ti chiami?» chiede l'uomo al volante. «Bilal.» «Lavoro da carpentiere lo sai fare? No? Da manovale? Sì? Allora dammi il tuo numero di cellulare. Se ho bisogno ti chiamo.» Ha le guance grasse, il volto egiziano. Il finestrino abbassato rivela pantaloni e scarponi sporchi di calce. Età sulla quarantina. È tra quelli che ce l'hanno fatta. O almeno così sembra. Anche il furgone, ammaccato ovunque, è sporco di calce e cemento. «Hai i documenti in regola?» domanda. «No.» «Non importa. Se ti prendo, farai una settimana di prova. Poi l'accordo è due euro l'ora.» «Due euro l'ora in nero? È pochissimo.» Lui sorride. Si deve quasi distendere per parlare al finestrino del lato passeggero. «Vieni da questa parte» dice e indica la sua portiera. Adesso è più comodo. «Guarda che puoi fare molte ore e guadagnare tanto. Facciamo ristrutturazioni e qualche grosso cantiere. Se tu hai bisogno di lavorare, questo è quello che trovi.» La luce dell'alba pennella di rosa la vernice bianca del furgone ammaccato. Un contrasto inaspettato. Bilal deve mantenere la concentrazione. «E se la prova va male, la prima settimana è pagata?» Il capomastro reagisce con una smorfia di fastidio. «Prima troviamo il posto e poi vedremo cosa sai fare. Ma la settimana di prova è gratis.» L'egiziano se ne va con un numero di telefono inventato al momento. È sicuramente un caporale alla ricerca di reclute.

Si stima che nell'edilizia il caporale più malmesso incassi tra i duecento e i trecento euro al mese da ogni muratore che controlla. Una squadra di dieci operai può rendere fino a tremila euro al mese. Soldi che ogni manovale deve sborsare in contanti, prelevandoli dalla sua busta paga. Oppure vengono trattenuti all'origine. In questo caso il caporale lavora in accordo con l'azienda appaltatrice. È l'azienda a consegnargli la cifra e a giustificarla in bilancio. Di solito con fatture false. Dicono che questo sistema sia il più diffuso nei grandi cantieri. Perché così gli imprenditori possono costituire fondi neri. E i fondi neri, si sa, sono un'arma segreta. Corrompono la politica. Derubano il Paese. Mettono in ginocchio le sue politiche sociali sottraendo ricchezze al fisco, alla sanità, alle pensioni.

Una tabella dell'Assimpredil, l'associazione delle imprese edili, calcola che ogni ora di lavoro nei cantieri italiani costa ventidue euro. È il prezzo che in genere il committente, pubblico o privato, paga per la realizzazione di un'opera. E quindi sono i soldi che la ditta che si aggiudica l'appalto incassa. Se poi attraverso i caporali una ditta riesce a trovare manodopera a due euro l'ora, i margini di guadagno diventano vertiginosi. Ma questo sistema corrotto sta in piedi anche con stipendi di cinque euro l'ora: ventidue meno cinque fa diciassette euro di guadagno per ciascuna delle centinaia di migliaia di ore che servono a tirare su un palazzo, una fiera, una centrale elettrica. Una rapina sul sudore altrui. Qualche centinaio di immigrati sottopagati possono creare in pochi mesi fondi neri per decine di milioni.

Se un imprenditore vuole rispettare la legge, parte sconfitto dalla concorrenza sleale. Perché le aziende che sfruttano il caporalato, possono praticare prezzi leggermente più bassi. Così in pochi anni l'edilizia privata è scesa a patti con l'unica organizzazione al mondo in grado di fornire braccia a costi stracciati e in brevissimo tempo. La mafia dei trafficanti di uomini. Aveva ragione Abdel, l'informatore incontrato nel porto di Genova. La disponibilità di lavoro senza regole è il vero motore dell'immigrazione clandestina. E queste leggi xenofobe che pretendono di sigillare le frontiere non aiutano. Anzi, arricchiscono proprio la mafia e i caporali. Perché alla fine, tra burocrazia, code in ambasciata e cavilli, è più facile arruolare schiavi clandestini che assumere manovali con i documenti in regola. Basta mettersi in macchina e tornare un'altra mattina su questa statale che porta in Svizzera. Gli immigrati che si affacciano al finestrino credono di parlare con un capomastro. Nessuno, tra i cinquantasette avvicinati, dice di avere il permesso di soggiorno.

E le commesse di Stato? Cosa succede nei grandi cantieri delle opere pubbliche? L'idea affiora durante il viaggio di ritorno dal paese dove prostitute e muratori condividono lo stesso marciapiede. Bilal, con la sua faccia tosta, è riuscito ad avere da un egiziano il numero di un telefonino. Dovrebbe rispondere il signor Suleyman. Nessuno sa bene cosa faccia. L'egiziano ha detto che quando nel cantiere di Stato più grande d'Europa c'è un problema, appare Suleyman. Con il suo furgone infangato, la parlata araba del Cairo, un rotolo di soldi sempre pronto.

Il cantiere più grande d'Europa è a Novara, alle porte della città. Lungo la ferrovia Milano-Torino. L'Italia sta costruendo le sue linee ad alta velocità. E questo è uno dei tronchi che, una volta completato, dovrebbe collegare in una manciata di ore la Francia all'Austria. L'ipotesi di farsi ingaggiare da Suleyman però va esclusa. Lui prende soprattutto connazionali. E non è detto che il cantiere dove manda i nuovi assunti sia proprio Novara. Una volta tanto Bilal può guardare il mondo dal vertice della piramide. Oggi si autopromuove: ingegnere dell'alta velocità. L'ingegner Conte, nome inventato. Il signor Suleyman riceve la telefonata alle 7,40, un venerdì mattina.

«Pronto?» dice lui.

«Buon giorno, è il signor Suleyman?»

«Sì.»

«Buongiorno, sono l'ingegner Conte del cantiere di Novara. Mi ha detto il responsabile del personale di chiamarla.»

«Chi?»

«Il responsabile del personale. Perché abbiamo un problema sull'alta velocità. Volevo chiederle una cortesia...»

«Sì, dimmi dimmi.»

«Se possibile avere cinque operai al cantiere a Novara lunedì mattina.»

«Sì.»

«Ce la facciamo? Cinque in più. Perché abbiamo il problema di un'urgenza da risolvere.»

«Va bene. Ma chi le ha dato questo numero, scusa?»

«Me l'ha dato il dottor..., il capo del personale. Siccome abbiamo questa urgenza, se no non siamo in tempo con le consegne.»

«Sì, ma, cinque o sei persone ma... se stanno lì, quanti giorni?»

«Guardi, il lavoro probabilmente sarà sui due mesi.»

«Ah.»

«Per cui si fa come l'altra volta. Noi paghiamo in busta il regolare e poi gli straordinari vanno a lei. Così mi ha detto il dottor...»

«Sì, va bene. Ok.»

«Va bene così? Loro lavorano tanto. Noi facciamo le ore regolari in busta e poi quelle ore in più mi dice lei cosa devo fare. Facciamo come con gli altri, insomma. Mi hanno detto che così è sempre andata bene. Senza problemi.»

«Sì, prima facciamo un accordo. Ci sediamo un attimino e facciamo un accordo. Perché non posso io parlare così al telefono.»

«Certo, certo, no, no. Ci troviamo... Siccome è un po' urgente, io sono inguaiato per tutto il weekend sul cantiere. Perché purtroppo c'è il problema di un ponte. Dobbiamo rifare la pila e ripiazzare il sostegno.»

«Sì.»

«Però, non so, lei può venire a Novara domani mattina? Lì, al solito posto.»

«Sì, dove c'è la mensa?»

«Sì, va bene, a che ora può arrivare?»

«Domani mattina ti chiamo io. Questo è il tuo numero?» chiede il signor Suleyman.

«Eh... Sì.»

«Ma questo è il numero dell'ufficio o è il tuo numero?»

«No, questo è il mio numero privato. Io sono fuori. Se ti do l'ufficio non ce la facciamo.»

«Sì, ma l'ufficio non va bene. Mi dai il tuo numero così ti chiamo io.»

«Questo qua è il mio numero dove puoi chiamare. La cosa che mi raccomando, siccome dura due mesi, non di più...»

«Sì sì va bene, facciamo anche il contratto così per due mesi.»

«Ma si può fare una cosa a voce? Perché se stiamo a scrivere, non finisce più.»

«Ah no, facciamo il contratto per due mesi.»

«Va bene.»

«Così anche per te è a posto» dice Suleyman. «No, fammi capire quante persone ti servono. Carpentieri, ferraioli, quello che ti serve.»

«Io ho bisogno dei carpentieri perché dobbiamo fare un'incamiciatura di cemento armato. E che però sappiano fare anche un po' di manovalanza. Perché poi magari ci sarà da scaricare i camion. Che siano disponibili. Perche il dottor..., tu conosci il dottor...? Me l'ha dato lui il tuo numero.»

«Sì, lo conosco io, sì.»

«Mi ha detto che con te va sempre bene. Non ci sono mai casini.»

«No, non c'è problema. Solo con uno è capitato. Troviamo uno che è un pezzo di merda, ingegnere scusa. Mio paesano ha fatto un problema con il consorzio. Però abbiamo soldi, l'abbiamo salvato l'altro ieri.»

La curiosità è un cigolio che la notte tiene sveglia la mente.

Così la mattina dopo comincia il lungo giro di telefonate e incontri. E in qualche giorno, viene fuori tutta la questione. La storia del «pezzo di merda» che, secondo Suleyman, stava per mettere nei guai il cantiere dell'alta velocità.

Il protagonista è Hassan, un ragazzo egiziano, 24 anni, il permesso di soggiorno in regola. Assunto qualche mese fa direttamente da Cavtomi, il consorzio di imprese che sta costruendo la ferrovia. Un contratto da operaio a tempo indeterminato. Qualifica di aiuto carpentiere di primo livello. Stipendio lordo di 6,83 euro l'ora. Il suo nome completo non va rivelato. Altrimenti passerebbe altri guai.

Il ragazzo è un gran lavoratore. Secondo il registro presenze consegnato alla Direzione provinciale del lavoro, è in cantiere dodici ore al giorno. Undici di fatica, un'ora di pausa pranzo. Sempre così. Sette giorni su sette. Si ferma soltanto due domeniche. Più o meno gli stessi turni di tutta la sua squadra, otto egiziani e tre italiani. In un mese Hassan mette insieme 292 ore. Fanno 73 ore di lavoro a settimana. Considerato un tempo ragionevole di otto ore al giorno, è come se la sua settimana durasse nove giorni. Senza mai riposo, però. Il record è di un altro egiziano della squadra: 310 ore di cantiere. Non tutto quel lavoro finisce in busta paga. Lo stipendio del ragazzo, compresi gli straordinari, si ferma a 199 ore. Il resto non gli viene versato. Significa che Hassan è coperto per i primi venti giorni del mese. Dal ventuno al trentuno lavora gratis. Un risparmio per il datore di lavoro di 651 euro al mese. Un terzo del salario che invece dovrebbe pagare al suo aiuto carpentiere.

Questa la ricostruzione firmata dal ragazzo nel suo ricorso contro il consorzio. Decide di avviare la causa perché un giorno, dopo aver protestato, viene mandato via dal cantiere. «Licenziamento orale, senza preavviso né giustificato motivo» racconta nella sua denuncia. Hassan è terrorizzato perché poche settimane dopo gli scade il permesso di soggiorno. Senza lavoro regolare non è possibile il rinnovo. Rischia di entrare nell'anticamera dell'espulsione. L'operaio licenziato chiede che almeno gli sia versata la liquidazione. E la differenza sullo stipendio e sui contributi che, scrive nel ricorso, ancora gli spetta. Per dimostrare le sue ragioni, presenta le buste paga sue e dei suoi colleghi. E anche i registri di tutta la squadra, il libro mastro su cui sono indicate le ore lavorate. Quello che non dovrebbe uscire mai dalle baracche del cantiere.

La prima spiegazione del consorzio alta velocità è che Hassan si è dimesso. «Dimissioni regolarmente sottoscritte dall'interessato» scrive il direttore del personale all'avvocato che assiste l'aiuto carpentiere. Il ragazzo però sostiene di non aver mai presentato quella lettera di dimissioni. Tanto che non ne riconosce la firma. Alle sue proteste, il consorzio risponde dopo qualche giorno che oltre alla lettera c'è la testimonianza dei suoi ex colleghi. Quindi, i rappresentanti di Cavtomi non si presentano davanti alla commissione di conciliazione. È l'ultimo tentativo offerto per legge dalla Direzione provinciale del lavoro prima di portare il caso davanti a un giudice.

Il passo successivo sarebbe una denuncia al Tribunale del lavoro per il licenziamento. E una alla Procura della Repubblica per la presunta falsificazione della lettera di dimissioni. Ma a questo punto entra in scena il signor Suleyman. Lo stesso uomo che in primavera aveva segnalato ad Hassan, secondo il suo racconto, che al consorzio dell'alta velocità cercavano operai. Una sera il giovane aiuto carpentiere va nell'ufficio dell'avvocato, nel centro di Milano. E chi lo accompagna? Proprio Suleyman. L'avvocato è un grande esperto di diritto del lavoro e di diritto dell'immigrazione. Gli dice che non deve avere paura. Ma davanti a lui, Hassan sostiene che ha riottenuto l'assunzione. E che quindi non ha intenzione di fare altre denunce. Ecco il salvataggio di cui Suleyman parla nella telefonata.

Resta il mistero, se proprio così vogliamo chiamarlo, della lettera di dimissioni. E dei registri delle presenze. Il consorzio Cavtomi è costituito da tre colossi italiani delle costruzioni: Impregilo, Fiat Engineering e Società italiana per le condotte d'acqua. È il salotto del capitalismo nazionale. Un alto dirigente viene incaricato di rispondere a nome di tutte e tre le società. Il manager conferma la lettera di dimissioni, l'esistenza di testimoni e smentisce che quello consegnato dal ragazzo egiziano sia il libro mastro delle presenze nei cantieri. La difesa del consorzio va riportata tutta: «Siamo un'impresa con quasi duemila dipendenti. Noi ci impegniamo a garantire la completa trasparenza e questo è dimostrato dal controllo fatto nei nostri cantieri da guardia di finanza, carabinieri e altri enti che non hanno riscontrato nulla di irregolare. Gli stessi sindacati presenti in azienda non hanno mai segnalato irregolarità. Si tratta di un tentativo costruito bene» dichiara l'alto dirigente, «per ottenere un risarcimento. Qualche ex dipendente ci prova perché sa che a volte alle aziende non conviene andare a giudizio».

Secondo il manager, Hassan è dunque un truffatore. Smentita anche la possibilità che qualcuno nei cantieri dell'alta velocità conosca il signor Suleyman. Rimangono due ipotesi. La prima, un po' suicida: l'operaio egiziano si è dimesso prima della scadenza del permesso di soggiorno nel momento in cui rischiava l'espulsione, ha avviato la causa, ci ha ripensato, l'ha ritirata. La seconda: il signor Suleyman, all'insaputa delle imprese del consorzio, ricattava e controllava una o più squadre di operai nei cantieri dell'alta velocità finanziati dallo Stato.

Il risultato è che l'aiuto carpentiere ha perso lavoro e arretrati. I suoi colleghi a Novara non l'hanno più rivisto. La riassunzione promessa era una bugia. Suleyman forse l'ha accontentato con qualche soldo. Forse, per evitare altri problemi, la rete che procura braccia straniere al capitalismo italiano gli ha trovato un posto in un altro cantiere. Di lui nemmeno il suo avvocato Domenico Tambasco sa più nulla. Il ragazzo egiziano è stato comunque fortunato. Non sempre finisce così.

Dal cassetto delle carte con la storia di Hassan, esce inattesa la lettera scritta nel 2004 da una mamma romena. È indirizzata al presidente della Repubblica. Non sapevo di averla conservata. Nicoleta Cazacu ha due figlie. Aveva anche un marito di 40 anni, Ion. «Lei ricorderà la tragedia che ha sconvolto la mia vita e quella delle mie figlie» si presenta Nicoleta Cazacu, «quando mio marito è stato bruciato vivo dal suo datore di lavoro ed è morto dopo trenta giorni di terribile agonia all'ospedale di Genova. Le scrivo perché lei è il capo dello Stato e il garante della democrazia e dei diritti costituzionali. Sono in Italia da quel terribile episodio e da allora...»

Anche a distanza di anni ripensare alla fine di Ion provoca lo stesso effetto. Un dolore allo stomaco. Brividi di vergogna. Le mani cariche di rabbia. La frase di Nicoleta Cazacu termina poco più sotto: «... le cose non sono affatto cambiate. Anzi sono, mi pare, peggiorate. A titolo di esempio Le ricordo i terribili fatti di cui la cronaca ha riferito nei mesi scorsi, da giugno in poi, riguardanti, il primo, l'operaio polacco Stanislavo Swietkowski, 32 anni, bastonato dal suo datore di lavoro a Ostia, deceduto dopo sette giorni di agonia; il secondo relativo all'operaio marocchino trovato il 25 agosto scorso in un fosso dove il suo datore di lavoro, invece di soccorrerlo, lo aveva gettato dopo che era caduto da un'impalcatura. Sono solo degli esempi e purtroppo la lista sarebbe ben più lunga».

Ion Cazacu viene bruciato vivo la notte del 14 marzo 2000. Non basta provare a scottarsi il dito con la fiamma di un accendino e avere il coraggio di non ritrarre la mano. Bisogna pensare a quel dolore esteso su tutto il corpo. Fin dentro gli occhi, le orecchie, giù nella gola. I capelli se ne vanno. Le mani e le gambe si agitano come quelle di un manichino che rotola. I polmoni invasi dai gas della benzina. La pelle che si sfoglia strato dopo strato. Il sangue mescolato alla puzza di carne bruciata. Ma anche immaginando tutto questo, è impossibile capire senza provarlo cosa significhi l'espressione: essere bruciati vivi. La mente ha i suoi meccanismi di autodifesa. Quella notte Ion Cazacu sta parlando a nome suo e dei suoi colleghi romeni. Ha studiato ingegneria e se la cava bene con l'italiano. Sono chiusi dentro una piccola stanza dormitorio. Quella stanza è a Gallarate. In linea d'aria, pochi chilometri dal marciapiede di Cerro Maggiore. Provincia benestante. Edilizia e fabbriche. Le elezioni vinte con le campagne contro gli immigrati. E gli immigrati messi a lavorare come bestie. Ion e gli altri discutono con il loro padrone italiano, un piastrellista, 36 anni, più giovane di quasi tutti i suoi operai. Gli chiedono di essere liberati dal caporale che ogni mese succhia il loro stipendio. Ion Cazacu dice che devono essere assunti e pagati come i manovali italiani. Litigano. L'imprenditore rovescia la benzina addosso a Ion. Lui, immigrato e padre di due bimbe ancora piccole da far studiare con i soldi guadagnati in Italia, non se l'aspettava. Nicoleta e le bambine sono in Romania. A quell'ora dormono. Il padrone impugna l'accendino. Con il pollice fa scoccare la scintilla. I muri della stanza si illuminano. I riflessi tremolanti del fuoco rischiarano anche gli angoli oscurati fino a quel momento dalla penombra.

Ion Cazacu dopo le prime medicazioni al pronto soccorso viene trasferito a Genova. Più di centosessanta chilometri di viaggio in quelle condizioni. Milano è la città più vicina. Ha uno dei reparti per ustionati più avanzati al mondo. Ma non c'è posto. La morte dell'operaio che aveva studiato ingegneria aggrava le accuse. L'imprenditore viene condannato per omicidio volontario. Ma alla fine senza l'aggravante dei motivi abietti. Dal processo di primo grado alla Corte di Cassazione, la pena è ridotta da trenta a ventiquattro anni. E poi, per i benefici del rito abbreviato, a sedici anni di prigione.

12

L'albero degli schiavi

Schiavi. Non c'è altra categoria della storia. Chi non accetta la schiavitù in Italia, se non viene ucciso come Ion e gli altri, ha due soluzioni. Lasciarsi rinchiudere in una gabbia e farsi rimpatriare. Oppure scappare altrove. Perché chiedere il rispetto delle regole, significa come minimo perdere il lavoro. E a questo punto la vita è già in trappola. La mente continua a viaggiare. A inventarsi un futuro. Una paga dignitosa. La casa. La macchina. La fidanzata da trovare o la moglie da far arrivare. Non più in Italia. Magari in Francia, o in Germania, o in Inghilterra dove, dicono sempre così, gli stranieri sembra che stiano meglio. Il solito analgesico ai pensieri. Ma il corpo non si accontenta di illusioni. Ha bisogno di mangiare. Subito. Di dormire. Di lavarsi. Esigenze che il corpo non può rinviare. L'effetto è devastante. È come mettere i piedi su due piattaforme galleggianti che si allontanano. Prima si divaricano le gambe. Fino alla massima distensione di muscoli, nervi, ossa. Poi si cade.

A Bilal sembrava di aver già camminato sul fondo. Invece il baratro scende ancora. Va più giù. Qualcuno, per non vedere dove sta andando a finire, si anestetizza con l'alcol. Con la droga. Oppure con l'idea di riprendersi il dovuto entrando nelle case, rapinando. A volte uccidendo. Infangando la reputazione di milioni di immigrati onesti. Non è una giustificazione. Soltanto il tentativo di capire cosa succede. Le piazze delle stazioni sono piene di corpi che hanno fermato il loro viaggio. Ma che continuano a illudere la mente. Barcollano malandati. Diventano come Soufiane, il ragazzo che procurava bidoni per l'acqua all'autogare di Agadez. Si ritrovano ubriachi e immobili, pur avendo percorso migliaia di chilometri da eroi. Proprio come Soufiane che non ha mai avuto il coraggio di partire e attraversare un solo metro di Sahara.

Il sollievo è una leggerezza che dura un attimo. È l'idea che Joseph e James non siano finiti in fondo a questo baratro. Loro non sanno. Non capiranno mai. Continuano a mandare email disperate perché l'uomo dell'agenzia di spedizioni non ha ancora trovato i loro passaporti. Scrivono che stanno soffrendo la fame. Eppure tutto questo adesso è un sollievo. Ion Cazacu è stato ucciso. Altri come lui sono stati uccisi. Joseph e suo fratello sono ancora vivi. E forse nemmeno la morte da vivi laggiù è dolorosa come la morte da schiavi in Europa. Bisogna solo scoprire dove vanno. Dove scappano quelli che non si anestetizzano con l'alcol e non vengono ammazzati.

Forse l'indizio da seguire è una ricerca di Medici senza frontiere pubblicata qualche anno fa. L'organizzazione francese ha una missione nel Sud dell'Italia. Come se questo territorio dell'Unione Europea fosse il fronte di una guerra. Il rapporto si chiama «I frutti dell'ipocrisia». È la denuncia sullo sfruttamento degli immigrati nell'agricoltura italiana. Dovrebbe essere un bestseller. Ma nemmeno in libreria a Roma si trova. Bisogna ordinarne una copia e aspettare giorni. Finalmente arriva. A pagina 24 il dossier rivela che il 70 per cento delle migliaia di braccianti stranieri in Italia deve condividere lo spazio in cui dorme con più di quattro colleghi. Il 30 per cento ha raccontato di doversi coricare su un materasso almeno con un'altra persona. Oltre la metà non ha acqua corrente nel luogo in cui vive. Il 30 per cento non ha luce elettrica. Il 43,2 per cento non ha gabinetti. Tra coloro che non hanno acqua corrente, più della metà deve percorrere distanze superiori ai trecento metri. E in alcuni casi, per bere o lavarsi, anche chilometri.

Il 51,7 per cento non mangia nulla a colazione. Il 31 per cento non pranza. Il 12,4 per cento prepara i pasti sul fuoco a legna. Il 19,5 per cento non ha possibilità di cucinare. Il 95,8 per cento lavora senza un contratto. Il 30 per cento dei braccianti ha subìto un episodio di maltrattamento negli ultimi sei mesi: «Nel 48,8 per cento dei casi il maltrattamento è stato di natura intimidatoria. Nel 46,5 si è trattato di percosse. Nel 2,9 per cento l'intervistato ha subìto un furto. Per l'1,9 per cento il maltrattamento era di natura sessuale. Dalle semplici molestie allo stupro. Nell'82,5 per cento dei casi gli aggressori erano italiani. Il 5,8 per cento ha individuato l'aggressore in un rappresentante delle forze dell'ordine italiane».

Nicoleta Cazacu poteva risparmiarsi carta e inchiostro. A parte la solidarietà affettuosa del presidente, il suo appello è stato ignorato. Nessuno ha colto l'opportunità umana offerta dalla sua mano aperta che invece di chiedere vendetta, sperava ancora in un mondo libero e uguale per tutti. Non solo per i romeni come lei. Per tutti noi. Non hanno raccolto l'appello due commissioni dell'Unione Europa. Non l'hanno raccolto due governi italiani e forse nemmeno quelli che seguiranno. Non l'hanno raccolto il sindacato, la Chiesa, la scuola, l'università, le associazioni. Non bastano le parole di circostanza. Non bastano i buoni propositi quando un padre di quarant'anni viene bruciato vivo perché domanda di essere trattato da uomo libero.

È con questi pensieri in testa che Bilal si rimette in treno. Da Roma a Foggia, nel Sud più agricolo d'Europa. Cinque ore. Foggia e la Puglia non sono lontane dalla città eterna. Dall'Angelus domenicale del papa. Dal palazzo della Fao da cui le Nazioni Unite organizzano le loro costose campagne contro la fame nel mondo. Ma i movimenti nello spazio hanno il loro valore simbolico. Andare a Sud oggi vuol dire tornare indietro nel tempo. Avvicinarsi all'origine. Al mare. Al deserto. Significa che la vita sta cominciando a girare al contrario. Chi va a Sud alla fine, nella grande pianura, incontra quelli che stanno ancora viaggiando verso Nord. Quelli sbarcati a Lampedusa da poche settimane. Quelli che ancora credono nel loro viaggio.

Rocco, il fotografo, aspetta seduto su una panchina al binario uno. A Foggia fa un caldo mostruoso. Le prime pagine dei quotidiani appese al banco dell'edicola avvertono che in settimana la temperatura non scenderà sotto i quarantadue gradi. Da queste parti poche settimane fa i carabinieri hanno arrestato quindici caporali polacchi e un agricoltore italiano. Altri quattro li hanno presi in Polonia. E sette complici, tutti polacchi, sono ancora ricercati. Arruolavano i braccianti con inserzioni sui giornali e su Internet. Soprattutto in Polonia. Lavoro stagionale. Vitto e alloggio pagati, promettevano. Adesso si sa che erano trafficanti di schiavi. Dalle intercettazioni dei loro telefonini, risulta che qualche bracciante è stato accoltellato. Botte e torture davanti agli altri prigionieri. Perché il sangue fa sempre paura. Serve da lezione. Non avevano fatto nulla di male, quelli accoltellati. Non avevano rubato il raccolto. Non avevano insultato il loro padrone. Avevano soltanto cercato di scappare. Di uscire da questo miraggio di dolore che è l'Italia. I caporali, polacchi e forse anche italiani, sono partiti a cercarli. Di giorno e di notte. Come la caccia all'uomo raccontata da *Mississippi burning*, il film di Alan Parker. Qualcuno alla fine è stato raggiunto. Qualcun altro l'hanno ucciso. Proprio così. L'ha detto poche sere fa al telegiornale un generale dei reparti speciali dei carabinieri mandati nelle campagne di Foggia a fare le indagini.

«Ci sono state morti, almeno un paio, catalogate come suicidi.» Il generale ha scelto parole asettiche perché i telegiornali più ascoltati vanno in onda all'ora di cena. E non sta bene mandare di traverso il boccone a milioni di italiani. «Sono» ha aggiunto, «morti avvenute in questo contesto di particolare sudditanza psicologica, legate alle condizioni lavorative generali.» Sudditanza psicologica. Un eufemismo più burocratico non potevano inventarlo.

Rocco entra per primo nella piccola pizzeria vicino alla stazione. Si siede. Appoggia sul pavimento lo zaino nero, deformato dalle sagome della macchina fotografica e dei teleobiettivi. Lui è il collega ideale con cui lavorare sotto copertura. È attento, discreto, silenzioso.

«Allora, cosa vuoi fare?» chiede Rocco. Ascolta il piano. Dice di sì con la testa. «Dopo gli arresti dei carabinieri saranno tutti più sospettosi» prevede lui. «Ho saputo degli arresti dalla tv. A Foggia sarei dovuto venirci l'anno scorso. Ma prima dovevo sbarcare a Lampedusa, no? E purtroppo i pomodori maturano soltanto in questa stagione.» Rocco sorride. «Comunque non credo che si insospettiranno. Sarò uno dei tanti. Anzi, adesso che qualcuno è stato arrestato, saranno tutti più tranquilli. Secondo te qui c'erano appena ventisei caporali polacchi e un solo imprenditore italiano fuorilegge?»

Il cameriere porta le pizze. Due cerchi di pane su cui galleggia qualche mestolo di passata di pomodoro. L'ingrediente simbolo della cucina mediterranea. Il dono della terra che secondo Muhammar, il sergente di Dirkou, Dio non può aver fatto nascere in America.

È sicuro che nessuno si insospettirà di uno schiavo in più tra migliaia di uomini e donne. Arrivano da Polonia, Romania, Bulgaria. E dall'Africa. Bastano i numeri. Ogni anno il governo centrale deve decidere quanti lavoratori stagionali stranieri lasciar entrare in Italia. La Puglia, tutta la Puglia, quest'anno riceverà poco più di millecinquecento permessi di ingresso. Ma solo la provincia di Foggia ha bisogno tra i cinquemila e i settemila braccianti. E poi ci sono tutte le altre province. Lo dicono le associazioni degli agricoltori. Con quello che pagano a giornata, gli italiani non vanno più a raccogliere ortaggi. Allora chi deve ringraziare l'Italia se ogni giorno possono essere ancora cucinati quintali di spaghetti al pomodoro? «Dobbiamo ringraziare la mafia dell'immigrazione clandestina che ogni anno procura braccia alla nostra industria criminale?» Rocco continua ad ascoltare. I suoi occhi si muovono intorno. I pomodori sono ovunque. Sul banco degli antipasti. Sul vassoio delle insalate. Nei primi piatti sotto le forchette degli altri clienti che stanno mangiando. «Già» dice lui. «Scusami, non volevo rovinarti il pranzo.» «Non ti preoccupare. Se fosse per questo, non dovremmo mangiare più niente. Non ci sono solo i pomodori. Sfruttano gente anche per raccogliere carciofi, angurie, brocco-

406

li, spinaci. Perfino per la vendemmia. Da dove cominciamo?»
«Dai paesi dove hanno fatto gli arresti. Non ci sono mai stato.
Ho studiato la carta geografica di queste zone. Prima facciamo
insieme un giro in macchina.»

Stornara, Stornarella, Orta Nova sono al centro del triangolo
della vergogna. Un triangolo senza legge che copre quasi tutta la
pianura. Tra il promontorio del Gargano e le cime degli Appen-
nini. Da Cerignola a Candela e su, più a Nord, fin oltre San Severo. Nomi sconosciuti alla maggior parte degli europei. Ma famosi
fuori dei confini dell'Unione. Perfino in Senegal, in Liberia, in
Nigeria. Perché chi sbarca d'estate a Lampedusa, sa che qui può
provare a cercare il suo primo lavoro. E chi ha perso tutto in Europa, soltanto qui può tentare di afferrare il suo ultimo appiglio.

Rocco accelera sul rettilineo rovente e afoso tra Stornara e
Stornarella. Al bordo sinistro della strada, in mezzo a campi aridi, si alzano le vecchie mura di una piccola stalla. E dietro, tremano nel calore le fronde di un grande gelso. «Rallenta Rocco,
ci abita gente qui.» Loro non guardano nemmeno l'auto passare. Sono africani. I volti neri e lunghi. Qualcuno riposa su materassi trascinati fin sotto l'albero. Un altro sta lavando la maglie-
ta dentro a un catino di plastica azzurra. I rami di quel gelso sono il loro tetto. Ma non sono le condizioni di vita ad avere colpito la mente. È il profilo dei loro volti. Qualcosa di già visto.

«Possiamo cominciare da qui.» «Devo tornare indietro?»
chiede Rocco. «No, andiamo a Foggia al supermercato.» «Se è
per fare la spesa, posso andare io in qualche negozio. Così non
ti esponi.» «No, è per comprare una bicicletta. Mi serve una bicicletta. Questa pianura è troppo grande. Dovrò fare chilometri
ogni giorno. A piedi non si risolve nulla.»

Come base viene scelta una pensione lungo la statale 16, la
strada che dalla pianura del Nord scende fin dove termina l'Europa. Un piccolo albergo con un gigantesco parcheggio e l'ombra dei pini davanti. «È pieno di carabinieri» osserva Rocco dopo aver chiesto alla portineria se c'è posto. «Se dormono qui,
lavorano al centro di detenzione per stranieri di Foggia. Non
penseranno a noi.»

La mattina dopo, la sveglia suona alle due. «Carica la bici in macchina. Stornara è a dieci chilometri» dice Rocco. Ci si ferma alle prime case del paese, nascosto tra gli ulivi. «Questa bici è troppo nuova. Dovresti sporcarla» fa notare lui. «Adesso mi butto in un fosso e la infango.» Il problema è che non piove da mesi e non c'è una sola pozzanghera. Rocco prende la bottiglia d'acqua. La rovescia sulla terra che costeggia la strada. Impasta il fango e lo distende sulle forcelle, sulla canna, sulle leve del cambio e sul manubrio. «Dammene un po'.» «Che vuoi fare?» chiede. «Un po' di terra sulla fronte e sotto le unghie aiuta a nascondere la mia pelle pallida.» Lui ride. «Che hai messo nello zainetto?» Ci sono due bottigliette d'acqua. Una piccola torcia elettrica. «Anche una felpa, se resto fuori a dormire stanotte.» «Hai paura che faccia freddo?» «No, che mi divorino le zanzare. Ho anche la mia piccola digitale e il blocco degli appunti.» «Senti, è prudente portarti la macchina fotografica? Se te la scoprono, sono guai.» «Rocco, non credo che oggi troverò lavoro. Devo prima cercare una casa abbandonata dove dormire.»

È ancora buio. Ma in fondo a via Vittorio Emanuele la piazzetta centrale è già affollata. Facce dell'Est e facce africane si muovono intorno a un cippo che ricorda il passaggio, nel 1906, dei missionari del Preziosissimo sangue. Qualcuno aspetta il padrone. Qualcun altro spera che dalla lotteria dei lavori a cottimo esca la sua giornata. Arrivano i soliti pulmini scassati. Qualche vecchio fuoristrada. Caricano e ripartono. C'è chi deve salire e accovacciarsi nel cassone dei furgoni. Tre romeni salgono su un'auto bianca. Chiudono in fretta la portiera.

È il momento di provare. «Che vuoi?» domanda il padrone. «Lavoro.» «Lo conoscete?» chiede agli altri. Loro rispondono di no alzando le spalle. «È romeno?» vuol sapere il padrone. Gli altri rialzano le spalle. «Sei romeno?» Non posso fingere. A parte buongiorno e buonasera, non parlo una sola parola di romeno. E poi non vedo Rocco. Se salgo, lo perdo per tutta la giornata. Il padrone sente la risposta. «Io prendo solo romeni» dice. Mi allontana con una mano. Chiude la portiera e riparte.

Rocco sta facendo il giro dell'isolato. Dovremmo parlarci.

Capire come fare per non perderci di vista. Ma oggi è soltanto un giorno di prova. Quando il sole è alto, gli ultimi cinque ragazzi rimasti in piazza se ne vanno sudati senza aver ottenuto nulla. Meglio spostarsi verso la campagna. Il rettilineo che esce da Stornara è dritto come la pista di un aeroporto. La strada non ha ripari. Poche pedalate più avanti, a destra, parte una via sterrata. È l'unica costeggiata da alberi. Fichi striminziti, senza frutti. Intorno solo campi aridi, già mietuti. Le bolle di calore deformano i contorni del paesaggio come nel mezzo del Ténéré. Il primo albero fa abbastanza ombra per ripararsi. Il tempo di appoggiare la bicicletta. Prendere il telefonino, nascosto in una tasca all'interno dei pantaloni. E digitare il primo messaggio. È destinato a Lei, per dirle che va tutto bene. Poi bisogna avvisare Rocco. Dobbiamo vederci da qualche parte. La prima operazione riesce in pochi secondi. La seconda viene interrotta a metà.

«Via, via» grida una voce di donna. «Vai via. Questa è proprietà privata. Via.» È una giovane donna. Cammina minacciosa con una grossa pietra in mano. Dietro di lei, la segue il marito. Bermuda, torso nudo e pancia da buona forchetta. In mezzo a loro, un bimbo. Sono usciti da una villetta nascosta nel verde. Duecento metri più avanti, alla fine della strada sterrata. «Allora, te ne vai o no?» urla lei, ormai pronta a tirare il sasso. Non c'è un solo cartello di divieto. L'ombra è proprio all'angolo tra il campo incolto e la strada comunale. Sarebbe suolo pubblico. La bici da pochi soldi, la maglietta sudata, lo zainetto in spalla hanno convinto la padrona di casa di non avere davanti un italiano. Lei vede solo Bilal. «Vatti a trovare un altro posto» grida ancor più forte. Tiene il braccio disteso sopra la testa. La pietra stretta nel pugno. Anche la faccia dell'uomo non promette nulla di buono. Il loro bimbo se ne sta fermo ad aspettare che succeda qualcosa. È sicuro che qualcosa succeda. Sembra appagato. Felice di questa violenza messa in scena dai suoi genitori. Addio ombra. Meglio il sole a picco. Loro tornano verso la villetta. Bofonchiano qualcosa.

Rocco non risponde. La segreteria automatica dice che il suo telefonino è irraggiungibile. Non abbiamo pensato che la campagna ha larghe zone senza copertura. Bilal deve continuare da solo. Completamente solo. Ma è soddisfatto. Come quel bambino poco fa. La donna con la pietra è stata il miglior benvenuto possibile. La dimostrazione che questo è il posto giusto dove trovare la botola verso i piani più bassi del baratro. Non sarà una ricerca difficile. Perché questa pianura è deserta. Ci sono le case, le strade, i fili della corrente, le auto che passano. Ma finora non ci sono uomini. Nemmeno donne. Soltanto figure e figuri pronti a scagliare una pietra in testa al primo che passa. Non per difendere la loro casa. Sarebbe comprensibile. Bilal non si è nemmeno avvicinato. Solo per difendere un'ombra lontana. La più lontana dalla loro proprietà. Quei due non potevano inventare allegoria più efficace per rappresentare le paure dell'Europa. Bilal sale in sella alla bici e per la prima volta guarda dall'altra parte della strada. Un gruppo di persone è indaffarato intorno alla cremagliera di un grosso trattore. Stanno raccogliendo pomodori.

Il campo è a mezzo chilometro dalla strada. Da una parte sono parcheggiati due grossi camion e i loro rimorchi. Gli autisti, puliti nelle mani e nei volti, aspettano seduti nell'ombra stretta che le due motrici a malapena proiettano sulla terra nuda. «Che vuoi?» chiede uno dei due. «Lavoro.» Non serve dire altro. È ormai chiaro come funziona. A nessuno interessa chi sei. Da dove vieni. I braccianti stranieri si dividono in due categorie. Quelli che hanno un lavoro. Quelli che lo cercano. Così basta ripetere la parola: «Lavoro». «Vedi quel furgone? Vai da quello. È il proprietario del campo.» Bilal fa finta di aver capito a metà. Sorride e spinge la bicicletta verso il furgone, che in realtà è un fuoristrada. Il padrone ha la camicia bianca, i pantaloni neri e le scarpe impolverate. È pugliese, ma parla pochissimo italiano. Per farsi capire chiede aiuto a quello che sembra il suo guardaspalle. È un maghrebino. «Senti un po' cosa vuole questo. Se cerca lavoro, digli che oggi siamo a posto» lo avverte il padrone in dialetto. E se ne va sul fuoristrada. Il maghrebino parla un ottimo italiano. Non ha gradi sulla maglietta nera macchiata di sudore. Ma si sente subito che lui qui è il caporale. L'uomo che per il padrone assicura l'ordine e la sicurezza nei campi. «Sei romeno?» chiede. Bilal dovrebbe dire che è curdo. Che è sbarcato un anno fa a Lampedusa. Che, se serve, ha una copia dell'espulsione firmata dal questore di Agrigento. Ma risponde con un mezzo sorriso. E il caporale si convince. «Senti romeno, ti posso prendere. Ma domani.» Studia Bilal dalla testa ai piedi. La maglietta bagnata, i pantaloni neri. E poi la bicicletta. E lo zainetto sulle spalle. «Ce l'hai un'amica?» chiede all'improvviso. «Un'amica?» «Mi devi portare una tua amica. Per il padrone. Se gliela porti, lui ti fa lavorare subito. Basta una ragazza qualunque.» Il caporale maghrebino indica una ventenne e il suo compagno giovane come lei, al lavoro sulla cremagliera del grosso trattore. Muovono le mani veloci come croupier sul tavolo verde. Tolgono l'erba, le impurità e i sassi rotondi che la macchina scambia per pomodori. «Quei due» spiega il maghrebino, «sono romeni come te. E lei con il padrone c'è stata.» Per capire che cos'è un caporale, bisogna guardargli i margini della bocca. Adesso. Mentre rivela che il padrone ha violentato quella ragazza di vent'anni, le pieghe delle sue labbra si curvano all'insù in una specie di godimento. «Io sono solo» risponde Bilal. «Allora niente lavoro» sentenzia lui. E si allontana verso la cascata di pomodori che rimbalzano sulla cremagliera.

Per riprendere la strada asfaltata, si ripassa davanti agli autisti. «Com'è andata?» domanda uno dei due. Bilal scuote la testa. «Il mondo è così, amico mio» replica lui, «prova da un'altra parte.» Bilal gli chiede dove. Quell'uomo alto, in canottiera, con la catena d'oro al collo, gli sembra sinceramente dispiaciuto. «E che vuoi, che lo sappia io dove?» dice invece. E ride con il suo collega.

La stalla e il grande gelso sono da queste parti. Pochi minuti di bicicletta nell'aria argentea che l'afa ha trasformato in gelatina. Qualcuno sta riposando su un divano rotto e sui materassi stesi all'ombra del gelso. Sono africani. E i loro sguardi familiari. Bilal ci prova: «Ayawan?». Due ragazzi escono dalla stalla. «Ayawan?» ripete Bilal. Il vecchio sul divano si stropiccia gli occhi. Si alza. Ride e allarga le braccia per dare il benvenuto. «Al kher» risponde. «Matolam?» chiede Bilal. «Al kher.» A ogni risposta il vecchio porge la mano destra e sfiora le dita di Bilal secondo la stessa, antica tradizione. «Tasgham?» «Al kher.» «Mani aghiwan?» «Al kher.» «Mani issalan?» «Nas kha» dice il vecchio. E ride ancora, con tutti gli altri. Sono kel tamashek. Tuareg del Niger.

La segregazione razziale imposta dai caporali e dai padroni è rigorosa. Così i polacchi vivono con i polacchi. I romeni con i romeni. I bulgari con i bulgari. Gli africani con gli africani. E questo è già un privilegio. Gli agricoltori italiani non capiscono nulla di come è divisa l'Africa. Non sanno coglierne le differenze nei lineamenti, nei capelli, nel fisico. Per loro è come se greci, tedeschi, inglesi e svedesi avessero tutti la stessa faccia. Così gli africani non devono dividersi tra nigerini, senegalesi, liberiani. Sono neri e possono lavorare tutti insieme. Possono anche vivere insieme. Infatti sotto il grande gelso non parlano tutti tamashek. Ma i tuareg sono la maggioranza. E questa diversità è l'unico spiraglio in cui Bilal può infiltrarsi. Solo così può sperare di essere arruolato dai caporali. Tra polacchi, romeni e bulgari verrebbe scoperto subito. Certo, il colore della pelle non aiuta. Ma forse un modo c'è.

I tuareg continuano a parlare tamashek. Sono una decina. Si presentano. Bilal spiega in francese che conosce soltanto poche parole di tamashek. Dice che le ha imparate nel suo viaggio nel deserto. Da Agadez a Dirkou. E da Dirkou fino al mare. Dirkou è la parola magica. Quasi tutti sono passati dall'oasi degli schiavi. Qualcuno, quando sente pronunciarne il nome, vuole stringere forte la mano di Bilal. «Allora sei il benvenuto» dice Asserid. Ci si siede in cerchio sotto il grande gelso. Qui nessuna donna viene a scagliare pietre. Asserid ha 28 anni. È partito da Tahoua, la città sulla strada tra Niamey e Agadez. Racconta che ha attraversato il Sahara a piedi e sui vecchi fuoristrada. Fino al porto libico di Al Zuwara. «Sono sbarcato a Lampedusa il mese di giugno dell'anno scorso. Mi hanno rilasciato dopo una decina di giorni con il foglio di via. Il mio viaggio è durato nove mesi. È stato come far nascere un bambino.» La battuta fa ridere il vecchio che si è seduto al suo fianco. «Sono venuto subito a raccogliere pomodori» aggiunge Asserid, «e da allora non mi sono più mosso. Già in Libia sapevamo che qui cercano lavoratori stranieri. Questa è la mia prima tappa. È dura sì, ma non ci sono alternative per continuare il viaggio. Sicuro che non morirò qui.» Asserid intuisce cosa gli sta per chiedere Bilal. «Il mio sogno è risparmiare qualche soldo e arrivare a Parigi» dice il ragazzo di Tahoua, «ma tu sei italiano?» La mente di Bilal fa una leggera sbandata. Se vuole scendere ancora nel baratro, deve mentire. Non ci sono alternative. In fondo, è come per gli stranieri costretti a inventarsi un nome per sottrarsi all'espulsione.

Mentire diventa una forma di sopravvivenza. Lo fai la prima volta. Poi è tutto più facile. Solo che questa volta Bilal non può dire di essere curdo o iracheno. Non troverebbe lavoro. Deve passare per africano. E il colore della pelle gli offre una sola possibilità. Intanto finge di non aver sentito la domanda e si guarda intorno. «Da dove vieni?» chiede Asserid. «Dal Sud Africa.» «E come ti chiami?» Nulla è stato preparato. Il primo nome che passa per la testa è quello di un leggendario giornalista sudafricano. L'uomo che ha denunciato al mondo gli orrori dell'apartheid. «Donald Wood mi chiamo.» Da uno dei materassi si alza un ragazzo. Sembrava dormisse. Invece ha ascoltato tutto il discorso. Interviene in inglese e il suo tono è piuttosto minaccioso.

«Senti una cosa. Tu dici che sei sudafricano. Il Sud Africa è un Paese ricco. Perché sei finito qui?» «Ognuno di noi ha i suoi guai» risponde Bilal. «Ma dal Sud Africa potevi arrivare in aereo. Perché hai attraversato il Sahara? Secondo me non è vero che sei stato a Dirkou.» Se il dubbio è questo, è il minore dei problemi. «Amico mio, leggi qua.» Bilal gli porge la fotocopia che gli hanno consegnato a Lampedusa. È scritta in inglese e in arabo. «Ma qui dice che sei iracheno» osserva il ragazzo. «È vero. Se avessi raccontato che sono sudafricano, mi avrebbero rispedito indietro. E io in Sud Africa non ci posso più tornare.» «E cosa hai fatto per scappare?» domanda lui. Non vuole proprio mollare. Questo ragazzo è un ficcanaso. «Qui noi siamo tutte brave persone» dice, «non vogliamo problemi.» «Nemmeno io voglio problemi. Cerco solo di lavorare. Posso chiedere al vostro padrone se mi prende?» «Dopo, alle due, quando arriva, glielo chiediamo» risponde Asserid.

Il ficcanaso non è soddisfatto. Lo si vede. Un altro kel tamashek racconta intanto il suo viaggio. Adama ha 40 anni. È partito da Agadez. E sta facendo il percorso inverso. L'esatto contrario di quello che sogna Asserid. E che, del resto, Adama continua a sognare. Racconta che è arrivato a Parigi in aereo. Con il visto da turista. Poi gli è andata male. Dalla Francia l'hanno espulso come operaio clandestino. Hanno punito lui. Non il suo datore di lavoro. Qualche mese fa ha sentito parlare della raccolta di pomodori in Italia. Se non ti pagano, gli hanno detto, al massimo mangi pomodori. Così anche Adama è sceso. Ha intrapreso il suo cammino verso Sud. «Però resto clandestino e se vado avanti così finisce che ritorno ad Agadez. Dal deserto.» Nessuno ride più.

Adama gratta con le unghie le macchie che le piante di pomodoro e i pesticidi gli hanno lasciato sul palmo delle mani. Rialza lo sguardo. «Comunque potrò raccontare di avere fondato qui l'accampamento tuareg più a Nord in tutta la storia dei kel tamashek.»

Ecco che si rifà coraggio il ficcanaso. «Ma in Sud Africa c'è stato l'apartheid fino a pochi anni fa, non è così? E tu da che parte stavi?» chiede il ragazzo. «Adesso c'è un governo democratico. È forse per questo che sei scappato?»

«Come ti chiami tu?» gli domanda a bruciapelo Bilal. Lui sorpreso risponde dopo un po': «Amadou». «E quanti anni hai, Amadou?» «Ventinove» dice. «E da dove vieni, Amadou?» Tutti a questo punto hanno capito che Amadou ha esagerato. «Filingue» risponde Amadou. «Ah, Filingue è in Niger. In Niger parlate francese. Perché mi hai fatto domande in inglese?» La risposta sarebbe semplice. Ma il silenzio di Amadou dimostra che ha ormai perso il filo del suo ragionamento. «Se io in Sud Africa fossi stato a favore dell'apartheid, credi che adesso me ne starei qui seduto con voi?» dice deciso Bilal in inglese. E questa non è una finzione.

Ci voleva. Amadou spegne finalmente la sua curiosità. Anche gli altri fanno silenzio. Non è piacevole essere così invadenti. Ma questo, ripete a se stesso Bilal, è l'unico modo per essere arruolati. C'è abbastanza tempo ora per riposare sotto il gelso. Soffia un vento caldissimo. Risuona il ronzio delle mosche. Lo stormire dei rami. Manca soltanto Yaya. Questo accampamento di schiavi potrebbe essere uno dei pochi alberi che hanno ospitato le nostre soste lungo la rotta del Sahara. Non hanno acqua qui. Nemmeno elettricità. Il gabinetto è una nuvola di puzza e mosche sopra una buca scavata nella terra. Oppure il riparo offerto da un filare di giovani ulivi. Dall'erba alta spunta la carrucola di un pozzo. Il sole a quest'ora ne illumina il fondo. L'acqua laggiù non arriva a coprire i sassi che qualcuno ha lasciato cadere per misurarne la scarsa profondità. E comunque è acqua troppo superficiale. È sicuramente inquinata da fogne e diserbanti.

«Se hai sete, abbiamo dell'acqua nelle taniche. Questa è velenosa» dice Asserid che si è avvicinato a Bilal. «Hai intenzione di fermarti qui a dormire?» chiede poi. «Se posso, sì.» Asserid manda giù una boccata di aria calda. «Non c'è più posto qui. Adesso manca gente perché è a lavorare nei campi. Ma la notte siamo pieni. Come vedi c'è chi dorme dentro e chi deve dormire fuori. Meno male che non piove d'estate.» Bilal prova a informarsi sui costi di questo tugurio. «Cerchi un materasso? Devi chiedere al caporale, quando arriva» spiega Asserid. «Se ti conosce, ti fa pagare cinquanta euro al mese. Se sei nuovo, cinque euro a notte. Ma devi lavorare per lui. Perché lui i soldi li trattiene sulla paga.» «Cinque euro per questi materassi luridi?» esclama Bilal. Asserid stringe le mani intorno alla ringhiera che racchiude il pozzo. «È così. Il caporale guadagna il doppio. Perché su ogni materasso dobbiamo dormire in due. Anche su quelli piccoli da una persona. Qui, vedrai, non ci sono materassi grandi. Poi ti toglie altri cinque euro al giorno per il trasporto sui campi. E cinquanta centesimi o un'euro per ogni ora paga-

415

ta. Perché, dice, è grazie a lui che lavoriamo.» Bilal e Asserid restano per qualche istante a guardare il paesaggio vuoto. Respirano l'odore di carogna che ammorba l'aria quando il vento interrompe i suoi soffi. L'odore sale proprio dalla terra accanto al pozzo.

Alle due e mezzo il riposo sotto il grande gelso è risvegliato dal fragore di quattro ruote sui sassi. Arriva una Volkswagen Golf inseguita dalla sua scia di polvere. Si ferma a pochi metri dai materassi distesi ai margini del campo. Nel parabrezza appare un uomo grosso, abbronzato, con un accenno di barba curata intorno alla bocca. Di lui, mentre scende, si vedono prima le ciabatte. Poi i calzoncini corti. Poi la canottiera e la donna in bikini tatuata sul bicipite. La targa dell'auto è bulgara. «Donald, chiedi a lui» avvertono i ragazzi.

«Che vuoi?» domanda il caporale mentre saluta gli altri. «Lavoro.» «Sei romeno?» «No.» «Albanese?» «No.» «Polacco?» «No. Africa» risponde Bilal per camuffare il suo italiano. «Africano? Davvero questo è africano?» ripete il caporale rivolto ai suoi schiavi. Nessuno sa dare informazioni sicure. «Se è così, sali pure. Io pago tre euro l'ora. Ti vanno bene?» Bilal non risponde nemmeno. È già seduto sul sedile posteriore della Golf.

Si parte. In nove sull'auto. Tre davanti. Cinque sul sedile dietro. E un ragazzo raggomitolato come un peluche sul pianale posteriore. Solo per questo trasporto il caporale si tratterrà 40 euro dalle nostre paghe. La Golf stracarica corre e sbanda sulla strada stretta dove due auto si affiancano a malapena. Il contachilometri segna cento all'ora. Una follia. Il caporale studia la faccia di Bilal riflessa nello specchio retrovisore. I ragazzi lo chiamano Giovanni. Parlano italiano con lui. Da quello che dicono, hanno già lavorato dalle 6 alle 12,30. La pausa di due ore non è stata una cortesia. Oggi faceva troppo caldo anche per i padroni perché rinunciassero a una siesta. Giovanni guida e continua a fissare Bilal attraverso lo specchietto. «Io John e tu?» chiede. Dopo aver sentito la risposta, avverte: «Donald, ascolta. John è bravo se tu bravo. Ma se tu cattivo...». Non ca-

416

pisce l'inglese, né il francese. Tanto basta a far cadere il discorso. Per lui parla il pugnale da sub che tiene bene in vista sul cruscotto. Amadou, il ficcanaso di Filingue, gli è seduto accanto. Ha grande confidenza con Giovanni. All'improvviso lo rimprovera. «Giovanni, oggi è venerdì e non ci paghi da tre settimane. Ormai stiamo finendo le scorte di pasta. Da quindici giorni mangiamo solo pasta e pomodoro. I ragazzi sono sfiniti. Hanno bisogno di carne per lavorare.» I tre euro l'ora promessi erano una bugia. Ma Giovanni promette ancora. Quando risponde alle domande di Amadou, dice sempre: «Noi turchi». Anche se la targa della macchina è bulgara. E per il suo accento, potrebbe essere russo oppure ucraino. «Ti giuro su Dio» dice Giovanni, «oggi arrivano i soldi e vi paghiamo. Tu mi devi credere. Io lavoro come te a Stornara. Non prendo in giro i miei colleghi.» Il caporale continua il discorso con una voce amichevole. Racconta ad Amadou che anche lui, sua moglie e la sua bambina stanno facendo fatica. Dice che i padroni italiani non l'hanno ancora pagato. E che, se non dorme per strada, è grazie a sua figlia. Riuscire a portarla in Italia è stata una fortuna. Perché solo così, davanti alla piccola, un prete si è impietosito e ha messo a disposizione di Giovanni la casa dove abita. È una villetta con giardino. Da come parlano i due, non dev'essere lontana dal gelso dove vivono i tuareg.

La Golf stracarica corre e sbanda per altri dieci minuti. Supera i silos di un'azienda agricola e subito rallenta. Giovanni svolta a destra dentro una strada sterrata. La giornata sta andando malissimo. Il piano concordato con Rocco è completamente saltato. Sono in ostaggio di un caporale ad almeno dieci chilometri dal paese più vicino. Ho con me lo zainetto che potrebbe mettermi nei guai. E Rocco non ha idea di dove sia finito. Mandargli un messaggio con il telefonino adesso è impossibile. È chiaro che Giovanni e Amadou non si fidano. Il caporale continua a studiarmi attraverso lo specchietto. A un certo punto, mentre sterza tra le buche profonde della strada sterrata, chiede all'altro: «Secondo te è davvero africano?». C'è troppo rumore per sentire cosa dice Amadou. Ma dalla faccia che fa

417

Giovanni, la risposta non è rassicurante per lui. E, quindi, nemmeno per Bilal.

Dopo qualche chilometro di polvere e sobbalzi, bisogna scendere. Si prosegue a piedi. In fila indiana, come carcerati ai lavori forzati. Il campo è tra due vigneti. Questi pomodori vanno raccolti a mano. Quando il padrone della piantagione vede arrivare noi africani, imita il verso delle scimmie. Poi grida l'insulto reso celebre in tv dal vicepresidente del Senato italiano: «Forza bingo bongo». Si vede subito chi è il padrone. Da come è vestito. Dal grosso orologio che ha al polso. Dal fatto che parla italiano mangiandosi le vocali come usa la gente del posto. Nello stesso istante, un furgone scarica nove braccianti europei. Sono polacchi e romeni. Lo si intuisce dalle lingue con cui dialogano tra loro. «Silenzio» urla il padrone.

Ci sono tre ragazze. Una con i capelli lunghi, neri. Le altre due bionde. Le ragazze polacche si riconoscono facilmente qui. Dal colore biondo dei capelli, prima di tutto. E dalla pelle. Non si abbronza. Braccia e spalle scoperte sfumano tra il candore iniziale e il rossore provocato da settimane sotto il sole. La pelle delle due ragazze è proprio così. Mentre cammina verso il campo di pomodori, Bilal sente che anche il suo collo si sta scottando.

Il padrone dà gli ordini. I caporali formano tre squadre. I polacchi. I romeni. Gli africani. Bisogna prendere le cassette di legno da una catasta. Riempirle di pomodori. Risparmiano anche sulle cassette. Il legno è troppo sottile per reggere il peso che deve contenere. Le fasce dei fianchi si piegano come cartone. Sono cassette da insalata. Bilal appoggia lo zainetto. Si china su un filare e comincia a raccogliere. Le mani si infilano veloci nelle piante. In pochi minuti la linfa pigmenta di verde la pelle e le unghie. Intanto bisogna studiare un'eventuale via di fuga. Trovare un nascondiglio per il fotografo. Bilal si guarda intorno. Il campo è completamente scoperto. I vigneti sono troppo lontani. «Che cazzo c'è da guardare? Giù e raccogli» urla il padrone. E si avvicina pericolosamente. I caporali lo chiamano Nando. Ha una trentina d'anni. Indossa bermuda, canottiera e occhiali da sole alla moda. Sembra vestito per andare in spiaggia. Se non è il proprietario della piantagione, è il figlio del proprietario. Si occupa della manodopera. Da quello che dice ai caporali, la sua azienda agricola non è lontana. Dovrebbe essere lungo la strada che abbiamo appena percorso. Nando si fa aiutare da un altro italiano, il caporale dei romeni e dei polacchi. Un uomo con la maglietta bianca incredibilmente pulita. Senza nemmeno una macchia di sudore. Ha i capelli lunghi sulle spalle e i baffetti curati. Il terzo italiano cammina su e giù lungo i filari di pomodori. Probabilmente è uno dei mediatori che comprano i raccolti e li rivendono all'industria alimentare. È molto magro. I capelli biondi corti. Il telefonino appeso al petto in fondo a una catena d'oro. Parla con un forte accento di Napoli. È arrivato su un Suv appena sporcato da un impercettibile velo di polvere. Il numero di targa rivela che quel fuoristrada con i finestrini oscurati è uscito dal concessionario soltanto pochi giorni fa. L'uomo continua a camminare avanti e indietro. Si ferma soltanto quando, dopo oltre un'ora, si accorge che un bracciante polacco ha appoggiato una cassetta piena sul filare di piante. Tutti le abbiamo messe così. È stato Nando, all'inizio, a dirci che andavano allineate in questo modo. Per lasciare spazio alle ruote del trattore tra un filare e l'altro. L'italiano con i capelli biondi la pensa diversamente. Sposta le ultime tre cassette della fila. Minaccia il ragazzo polacco, soltanto perché è il più vicino. Poi se la prende con noi. Grida come un pazzo. «Il primo che rimette una cassetta sulle piante, com'è vero Gesù Cristo, gliela spacco sulla testa.» Gli altri due italiani ridono. Adesso sudano anche loro. Ma solo per il caldo. Oltre a sorvegliarci, non fanno nulla.

Giovanni guarda dal bordo del campo. Si avvicina a Nando e gli dice che va a recapitare altri braccianti nelle aziende della zona. Torna due volte nel giro di tre ore. Con i rifornimenti d'acqua. Quattro bottiglie di plastica da un litro e mezzo da far bastare nelle gole di diciassette persone assetate. Sono bottiglie riempite chissà dove. Una zampilla da un buco e arriva quasi vuota. L'acqua ha un cattivo odore. Ma almeno è fresca. Comunque non basta. Due sorsi in un pomeriggio di lavoro a più di quaranta gradi sotto il sole non dissetano. La maggior parte della nostra squadra africana non ha nemmeno pranzato. Anche Bilal è a stomaco vuoto dalle due di stanotte. Così ci si arrangia mangiando di nascosto pomodori. Basta spingerne uno in bocca. E sperare di non dover parlare nei prossimi sessanta secondi. Sono pieni di pesticidi e veleni. Forse è proprio per questo che, dopo i primi bocconi rossi, zanzare e moscerini se ne stanno alla larga.

Si fa avanti Nando. Vuole sapere com'è che in Africa ci sono i bianchi. Bilal finge di non capire la domanda. Nando gira tra le schiene curve come un maestro tra i banchi. Mohamed chiede il permesso di rispondere. Per smettere di lavorare o solo per parlare, bisogna sempre chiedere il permesso. Nessun caporale l'ha mai spiegato. Non ce n'era bisogno. È un comportamento che nasce spontaneo. Fa parte di quella sudditanza psicologica con cui il generale al telegiornale ha voluto intendere la schiavitù. Mohamed e Bilal stanno raccogliendo pomodori lungo lo stesso filare. E, sempre di nascosto, hanno avuto modo di raccontarsi un po' della loro storia. Il ragazzo ha 28 anni. Il suo viaggio è cominciato in Guinea Conakry. È laureato in scienze politiche e relazioni internazionali all'Università di Algeri. Parla arabo, inglese, francese e italiano. Più qualche lingua africana. Da quando lavora a Stornara, abita sui materassi sotto il gelso. Gli piacerebbe dormire in una casa vera. Ma con quello che gli pagano, quando lo pagano, riesce a malapena a mangiare e a permettersi il trasporto da Stornara ai campi di lavoro. Nando gli dà il permesso di rispondere. Mohamed sa bene perché ci sono i bianchi in Sud Africa. Lo spiega rimanendo dov'è. Parla in ginocchio, ai piedi di questo imprenditore italiano che gli confessa senza pudore di non aver mai sentito parlare di Nelson Mandela.

«Avete capito?» ripete dopo un po' Nando agli altri due italiani: «In Italia quelli chiari stanno al Nord, mentre noi al Sud siamo scuri. In Africa invece al Sud sono bianchi. E questi bingo bongo qua del Nord sono neri».

L'incidente accade all'improvviso. Il più anziano tra i braccianti romeni avrà oltre sessant'anni. I capelli grigi. La faccia stanca e sudata. Un uomo che da quando è nato, ha visto tre mondi ruotare intorno a sé. L'Europa affamata dopo la Seconda guerra mondiale. La feroce dittatura comunista. La povertà della Romania liberista, pronta all'ingresso nell'Unione Europea. In una sola vita, è sopravvissuto a tutto questo. Il caporale con i baffetti e la maglietta bianca l'ha chiamato Michele, quando l'ha mandato a caricare le cassette sul rimorchio del trattore. Nando le ha appena contate. Bilal non ha capito il totale. Ha sentito il padrone dire che, se ogni cassa contiene più o meno dodici chili di pomodori, la piantagione renderà quest'anno qualche tonnellata. Dodici chili in quel legno secco e sottile sono troppi. Così, nonostante tutta l'attenzione possibile, una cassetta si sfonda. I frutti rossi rimbalzano sulla terra nera. Michele non fa in tempo ad abbassarsi a raccoglierli. Nando corre verso di lui. E, con la mano chiusa a pugno, lo colpisce. Una sventola sulla testa. «Stai attento, coglione» grida Nando, «credi che noi stiamo ad aspettare mentre tu butti le cassette?» Michele forse chiede scusa. È troppo stanco e offeso per parlare ad alta voce. «Scusa un cazzo» lo affronta il padrone, «devi stare più attento.»

Ci fermiamo tutti a guardare. Una delle due ragazze polacche si alza in piedi per protesta. Bilal e lei si scambiano uno sguardo intenso. L'italiano con i capelli biondi e l'accento napoletano accorre come una furia. «Giù» urla, «non è successo niente. Giù o stasera non si va a casa finché non si finisce.» Come se questi prigionieri avessero una casa. Bilal resta a lungo a guardare Nando e questo suo compare con il telefonino appeso in fondo alla catena d'oro. Non ho mai desiderato aggredire nessuno. Lavoro con le parole. E le parole dovrebbero bastare in un Paese civile. Ma oggi, in questo preciso momento, vorrei vedere Nando e il suo compare sputare sangue. Vorrei avere nelle mani una sbarra di ferro. Afferrarla. Colpirli. Non sulle braccia, per spezzar loro i gomiti come fanno i caporali con i braccianti che si ribellano. Vorrei bastonarli sui denti sperando che abbiano abbastanza fegato da sopravvivere fino in fondo al pestaggio. Un colpo per ogni chilo di pomodoro che Michele ha raccolto da quando è arrivato in Italia. Qui, davanti a tutti. Perché serva da lezione. Come facevano i trafficanti polacchi con i loro schiavi. Vorrei vedere Nando e il suo compare supplicare pietà in ginocchio. Vorrei sentire loro chiedere scusa. A Michele. A Ion. Agli operai egiziani dell'alta velocità. A Joseph e James. Agli immigrati sbarcati a Lampedusa e picchiati nella grande gabbia. Devono chiedere perdono agli italiani che ancora hanno ideali. Alla gente perbene. Agli alleati europei e americani che proprio su questa pianura più di sessant'anni fa hanno combattuto e si sono fatti ammazzare per restituirci la libertà. Non ho mai desiderato la morte di nessuno. Ma in nome di tutti loro, se adesso qualcuno dei braccianti si alzasse per uccidere Nando, non farei nulla. Non inventerei portentose medicine per creare un diversivo. Non mi metterei a gridare per distogliere l'attenzione. Non mi butterei nella mischia per difenderlo. Semplicemente, me ne starei a guardare.

«Tu, che cazzo guardi? Giù la testa e raccogli.» Proprio qui davanti, a pochi passi, si sono fermati gli scarponi dell'uomo con i capelli biondi e il telefonino appeso al collo. «Stai giù, continuiamo da questa parte» dice Mohamed in inglese. E non appena l'uomo si è allontanato: «Non è niente. Sono italiani. Si arrabbiano per una sciocchezza». Anche la ragazza bionda si è accovacciata e continua a lavorare. Anche Michele è tornato a caricare cassette sul rimorchio del trattore. Ma dopo mezz'ora è ancora seduto a terra. Si tiene la testa tra le mani. Perde molto sangue dal naso. Il ragazzo romeno che lo stava aiutando spreme un pomodoro maturo per bagnargli la fronte.

Cosa è successo, lo spiega a Nando il caporale con i baffetti: «Ho dovuto spaccargli una pietra in mezzo agli occhi. Ho dovuto. Quello stronzo se l'è presa con me perché tu prima l'hai picchiato. E poi perché stasera non ci sono soldi per pagarli. Ma che c'entro io?». Nando lo ascolta e ride. «Lui ha raccolto una pietra e io gliel'ho tolta dalle mani» continua l'altro. «Tu pensa se un romeno di merda mi deve minacciare.» L'italiano parla ad alta voce. Polacchi e romeni lo sentono. Anche i braccianti africani capiscono cosa dice. Ma nessuno protesta più. Nessuno può reagire. Se perfino un prete dà casa ai caporali. Se migliaia di testimoni fingono di non vedere. Se decine di migliaia di abitanti di queste terre se ne stanno zitti. Se viene a mancare l'attenzione della cosiddetta società civile, cioè di tutti noi, cosa possono fare uomini e donne sradicati dal proprio mondo, dal proprio Paese, dalle proprie famiglie? Tacere e obbedire. È una questione di vita o di morte. Una legge di sopravvivenza. Questi campi che producono alimenti per l'Unione Europea sono come i camion che attraversano il Sahara. Questi schiavi sanno che nessun italiano, qualunque cosa succeda, verrà mai a salvarli. Nessun padre di questi padroni. Nessun fratello di questi caporali. Nessuna autorità. Da quando sono arrivati, questi braccianti sono figli di nessuno.

Il sole è un disco rosso appoggiato sul profilo dei monti Dauni. Dalle colline all'orizzonte scende un vento rovente. Giovanni è ritornato. Adesso cammina intorno allo zainetto. Bilal l'ha lasciato a pochi passi dal punto dove sta lavorando. È sicuro che il caporale vuole vedere cosa c'è dentro. Torna alla sua auto. Parla con Nando. Si avvicina di nuovo. Guarda Bilal. Crede che non lo stia osservando. Solleva lo zaino e lo porta al bordo della piantagione. Se lo apre e scopre la macchina fotografica, è finita. Se legge gli appunti sulle sovvenzioni europee per i coltivatori italiani, sono guai. Come reagirà un caporale che viaggia con un coltello da sommozzatore sul cruscotto dell'auto? È stata una stupida leggerezza. La piccola digitale andava lasciata a Rocco. È evidente che è impossibile scattare fotografie in queste condizioni. Ho raccolto le informazioni che cercavo. Ho visto quello che dovevo vedere. Sono riuscito a farmi ingaggiare dopo appena poche ore. E adesso rischio di farmi davvero male per una banale, stupida leggerezza. Giovanni guarda lo zainetto sospeso davanti a sé. Lo gira e rigira tenendolo per una bretella. Sorride. Potrei inventarmi un attacco di dissenteria. Allontanarmi e telefonare a Rocco. Ma questi criminali non sembrano così sprovveduti. E poi cosa può fare Rocco di fronte a loro? No, lui non deve correre rischi.

«Mohamed, quell'uomo ha preso il mio zaino.» Mohamed fa cadere nella cassetta i pomodori che ha nelle mani. Infila le braccia tra le foglie per staccarne altri. «Non c'è problema» dice. «No, il problema c'è. Quello zaino è mio.» «Guarda cosa c'è dentro e te lo restituisce» spiega Mohamed. «Ma lo zaino è mio. Non può guardare cosa c'è dentro.» Mohamed non fa in tempo a dire nient'altro. Bilal è in piedi. L'unico schiavo in piedi. Mentre tutti gli altri stanno lavorando a testa bassa. «Giù» urla Nando, «che cazzo fai?» «Mohamed, digli che non raccolgo più pomodori se quello non mi restituisce lo zaino» grida Bilal. Tutti i braccianti si voltano. Mohamed traduce. L'italiano biondo con la catena d'oro e il telefonino accorre minaccioso. Ma era tornato al suo fuoristrada. Ed è ancora lontano perché sia pericoloso. Nando ride. Giovanni sta per aprire la cerniera. Bilal usa tutta la voce che ha. «Mohamed, digli che io qua faccio un casino se non mi restituisce subito lo zaino.» Nessuno raccoglie più pomodori. Bilal sente gli sguardi su di sé. La ragazza polacca, l'unica che prima aveva avuto il coraggio di alzarsi per protesta, se ne sta in ginocchio con le mani sui fianchi. Bilal fa appena in tempo a vedere che sta sorridendo. Poi si volta verso Nando. «Tu, ordina al tuo amico di restituirmi lo zaino» gli grida in inglese. Mohamed traduce ancora. «Dagli lo zaino» dice Nando a Giovanni. E sottolinea le sue parole con un gesto della mano. Giovanni gli risponde qualcosa. La sua frase non arriva fin qui. Il caporale accatasta una decina di cassette vuote e appoggia lo zaino in cima. «Ehi, amico» grida Giovanni. Appoggia l'indice sotto l'occhio destro. Poi indica Bilal. Infine lo zainetto. Vuol dire che in quella posizione tutti possiamo controllarlo. Giovanni però continua a girargli intorno. Ma Bilal lo segue con lo sguardo. E lui non osa più toccarlo.

Si smette di lavorare quando è buio da almeno un'ora. Michele sta meglio. I braccianti romeni e polacchi si raccolgono intorno al loro caporale. Bilal e la ragazza bionda si guardano ancora una volta. Ma non possono parlarsi. Giovanni sta già richiamando i suoi schiavi vicino alla Volkswagen. Il caporale prende dall'auto una piccola macchina fotografica. Riunisce i

424

suoi braccianti e li fotografa con il flash. Bilal fa fatica a non ridere all'idea che anche Giovanni sia un giornalista infiltrato. In realtà la foto serve per i pagamenti. E soprattutto per scoprire se qualcuno scappa dal gruppo. Perfino per un caporale è difficile ricordarsi tanti volti stranieri. Poi bisogna firmare il registro con le ore lavorate. È un quaderno di computisteria a quadretti su cui Giovanni ha tracciato righe orizzontali e verticali. Sulla pagina di oggi, in fondo all'elenco, c'è scritto Donald. E accanto al nome, il caporale ha aggiunto 3. «Questo pomeriggio abbiamo lavorato più di sette ore, non tre» dice Bilal in inglese. Giovanni sicuramente sa qual è la questione. Finge di non capire. Bilal ripete la cifra con le dita. Mohamed questa volta non ha il coraggio di tradurre. «Firma così» suggerisce. «Allora? E firma» sbotta Giovanni imitando l'accento del posto. Basta uno scarabocchio. Bilal prende lo zainetto dalla catasta di cassette. Il caporale lo insegue. Lo ferma e gli dà le disposizioni per il giorno dopo. Mohamed è pronto a tradurre in inglese. «Dice che domani devi venire a lavorare senza niente. Non vuole vedere borse, zainetti e altre cose. Nemmeno bottiglie d'acqua e sacchetti con il mangiare.» «Ma oggi non ci hanno dato da mangiare. E, a parte quei due sorsi d'acqua sporca, nemmeno da bere.» «Ci sono i pomodori» ricorda Mohamed e sorride.

Bisogna salire in nove sulla stessa auto. Amadou torna a sedersi accanto al caporale. «Torniamo da un'altra strada» gli dice Giovanni, «ci sono in giro i carabinieri.» L'auto è la vera ricchezza di un caporale. In mezzo a un'economia primitiva e senza legge, bastano quattro ruote e un motore per conquistare potere. Senza caporali, l'agricoltura non saprebbe dove trovare le braccia necessarie. E senza caporali, nemmeno i braccianti saprebbero dove trovare lavoro. Il caporale da sempre è una specie di sportello di borsa dove domanda e offerta di lavoro si incontrano. È lui a stringere gli accordi con gli imprenditori. E a tenersi gran parte degli stipendi. Ovviamente si tratta di accordi a voce. Il caporalato è la prova di un'economia sommersa che sfugge ai diritti garantiti dalla Costituzione, alle leggi, ai contratti di lavoro, ai contributi per malattia e pensione, al pagamento delle tasse. È la dimostrazione di quanto una mentalità furba e mafiosa condiziona la libertà di uno Stato. E da questo punto di vista gran parte dell'agricoltura e dell'edilizia in Italia non sono più i settori economici di un Paese libero.

Giovanni segnala ad Amadou un campo di pomodori lungo la strada asfaltata. È buio ed è difficile vederne l'estensione. «Vedi qua? Questo pomeriggio i carabinieri sono venuti a prendere dei miei ragazzi. Africani come te e romeni. Io lavoro anche qui. Li hanno portati via per il rimpatrio.» Amadou guarda la piantagione attraverso il finestrino abbassato. «Ma non avere paura» gli sussurra Giovanni convinto di non essere sentito dagli altri, «il campo dove lavorate voi è controllato dalla mafia.» Nell'aggiungere questo, il caporale si tocca con una mano le spalle come se volesse indicare i gradi. L'arrivo dell'autorità nei campi il venerdì pomeriggio è normale. Succede spesso quando è giorno di paga. A volte sono gli stessi padroni a chiamare vigili, polizia o carabinieri. E a segnalare gli immigrati nelle campagne. Basta una telefonata anonima. Così i caporali si tengono i loro soldi. E la prefettura aggiorna le statistiche del governo con le nuove espulsioni.

Amadou però fa notare che nemmeno oggi i ragazzi verranno pagati. «Tu sei musulmano?» gli chiede Giovanni. «Sì? Allora ti giuro su Allah che la prossima settimana vi pago tutti. E se avete bisogno di carne, ti giuro che vi invito tutti a casa mia. Ovviamente la prossima settimana. Quando potrete pagarmi la carne.» Giovanni ride. Amadou resta in silenzio.

La vecchia stalla e il cortile sotto il gelso sono pieni di gente a quest'ora. «Domani mattina vengo a prendervi alle cinque» annuncia Giovanni dopo aver scaricato i suoi passeggeri. Un fuoco a legna tra due grosse pietre riscalda una pentola annerita dal fumo. Stanno cucinando una zuppa semplice. Acqua, sale, pezzi di pomodoro e cipolla. Dentro la stalla, una candela illumina tre ragazzi. Strappano pezzi di pane da un filone. Prima di mangiarlo, lo bagnano dentro un piatto. È sugo di pomodoro. Sono le dieci di sera ormai. Calcolando una doccia improvvisata con l'acqua sporca del pozzo e la misera cena, restano appena cinque ore di sonno.

Arriva Asserid, a piedi. «Come sono le tue braccia?» chiede. Bilal se le guarda e sorride. Il fuoco fa abbastanza luce per distinguere i colori. «Verdi. Come le mani e le dita.» «Vedi la fortuna di essere neri?» ride Asserid, «non si vede lo sporco delle piante.» Invece si vede. Solo che è meno evidente. «Per pulirti non usare acqua, non serve. Bisogna schiacciare un pomodoro tra le mani e passarlo sulla pelle» suggerisce Asserid. «Lo so, grazie. Oggi non ti ho più visto, hai lavorato?» Sarebbe stato poco gentile rubare il posto al più amichevole dei ragazzi che abitano sotto il gelso. «Sì, per tutta la settimana sono in un campo in paese. Hai visto quanta gente dorme qui? Ma tu hai trovato dove andare?» «Sì, Asserid. So dov'è una casa abbandonata. Non è lontana.» «E come ci arrivi?» «In bicicletta, non ti preoccupare per me.» A questo punto il ragazzo di Tahoua spiega le sanzioni che gravano su tutti gli schiavi. «Domani mattina devi essere puntuale» avverte Asserid. Racconta che chi si presenta tardi, una volta al campo viene preso a pugni dal caporale. Chi non viene a lavorare, deve pagare una multa. Anche se è ammalato. Sono venti euro che il caporale trattiene dalla paga finale. Praticamente un giorno di lavoro gratis per ogni giorno di malattia.

Dieci chilometri in bicicletta dopo una giornata cominciata alle due di notte offrono abbastanza tempo per riflettere. Rocco verrebbe subito a prendermi. Ma è meglio non chiamarlo. Ho bisogno di pensare. Superato il centro di Stornara, oltre i neon colorati e la musica di un luna park, la strada si infila stretta in un immenso uliveto. La bici non ha fanali. Non ci sono lampioni. Si pedala alla cieca. Il primo pensiero va al padrone della piantagione e ai suoi compari. La mente non ha pietà della fatica. «Li avresti lasciati ammazzare?» mi chiede ogni volta che gli occhi si distraggono dal profilo di asfalto e sassi che guida la ruota anteriore. Davvero li avrei lasciati linciare dai braccianti? Davvero non avrei fatto nulla per difenderli? E sarei rimasto semplicemente a guardare?

427

La risposta è uno spartiacque. Non esiste via di mezzo. Non c'è possibilità di mediazione tra un mondo di battaglie civili e i suoi surrogati di violenza. Proprio su queste campagne è nato e cresciuto Giuseppe Di Vittorio, il primo leader sindacale italiano. Il 14 maggio 1904 qua vicino morì a 14 anni il suo amico d'infanzia, Antonio Morra. La polizia del Regno d'Italia lo uccise con altri tre braccianti durante una manifestazione. Adesso le proteste vengono spente prima che possano dilagare. Le espulsioni dei clandestini funzionano come deterrente. Impediscono la nascita tra gli immigrati di qualsiasi rete di solidarietà. L'unica tollerata è quella che di notte mette donne e uomini sfiniti a cucinare zuppa di pomodoro dentro la stessa pentola. I caporali fanno il resto. Nei campi sono la polizia parallela. Gli imprenditori si rivolgono a loro per risolvere i problemi. A cominciare dall'imposizione delle regole non scritte.

In fondo all'uliveto dovrebbe passare la statale 16. Dovrei già vedere le luci dei camion. Invece il buio è totale. La mente però non pensa alla strada da trovare. Continua a martellare con le domande. Dove sono gli italiani perbene che vivono in questo territorio dell'Unione Europea? Dov'è lo Stato con la sua lunga catena gerarchica di autorità? Dove sono il sindacato, la rete di potere dei parroci, gli ispettori degli enti che dovrebbero controllare le aziende? Perché nessuno ha ancora fermato questa vergogna? Eppure gli schiavi nei campi, i tuguri dove vengono messi a dormire, le violenze che subiscono sono parte di storie già conosciute.

Il primo allarme risale al 9 agosto 2005. Bisogna fare un passo indietro. Quel giorno il consolato polacco di Milano riceve una lettera via fax dalla città di Torun, in Polonia. La segnalazione contiene tutti gli indirizzi, i nomi, i numeri di telefono necessari ad avviare un'indagine. Comincia così: «Egregi signori, vi chiediamo di aiutare i nostri parenti che si trovano attualmente in Italia, precisamente in Orta Nova, nelle piantagioni di pomodori». Orta Nova è il grosso paese accanto a Stornara. L'uomo che firma la lettera spiega che i suoi parenti sono partiti dalla

Polonia. La solita promessa di lavoro con vitto e alloggio pagati. Il passaggio più agghiacciante è poche righe più sotto: «Vengono portati nei campi presto, nelle ore mattutine, con la minaccia di essere picchiati e senza mangiare rimangono là a lavorare fino alle nove di sera. Mentre stanno fuori, altre persone mettono le mani nei loro effetti personali. Sono stati rubati soldi e altri oggetti. Quando è arrivato un altro pullman dalla Polonia, ai nostri parenti non è stato permesso di ripartire. Quando hanno cercato di difendere i loro diritti, hanno subìto altre minacce. Attualmente lavorano gratis, non hanno nessun posto dove lavarsi e non hanno niente da mangiare. Dormono in condizioni tragiche».

Il giorno stesso la lettera viene trasmessa all'ambasciata polacca. E, dall'ambasciata di Roma, al console onorario della Polonia a Bari, in Puglia. È l'ufficio diplomatico di Varsavia più vicino alla provincia di Foggia. Il console onorario, Domenico Centrone, è un imprenditore italiano che, con le sue aziende, dimostra come sia possibile guidare un'impresa e rispettare la legge. Il suo legame di solidarietà con la Polonia è anche un debito con la storia. Suo padre, rinchiuso nel campo di concentramento di Mathausen durante la Seconda guerra mondiale, era stato salvato da una cittadina polacca. Una donna che aveva messo in gioco la sua vita per portargli da mangiare di nascosto. Nel giro di poche ore la denuncia del console dovrebbe essere sulle scrivanie di chi potrebbe immediatamente intervenire: il procuratore della Repubblica di Foggia, il prefetto di Foggia, il comandante regionale dei carabinieri e il generale che comanda in Puglia la guardia di finanza. Una copia viene spedita anche ai segretari provinciali dei tre principali sindacati italiani, quello più comunista, quello più cattolico e il terzo che sta in mezzo. In Procura a Foggia non è l'unica denuncia. La notte tra il 9 e il 10 agosto tre braccianti polacchi riescono a fuggire da un campo. L'Italia non è quello che loro credevano. Vogliono tornare a casa e chiedono aiuto al consolato di Bari. Sono ragazzi: Bartosz, 23 anni, Wojciech, 26 anni, Arkadiusz, 27 anni. Il console li rassicura e li convince a rivolgersi all'autorità. Il 10 agosto tornano a Foggia.

Con l'assistenza di un'interprete consegnano alla Procura la loro querela controfirmata da un luogotenente dei carabinieri.

I tre ragazzi dichiarano di essere stati smistati con gli altri compagni di viaggio in varie aziende agricole tra i paesi di Orta Nova e Carapelle. Raccontano che il «6, 7, 8, 9 agosto sono stati maltrattati dal datore di lavoro il quale non consentiva di esercitare la facoltà della sosta per il pranzo». E rivelano che nel campo dove dormono i braccianti polacchi non esistono «servizi igienici né altro luogo dove potersi lavare». Da quando sono arrivati, i tre ragazzi mangiano soltanto quanto è avanzato dalle provviste che si erano portati dalla Polonia. Non hanno più euro in tasca. Nemmeno per comprare un filone di pane. La sera del 9 agosto chiedono al padrone un anticipo dei soldi guadagnati fino a quel momento: «Ovvero 240 euro in relazione alle quaranta casse di pomodori raccolti per 6 euro a cassa» cioè la paga promessa prima della partenza. Hanno lavorato sodo. Quaranta casse da duecentocinquanta chili l'una fanno un totale di dieci tonnellate di pomodoro. Il padrone invece li minaccia. Dice che non deve nulla. Perché il guadagno del loro raccolto basta appena per il canone d'affitto delle tende in cui sono stati messi a dormire. Duecentoquaranta euro per tre notti in provincia di Foggia sono il costo di una camera d'albergo a quattro stelle in bassa stagione. I tre ragazzi non possono conoscere i nomi di luoghi e persone. Ma danno una descrizione precisa del loro caporale, un polacco: «Corporatura robusta, diversi tatuaggi sul corpo, sulle spalle e sulle braccia. E anche sul viso: aveva delle linee nere tatuate su entrambe le sopracciglia».

Arrivano altre denunce. La democrazia in Polonia nasce dalle rivolte sindacali, dagli scioperi del 1980, l'inizio del lungo cammino che ha liberato il mondo dalle divisioni della Guerra fredda. Forse è per questo nobile passato che i braccianti polacchi sono gli unici ad avere il coraggio di accusare i loro sfruttatori. Lukasz ha 22 anni. Accompagnato da un interprete del consolato, entra in un ufficio della guardia di finanza e mette a verbale queste parole: «Il campo era recintato da blocchi di ce-

430

mento. Ci hanno fatto dormire in una stanza piccolissima senza finestre in dieci persone. La mattina ci siamo preparati per andare a lavorare. Ho visto intanto Mariusz, il caporale, che svegliava le altre persone in modo disumano, picchiandole con una chiave inglese. Ci hanno sgridati e umiliati in modo volgare. Abbiamo deciso di lasciare il campo immediatamente. Janusz, il capo, ha cercato di fermarci con la forza dicendo che se volevamo andarcene dovevamo pagare cento euro a testa. Avevamo tanta paura, ma siamo scappati in sette. Lungo la strada si è fermato un italiano che parlava polacco. Ci ha chiesto se volevamo lavorare per lui alla raccolta dei pomodori, io e un mio connazionale abbiamo deciso di accettare. L'italiano è ritornato dopo un'ora a prenderci. Ci ha portati in un casolare abbandonato senza luce, acqua e gas, né bagno. Ci ha detto che questa sarebbe stata la nostra casa. Ogni tanto ci portava acqua sporca per lavarci. Ci prendeva tutti i giorni verso le sei di mattina e ci portava a lavorare. In pratica non finivamo mai prima delle otto di sera. Dopo tre settimane, ci ha detto di aspettarlo un lunedì che sarebbe venuto e ci avrebbe pagato. Siamo rimasti nel casolare ad aspettare fino a giovedì. Ma nessuno si è fatto più vedere».

Jakub ha 20 anni. È già stato in una caserma dei carabinieri. Lo portano con altri braccianti durante un controllo. Ma quella mattina, per paura, non dice molto. Il perché lo rivela quattro giorni dopo, in una tenenza della guardia di finanza. Solo lì, aiutato dall'interprete del consolato, firma la sua denuncia. «Durante il lavoro nei campi» racconta Jakub, «sentivo e vedevo che Janusz, il caporale, veniva contattato da moltissimi italiani, sia al telefono sia di persona per trovare altri miei connazionali da impiegare nelle campagne. Ho visto varie volte Mariusz, l'altro caporale, picchiare a sangue i braccianti polacchi per futili motivi. Nelle stanze adibite a dormitorio c'erano otto e più persone per stanza, uomini e donne. E per i nostri bisogni dovevamo usare due piccolissimi locali che avevano solo il water e un tubo come doccia. Faccio presente che l'edificio intero dove dormivamo, che era in precedenza una stalla, ospitava circa sessanta miei connazionali. Quando sono entrato nella caserma dei carabinieri per essere sentito, ho voluto che lo si facesse alla presenza del console di Roma. E, quando siamo entrati nell'ufficio, ho riconosciuto alcuni carabinieri che, in abiti civili, avevo visto alcune volte nell'edificio dove alloggiavo. Aggiungo inoltre di aver sentito dire sempre da parte dei miei connazionali, anche da coloro che effettivamente vi hanno lavorato, che qualche carabiniere è proprietario dei campi.»

Marek ha 44 anni. Anche lui si rivolge alla guardia di finanza: «Un mio connazionale, tale Wrobel, ha lavorato in un campo vicino a Orta Nova di proprietà di un carabiniere. E sono sicuro che Wrobel è rimasto a lavorare per conto dello stesso Janusz, il caporale. Al termine della giornata di lavoro, ci radunavano a gruppetti in attesa del pulmino che ci portava all'alloggio. Nell'attesa spesso passava la pattuglia dei carabinieri con l'auto di servizio. Ci domandavano se lavoravamo per conto di Janusz. Nel rispondere di sì, ci lasciavano stare. Aggiungo di aver sentito dire, sempre dai miei connazionali, che qualche volta si sono trovati a casa di Janusz e hanno visto i carabinieri bere birra con lui e ricevere, secondo il periodo della raccolta, pomodori e ciliegie. Spesso dove dormivamo veniva un italiano chiamato il Barone. Era il capo di Janusz, il proprietario dei campi dove noi lavoravamo. Siamo stati trattati come bestie. Durante il giorno non c'era una sosta per mangiare. Anzi, non c'era nulla da mangiare in quanto non avevamo i soldi per comprare qualcosa. Siamo stati trattati come schiavi. Mangiavamo, per quel poco che c'era, solo la sera e bisognava far presto perché la mattina venivamo gettati dal letto alle tre. E se qualcuno non si alzava, non solo veniva picchiato ma gli veniva applicata la penale di venti euro».

Henryk ha 42 anni: «Mentre io lavoravo» dice davanti a due marescialli nello stesso ufficio della guardia di finanza, «ho visto un'auto dei carabinieri fermarsi vicino al campo e gli occupanti scendere e colloquiare con alcuni italiani lì presenti. Dopo la conversazione, i militari sono andati via portandosi dei pomodori racchiusi in buste di plastica. Dal tenore della conversazione, presumo che vi fossero dei buoni rapporti tra loro.

Il proprietario del campo dove lavoravo e di altri campi è un italiano detto il Barone. Ho inoltre sentito che qualche carabiniere è proprietario dei campi in cui altri miei connazionali lavorano. Il Barone è anche il proprietario della ex stalla usata come alloggio. Aggiungo, pur sapendo che non è rilevante ai fini della denuncia, che l'organizzazione ha lasciato per strada, due settimane fa, vicino a Venezia, alcuni cittadini polacchi. Tra loro una donna che, per la situazione in cui si trovava, si è suicidata».

È la faccia nascosta di questa terra. Di queste campagne. Di questo uliveto che da Stornara si estende fino a Orta Nova. Gli schiavi polacchi li tenevano prigionieri qua vicino. La bici sobbalza nel buio. Ma la statale 16 ancora non si vede.

Anche la storia di Grzegorz, 28 anni, va raccontata. La sua denuncia viene messa a verbale in una caserma dei carabinieri in provincia di Bari, sufficientemente lontana dai campi e dai caporali. «La prima settimana ho lavorato alla raccolta delle patate e lì mi sono reso conto delle violenze e delle umiliazioni» spiega Grzegorz. «Il lavoro era molto duro e molte persone, sia per lo sforzo sia per il caldo opprimente, perdevano sangue dal naso o cadevano esauste. Le loro invocazioni di aiuto venivano disattese a tal punto che gli stessi venivano in aggiunta picchiati violentemente da Janusz e da tale Mariusz, i due caporali. Con la raccolta dei pomodori la situazione è drasticamente peggiorata. Infatti lavoravamo dall'alba al tramonto e ci minacciavano di farci pagare una penale di settecento euro se non avessimo finito il lavoro nel tempo da loro indicato. Non avevamo neanche il tempo di mangiare. Io, come numerosi miei connazionali, per giorni interi ho mangiato solo pomodori. Le condizioni di vita nel campo erano disumane. Per novantacinque persone c'erano solo due docce all'aperto con acqua fredda e due bagni che non erano altro se non buche scavate nel terreno.»

L'ambasciata di Roma e il consolato di Bari si dedicano completamente ai lavoratori ridotti in schiavitù. I loro funzionari passano settimane nelle campagne a raccogliere segnalazioni.

Convincono i braccianti che l'Italia è un Paese civile, che si devono fidare delle autorità. Così, verso la fine dell'estate 2005, altri cinque polacchi entrano in una caserma dei carabinieri. Lo stesso ufficio in provincia di Bari che aveva dato fiducia a Grzegorz. Il più giovane dei cinque ha 22 anni, il più anziano 48. Ecco il racconto della loro fuga: «Dovevamo dormire in mezzo al campo di pomodori senza nessuna copertura, senza acqua né energia elettrica. Nel campo c'erano già altri polacchi che però avevano paura a parlare con noi. Erano tutti spaventati e ci hanno detto che il campo era vigilato da guardie armate. Le persone che facevano la guardia erano tutte tatuate. Nel frattempo è passato un italiano su un fuoristrada, probabilmente il proprietario del campo. Ci siamo resi conto che non avevamo accesso all'acqua potabile. Il signor Jozef, forse un sorvegliante della piantagione, ci ha avvertiti che in quel posto non pagavano per il lavoro fatto. Volevano anche prenderci i nostri cellulari con la scusa di volerli ricaricare. Visto il trattamento ricevuto, abbiamo deciso di lasciare subito il campo. Non appena i guardiani si sono allontanati, siamo scappati via. A un certo punto non avevamo più forze per andare avanti e ci siamo fermati a dormire in un casolare abbandonato in mezzo alle campagne». I guardiani armati però scoprono la fuga. «Abbiamo visto che ci cercavano» raccontano i cinque, «più volte ci è passato vicino il furgone che ci aveva portati al campo di pomodori. La mattina due di noi sono andati alla cittadina più vicina. Gli altri sono rimasti vicino a un incrocio. Mentre aspettavamo, è passata una pattuglia dei carabinieri. Abbiamo tentato di fermarli ma ci hanno ignorati. Gli stessi carabinieri sono passati anche di pomeriggio ma hanno fatto finta di non vederci. Abbiamo cercato di parlare con le persone della zona. Abbiamo chiesto di chiamare la polizia ma nessuno è mai arrivato. Nel pomeriggio siamo andati da una signora per chiederle un po' d'acqua. La signora ci ha detto che verso le tre o le quattro da lì passava un pullman che ci avrebbe portati a Foggia. Grazie alla gentilezza dell'autista, che non ci ha chiesto né soldi né biglietti, siamo arrivati a Foggia. Prima di partire abbiamo incontrato due gruppi di polacchi che, come noi, erano scappati da altri campi. Stavano molto male. Addirittura alcuni di loro avevano delle ferite sulle mani e sulle gambe. Ci hanno raccontato che alcuni di loro hanno lavorato per tre mesi e non hanno mai ricevuto nessuna retribuzione. Da Foggia siamo riusciti a raggiungere il santuario di San Giovanni Rotondo e grazie all'aiuto dei preti polacchi, abbiamo potuto dormire e mangiare in una chiesa, la chiesa di Sant'Onofrio. Da lì abbiamo contattato il consolato.»

Le armi. La fuga. La caccia all'uomo. Il rifugio in una chiesa. Sembrano cronache di guerra. Invece è la vita dei braccianti su questa immensa pianura meridionale dell'Unione Europea. Va detto che, nonostante le tante segnalazioni concordi, le indagini non hanno mai dimostrato complicità tra i carabinieri del posto, i caporali polacchi e i padroni italiani dei campi. Forse la loro convivenza è solo sintomo della sudditanza psicologica ricordata dall'alto generale dei reparti speciali in tv. Forse perfino le autorità locali sono vittime di quella sottile banalità del male che di tanto in tanto addormenta le società. Forse il perché andrebbe cercato rintracciando e interrogando quei militari. Va anche detto che, nonostante la gravità dei racconti, per mesi non si ha notizia di nessuna inchiesta.

Ancora un passo indietro a quel vergognoso 2005. Il 13 settembre l'ambasciata polacca a Roma segnala la scomparsa di una bracciante. La denuncia viene inviata via fax ai carabinieri di Stornarella. «La signora Anna P.» scrive il consigliere d'ambasciata, «lavorava presso le piantagioni di ulivi a Stornarella ma, viste le precarie condizioni sia di lavoro sia di vita, aveva deciso di far rientro in Polonia. Il marito ci informa però che purtroppo la donna veniva trattenuta con la forza e contro la sua volontà. Il 10 settembre, verso le 16,03, il marito in Polonia ha ricevuto dalla moglie un messaggio sms con la richiesta di aiuto. La donna chiedeva di farla rientrare il più presto possibile, in quanto aveva subìto violenza carnale da parte di un certo Mariusz, braccio destro di tale Janusz. Dopo l'accaduto, la signora era molto spaventata e temeva per la propria vita, in virtù del fatto che tale Janusz come risaputo era pericoloso e ricercato anche dalla polizia polacca. Dopo svariate peripezie, la donna veniva nuovamente costretta a restare. Alle ore 21,30 il marito riceveva un ultimo messaggio sms con l'informazione che erano in arrivo l'ambulanza e i carabinieri. Da quel momento il marito non ha più notizie della moglie e il suo telefonino risulta spento.»

Una settimana dopo, il 20 settembre, un altro fax avvisa il consolato di Bari che la signora Anna P. è ritornata viva in Polonia. L'ambasciata di Roma informa che la bracciante era in Italia da appena due settimane. Per un lavoro stagionale trovato tra gli annunci sul giornale. Il consigliere d'ambasciata si lamenta perché, sette giorni dopo, la denuncia è «fino a oggi rimasta senza risposta». Davanti alla polizia polacca, la donna conferma la violenza sessuale. Racconta che l'ambulanza è stata chiamata da un connazionale che voleva aiutarla. Non ne rivela il nome, per non metterlo in pericolo. Dice che non ha fatto denuncia in Italia perché, non conoscendo la lingua, non è riuscita a comunicare con la polizia. Ma anche perché in ospedale ha incontrato un medico polacco o che parlava polacco. E il medico le ha spiegato che, trattandosi di una questione tra cittadini stranieri, la denuncia non andava presentata in Italia. Poi la signora Anna P. fa notare ai poliziotti che quella sera era stata da poco violentata. Era sotto shock. Per questo non si ricorda né dove sia l'ospedale, né il nome del medico che le ha consigliato una fesseria. Alla fine conferma che l'aggressore è un polacco. Lo chiamano Mariusz il cane. Il complice, come aveva segnalato nell'sms al marito, è Janusz.

Sono sempre loro. I due schiavisti che vendono braccia agli agricoltori nel triangolo tra Stornara, Stornarella e Orta Nova. Il loro nome dovrebbe essere ormai conosciuto agli investigatori italiani. Era già scritto nell'altra richiesta di aiuto arrivata all'ambasciata più di un mese prima, il 9 agosto. Il fax che il console onorario aveva subito girato a chi doveva intervenire. Nella lettera, il parente dei braccianti sequestrati aveva perfino rivelato il numero di cellulare italiano dei due caporali. Ma Mariusz e Janusz restano ancora liberi. E in piena attività.

Polonia e Italia sfiorano l'incidente diplomatico. Di quei giorni rimane la corrispondenza tra l'ambasciata e la prefettura di Foggia. La prima occasione è un comunicato trasmesso a giornali e tv il 20 agosto. Da poche ore, una retata dei carabinieri ha liberato novantaquattro schiavi polacchi dalla casa abbandonata dove erano stati segregati. Attraverso il capo dell'ufficio consolare di Roma, l'ambasciatore Michal Radlicki esprime la sua soddisfazione. Ma è soltanto una formale cortesia. Il resto del comunicato critica l'Italia. L'ambasciata rivela che le autorità polacche sono dovute intervenire in modo «fermo e deciso presso i diversi livelli di governo italiano». Lasciando capire che altrimenti non ci sarebbe stata nessuna liberazione. «Dalle notizie fornite dai nostri connazionali liberati a Orta Nova» scrive il capo dell'ufficio consolare, «sono ancora numerosi i campi in cui i cittadini polacchi vengono ridotti in schiavitù in condizioni molto peggiori.» La conclusione è dedicata a chi, secondo l'ambasciata, dovrebbe fare di più: «Le autorità polacche chiedono al prefetto di Foggia di impegnarsi con maggiore incisività nel coordinare quei controlli che, come ha ammesso lo stesso prefetto, partiti dal mese di giugno non avevano prodotto sino all'intervento del console onorario alcun risultato». Il richiamo non serve a nulla. La dimostrazione è, il mese dopo, il sequestro della signora Anna P., la violenza carnale e la continua impunità dei caporali.

È troppo. Il 26 settembre interviene l'ambasciatore in persona. Michal Radlicki conosce bene cosa significhi il diritto di essere uomini. Per anni ha accompagnato Lech Walesa, il grande sindacalista e premio Nobel per la pace che in Polonia ha guidato gli scioperi contro la dittatura comunista e il lungo cammino verso la libertà. «Egregio prefetto» scrive Michal Radlicki. Sono le prime due parole. Il rappresentante del governo di Varsavia in Italia le aggiunge a penna alla lettera battuta al computer. Dal tratto, dalle curve delle vocali, dall'ampiezza della P maiuscola, si legge benissimo che l'ambasciatore è furibondo.

«Ritengo sia scandaloso che alle soglie del terzo millennio e in modo così sfacciato, alla luce del sole» scrive Radlicki, «si verifichino tali violazioni dei diritti dell'uomo... Penso sia intollerabile che nel mondo contemporaneo possano ancora venir esercitate tali pratiche... Finora non sono neanche stati chiariti in alcun modo i casi segnalati, inerenti alle misteriose scomparse dei cittadini polacchi. Nonché i decessi avvenuti nelle circostanze tutte ancora da chiarire.» Per sottolinearne la gravità, l'ambasciatore ricorda al prefetto l'elenco dei reati finora denunciati dai braccianti polacchi. Riduzione in schiavitù. Sequestro di persona. Violenza carnale. Porto abusivo di armi. Rifiuto di atti d'ufficio. Costrizione alla prostituzione. Traffico di sostanze stupefacenti. Truffa. Ricettazione. Violazione delle leggi amministrative in materia di lavoro, sicurezza e sanità. E, forse, omicidio. Grazie alle pressioni dell'ambasciata sui diversi livelli del governo italiano, le indagini vengono finalmente affidate al reparto speciale dei carabinieri. Ma devono ripartire daccapo. L'ordine d'arresto per Mariusz il cane e per Janusz viene firmato soltanto nell'estate 2006. Un anno dopo. L'agricoltura però non si ferma. Nemmeno davanti alle manette. Altri caporali come Mariusz e Janusz, come Giovanni, continuano a vendere schiavi. E tanti padroni come Nando e il suo compare continuano ancora oggi a comprarli.

«Ero preoccupato» dice Rocco. Stava aspettando seduto sul bordo del marciapiede, nel parcheggio davanti all'albergo. «Potevi chiamarmi. Io ho provato ma» avverte, «hai il telefonino spento.» «Avevo bisogno di pensare. Poi ho rischiato di essere travolto sulla statale 16. I Tir viaggiano sulla corsia di emergenza. Per scansarmi in tempo, ho dovuto pedalare contromano, tra i rovi che costeggiano la strada. Ecco perché ho fatto così tardi.» «Sembri un marziano» sorride Rocco guardando le mani e le braccia verdi. «Ho bisogno di bere acqua fresca. Dammi il tempo per una doccia, poi mangiamo qualcosa e ti racconto.» «Com'è andata?» La risposta non arriva subito. Le parole si bloccano in gola per qualche istante. Come quella mattina nella gabbia di Lampedusa dopo il pestaggio. «È uno schifo, Rocco. Se sbagliamo con questa gentaglia, ci fanno a pezzi.»

All'ingresso il portiere notturno ha la faccia sorpresa. Quasi non vuole dare la chiave della camera. Di solito gli schiavi che raccolgono pomodori non passano in hotel. «È con me» lo rassicura Rocco che è vestito normalmente, jeans e maglietta. La notte arriva in fretta. «Cos'hai in mente?» chiede Rocco mentre sale in macchina. «Aspettiamo le due, quando tutti sicuramente dormono. Ti porto a vedere dove ho lavorato. Dobbiamo trovare un nascondiglio per te. Così domani puoi venire a scattare le foto.» Lui resta in silenzio.

I fari dell'auto rischiarano i viottoli. La campagna tra Stornara, Stornarella e Orta Nova è piena di insetti. Soprattutto, è completamente diversa di notte. La stalla sul lungo rettilineo è facile da trovare. Uno sciame di persone dorme sui materassi sotto il grande gelso. Ci si ferma qualche istante a guardare. Rocco ascolta il racconto della giornata. «Qui» dice, «non è un problema fare fotografie. Posso tornare da solo in qualunque momento. Adesso andiamo alla piantagione.» Riconoscere le piste sterrate al buio è molto più difficile. «Dove si arriva da questa parte?» domanda Rocco. «Non lo so, il caporale non ci ha portati fino in fondo alla strada. Dopo qualche chilometro dall'incrocio dovrebbe esserci il campo. È tra due vigneti.» «Qua non si vedono né vigne né pomodori. Ci sono due tende.» «Dove?» «Qui a destra, nascoste nell'erba alta.» Non sono solo due tende. Sono decine e decine di piccole tende di ogni colore. Gli igloo spuntano poco più alti dell'erba, tra i tronchi degli ulivi secolari. I fari scoprono il bucato steso ai fili legati tra i rami degli alberi. Centinaia di magliette, pantaloni, ciabatte di gomma. La brezza leggera fa dondolare anche qualche taglia da bambino. «Sono polacchi» dice Rocco, «c'è un furgone con la targa polacca.» «Quello è sicuramente il furgone dei caporali. Abbiamo sbagliato strada. Queste tende oggi non le ho viste, a questo punto avremmo dovuto trovare la piantagione. Siamo finiti in mezzo a un accampamento di braccianti. Forse qui dormono i ragazzi che hanno lavorato con noi.» «Vuoi dire il gruppo con la ragazza bionda e coraggiosa di cui mi hai parlato? Però spegni i fari, stiamo facendo troppo casino.» «Adesso ce ne andiamo.» «Hanno acceso una luce. Sul furgone» avverte Rocco. «Sì, hanno aperto la portiera. Qualcuno è sceso dal furgone. Metto la retro.» Fare un chilometro in retromarcia su una strada buia, stretta e piena di buche è piuttosto scomodo. «Tu continui a vederlo il furgone?» «Ha sempre la luce accesa» risponde Rocco. «Si stanno muovendo?» «Sembra di sì. Hanno acceso i fari.» Il piede schiaccia di colpo il pedale del freno. Giusto il tempo per voltarsi e guardare meglio. «Metti via la macchina fotografica, Rocco. Se hanno guardiani armati e ci raggiungono, siamo davvero nei guai.» «L'ho nascosta, non ti preoccupare» dice lui. Il furgone resta dov'è. E i fari, dopo un po', si spengono.

Riappare la strada asfaltata. Dopo qualche chilometro, un lampione isolato illumina un incrocio. A sinistra si torna alla statale 16. A destra si va verso le montagne. «Lo riconosco. Andiamo dritto, qui avanti dovrebbero esserci i silos. Eccoli. La prossima strada sterrata a destra porta alla piantagione.» Proprio così. «Dobbiamo stare attenti che non ci sia qualcuno di guardia» osserva Rocco. «Aspettiamo qualche minuto in macchina. Se c'è qualcuno, si farà avanti.» Rocco si guarda intorno. Le cassette vuote sono dove le abbiamo lasciate. Sulla terra asciutta come sabbia sono rimaste le impronte dei nostri passi. Le tracce lasciate dalla Golf di Giovanni. E i solchi impressi dalle grandi ruote del trattore. «Non c'è un solo nascondiglio nel raggio di centinaia di metri. Cosa vorresti fare?» chiede Rocco. «Sono quasi le quattro. Mi scarichi a Stornara. Tra un'ora mi presento all'appuntamento con il caporale. Quando sorge il sole, tu vieni da queste parti, ti nascondi e scatti le foto. Noi al lavoro con i caporali e i padroni intorno. Questo sarebbe il servizio ideale da pubblicare.» Rocco scuote la testa. «Il problema è che non vedo un solo nascondiglio» ripete. «Qui avanti, lungo la strada, ci sono due case della riforma agraria. Le ho guardate a lungo mentre raccoglievo pomodori. Sono abbandonate. Possiamo tentare questa soluzione. Adesso torniamo in albergo a prendere acqua e viveri. Ti riporto qui. Ti nascondi nella casa. Io vengo a lavorare. E domani notte torno a recuperarti.» «Ma così tu non dormi tutta la notte.» «Ho abbastanza adrenalina per resistere fino a dopodomani.» Rocco sorride. «Non ci sono guardiani» dice, «andiamo a vedere queste case.»

Sono piccole casupole abbandonate. Costruite quando la riforma in Italia prevedeva un tetto per tutti i contadini. Hanno quasi cento anni. Ciascuna con il suo pozzo e il forno per il pane in cortile. Ormai sono quasi tutte pericolanti. Queste due sopravvivono discretamente. Rocco si avvicina alla veranda di cemento. «Sei sicuro che sono abbandonate?» domanda, «qui sotto c'è un materasso.» «Ho una pila, provo a vedere dentro...» La porta si apre con un faticoso scricchiolio. «Ah.» «Cosa è successo?» si allarma Rocco. «Dal tetto piovono serpenti.» Un altro rettile striscia velocemente verso l'erba alta. Un altro ancora, infastidito dal cono di luce della pila, si infila in una grossa crepa tra la parete e il pavimento. Rocco ride: «Non avrai paura di un innocuo serpentello?». «Tanto qua dentro dovrai starci tu... Questa casa è stata occupata. Ma in questo periodo non ci abita nessuno. Non ci sono bidoni dell'acqua, vestiti, scarpe, legna bruciata. Niente.»

Rocco controlla la distanza tra l'unica finestra e la piantagione di pomodori. Mette le mani ai fianchi e resta a lungo a osservare. «Senti, io posso anche stare una settimana chiuso qua dentro se serve» spiega alla fine, «ma le foto non verrebbero come ti aspetti tu. Il campo è troppo lontano. Nell'immagine vedresti una distesa verde e delle persone piccolissime. Una foto del genere puoi farla ovunque.» «Sei sicuro Rocco? Nemmeno con la luce di taglio all'alba o al tramonto?» «No» risponde lui, «vedresti soltanto le ombre più lunghe.» Qualcosa si muove nel cortile. Scappa. È un cane randagio. «Se è così, Rocco, non vale la pena di correre altri rischi qui. Torniamo alla macchina.» «E se io arrivassi e chiedessi al padrone di scattare le foto da vicino?» propone a un certo punto Rocco. «No, questi sono criminali. Il caporale è fin troppo sospettoso. Già si è ritrovato in squadra l'unico africano bianco in tutta la storia della schiavitù.

Se poi, guarda caso, il giorno dopo arriva un fotografo quello capisce. E quando te ne vai, mi massacra di botte.» «Verrei a farti una bella foto di cronaca, che ne dici?» butta lì Rocco. Senza però aspettarsi risposte.

La piazzetta di Stornara è già affollata. Gruppi di braccianti aspettano il passaggio di padroni e caporali vicino al cippo dei missionari del Preziosissimo sangue. La soluzione appare quando l'orologio sul cruscotto segna quasi le cinque del mattino. «Facciamo così, Rocco. Lasciamo perdere Giovanni, Nando e Stornara. Cerco altri caporali con cui lavorare. Tu appena puoi, arrivi e fai gli scatti che ci servono. Prima o poi troveremo una situazione ideale.»

La questione delle foto, la fatica, la stanchezza, forse anche l'adrenalina stanotte avevano fatto dimenticare per qualche ora Bilal. Adesso però è ritornato violento. Con le sue domande insistenti. Con il dolore dell'anima che l'accampamento dei braccianti polacchi ha risvegliato. Soprattutto la vista dei loro pantaloni stesi, le magliette consumate, le ciabatte di gomma. Strumenti di costrizione nei quali, a quest'ora, migliaia di schiavi stanno infilando i loro corpi per subire un'altra giornata di violenze. Giovanni a quest'ora starà chiedendo ad Amadou perché non mi sono presentato. E Amadou, servile per qualche fredda comodità, chiederà a Mohamed se mi ha visto.

«So già cosa diranno?» «Chi?» chiede Rocco che se ne stava silenzioso con i suoi pensieri. «Le istituzioni. Le autorità.» «E cosa diranno?» «Che tutto questo non è vero. Faranno convegni per presentare qualche proposta sui diritti dei lavoratori. Faranno conferenze sull'immigrazione per sciacquarsi l'anima con le belle parole. Diranno che mancano gli uomini per controllare. Mancano le leggi. Non dovrebbe essere già tutto scritto nel nostro Dna di uomini liberi? Secondo te, per impedire la schiavitù servono ancora leggi?» Rocco non risponde. «Diranno che ce l'ho con i carabinieri. Che è un attacco alla polizia. Che è un'offesa alla prefettura. È già successo: quando hanno letto il reportage su Lampedusa, venendo così a sapere che l'iracheno di quella settimana era un giornalista. Troppo spesso il potere difende i furbi, i lavativi, i disonesti. Non capiscono che tradiscono le persone perbene. Insultano la memoria dei carabinieri e dei poliziotti morti nel sacrificio di proteggerci. Offendono chi ancora crede nel riscatto del bene attraverso istituzioni oneste, trasparenti ma anche criticabili. È forse scritto in qualche legge che i braccianti vadano affamati e bastonati?»

Rocco continua a non rispondere. «Ieri pomeriggio, nel campo di pomodori, io non ho mai avuto così paura. Non solo paura. Quello era terrore.» Rocco si volta ad ascoltare. «Non era paura per la situazione in cui mi trovavo. Ne ho passate di peggio. Era il terrore di me stesso. Era ciò che stavo pensando a spaventarmi. Era l'odio che provavo. Non avevo mai messo in discussione il valore della parola sull'agire.» «Cioè?» taglia corto lui sottovoce.

La risposta si ferma qualche istante tra le labbra. «Ieri quando ho visto picchiare il bracciante romeno, l'uomo anziano, io quel caporale l'avrei ammazzato.» Rocco sospira. Torna a guardare avanti, oltre il parabrezza. L'aurora sta dipingendo di rosa il cielo sopra l'immenso uliveto. Ecco cos'è il vero fondo del baratro. È l'abisso. Scoprirsi come loro. Come i caporali. Come i padroni. Come gli scafisti. Come i mercanti di schiavi. Essere sopraffatti dalla violenza. Cominciare il viaggio con i propri ideali e ritrovarsi nel bagaglio soltanto l'idea di uccidere un uomo. Feroce, cinico, criminale. Ma sempre un uomo. Rocco va a dormire nel caldo della piccola camera d'albergo. Bilal si siede sotto un pino nel grande parcheggio a respirare l'alba.

Passano altri giorni nelle campagne. A raccogliere pomodori e notizie. Cinquanta chilometri a Nord di Stornara, la carta stradale indica Villaggio Amendola. Era un borgo agricolo. Oggi è un paese fantasma abitato da centinaia di schiavi. I braccianti bulgari dormono dentro la chiesa sconsacrata e nelle case accanto. I romeni di fronte. La loro è una palazzina di cemento armato sventrata e pericolante come dopo un bombardamento. Non c'è elettricità. Non c'è fognatura. Il gabinetto per tutti è lo spiazzo infetto dove vengono bruciati i rifiuti. Non è semplice abitare qui. Bisogna essere innanzitutto bulgari o romeni. Poi bisogna contrattare l'affitto di un materasso con i caporali che sfruttano questa riserva di braccia. Secondo il passaparola, al Villaggio Amendola sono capaci di mettere insieme una squadra di raccoglitori in meno di mezz'ora. Basta venire qui per capire come fanno. Basta vedere quanta gente vive in questo borgo. Gente affamata di lavoro. E di pane. Ovviamente non ci si può presentare da italiani. Solo i caporali e i padroni conosciuti sono ammessi. Anche qui gli schiavisti hanno le loro spie. Non amano i ficcanaso. La storia di Bilal il curdo e del suo sbarco a Lampedusa viene stranamente accettata. Mentre Rocco gira alla larga.

I caporali controllano l'unico pozzo di Villaggio Amendola. Non ci sono altre fonti. L'acqua è inquinata ma la vendono ugualmente. Cinquanta centesimi una tanica da venti litri. Anche l'unico negozio del borgo è gestito da loro. Hanno le bottiglie di minerale, se uno non vuole bere dalle taniche e rischiare di perdere una giornata per la dissenteria. E hanno carne e pollame. Gli abitanti di Villaggio Amendola si sono abituati a parlare sottovoce. Come Mario, una cinquantina d'anni, capelli neri, braccia robuste, arrivato dalla Romania con la moglie per raccogliere pomodori. Doveva rimanere una sola stagione. Da tre anni non si è più mosso. Nonostante le promesse di una paga oraria regolare a 6,74 euro, non ha mai guadagnato più di tre euro l'ora. E non è mai più riuscito a risparmiare per tornare a casa a trovare i figli. «Loro sono grandi. E poi là non ho più un lavoro» dice rassegnato Mario, in perfetto italiano. «In fondo, per un romeno della nostra età, anche se ci tengono nei campi tredici ore al giorno, qui è meglio. In Romania io sarei già un uomo morto.» Quando parla del negozio, abbassa di nuovo la voce. Hanno tutti paura. A volte gli devi chiedere di ripetere cosa ha detto. «Ho detto che è meglio stare alla larga da quel posto. Però se cerchi lavoro qui, prima o poi dovrai parlare anche tu con il maghrebino del negozio.» Mario spiega che carne e pollame li ha trovati spesso in confezioni scadute. E con prezzi maggiorati del cento per cento rispetto ai supermercati di Foggia. «Ma noi non abbiamo mezzi di trasporto. Fare la spesa al supermercato ci è impossibile.»

Oltre un'ora se ne va in chiacchiere su tutto. Seduti su un gradino all'ombra di una tettoia crollata a metà. All'improvviso Mario introduce la storia del suo amico Pavel, finito all'ospedale con le braccia fracassate da una spranga. «Gliele ha rotte lui» dice Mario sottovoce. «Lui chi?» «Il caporale maghrebino. È successo meno di un mese fa. Guardalo ti sta cercando, è uscito a vedere cosa stiamo facendo.» E lo indica sotto i grandi pini all'angolo della piazza. Mario rivela che i guai, li chiama così, sono cominciati il giorno in cui Pavel ha litigato con l'unica abitante italiana del villaggio. È lei la proprietaria ufficiale del negozio, secondo la licenza rilasciata dal Comune che, evidentemente, non manda nessuno a controllare. Ma, soprattutto, è amica del caporale maghrebino.

Pavel ha 39 anni. In Romania faceva il cuoco per centocinquanta euro al mese. Troppo poco per dare oggi una vita dignitosa alla moglie e alla figlia di quindici anni che vuole continuare a studiare. «Il guaio è successo per un errore» spiega Mario. «Il mio amico era nel negozio. Gli sono caduti quindici euro. Quando li ha raccolti, l'italiana l'ha visto e ha pensato che li avesse rubati dalla cassa. Io lo conosco bene Pavel, non è un ladro.» «Così il maghrebino per punizione l'ha aggredito?» «No» risponde Mario, «il pestaggio è avvenuto il giorno dopo.» Mario racconta che Pavel ha protestato. Non solo per la storia dei soldi. Anche per lo sfruttamento dei braccianti. Il giorno dopo, il 20 luglio, il caporale maghrebino va a cercarlo nella sua stanza, nella palazzina sventrata. Sono le due del pomeriggio. Pavel sta dormendo. Quella mattina nessuno lo ha preso nei campi. Il caporale lo colpisce nel sonno. Pavel si protegge la testa con le braccia. La sbarra di ferro gli rompe le ossa. Gli frantuma i gomiti. Gli apre ferite profonde nella carne.

«Non l'ha ucciso soltanto per l'intervento dei suoi compagni di stanza» dice Mario. Pavel è in fin di vita. Il maghrebino lo lascia sanguinare nel suo giaciglio. Il materasso si impregna di rosso. Nessuno chiede aiuto. Gli altri braccianti hanno troppa paura del caporale. E anche di chiamare la polizia. Perché correrebbero il rischio di essere rimpatriati e perdere così l'unico lavoro possibile. «Alle otto di sera» continua Mario, «uno di noi si è allontanato di nascosto, ha raggiunto una casa e ha telefonato all'ospedale.» L'ambulanza e la pattuglia dei carabinieri sono arrivati al borgo cinque ore dopo.» È l'una di notte. Dopo undici ore Pavel viene finalmente soccorso.

«Ma non finisce così» dice Mario con un sorriso. E continua a raccontare. Il 31 luglio Pavel viene dimesso dall'ospedale di Foggia. È stato operato alle braccia da appena quattro giorni. Secondo i medici, può andare a casa. Certo, perché di solito un paziente quando lascia l'ospedale va a casa. Pavel ha due mesi di prognosi. Tutte e due le braccia ingessate. Ferri e chiodi nelle ossa. Medici e infermieri lo consegnano alla polizia. E in questura lo trattano da immigrato clandestino. Anche se è romeno e nel giro di poche settimane i romeni saranno cittadini dell'Unione Europea. Con le braccia immobilizzate, Pavel non riesce a impugnare la penna. Un dirigente della polizia, siglando la notifica del decreto di espulsione, scrive che lui si rifiuta di firmare. Nemmeno la Prefettura di Foggia, la stessa che ha fatto arrabbiare l'ambasciatore polacco, approfondisce il caso: nel decreto di espulsione annotano che Pavel è «sprovvisto di passaporto». Un'aggravante. Eppure Pavel il passaporto ce l'ha. Alla fine, non trovando sistemazioni alternative, un ispettore gli dona dieci euro. E una macchina della questura lo riporta al Villaggio Amendola. L'unico luogo dove forse Pavel può sopravvivere nei due mesi di convalescenza. Almeno questo crede lui.

La macchina della polizia lascia Pavel davanti al negozio. Il caporale maghrebino se ne occupa subito. Dimostra a tutti chi comanda. Lo manda via. E Pavel va a rifugiarsi in un casolare a un chilometro dal borgo. «Gli abbiamo portato noi da mangiare» racconta Mario, «come a un cane. Acqua e un po' di pane. E sempre in segreto. Nelle nostre condizioni non potevamo fare altro. Ci siamo accorti che Pavel stava male. Non mangiava.

Aveva la febbre alta, dolori forti, le mani gonfie. Dopo nove giorni di sofferenze, un nostro amico è riuscito a contattare un avvocato di Foggia.» «Come si chiama l'avvocato?» «Ha un cognome complicato. Nicola si chiama, mi sembra. Lui è venuto al casolare. Ha preso Pavel e l'ha portato in ospedale. Gli ha salvato la vita.» «Dove lo trovo?» «Chi, l'avvocato? A Foggia» risponde, «sicuramente a Foggia.» «Grazie Mario.»

Ci si abbraccia da amici. Anche se ci conosciamo da poche ore. Lui stringe gli occhi sorpreso dall'improvviso cambio di programma. Saluta ancora con la mano aperta. La pelle, sul palmo e sulle braccia, è maculata di un verde inconfondibile. Adesso bisogna uscire a piedi dal borgo. Senza passare davanti al negozio del maghrebino. Un lungo giro nei campi. Fino alla macchina, nascosta vicino a una masseria abbandonata, lungo il viottolo asfaltato che riporta a Foggia.

Basta un controllo su Internet all'elenco degli avvocati. E poi una telefonata. L'appuntamento è per la mattina dopo, sulla superstrada che dalla città porta al mare. Proprio di fronte all'aeroporto militare di Amendola, la pista da cui decollarono le fortezze volanti nella guerra di liberazione contro gli eserciti di Hitler e Mussolini. L'avvocato che ha salvato Pavel scende dall'auto. È un uomo giovane, normale. Stringe la mano. Sfoga subito tutta la sua indignazione. Non solo da esperto di legge. Non solo da cittadino. La sua è l'indignazione di un ex poliziotto che per anni, prima di laurearsi in giurisprudenza, ha servito lo Stato. E continua a crederci.

«Pavel in quel casolare sarebbe morto» racconta, «era denutrito. Le ferite delle operazioni alle braccia si erano infettate. È stato ricoverato per setticemia.» «Dov'è adesso?» «In ospedale. Sto andando a prenderlo, oggi lo dimettono. Volete venire con me?»

Pavel aspetta in corridoio. È un padre silenzioso. Impaurito. Si muove lentamente, come se fosse ancora stordito dalle botte. È già pronto per uscire. Maglietta blu, jeans e ciabatte, le sue uniche proprietà. Gli hanno tolto il gesso. Ma le sue braccia, fasciate di bianco ai gomiti, sono dritte. Immobili. Non può nemmeno avvicinare le mani alla bocca. «Avvocato, così com'è non riuscirà mai a mangiare da solo.» «Ho trovato una casa d'accoglienza a Foggia dove potrà rimanere per qualche tempo» spiega lui, «ma prima andiamo in questura.» «In questura? Pavel rischia l'arresto per immigrazione clandestina.» «No, non c'è pericolo» sorride l'avvocato, «ho già parlato con loro. Chiederò una sospensione dell'espulsione per gravi motivi di salute. E poi Pavel deve formalizzare la sua denuncia contro chi l'ha ridotto così. State tranquillo, potete telefonarmi più tardi e vi dico com'è andata a finire.»

La giornata prosegue verso Nord. Tra le casupole del Ghetto. Così lo chiamano i suoi prigionieri. Ci abitano soltanto braccianti africani. È una schiera di piccole case della riforma agraria. Se le leggi del lavoro in Europa fossero uguali per tutti, questi uomini potrebbero avere un appartamento pulito, un'auto. Anche una moglie e dei figli. Invece vivono a giornata nelle campagne qua intorno. Come Yussuf, 37 anni, che ride sinceramente felice quando sente che questo lungo viaggio è passato nella sua città, Kaolack. Yussuf racconta che in Senegal ha lasciato un appartamento con acqua e luce per abitare da cinque anni in questo tugurio. Senza acqua né elettricità. Dormono su quindici materassi. Dieci materassi sul pavimento di due stanze e cinque nel garage. Ma, dice, in questa stagione la casa, ogni casa, ospita più di trenta uomini. Tutti immigrati dall'Africa. La maggior parte di loro è sbarcata a Lampedusa. «Arrivano per i pomodori» spiega Yussuf, «poi si spostano nelle altre parti d'Italia dove l'agricoltura offre lavoro solo a noi africani.»

Il loro gabinetto è l'uliveto accanto alle casupole. La fonte più vicina è a un chilometro. Se fossero profughi di guerra, avrebbero l'acqua a centocinquanta metri al massimo. Lo prevedono le regole umanitarie nei campi delle Nazioni Unite. Ma qui non c'è nemmeno il rubinetto. L'unica sorgente d'acqua è la sottile perdita di un grosso giunto dell'irrigazione. Non è potabile. Ci vuole una pazienza soltanto africana per riempire i secchi. Il pane e i bidoni d'acqua da bere, chi se lo può permettere, li compra al supermercato. Vanno in pullman a Foggia. Dopo due chilometri a piedi fino alla fermata. E due chilometri al ritorno. Poi devono stare attenti che le scorte non vengano toccate dai topi. Senza elettricità, nessuno ha il frigorifero.

Yussuf dorme sullo stesso materasso di Amadou. Non sono braccianti stagionali loro. Hanno il permesso di soggiorno. Raccontano che abitano qui tutto l'anno. Lavorano con i pomodori, i broccoli e i carciofi da piantare o da raccogliere. Le vigne da pulire. La vendemmia. I campi da curare. Il loro padrone però li chiama solo due settimane al mese. Le altre due li sostituisce con qualcun altro. Così tiene le loro paghe più basse. I soliti tre euro l'ora, dodici ore al giorno. A fine mese, quando c'è tanto lavoro, lo stipendio non supera di molto i trecento euro. «Oggi ad esempio non è venuto a chiamarci» spiega Yussuf. «Il padrone dice che per due settimane al mese non gli conviene metterci a contratto. Dobbiamo prendere o lasciare. In Italia la gente è furba.» Se fossero assunti regolarmente, pagherebbero i contributi per la pensione e la malattia. E riceverebbero il sussidio previsto per i braccianti italiani per ogni giorno non lavorato. Sono 4200 euro all'anno per chi, come loro, sta nei campi più di 151 giorni. Yussuf e il suo amico lavoravano al Nord, in provincia di Bergamo.

«Facevo il muratore» racconta Amadou. «Una mattina, sapendo che avevo già rinnovato il mio permesso di soggiorno, il capomastro mi ha licenziato e mi ha ripreso in nero. Così mi poteva pagare molto meno, no? E quando non ha avuto più bisogno, mi ha scaricato.» Anche la storia di Yussuf è simile. Da quei giorni di delusione, si sono avvicinati all'Africa. Non solo mentalmente. Sono scesi a Sud, tanto per cominciare. «Tra pochi mesi scadranno i nostri permessi di soggiorno» dice Amadou, «e se nessuno ci assume, diventiamo clandestini. Il grosso problema è questo ora. Sono stanco. Dopo anni, è come se fosse ancora il mio primo giorno in Italia. Qui io ho trovato condizioni peggiori del Senegal. Non riesco nemmeno a mandare aiuti a casa. Non appena posso, me ne vado. Ma per andar via, amico mio, servono soldi.» Prima di lasciarli, manca una domanda. Non restano altri tentativi per ritrovare i compagni di viaggio del Sahara. Daniel e suo fratello Stephen, soprattutto.

«Sono nigeriani, hanno attraversato il deserto. Potrebbero essere qui.» «Sei sicuro che siano arrivati qui?» chiede Yussuf. «Sicuro no, ma a volte il mondo non è così grande.» Lui spiega che gli unici nigeriani li ha visti vicino al tubo dell'irrigazione. Li va a cercare. Torna con un ragazzo. Lui ascolta la domanda. Vuol sapere nome e cognome. Ci pensa. «Tutti noi abbiamo attraversato il Sahara. Ma nessuno» dice, «qui si chiama come i tuoi amici.»

Le casupole e i terreni gialli bruciati dal sole ondeggiano nello specchietto retrovisore. Lasciare il Ghetto dopo il tramonto, quando file di braccianti tornano a piedi dai campi, è come attraversare un quartiere di Soweto. Non la metropoli sudafricana di oggi. Questa gente vive come vivevano a Soweto negli anni peggiori dell'apartheid.

Finalmente l'avvocato di Pavel ha riacceso il telefonino. «Venite subito?» chiede: «Ci vediamo nel parcheggio sotto la questura. Sono ancora qui. Non posso dirvi altro». La sua voce non è tranquilla. Ma al parcheggio non c'è nessuno. Il telefonino è di nuovo irraggiungibile. L'avvocato esce che è già buio. I suoi occhi brillano di lacrime. Scuote la testa. Trattiene le imprecazioni.

«Me l'hanno arrestato» rivela. Il suo sguardo sale al terzo piano. Alle uniche finestre illuminate. «Io avevo parlato con un ispettore» racconta l'avvocato, «mi aveva garantito che avrebbero sospeso l'espulsione. Motivi di salute. E anche per motivi giudiziari. Pavel ha diritto di portare avanti la sua denuncia contro il caporale. Invece il capo di turno in questura e il magistrato, non so chi dei due, hanno deciso di arrestarlo.» «Adesso sappiamo da che parte sta la legge. Lo portano in carcere?» «Credo che lo terranno nelle camere di sicurezza. Verrà processato al più presto per non aver rispettato il decreto di espulsione.»

La legge, quando non è ispirata a principi di giustizia, sa essere spietata. Perfino beffarda. Pavel aveva i chiodi nelle ossa. Aveva le ferite ancora fresche per le operazioni con cui, quattro giorni prima, gli avevano ricostruito le braccia. Ma quella mattina, quando medici e infermieri l'avevano consegnato alla polizia, per lui era cominciato il conto alla rovescia. Entro cinque giorni sarebbe dovuto tornare in Romania. Non solo. Sarebbe dovuto uscire dall'Italia dall'aeroporto di Roma Fiumicino. Così in prefettura avevano scritto nel decreto di espulsione. Pavel da anni lavorava in Italia. Aveva raccolto pomodori per i piatti degli italiani. Adesso che le sue braccia non servivano più, lo buttavano via. Lui, dimesso dall'ospedale senza assistenza medica, senza possibilità di curarsi, senza soldi per mangiare, era obbligato a comprarsi un biglietto aereo. Magari pagando la soprattassa. Perché con le sue braccia rigide, ingessate in quel modo, leggermente aperte, di sedili sull'aereo Pavel ne avrebbe occupati due. Lo Stato premia giustamente i dipendenti valorosi con motivazioni che spesso richiamano lo sprezzo del pericolo. Se il potere avesse il coraggio di tutte le sue azioni, anche a questi benemeriti servitori della legge andrebbe data la medaglia d'oro al valore. Per l'alto sprezzo del ridicolo. Un riconoscimento se lo meritano davvero. Perché la legge non l'hanno inventata loro. Sono stati obbligati a rispettarla. Diligentemente.

La notte passa in auto. Senza più sapere cos'altro cercare. Un giro senza senso tra le campagne di Cerignola, Borgo Libertà, Stornara, Stornarella, Orta Nova, Rignano, San Severo, il Ghetto, Villaggio Amendola, Foggia. E poi ancora il grande gelso, le piantagioni di pomodori, le vigne, gli immensi uliveti. L'aria calda dell'estate mediterranea dentro i finestrini abbassati. La musica di *Wish you were here* a tutto volume. Sempre la stessa canzone. Ripetuta per ore. Dopo quella notte nella gabbia a Lampedusa, le sue parole sono un martello. Come la rabbia di Bilal quando si insinua nei pensieri.

La mattina dopo l'avvocato è preoccupato. «Pavel ha passato una notte di dolori. Nella cella l'hanno fatto sdraiare sulla panca di legno» racconta dopo aver chiesto informazioni in questura. «Un uomo con le ossa rotte non va trattato così. Hanno dovuto chiamare un medico perché gli iniettasse un tranquillante.» All'udienza per direttissima l'avvocato chiede il rinvio del processo in autunno. Il giudice lo concede. È la prima decisione a favore di Pavel. La prima in un mese, dal pomeriggio in cui è stato massacrato a sprangate. L'ex cuoco viene scarcerato. Può rimanere in Italia per essere curato. Rischia comunque da uno a quattro anni di prigione. Una condanna prevista dalla legge italiana sull'immigrazione. Più di quanto potrebbe prendersi il caporale maghrebino, che intanto resta libero.

«Dove siete?» domanda l'avvocato al telefono, di ritorno dall'udienza. «Sto andando all'ospedale a San Severo. Tre giorni fa hanno ricoverato una donna. L'hanno messa a raccogliere pomodori all'ottavo mese di gravidanza.» Lui resta a lungo in silenzio. «Chiamatemi quando volete» dice e chiude. Pavel avrebbe allungato l'elenco degli schiavi uccisi. La sua morte l'avrebbero probabilmente classificata tra le cause naturali. Del resto, come contraddirli: una setticemia non è una causa violenta.

Il 19 aprile 2005 il medico legale definisce «naturale» anche la fine di Dariusz, 33 anni, un bracciante polacco trovato morto a Cerignola. Qualcosa di innaturale invece c'è. Prima della sepoltura i familiari lavano il cadavere. E scoprono che è «pieno di sangue» come è scritto nella segnalazione inviata all'ambasciata polacca, «la testa gonfia, sul viso abrasioni, sul corpo segni di botte, nei pugni stretti la terra». La storia di Dariusz è la prima di un elenco di morti sospette di cui la Polonia da allora attende spiegazioni dall'Italia. Di romeni, bulgari, africani non sapremo nulla. Non conosceremo mai i loro nomi. Nemmeno quanti sono gli scomparsi. Nessun ambasciatore è venuto a chiedere indagini per loro.

Perfino un bambino mai nato verrà dimenticato tra gli eventi naturali. La mamma, Liliana, 20 anni, è una bracciante romena. Queste sono le settimane più calde dell'estate, con le temperature sempre sopra i quaranta gradi. Eppure anche lei, all'ottavo mese, viene mandata a raccogliere pomodori. Né il marito, né il caporale, né il padrone italiano pensano di doverla proteggere dal sole e dalla fatica. Due braccia in più aggiungono il loro valore. Liliana arranca con il suo pancione. Fino al momento in cui comincia l'emorragia. È nei campi quando vede il sangue. Per due giorni resta senza cure nel rudere in cui abita. Gli schiavi sgobbano sodo, ma non hanno il medico della mutua. Sabato il marito decide finalmente di rischiare l'espulsione. Accompagna Liliana al pronto soccorso, a San Severo, città di ex emigranti e agricoltori. La mettono subito in rianimazione. Addormentano la mamma. Fanno uscire il bambino con il taglio cesareo. Questa volta in sala operatoria non si aspettano strilli. Il ginecologo ha già sentito il silenzio nella pancia. Ma a Liliana nessuno ha ancora detto la verità.

Quante sono le vittime collaterali di questa economia criminale? Agli agricoltori l'industria alimentare italiana paga i pomodori da 4 a 5 centesimi al chilo. Sulle bancarelle lungo le strade di Foggia i perini salgono già a 60 centesimi al chilo. A Milano costano 1,20 euro quelli maturi da salsa e 2,80 euro al chilo i pomodori ancora dorati per l'insalata. Al supermercato la passata di pomodoro costa da 86 centesimi a 1,91 euro al chilo. I pelati da 1,04 a 3 euro al chilo.

E a Stornara sotto il grande gelso, nemmeno stasera che il mese di agosto è finito, ci sono soldi per comprare un pezzo di carne. È già buio. Asserid e Adama, seduti sul divano ai piedi dell'albero, bagnano bocconi di pane dentro la solita brodaglia di pomodoro e cipolla. Vogliono sapere com'è andata la settimana. Mohamed è partito in bicicletta a riempire due bidoni d'acqua. Il vecchio tuareg, su una sedia arrugginita, sfrutta la scarsa luce del fuoco e sfoglia senza leggere le pagine sbiadite di un numero di «Jeune Afrique». Stasera gli va di parlare di sé. Non è poi così vecchio. Rivela che ha 63 anni. Fisico asciutto, gli occhi stanchi. Faceva l'operaio in Francia, da anni alla Renault. «Mi sento più francese che africano» ammette, «però non ho mai chiesto la cittadinanza quando potevo. E questo è stato il mio errore, forse.» «E perché siete arrivato qui?» «Perché ho avuto un casino con il rinnovo dei documenti. È scaduto il permesso, ho perso il lavoro. Qui, anche senza documenti, qualcosa per sopravvivere ti fanno fare. Alla mia età non è facile. Ho cominciato a riavvicinarmi all'Africa. In tutti i sensi.» Ride.

Di colpo appare Amadou. Il suo sguardo vaga sopra i bagliori del fuoco. Mi vede. Si avvicina. «Come va, Donald?» chiede questa volta in francese. «Non ti abbiamo più visto con noi. Dove hai dormito?» Sembra cordiale stasera. Sparisce. Ritorna vicino al divano sotto il grande gelso. «Donald, non te ne andare. Giovanni è molto arrabbiato con te perché hai lasciato la squadra.» Asserid e Adama smettono per un attimo di mangiare. Il vecchio continua a sfogliare la rivista. «Vado a dire a Giovanni che sei qui» avverte Amadou. Sa bene da che parte stare. Tra tanti uomini costretti a inginocchiarsi sui pomodori, lui ha scelto i caporali. Mi vede prendere la bicicletta mentre si avvia a piedi verso la strada asfaltata. Torna indietro. «Aspetta, Donald. Giovanni sarà qui a momenti. Abita vicino.» «Non me ne vado, Amadou. Ti seguo fino alla casa di Giovanni. Così sentiamo cos'ha da dirmi.»

Lui, calzoncini corti, maglietta e ciabatte, muove le sue gambe magre sui sassi del viottolo. All'incrocio con il lungo rettilineo siamo ancora insieme. Amadou svolta a sinistra. Io mi alzo sui pedali e giro a destra. Spingo con tutte le mie forze. È il momento di scappare. Nel buio. L'inizio di dieci chilometri di volata. Con il cuore in gola, verso l'albergo dove mi aspetta Rocco. Inutile prendere il telefonino e chiamarlo. Perdere tempo stasera è pericoloso. Meglio sfruttare l'unico vantaggio prima che Giovanni si metta in macchina. Prima che decida di chiamare i suoi sgherri e venire a darmi la caccia nei campi. Me ne vado così. Senza poter dire addio all'amicizia di Asserid, Mohamed, Adama. Senza poter salutare in tamashek il vecchio tuareg. Voltandomi un'ultima volta. Solo per vedere quanto è lontano Amadou.

13

Ritorno ad Agadez

L'estate dopo nulla è cambiato sulla pianura degli schiavi. Sono tornato per incontrare un bambino. Il piccolo Kacper. Lui ride sempre. Ma è solo una fotografia sulla lapide, nel cimitero del paese. Aveva due anni quando, in novembre, a Stornarella, un cancello gli è caduto addosso. Da quel giorno sua sorella, Natalia, 6 anni, non cammina più. Il cancello ha colpito anche lei. La credevano morta, è rimasta paralizzata dal bacino in giù. La mamma e il papà di Kacper e Natalia erano arrivati dalla Polonia l'estate scorsa per la raccolta dei pomodori. Li avevano presi come braccianti nel triangolo tra Stornarella, Stornara e Orta Nova. Forse abbiamo lavorato nelle stesse piantagioni. Loro però sono rimasti anche in autunno. Senza contratto. Senza una paga da esseri umani. In queste condizioni è impossibile prendere in affitto una casa dignitosa. Perfino tornarsene in Polonia diventa difficile. Un padrone li aveva sistemati in una casupola, nel deposito del suo cantiere. Così Kacper, Natalia e il loro fratellino di 5 anni vivevano tra ruspe e camion. Non giocattoli. Ruspe e camion veri. Fino al 25 novembre, quando da almeno due mesi governo, opposizione, sindacati, amministratori locali dichiaravano che la schiavitù nell'agricoltura italiana sarebbe stata debellata. Proprio quel giorno, un sabato, il cancello del deposito è caduto.

Durante il viaggio verso la tomba di Kacper, ho rivisto Pavel. È rimasto eroe soltanto per se stesso. Le sue braccia facevano quindici cassoni al giorno: quarantacinque quintali di pomodori lavorando dall'alba a notte. Non è più quello di prima. I suoi gomiti non sono mai guariti. Ora sollevare un sacchetto di pochi etti è già uno sforzo doloroso per lui. Abita in un immondezzaio. Una palazzina abbandonata tra le fabbriche di Foggia. Ha provato a scrivere alle autorità. Ha cercato ovunque. Nessun imprenditore gli ha più dato un lavoro. Soltanto un parroco e l'avvocato, l'uomo che l'ha salvato, gli sono rimasti vicini. Eppure Pavel ha avuto il coraggio di denunciare il suo caporale. Se ancora esiste la cosiddetta società civile, dovremmo essergli tutti grati per averci aiutati a scoprire un criminale. Anche il potere, gli industriali onesti, gli agricoltori dovrebbero dimostrargli gratitudine. Pavel invece mangia alla mensa dei poveri. Non ha soldi da mandare alla sua famiglia in Romania. Per entrare e uscire dalla sua tana, deve strisciare attraverso una specie di tombino. Attento a non calpestare escrementi e rifiuti lasciati da quelli passati prima di lui. Fino al materasso lurido su cui dorme. Fino al sacchetto con le lettere che ha scritto. Un sacchetto appeso alla parete, perché i ratti qua dentro mastichererebbero anche la carta.

A Stornara le porte della stalla, accanto al grande gelso, sono state murate. A fine stagione centinaia di braccianti stranieri, europei e africani, sono stati catturati e rimpatriati. Anche quest'anno verranno sostituiti nei campi da altri come loro. Braccia affamate di lavoro in viaggio verso Nord. Oppure di ritorno verso Sud. Le case abbandonate intorno alle campagne di Foggia sono già piene di schiavi in attesa dei prossimi raccolti.

Il caporale che ha rovinato Pavel ha passato un breve periodo in carcere. Si è preso un avvocato famoso. È rimasto in Italia. Vive già da uomo libero.

«Voi non sapete nulla dei cinquemila egiziani scomparsi?» L'alto funzionario dello Stato se ne sta seduto in maniche di camicia, tra la bandiera blu dell'Unione Europea e il Tricolore italiano. Esattamente in mezzo. Ha partecipato alle trattative con la Libia su immigrazione e rimpatri. Ora si occupa d'altro. «Mi chiedevo se non aveste mai sentito parlare di questa storia. So che avete attraversato il deserto. Magari avete incontrato cittadini egiziani lungo la rotta.» «No, gli egiziani dovrebbero passare lungo la costa. Con me nel deserto ho visto soltanto emigranti dell'Africa sub sahariana. Gli arabi semmai facevano i trafficanti.»

L'alto funzionario si accarezza il mento. Guarda l'antico lampadario. Forse sta meditando se continuare o no. Forse si è pentito per essersi lasciato scappare, con quella domanda, anche un'informazione riservata. Perché rivelata da lui, è una conferma. Si regge a braccia conserte sul bordo della scrivania. «Il ministero dell'Interno egiziano ha chiesto alla Libia dove siano finiti cinquemila connazionali. Gli egiziani, anche se arrivano in Italia da clandestini, restano in contatto con i loro consolati. Magari per rinnovare il passaporto o per altre pratiche. Così i colleghi del Cairo tengono aggiornate le cifre. Ora hanno fatto la somma: nel giro di qualche anno, tra gli egiziani partiti e gli egiziani che loro credevano arrivati in Italia ne mancano cinquemila.» «Forse si sono dimenticati di rinnovare il passaporto».

L'alto funzionario ascolta e si appoggia allo schienale della sedia. «No, loro lo escludono. Credo abbiano informazioni raccolte anche attraverso i familiari. Io non so di più. L'Egitto, in forma riservata, ha chiesto alla Libia dove siano finiti quei cinquemila. I colleghi egiziani sperano siano nelle carceri libiche, dopo gli arresti che i libici hanno fatto per fermare l'emigrazione verso l'Italia. In realtà hanno paura che i connazionali siano stati espulsi nel deserto, a Sud. Per questo chiedevo a voi se aveste incontrato egiziani nel vostro viaggio.»

Un sottile soffio di freddo scende lungo la schiena. Cinquemila uomini, donne, ragazzi, bambini non sono invisibili. Sono venti grossi pescherecci riempiti di passeggeri. Sono quasi duecento barche di legno. Sono un convoglio stracarico di venticinque camion del deserto. Non passano inosservati ai radar, ai pattugliamenti del mare, agli aerei da ricognizione, o alle spie che sorvegliano i confini di terra.

«Voi sapete cosa hanno risposto i libici?» «Non hanno ancora risposto, hanno chiesto informazioni a noi italiani» dice l'alto funzionario. «Possibile che stiano bleffando?» «Credo proprio di no» replica lui, «anche i libici sono sinceramente preoccupati di questa storia.» «E la polizia italiana non ne sa nulla?» «Noi non ne sapevamo nulla.» «Significa che la Libia ha espulso gli egiziani nel Sahara e che questi cinquemila non sono mai arrivati a casa? Cioè, sono morti nel deserto?» «No» risponde lui, «io credo che prima o poi il governo egiziano l'avrebbe saputo se fosse andata così. Egitto e Libia confinano.» «E allora?»

La domanda è uscita da sola. Senza senso. L'alto funzionario comincia a disegnare nell'aria la mappa del Mediterraneo. Fa ampi movimenti con le braccia. Le mani aperte. Le dita distese. Come se stesse cercando un varco su una parete di cristallo perfettamente trasparente. Qui c'è Lampedusa. Qui la Sicilia. Qui c'è Malta. Qui la Calabria. Qui Creta. Qui c'è la Grecia.

«Noi in questi anni, nelle nostre indagini» spiega, «non avevamo mai saputo che esisteva un'altra rotta. Il passaggio che dalla Libia sale verso Nord Est. Verso la Grecia. E non possiamo escludere che in questi anni in molti ci abbiano provato. Anche per aggirare i pattugliamenti che l'Unione Europea sta organizzando intorno a Lampedusa e intorno a Malta.» «Finora però gli sbarchi in Grecia sono rari.» «Appunto» aggiunge lui.

Ci si guarda per un po' negli occhi. L'alto funzionario si abbassa le maniche della camicia. Allaccia i polsini. Sistema il nodo della cravatta. Si alza. Prende la giacca blu dall'attaccapanni e la indossa con un gesto elegante. Il tempo dell'incontro è scaduto. Gira intorno alla scrivania.

«Il viaggio in barca dalla Libia alla Grecia è troppo lungo in quelle condizioni» dice a un certo punto nel breve percorso verso la porta. Si ferma un istante prima di salutare. Conclude la frase: «Io credo che quei cinquemila egiziani siano morti in mare».

Cinquemila annegati. Il conto segreto del governo del Cairo. Soltanto per i morti egiziani. Molti Paesi africani non hanno neppure l'anagrafe. Dei loro figli che il mondo ha smarrito durante il viaggio non sapranno, non sapremo mai. E non c'è un solo monumento nazionale su cui ricordarli. I nostri capi di Stato ogni anno portano fiori agli altari della patria. Si fanno fotografare in commosso silenzio davanti alla tomba del Milite ignoto. È un dovere generoso rendere omaggio ai caduti in battaglia. Ma la nostra Costituzione è fondata sul lavoro. Non sulla guerra. Eppure a queste migliaia di migranti ignoti morti alla ricerca di un lavoro, o agli schiavi uccisi perché un lavoro l'avevano trovato, la Patria non ha ancora dedicato un solo altare. Il cimitero di Lampedusa è pieno di tombe anonime. Un numero al posto del nome e della foto sulla lapide. Basterebbe sceglierne qualcuno. E portarne i resti a Roma, Bruxelles, Strasburgo, Parigi, Madrid, Berlino, Londra, Vienna, Berna. Le mete simboliche dell'altra faccia dell'Europa. Giusto per non dimenticare mai.

Anche oggi la giornata si conclude davanti al computer. Anche oggi nessuna email. Joseph e James non hanno più scritto. Daniel e Stephen non hanno mai risposto. Nemmeno Billy, Bill, Adolphus, Aloshu, Dandy, Johnson, Catherine, Erasmus, Chuck, Peters. Nemmeno gli altri eroi incontrati sulla pista degli schiavi o nella gabbia di Lampedusa. Da giorni ho mandato un messaggio a tutti gli indirizzi che avevo raccolto. L'unica risposta è arrivata da Anthony. L'amico di Vera. Il ragazzo che pregustava l'Italia facendosi chiamare Antonio. Non sa più nulla di Vera. Si sono persi di vista. Anthony risponde per la prima volta. Ha trovato un lavoro da meccanico in un piccolo paese nel Nord della Libia. Dice che il suo padrone è uno perbene. Non l'ha tradito denunciandolo alla polizia. Racconta che dopo il guasto del camion, la seconda parte del suo viaggio è stata una tragedia. È salito su un piccolo fuoristrada per recuperare il tempo perso, il solito Toyota 45 dei trafficanti. Si sono ribaltati scendendo una duna. Cinque passeggeri non si sono più rialzati. Cinque su venticinque sono morti schiacciati. Adesso Anthony ammette che non si può lamentare. Spiega che, con l'aiuto di

Dio, ancora non è stato preso nelle retate decise dal governo di Tripoli e dai suoi alleati europei.

Non poteva che finire così. Di nuovo ad Agadez. Nascosto sui camion che dalla Libia deportano gli immigrati nel deserto. Dal confine vietato ai tamarischi di Madama. Da Madama ai gin di Mabrous. E poi il pozzo di Dao Timmi. La disperazione degli schiavi di Dirkou. Le sabbie insidiose di Kufr, l'unico albero, due corvi che fanno correre un fennek. Le giornate senza ombra nel Ténéré Mellat, galleggiando sui miraggi, le isole di erba secca, la migrazione delle rondini che volano rasoterra come nuotatori controcorrente. Le mosche, il camion disegnato sul cartello e l'acqua fresca di Achegour. Un percorso a ritroso nello spazio, nel tempo, nella solitudine. Con lo stesso tagelmust verde. Lo stesso boubou dell'andata. Travestito da tuareg. Oggi la sosta è più lunga del solito. Da ore non passano camion. Io e Bilal ce ne stiamo seduti sulla sabbia del Ténéré arroventato dal sole. Aspettiamo che qualcuno ci raccolga prima del tramonto. Un autostop nel deserto. Non c'è pericolo. Il pozzo Speranza 400 trema nel silenzio dell'aria infuocata. È vicino. In questi giorni Bilal è rimasto a guardare. Non è necessario usare il suo nome. I passeggeri ammassati come sacchi nei cassoni sono felici di incontrare un italiano. Chissà da quanti mesi volevano sfogare la loro rabbia su un italiano.

Bisogna rileggere gli appunti per capire. Il diario di queste ultime tre settimane di viaggio. Bisogna riguardare sul piccolo schermo della macchina fotografica le foto di Amina, nove mesi, così piccola che è ancora senza capelli. La bimba è immobile, arrotolata in una coperta. Tra le pieghe, tanta polvere e i suoi due occhi neri. Amina viaggia avvolta in quel fagotto perché il sole non la bruci. Da dieci giorni e nove notti la mamma la stringe tra le braccia. È preoccupata che i sobbalzi, la stanchezza o un colpo di sonno la facciano cadere dal camion. Abdulmagid, dieci mesi, piange affamato. Il seno della madre, sfinita e preoccupata, da qualche giorno non ha più latte. Mariana, 8 anni, sta da giorni accovacciata con altri centocinquanta deportati. Uomini, donne, bambini. Quando fa buio e qualcosa intorno la spaventa, Mariana cerca le mani della sorellina e del cuginetto, 5 e 3 anni. E le stringe forte.

Amadou, 3 anni e mezzo, e Suleyman, 2 anni e qualche mese, hanno perso i genitori. Mamma e papà non sono più con loro. Sono rimasti bloccati con un altro carico di rimpatriati. Erano partiti insieme. Poi di notte i camion si sono separati. I loro genitori sono forse più avanti. O forse indietro. Lo scopriranno all'arrivo. Tra una settimana, inshallah, se Dio vuole. Se i gin, gli spiriti del deserto, saranno teneri.

Eppure l'Italia l'aveva garantito davanti all'Unione Europea. Nessuno sarà espulso nel Sahara. I campi di detenzione nel deserto non si faranno. I rimpatri avverranno soltanto in aereo. In una intervista in tv, un sottosegretario del partito degli ex fascisti aveva mascherato i fatti con le parole. Ma a rileggerla ora la sua è un'ammissione di responsabilità.

«La Libia da un certo punto di vista si trova in zona Schengen» aveva spiegato con soddisfazione il sottosegretario, ricordando la convenzione tra gli Stati dell'Unione. «Il primo effetto politico di questi accordi è che la Libia riprenda sul proprio territorio i clandestini nei cui confronti non è stata capace di fare opera di sbarramento.»

Da quei giorni l'apparato di sicurezza libico lavora a pieno ritmo. Tutti gli stranieri caricati sui camion confermano le email di Joseph e James. Raccontano di retate all'alba. Casa per casa. Oppure per strada o davanti ai luoghi di lavoro. Parlano di decine di migliaia di persone rinchiuse in pochi mesi nel campo di detenzione di Al Gatrun in mezzo al deserto. E poi affidate alla roulette russa del Sahara. L'opera di sbarramento annunciata nell'intervista in tv. Ecco come il colonnello Gheddafi, leader della libertà, sta accontentando l'Italia. Il favore promesso in cambio dei contratti internazionali per l'ammodernamento dell'industria petrolifera e la vendita di gas e petrolio. Gli idrocarburi danno immense ricchezze. Ma soltanto se qualcuno li compra.

Non è stato semplice raccogliere informazioni in queste tre

461

settimane. Certe notizie nel Sahara si spostano come all'anno mille. Con la voce dei viaggiatori. Così bisogna viaggiare per sapere. Quindici giorni fa un convoglio umanitario ha attraversato il confine dalla Libia al Niger. Medici dell'associazione francese Les enfants de l'Aïr. Quattordici grossi fuoristrada carichi di farmaci per la regione di Agadez. Il loro passaggio è la salvezza per diciannove immigrati espulsi. I medici raccontano di quindici ragazze e quattro uomini. Sono scheletri con poca pelle addosso quando vengono avvistati. Prima una fila di dodici. Poi cinque. E di notte, nel cono dei fari, altri due. Stanno camminando sulle tracce lasciate dai camion. Ma seguono direzioni diverse. Lungo la pista di sabbia tra l'oasi di Tajarhi e Tumu, gli ultimi duecentoventi chilometri di deserto libico prima del confine. Non hanno più niente con sé. Dicono che da otto giorni, forse dieci, per sopravvivere mangiano le loro feci e bevono urina. Vengono da Nigeria, Benin, Togo, Ghana. Lavoravano in Libia. Spiegano che quando sono stati deportati e hanno visto le condizioni nel campo di detenzione di Al Gatrun, si sono pagati il ritorno su un fuoristrada. Pur di non rimanere altri giorni a soffrire la fame. Perché, dicono, l'acqua anche se scarseggia si trova. Ma nell'accampamento prigione gestito dai militari non c'è abbastanza da mangiare per tutti.

Dopo un giorno e una notte di viaggio i due autisti del fuoristrada, un libico e uno che parla arabo con accento sudanese, costringono le ragazze e gli uomini a scendere. Con la scusa di un guasto li fanno sedere sulla sabbia. I due autisti risalgono sul fuoristrada e scappano. Con i loro bagagli, i soldi, i bidoni dell'acqua, la loro vita. Erano ventidue i passeggeri. Tre muoiono di sete in pochi giorni. «I sopravvissuti li abbiamo caricati e medicati» raccontano i medici francesi durante una sosta sulla sabbia rossa che accoglie il convoglio in Niger. «La notte le ragazze, per ringraziare il buon Dio, hanno cantato un gospel. Abbiamo pianto tutti.» Le ragazze però sul convoglio non ci sono. Nemmeno i quattro uomini.

«Dove li avete lasciati?» «Li hanno presi in consegna i militari libici a Tumu» risponde un medico, «ci hanno detto che li rimanderanno indietro al campo di detenzione di Al Gatrun. Per espatriare, devono rifare i documenti che hanno perso con il bagaglio.» Il medico intuisce il disappunto. «Tutto questo è folle» ammette, «ma noi non potevamo nasconderli.» Nel Monopoli della loro vita, torneranno indietro di altri trecentodieci chilometri. Due giorni e due notti di viaggio, se tutto va bene. Non appena partirà da Tumu il primo camion diretto a Nord. Due giorni e due notti di deserto. Senza più soldi per ripartire. Per ritrovarsi, questa volta sì, prigionieri del campo militare di Al Gatrun. Soltanto le ragazze avranno la possibilità di accorciare la detenzione. Dipende da quanto sono disposte a dare. I soldati sono uguali in tutto il mondo.

Gli uomini dovranno invece aspettare. La lista per salire sui camion ingaggiati dal governo libico è lunga. Non appena sarà il loro turno, partiranno senza viveri né acqua. Dovranno contare sulla generosità degli altri deportati. Sanno sicuramente che in caso di guasti nel Sahara, saranno i primi a morire.

Hassane, 22 anni, del Benin, è l'unico dei sopravvissuti che ha potuto rimanere a Tumu e continuare il viaggio. Lo ha salvato il passaporto che si era tenuto in tasca. I libici lo hanno caricato sul primo convoglio arrivato da Al Gatrun. Ci incontriamo nel groviglio di braccia e bagagli che per il sovrappeso fa dondolare paurosamente questo camion. Hassane se ne sta accovacciato. Sofferente. Gli occhi puntati sui suoi piedi nudi pieni di croste per la disidratazione. Bisogna guardarlo per capire che morte hanno fatto i suoi compagni. Bisogna osservare la sua pelle ustionata. Le piaghe che gli si aprono sulle guance. Gli occhi asciutti e arrossati da un'infezione. Ogni tre, quattro ore Hassane chiede a qualcuno la borraccia. Subito dopo stringe forte le labbra per non perdersi nemmeno il sapore di quel sorso di vita.

Davanti al fortino di Madama, nove grossi camion Mercedes attendono da ore il via libera per ripartire. Raggomitolati all'ombra delle ruote e dei tamarischi, macchie nere di corpi sfiniti si allargano sullo sfondo rosso. Nove camion sono più di millecinquecento persone. Adesso con loro i militari sono più ragionevoli. Non li frustano come all'andata. Non li rapinano. Si accontentano di chiedere mille franchi a testa, un euro e cinquanta. A fine giornata fanno più di duemila euro di mance da dividere in proporzione tra la truppa e i sottufficiali. Chi non ha soldi, però, non viene più abbandonato al suo destino. Tanto è come se lo fosse.

A duecento metri dai bidoni sforacchiati del posto di blocco di Madama, hanno sepolto un ragazzo del Ghana. Magobrì, 20 anni, lo ha visto morire. Da due anni Magobrì lavora come portatore d'acqua per i soldati. Era partito per la Libia. Il suo viaggio si è fermato a Madama. Si è fermato, ma solo per la carta geografica. Lui non ha mai smesso di percorrere chilometri. Ogni mese ne fa centinaia a piedi. Tra il pozzo e la caserma, con i bidoni in spalla.

«Era gennaio, quella sera faceva freddo» racconta Magobrì, «i cani selvatici abbaiavano e ringhiavano. Sono uscito a vedere. Quel ragazzo era appena arrivato dalla Libia. Forse si era allontanato dal camion per fare un po' di toilette. L'ho sentito gridare. Alla luce della luna ho visto una persona che correva. È caduto. I cani continuavano a sbranarlo, ma non si vedeva più niente. Quando l'abbiamo ritrovato, era già morto. I cani gli avevano mangiato la gola e le gambe.»

In una cella del fortino militare sono accumulati i bagagli di undici deportati morti in un altro incidente. «Un camion si è rovesciato sul versante libico. Sono morti in tanti. A noi hanno consegnato soltanto i bagagli degli undici passeggeri del Niger. I loro familiari dovrebbero venire fin qui a riprenderseli. Ma non verrà nessuno» prevede il sergente capo che oggi comanda a Madama. Un altro camion troppo carico si è rovesciato lungo la salita verso il passo di Tumu. Non tutti sono riusciti a saltare prima che si ribaltasse. Cinquanta deportati sono rimasti schiacciati.

«Ogni giorno ci sono morti nel deserto» dice il sergente capo: «Noi non abbiamo mezzi di soccorso e spesso gli incidenti li scopriamo dopo mesi. I cadaveri vengono sepolti sul posto». «Avete una lista?» Lui sorride gentilmente. «No, nessuno ha compilato una lista delle vittime e dei dispersi. Solo Dio la conosce.»

Si riparte su un altro camion. Una ragazza seduta davanti, quando sente che a bordo c'è un italiano, si volta e si presenta. Bessy, 27 anni, nigeriana, è una deportata volontaria. Nel senso che si sta pagando il suo rimpatrio. Viaggia con il fratello, Johnathan, 25 anni, laureato in ingegneria, un beautycase di plastica e un sacco con il frullatore elettrico che è riuscita ad afferrare quando è stata prelevata dalla sua casa a Tripoli. La sua prima domanda è la stessa che fanno tutti.

«Perché l'Italia ha fatto questo contro di noi?» chiede Bessy. «Avevo un lavoro, facevo le pulizie nelle case. Io non volevo venire in Europa. Un mese fa la polizia mi ha presa da casa e messa in un campo di concentramento per africani, vicino a Tripoli. Le condizioni nei campi di Tripoli e Al Gatrun sono terribili. Prendono le ragazze più giovani, anche di 14 anni, e le fanno prostituire con i militari. In cambio della possibilità di rimanere. Oppure di partire, dipende se vogliono continuare a fare le prostitute oppure no. Dovete chiedere aiuto ai governi europei e al governo nigeriano. Tutto questo è una vergogna.»

Il fratello di Bessy ha passato quattro mesi nel campo di detenzione. «Da tre anni facevo il saldatore a Bengasi» racconta Johnathan, l'ingegnere, «dopo l'accordo con l'Italia, l'atteggiamento di tutti i libici verso noi immigrati è peggiorato. Il mio capo ha cominciato a dire che il lavoro che facevo non gli piaceva. E non mi pagava. Chissà come mai prima gli era sempre andato bene. Ogni giorno scoprivi che un tuo vicino di casa o un collega era scomparso. Dovevamo vivere nascosti come topi.» All'orizzonte davanti a noi brilla il bianco calce della piana di Mabrous. Johnathan cerca di distendere le gambe tra i corpi intorno. «Ho deciso che era il momento di scappare in Europa. Sono arrivato fino a Lampedusa» rivela, «su una barca, una lampa lampa. Molti, per sfuggire alle retate, sono partiti per l'Italia. Anche quelli che in Libia avevano lavoro e documenti e in Europa non sarebbero mai venuti. Io ho pagato 700 dollari. Ma nessuno mi aveva detto che Lampedusa è una piccola isola.» Johnathan ride. Come se tutto questo fosse solo uno scherzo.

«La polizia italiana ci ha presi e riportati a Tripoli in aereo.

.io fatto quattro mesi di detenzione, ma ho ritrovato Bessy. Lei» continua il fratello, «era riuscita a nascondere qualche risparmio. Così quando ci hanno trasferiti nel campo di Al Gatun, non siamo rimasti a lungo.»

Il proprietario di questo camion è un libico della regione di Sebha. Mansour, 35 anni, baffi, pizzetto, tuta da ginnastica grigia e sandali di cuoio, prende aria affacciato al finestrino. Durante il viaggio sta seduto in cabina, accanto a Yussuf, l'autista nato in Ciad. «Ehi, italiano» grida e saluta attraverso il grande specchio retrovisore. «Bella l'Italia» dice durante una sosta, «volevo venirci il prossimo mese in vacanza. Ma con tutta questa gente da riportare indietro, ora c'è troppo da lavorare.» I soldi non gli mancano.

Gli accordi tra Italia e Libia, era stato detto, avrebbero stroncato il guadagno ignobile dei trafficanti di uomini. Ma con le espulsioni sono sempre loro a fare affari. Sono gli unici ad avere mezzi di trasporto. Ci speculano anche. Il viaggio in camion da Agadez ad Al Gatrun costava quarantamila franchi. Ora il ritorno da Al Gatrun ad Agadez costa centomila franchi, più di centocinquanta euro. Sono mesi di paga per un bracciante o un muratore in Libia.

Adesso che il sole è tramontato, giù in cabina s'accende una discussione in arabo. Mansour vuole fermarsi per fare il tè e scaldare un po' di pasta. Ma Yussuf, l'autista, tira dritto. «Dice che qui è pericoloso» traduce Johnathan, «siamo a Mabrous. Ci sono i gin.» Forse non è solo paura di crepitii, sussurri, voci, illusioni.

Questa è una delle pianure preferite dai banditi per gli attacchi ai camion. I deportati volontari hanno avuto tempo di prendersi le loro cose. Esportare dinari libici è vietato. È anche proibito comprare dollari o altra valuta straniera. L'unica via d'uscita per non perdere tutto è trasformare i pochi risparmi in merce. Si compra il più possibile alla partenza. Si rivenderà il più possibile all'arrivo. Stiamo infatti seduti su tonnellate di merce. Sacchi e scatoloni sigillati ermeticamente, giocattoli, vestiti, stoffe, sedie, tavoli, armadi smontati, un letto, pentole, una parabola per la tv, biciclette e tanti altri avanzi di vita quotidiana che chi ha potuto è riuscito a salvare.

A Ovest, la valle impallidita dalla luna quasi piena porta al passo di Salvador. Due carichi di deportati si sono rovesciati da quelle parti. Ventinove morti in un caso. Nove nell'altro, secondo i militari di Madama. Sono però numeri ufficiali che si basano sui corpi ritrovati. Non tutti i cadaveri sono stati identificati. E nessuno sa quanti siano e che fine abbiano fatto le decine di passeggeri che, nella disperazione, hanno deciso di proseguire a piedi. Tra loro, si dice, alcuni immigrati rimpatriati da Lampedusa.

Lassù si è insabbiata anche la vita di tre ragazzi di Agadez. Hakim, 23 anni. Abdramane, 27 anni. Mohamed, 27 anni. Da cinque mesi lavoravano in Libia nel progetto agricolo di Loued, un'oasi lungo la rotta per il Niger. Quando dopo l'accordo con l'Italia vedono passare i primi camion, Hakim è terrorizzato. «Io mi sono indebitato per pagarmi il viaggio in Libia. Non possono mandarmi indietro senza un soldo» dice una notte agli amici nel buio della stanza dormitorio. È settembre. Hakim fa il cuoco nella mensa. Ha un buon stipendio, rispetto ai braccianti. Duecento dinari al mese, quasi ottantamila franchi, centoventi euro. Il suo lavoro è l'unica assicurazione per le due sorelle che vanno ancora a scuola. Il padre di Hakim è vecchio e malato. La madre da anni si arrabatta cuocendo teste di montone sulle strade di Agadez.

Quella notte insonne Hakim ha un'idea. La spiega agli amici: «Andiamo via prima che ci prendano loro. Scappiamo con il fuoristrada del padrone. Ad Agadez lo rivendiamo e ci dividiamo i soldi». Laouan, 25 anni, anche lui nato e cresciuto ad Agadez, risponde che è una pazzia. «Non è legale rubare» sussurra, «e poi come lo attraversiamo il deserto?» Hakim e Laouan sono amici dall'infanzia. Hanno un sogno: lavorare in Europa, poi tornare a casa e aprire un discobar. Una mattina di fine settembre, all'alba, Laouan si sveglia e scopre che è rimasto solo. Dall'oasi mancano i tre amici e un fuoristrada. Passano i mesi. Laouan torna ad Agadez. Espulsione e rimpatrio anche per lui. Degli altri tre ragazzi, ormai in viaggio da cinque mesi, il Sahara fa arrivare soltanto una voce. In febbraio. Un elicottero militare algerino sorvola il confine dove Algeria, Libia e Niger si toccano. I piloti avvistano un Toyota Hilux insabbiato. Accanto, tre scheletri intatti. Ancora vestiti. Dovrebbero essere loro. Avevano seguito quella che i tuareg chiamano mescebed, le tracce che non portano a nulla.

Ho incontrato Laouan mentre viaggiavo di nascosto verso il confine libico. L'unico modo per assistere alle deportazioni senza essere arrestati. Dei tre amici, Laouan conserva sei foto. Hakim in posa su un trattore. Hakim davanti alla stanza dormitorio. Due ragazzi sorridenti dietro il getto di un irrigatore. Hakim e gli altri tra le piante di granoturco... Le ha scattate un libico che lavorava con loro. Hakim aveva insistito per averle. Laouan ancora non sapeva che gliele avrebbe lasciate come souvenir.

La mattina, dopo Mabrous, il caldo aumenta. A mezzogiorno il posto di controllo di Dao Timmi è un'immagine sciolta. Avvolta da un fuoco invisibile. La sabbia e le divise mimetiche dei soldati si deformano in bolle d'aria incandescenti. I piccoli Amadou e Suleyman ancora non sanno dove sono i genitori. Mangiano e bevono quello che gli altri deportati tengono da parte per loro. Qualcuno chiede ai militari se hanno informazioni. Ma nessuno a Dao Timmi tiene l'elenco dei passeggeri. Due soldati vanno lentamente a dire al capitano che c'è anche un bianco con passaporto italiano. L'ufficiale viene a presentarsi poco dopo. Vuole raccontare quello che fanno i suoi militari. Adesso, almeno così sembra, nessuno di loro rapina e bastona i viaggiatori.

«Dalla Libia ci arriva gente malata tutti i giorni» avverte, «il sessanta per cento dei deportati dai campi libici è malato. Hanno sintomi di disidratazione, dissenteria, febbre. I loro bidoni sono spesso sporchi e l'acqua si infetta. Io ho solo una piccola cassetta delle medicine per fronteggiare tutto questo.» Il capitano dice che ha bisogno di farmaci. Accetta scatole di disinfettante, antibiotici, antinfiammatori generici. Gli basteranno per poche settimane.

Scorre davanti a noi un altro giorno a quasi cinquanta gradi. In fondo alla discesa luccicano le stesse palme di Seguedine. Raggiungiamo altri due camion carichi di gente. C'è il pozzo qui. Ci si ferma a riposare. Ibrahim, 25 anni, dice di sentirsi la febbre alta. Non scende nemmeno. Qualcuno va a dormire al riparo delle ruote. Durante la marcia bisogna restare svegli. Ormai tutti sanno che quelli che si addormentano, rischiano di cadere. Mariana porta gli altri bimbi a giocare. Svaniscono controluce nell'ombra gobba dei bagagli, ingigantita dal sole basso. La mamma e il papà di Mariana sono ancora in Libia. «Mio fratello e sua moglie lavorano a Tripoli. Provano a resistere» racconta lo zio, Mamadou. Viaggia con Mariana, la sorellina e il figlio di 3 anni. «Abbiamo deciso di portare via i bambini» spiega, «sì, ci siamo presentati alla polizia per la deportazione volontaria. La Libia non è più sicura.» Vanno riparati due copertoni. Il camion su cui viaggiano Mariana e gli altri bambini resta fermo tutta la notte.

Oltre Pic Zoumri si apre la pianura di sabbia bianca e accecante. La luce colpisce gli occhi con una raffica di spilli. La vista ha spesso bisogno di un riparo. L'unico disponibile sono le mani con cui coprirsi il volto. Il pomeriggio in cielo riappare Dirkou. L'oasi non è cambiata. Chi arriva fin qui senza soldi, diventa suo prigioniero. Come all'andata. Ma qualcosa di nuovo c'è. È arrivato il telefono satellitare. Alcune baracche del mercato hanno una piccola parabola sulle lamiere del tetto. Si possono fare chiamate a pagamento. E poi sono aumentate le case in costruzione. È il lavoro degli schiavi. Impastano l'argilla. Lasciano essiccare i mattoni al sole. Tirano su mura e pareti. Tutto sul posto. Acqua e sabbia a Dirkou non mancano.

Zakaria, 20 anni, suo fratello Souleyman, 21 anni, Kanté, 23 anni, e Aboubacar, 20 anni, lavorano dall'alba al tramonto in un cantiere vicino al commissariato di polizia. Sgobbano senza paga. Soltanto per mangiare. A loro non importa di tornare dai genitori in Mali. «Non abbiamo niente da fare laggiù» dice Zakaria. Sono arrivati con i primi deportati da Tripoli. Adesso aspettano solo il momento buono per tornare in Libia. «Come farete se non vi pagano nulla?» Zakaria infilza la vanga nell'impasto di fango. Si ferma un attimo. «Non lo so» risponde, «ci penseremo quando sarà il momento.»

Patrio, 27 anni, di Yaoundé, capitale del Camerun, ogni mattina quando si sveglia viene sul piazzale di Dirkou davanti alla grande caserma dell'esercito. Resta un buona mezz'ora a guardare a Ovest. Verso Agadez. Poi chiede quanti camion partiranno in giornata. Lo fa per non deprimersi. Non perché stia per andarsene. Racconta che il giorno che è stato catturato nelle strade di Sebha, nel Sud della Libia, non aveva nemmeno uno spicciolo in tasca. E adesso proprio non sa come fare per uscire dall'oasi degli schiavi. La sua storia è identica alle altre. Due settimane di detenzione nel deserto, nel campo di Al Gatrun. Poi l'espulsione. L'hanno obbligato a unirsi a un carico di deportati volontari. L'hanno messo su un camion senza acqua né viveri. Durante il viaggio è sopravvissuto grazie alla solidarietà dei passeggeri. Ma qui a Dirkou nessuno lo aiuta. Non ha neanche le scarpe da vendere. Nel campo di detenzione le aveva scambiate con il giubbotto di un militare per proteggersi dal freddo della notte. Proprio lui che, grazie alle scarpe, stava per diventare famoso. In Camerun Patrio giocava a calcio in serie A. Sognava un ingaggio europeo.

«Un anno e mezzo fa io e la mia fidanzata abbiamo avuto un bimbo» spiega, «l'ho visto nascere e sono partito. Ho dovuto cercare un lavoro più sicuro. Se giochi a calcio in Camerun, non mantieni una famiglia. Per questo sono andato in Libia.» Patrio si ferma ai piedi di un grande salice. «Sono arrivato fino a Sebha, nel Sud. Lì ho fatto l'operaio, in una ditta che produce finestre in alluminio. Lo vedi come sono vestito?»

Sotto il giubbotto dell'esercito libico, Patrio indossa una tuta da lavoro. «Tre settimane fa mi hanno catturato mentre stavo andando in fabbrica. Non mi hanno lasciato tornare a prendere i soldi, né i miei bagagli. Quelli se li rubano il padrone di casa e i poliziotti, quando vanno a saccheggiare la tua stanza. Eravamo tanta gente ad Al Gatrun. Credo più di cinquemila persone. Tutti neri africani.» I suoi occhi vagano verso l'orizzonte del

Ténéré. Sembra non abbia più voglia di parlare di sé. «Tu sai quando parte il prossimo camion?» domanda all'improvviso. «Non lo so, forse domani mi hanno detto.» «Forse domani. Forse dopodomani. Dicono sempre così qui» e quasi scoppia a piangere. «Patrio, per me è importante sapere cosa succede nel campo di Al Gatrun. Puoi essere più preciso?» Sorride. Si asciuga gli occhi. Era un sorriso di timidezza.

«La notte morivo di freddo» racconta, «anche con il giubbotto, faceva freddo. Al Gatrun non è come qui che fa già molto caldo.» «E poi?» Lui si bagna le labbra prima di rispondere. «Poi avevamo tutti fame. Ci davano poco da mangiare. E solo una volta ogni due giorni. Se non capivamo gli ordini in arabo, i soldati ci picchiavano. Io capisco poco l'arabo, chiedevo loro di parlare lentamente. Allora giù bastonate. Hanno portato via intere famiglie e i militari si sono tenuti i loro bagagli. Sacchi, valigie, scatole sono ancora là. All'inizio alla radio avevano detto che donne e bambini non sarebbero stati deportati nel deserto. Invece io ho visto caricare donne e bambini sui camion. Guardami, ti sembro una bestia?» Patrio si risponde da solo: «Magari lo fossi. Nemmeno le bestie in Libia vengono buttate nel deserto come fanno con noi neri».

È facile non accorgersi quando il mondo prende una brutta piega. La banalità del male. Ti fregano con le parole. Basta che in tv dicano che è una normale opera di sbarramento.

Di giorno il paesaggio intorno a Dirkou resta l'affascinante nuvola di polvere e luce ai piedi della grande falesia. Nel recinto della base dell'esercito sono allineati altri nove camion. E intorno, i loro passeggeri appena arrivati. Li stanno depredando con la scusa delle tasse da pagare. Ma nessuno viene più frustato. Dieci passi oltre il filo spinato, un ragazzo della Costa d'Avorio vende sacchetti pieni d'acqua fresca. Li tiene a tracolla dentro una borsa da pic-nic. Si è inventato un mestiere. Non ha scarpe. Non ha vestiti addosso. Soltanto una tunica sporca e stracciata. Non ha nemmeno un frigorifero.

«L'acqua la prendo dai pozzi. Il freddo lo faccio io.» Spiega come. È lo stesso sistema delle ghirbe, le pelli di capra usate da millenni come otri. «Metto l'acqua in un barattolo di ferro» continua nella sua inconsapevole lezione di termodinamica: «Avvolgo il barattolo dentro stracci bagnati e li metto ad asciugare al sole. Non so perché, ma più bagni gli stracci più l'acqua nei barattoli si raffredda. Poi metto l'acqua nei sacchetti e vengo qui». «E vendere acqua permette di guadagnare qualche soldo?» Ride. «È sicuro che non muoio di sete. Ma forse, in tre o quattro mesi, ce la faccio a salire su un camion per Agadez. L'importante non è quanti sacchetti vendo. È avere una scusa per rimanere su questo piazzale.» Avrà vent'anni. Ammette che a scuola ci è andato pochissimo e in Libia faceva il manovale nei cantieri. Dice che ha imparato a essere furbo durante il viaggio di andata. E adesso che sta attraversando di nuovo il deserto alla fine, a Dio piacendo, sarà furbo il doppio. «Se stai qui senza motivo, i militari ti mandano via» spiega poi, «ma se riesci a stare vicino al piazzale dove arrivano i camion, può sempre capitare un'occasione per ripartire. Io ci spero.»

Muhammar, il sergente, dà il suo benvenuto davanti al cancello di casa. È cordiale e ospitale come sempre. Ma ora ha meno tempo da perdere in chiacchiere. L'hanno eletto a capo della comunità rurale di Dirkou. Avverte che ha molto da fare. Adesso quello che dice ha il tono dell'ufficialità. E subito parla dei deportati.

«Amico mio» viene incontro, «hai visto cosa sta succedendo?» «Ho visto.» «Abbiamo tremila, quattromila stranieri bloccati qui. Vieni dentro.» Muhammar si siede sulla stuoia sotto la veranda in giardino.

«Accomodati» dice. «E Gereke?» «L'ho fatto partire dopo qualche mese. Non ho saputo più niente di lui. Il problema» aggiunge per tornare al discorso che più gli sta a cuore, «è che ce li mandano a gruppi di duemila per volta. Per certi periodi, anche duemila persone al giorno.» Muhammar versa l'immancabile tè. «Anche l'altra volta Dirkou era affollata di immigrati.» «È diverso» sostiene il sergente. «Quando i viaggi andavano a Nord, gli arrivi erano più diluiti. Oggi si tratta del peso di duemila persone in un solo giorno, su una comunità di novemila abitanti sparsi su tutte le oasi. È questo impatto che facciamo fatica a sopportare. Non abbiamo grossi problemi di convivenza» ammette Muhammar, «gli stranieri stanno nel loro quartiere. Possono bere alcol, ci sono i bar per loro. Molti però arrivano ammalati. Si ammalano nei campi di detenzione in Libia e i libici ce li mandano così. Noi siamo in mezzo al deserto. Qui c'è bisogno di tutto. Medici, medicine, perfino i quaderni e il materiale per la scuola ci manca. A Dirkou non c'è l'ospedale. Abbiamo solo un medico e un dispensario. Sono già poche cose per noi che non possono risolvere tutte le necessità. Un'altra questione sono i morti.» «Arriva gente morta?» «No, no» risponde lui, «chi muore durante il viaggio viene scaricato e sepolto lungo la pista. Ma quelli che muoiono qui, restano qui. Se sono musulmani, vengono sepolti nel cimitero musulmano. Se sono cristiani, vanno nel piccolo cimitero dove ci sono le tombe dei militari francesi.» Muhammar versa altro tè. Il terzo bicchiere. Dolcissimo. «Come la morte» dice il sergente.

«Avete tenuto un elenco dei deportati? Non riesco a trovare molti miei compagni di viaggio.» Se Joseph e James, Daniel e Stephen sono stati rimpatriati, per forza sono passati da Dirkou. «No» sorride Muhammar, «né dei vivi, né dei morti. È cosa di tutti i giorni la morte di qualche immigrato. Non c'è nessun elenco. Adesso però devo proprio andare, amico mio. Puoi fermarti a riposare, se lo desideri.»

I saluti proseguono fino al cancello. Muhammar apre la portiera del suo grosso fuoristrada. «Abbiamo superato le grandi carestie. Cerchiamo di tirare avanti con il suo aiuto» indica il cielo e sospira, «del resto siete voi italiani ad avere voluto questo, no?» Il sergente di Dirkou sbatte la portiera. Ingrana la retromarcia. Se ne va. Prima che faccia buio, davanti al cancello di Muhammar cammina una fila di ragazzi. Vanno a dormire sulla sabbia nel palmeto. Sono quelli che stanno peggio. Patrio, l'ex calciatore di serie A, è con loro.

Il sole affonda nell'orizzonte. Perfettamente a Ovest. Nello stesso istante in cui la luna piena sorge. Esattamente a Est. Come due pesi simmetrici. Alle estremità dell'immensa bilancia. Uno scende e l'altro sale, contemporaneamente. In mezzo, la sabbia sottile del Ténéré. Da ore non passano camion. Forse adesso è la volta buona. A Oriente si leva un bagliore. Bisogna aspettare che il disco candido della luna si stacchi dal profilo dritto del deserto. La notte avanza rapida. Il cielo a Occidente si sta spegnendo. Quel chiarore a Oriente è sempre lì. Passa una buona mezz'ora perché si possa sentire il suono lontano. Le solite due note arrabbiate. Prima ridotta, seconda. Prima. Prima. Seconda. Prima. Dev'essere molto pesante. Arriva. Tramonta dietro una duna. Risale. Si avvicina. Scompare. Quando risorge, il bagliore si è già sdoppiato in due fari rotondi. L'occasione per una foto. La luna piena sullo sfondo. Il vecchio Mercedes in primo piano che arranca. Nell'obbiettivo appare tutto il suo carico. Un ammasso di passeggeri in bilico sulle merci. Saranno più di duecento. Ogni volta che la lente mette a fuoco, loro cercano di abbassare il busto. È strano. Si proteggono la testa con le mani. Si rialzano. Sono più vicini. La lente rimette a fuoco. Loro si abbassano. Il camion inchioda con uno strappo rumoroso del cambio. Qualcuno si butta dalla sommità. Atterra sulla sabbia appoggiandosi sulle mani.

Viene incontro. Ha le braccia alzate. Urla qualcosa. Parla hausa. Grida parole incomprensibili. Continua a tenere le mani alzate. Le alzo anch'io. È un ragazzo, poco più di vent'anni. Quando è vicino e l'ultima luce del tramonto illumina la pelle dei nostri volti, la domanda la fa in francese. Sempre a mani alzate.

«Dov'è il fucile?» Il fucile? «Quale fucile?» «Tu» dice lui sempre con le braccia alzate, «tu ci hai puntato addosso un fucile.» Vede la macchina fotografica. «Ma è una macchina fotografica?» «Sì.» Accidenti alla messa a fuoco automatica. Dal camion hanno visto la luce rossa. L'hanno scambiata per un puntatore laser. Per un fucile di precisione.

«Guarda che ci siamo spaventati» rivela il ragazzo, «pensavamo fosse un attacco dei banditi. Ci hanno detto che ci sono dei banditi da queste parti, proprio qui al pozzo. Tu sei fortunato.» Abbassiamo finalmente le braccia. «Tu potevi morire» continua lui. «Tu sei fortunato che questa volta siamo senza scorta armata. Se sul camion ci fosse stato qualcuno dei nostri armato, ti avrebbe ucciso all'istante.» Meglio fingere di non aver sentito. Bisogna rimanere calmi e freddi. Perché non è chiaro come andrà a finire. «Siete militari?» «No, non siamo militari.»

Il ragazzo si volta. Grida in hausa ai suoi compagni di viaggio che non era un fucile. Era una macchina fotografica. I passeggeri scendono dal camion. L'autista chiede qualcosa al ragazzo. Lui risponde ancora in hausa. Gli dice che sono un nassarà, un bianco. È a questo punto che l'autista spalanca la portiera, salta sulla sabbia, si avvicina. Corre così veloce che fa svolazzare la jallaba bianca. Urla altre frasi in hausa. Sarà alto due metri. Afferra la macchina fotografica per il teleobiettivo. Forse, davanti a una mitragliatrice, si sarebbe arrabbiato di meno.

Giocare a tiro alla fune contro un fisico alto due metri già non è facile. Se invece della corda, in mezzo c'è lo zoom è tutto più difficile. Lui tira come una furia. Continua a gridare in hausa. L'importante è non cadere. E anche non lasciar cadere la macchina fotografica. «Non parla hausa» lo avverte il ragazzo. «Tu mi hai fotografato in faccia» grida allora l'autista in francese. «No, non ho fatto foto.» È vero. Era già troppo buio per scattare. «No» insiste lui, «io ti ho visto che facevi le foto. Dammi la macchina.» E si butta di nuovo sul teleobiettivo. Lo afferra, cerca di metterselo sotto i sandali per calpestarlo. Nella zuffa, si unisce il ragazzo. Non si capisce cosa voglia fare. Perché il risultato è che ciascuno di noi tira dalla sua parte. Questo almeno allenta la forza del gigantesco autista.

«Ascolta, ti faccio vedere le foto che ho scattato. Se c'è la tua faccia la cancelliamo.» Il marcantonio molla improvvisamente la presa. Tanto che il ragazzo rischia di cadere. Si è convinto. Guarda le foto sullo schermo della digitale. Vede che nell'unico scatto che inquadra il loro camion, sono rimaste impresse soltanto le luci dei fari. Si sistema la jallaba. Chiede di rivedere i volti di Amina, di Mariana, di Amadou, del piccolo Suleyman che ha notato mentre le immagini scorrevano veloci. «Io mi sono arrabbiato perché» ripete, «non voglio che si facciano foto della mia faccia.»

Non appena la situazione è tranquilla, si avvicina sorridente un uomo grassoccio. Ha lo sguardo simpatico, la pancia che gli gonfia la tunica azzurra, una cintura di stoffa annodata intorno alla vita.

«Lui è il padrone del camion. Si chiama Mohamed» lo presenta il ragazzo in francese. «Avete risolto il problema?» chiede Mohamed all'autista. «Bene, allora adesso venite con noi. Abbiamo pasta e tè alla menta. Siete nostro ospite.»

L'autista parcheggia il camion più vicino al pozzo e apre il cofano per raffreddare il motore. I passeggeri lo seguono a piedi. Alla fine ci si siede sulla sabbia intorno alla luce di tanti piccoli fuochi. Il proprietario del camion è un libico di Sebha. Ha 30 anni. Trasporta solo immigrati e deportati. E poche merci. «La merce va caricata, immigrati e deportati sui camion ci salgono da soli.» L'autista invece è scappato dalla guerra in Darfur. Il ragazzo è il kamacho in tacha del carico, un mediatore nato in un villaggio vicino ad Agadez. È lui a rivelare da dove arrivano gli altri due. Ed è sua la spiegazione sulla principale differenza tra merci e persone. «Scusaci» dice il ragazzo, «siamo nervosi perché questo camion ha la targa libica, siamo in Niger e trasportiamo immigrati illegalmente.»

Si uniscono intorno al fuoco anche l'autista e il padrone. «Sicuro che pensavamo che tu fossi un bandito, con la lucina rossa di quel coso che tenevi in mano» sfotte l'autista. Gli altri ridono. «Il mio aiutante mi ha detto che andate ad Agadez, è vero?» domanda il padrone del camion. «Sì, vorrei chiedervi un passaggio.» «Io però non arrivo fino ad Agadez. Vado a Ndjamena, in Ciad. Alla falesia del Tiguidit, giriamo verso Sud. Scarichiamo i nigeriani a Zinder e poi entriamo in Ciad.» «Da quanto tempo siete in marcia?» «Da Sebha a Ndjamena sono un mese di viaggio ad andare, se Dio vuole. Un mese a tornare, inshallah.» «Quindi tornerete vuoti dal Ciad.» Mohamed, il padrone, non si aspettava l'osservazione. Sorride. Guarda il suo autista e

476

il ragazzo. Si volta a vedere chi si è seduto accanto a lui. La luna piena illumina i volti come se fosse l'alba. Le prime stelle di Orione stanno spuntando all'orizzonte. Mohamed butta giù un sorso di tè caldo e sorride un'altra volta.

«Vedete, prima di questa storia delle espulsioni, il mio camion arrivava in Libia sempre pieno. E tornava in Ciad quasi vuoto. Adesso» spiega il padrone, «andiamo a Ndjamena pieni. E tra un mese torneremo pieni. La Libia può decidere di deportare tutti gli stranieri. Ma poi chi pulisce le case ai libici? Chi lavora nelle nostre fabbriche? Nelle raffinerie di petrolio? Devo dire che per me, ma anche per altri trasportatori che conosco, da quando c'è questa storia dei rimpatri i passeggeri sono raddoppiati. Ora riempio i camion in tutte e due le direzioni.» Mohamed prende dal vassoio una manciata di pasta con le mani e se la mette in bocca. «Adesso è solo un po' più pericoloso entrare in Libia con i clandestini» dice dopo aver bevuto un'altra tazza di tè, «perché per andare a Nord dobbiamo attraversare il deserto evitando quasi tutti i pozzi.» «Dunque non passate da Madama?» La domanda è fin troppo ingenua. Il padrone del camion non ha sentito. Oppure finge. «Facciamo un'altra rotta, a Madama ci sono i militari» risponde per lui il ragazzo.

Sono contrabbandieri. Bel risultato dell'opera di sbarramento. Gli accordi tra Italia e Libia hanno raddoppiato gli affari dei trafficanti. Mohamed vuole che ora qualcuno dei suoi uomini racconti la storia del bandito linciato.

«È successo a un giorno di viaggio da questo pozzo» dice il ragazzo, «c'erano tre Toyota con novanta immigrati deportati dalla Libia. Trenta su ogni fuoristrada. Durante una sosta sono stati affrontati da tre banditi. Gli autisti però sono saliti sui fuoristrada e sono fuggiti. I banditi sono rimasti a guardare.» Mohamed versa altro tè e rimette la teiera sul fuoco. «A questo punto» continua il ragazzo, «il capo del carico va incontro al bandito che teneva il fucile, l'unico armato. Lui spara e lo ammazza. Gli altri novanta però gli saltano addosso. Il bandito non riesce più a sparare. Lo disarmano e lo sollevano sopra le loro teste. Novanta persone sono tante. Mentre succede questo, quattro mani, o forse di più, gli stringono il collo. Lo uccidono così, tenendolo alto sopra le loro teste.» «Una brutta morte» ammette l'autista, «ma era un malvagio. Così Dio ha voluto.» «E cos'è successo agli altri?» «Gli altri due banditi sono scappati a piedi» risponde Mohamed, il padrone, «nessuno sa dove siano finiti. Forse avevano un mezzo da qualche parte. I passeggeri hanno sepolto i due cadaveri e si sono seduti ad aspettare. Dopo qualche ora, i tre fuoristrada sono tornati indietro a prenderli.» Interviene il ragazzo: «Se avessero rapinato i Toyota, quei novanta sarebbero morti di sete nel deserto». «Sicuro che sarebbe andata così» aggiunge Mohamed.

«Tu allora sei italiano?» La voce arriva da un gruppo di uomini in piedi. Si erano fermati ad ascoltare. La luna proietta le loro ombre lunghe sulla sabbia appena increspata dalla brezza. Si avvicinano. «Così è per colpa tua se noi siamo finiti qua.» Inutile tentare una spiegazione. La solita storia della democrazia in cui non tutti sono d'accordo con i propri governi. Quando sei schiavo del nuovo mondo, la democrazia è solo una lontana menzogna. Forse ci si mette anche Bilal. È il suo punto di vista a decidere che non devo rispondere. È la sua delusione a voler rinunciare a qualunque forma di difesa.

Comincia un pericoloso processo. In piena notte. In mezzo al deserto. Di fronte a duecento immigrati, prima sfruttati e poi deportati. Dichiarato colpevole soltanto perché sono europeo. Così come l'Italia e la Libia hanno dichiarato colpevoli loro. Soltanto perché non sono europei. Non c'è scampo se la libertà degli individui è stabilita dai passaporti. Due cartoncini con trentadue pagine in mezzo.

«Italiano, ascolta» dice un'altra voce, «io ho i documenti in regola. Guarda, questo è il permesso per lavorare in Libia. Perché i vostri ministri sono venuti in Libia a chiedere di mandarci via?» A mano a mano che finiscono il povero pasto, altri passeggeri si avvicinano. Non sono spettatori. Ciascuno di loro ha il peso di un magistrato d'accusa. «Io so come stanno le cose.

In Libia vedevo la Bbc. Perché l'Italia ha interferito sulle nostre vite di immigrati?»

«La Nigeria non è in Africa? La Libia non è in Africa?» chiede un ragazzo magrissimo. «Voi europei non siete liberi di circolare tra Italia, Francia e Germania? La mia famiglia è rimasta in Libia. Io sono stato espulso perché questo ha chiesto l'Italia. Perché? E perché l'Europa non ha fatto nulla per fermare gli italiani?»

L'oscurità nasconde i loro profili. Risalta soltanto il bianco di decine di occhi dilatati dalla rabbia e dalla stanchezza. Ci alziamo tutti in piedi.

«Io sono un uomo libero» grida più di tutti un nigeriano, «lavoravo in Libia da diciassette anni. Sono un tornitore. A Tripoli ho mia moglie e due figli piccoli. Ecco italiano.» Prende due fotografie dal portafoglio. «Guarda le foto, così vedi che non dico bugie. Io ho i documenti in regola. Ho provato a tornare perché è un mio diritto. Mi hanno deportato di nuovo. Da due mesi non vedo più la mia famiglia.» Altri come lui si siedono sulla sabbia ad ascoltarlo. «Io non andavo in Italia. Adesso, italiano, mi dici tu quando li rivedrò? Per colpa degli italiani, in Nigeria se prendi un taxi ora ti chiedono se sei cristiano o musulmano. Io rispondo che non importa cosa sono perché dal taxista mi aspetto che mi porti a destinazione e basta. Ma lo sapete che nella mia città i fanatici islamici stanno già facendo propaganda? Visto, dicono, cosa fanno i cristiani italiani ai nostri fratelli emigrati? Gli uomini liberi come me vogliono rimanere liberi» urla il tornitore, «io ero un uomo libero, rispettavo la legge. Non voglio rendere conto a nessuno della mia libertà.»

Il Ténéré assorbe le grida riportando immediatamente il silenzio. Nessuno più parla. «Vieni italiano» dice l'autista. Si allontana di qualche passo. Guarda indietro. «Vieni» insiste. La differenza con tutte le altre situazioni di pericolo, è che questa volta non ci sono vie di fuga. Dall'inizio del viaggio, qualunque cosa succeda ora, è la prima volta in cui non c'è possibilità di salvezza. Non è una questione di spazio: il deserto. Nemmeno di numeri: duecento contro uno. La trappola è concettuale. È nelle parole, nelle menzogne, nella cronaca di questi anni. La mente non trova una sola giustificazione che possa smentirli. Non esiste una sola scusa che valga, adesso, come salvacondotto. Non c'è più finzione. Non c'è stratagemma. Non c'è travestimento. È come se la maschera di Bilal mi fosse improvvisamente caduta. Come se la sua faccia mi avesse inesorabilmente abbandonato. Potrebbe finire nel peggiore dei modi. Ai loro occhi io raffiguro i padroni, i caporali, gli schiavisti. Ho detto che sono italiano. In una tasca dei pantaloni ho il passaporto dell'Unione Europea. Non sanno nulla del perché sono qui. Qualunque cosa decidano ora, farebbero semplicemente ciò che noi stiamo facendo a loro.

Qualcuno l'ha anche detto, tra le frasi appena gridate: «Italiano, tu non puoi capire. Io vorrei farti provare quello che hanno fatto a me nella vita». L'autista mi prende per mano, come si usa tra uomini nel Sahel. Vuole allontanarsi ancora. Mi fa sedere. Si siede a gambe incrociate sulla sabbia.

«Lo conosci il Darfur?» chiede, «io vengo da là. Non ho più nessuno.» Si sistema meglio. «Sono emigrato sette anni fa in Libia. Guarda che hanno detto che la guerra è finita, che non è stato un genocidio. Non è vero, sono bugie. Appena possono, continuano ad attaccare i villaggi. Ci vogliono cacciare dal Darfur perché siamo neri africani e non siamo arabi.» Con le mani afferra le sue caviglie e stringe ancor di più le gambe sotto il suo corpo.

Continua: «Ci sono altri otto del Darfur sul camion con noi. Dovevano avere diritto d'asilo. Per colpa di voi italiani, la Libia li ha cacciati. Non sanno dove andare. Si sentono come se il mondo non li volesse più. Ma come fai a scendere dal mondo? Ora tornano in Darfur. Vanno a vedere che cosa è rimasto delle loro famiglie». Infila una mano sotto la sabbia. «Ti ho portato qui perché non volevo che gli altri sentissero.» «Non c'è nulla di cui ti devi vergognare.» «Ma noi del Darfur» risponde lui, «viviamo nel terrore. Comunque volevo dirti soltanto questo. Perché tu, quando tornerai in Europa, ne possa parlare con la tua gente. L'unica possibilità di salvezza per noi è che voi sappiate cosa ci sta succedendo. Ora torniamo dagli altri.»

Abbiamo soltanto due modi di risolvere i conflitti. Attraverso la parola o attraverso la violenza. Non ci sono alternative. Questi deportati e il loro autista hanno subìto ogni forma di violenza. Avevano sufficiente rabbia addosso stanotte. Avrebbero potuto decidere qualunque cosa. Ma non si sono lasciati sopraffare. Hanno scelto le parole. Questo volevano. Semplicemente parlare. Rimane qualche ora di sonno. Si riparte che è ancora notte. La luna è tramontata. Il cielo è spento. Brillano poche stelle. Una donna da qualche parte nell'ammasso buio di braccia e gambe introduce la storia del pastore sciacallo e del pastore lepre. La racconta in inglese. Forse è nigeriana e la stanno deportando in Nigeria.

«Le stelle sono capre» dice lei mentre gli altri la prendono in giro. Non ci sono bambini su questo camion. «Se il pastore è lo sciacallo» continua la donna, «nessuno tocca le sue capre. Ma se il pastore è la lepre, lo sciacallo gliele mangia una dopo l'altra. Bop, bop, bop. Ahi» esclama la donna, pizzicata da qualcuno. «E poi?» domanda la voce di un uomo. «Stanotte il pastore è la lepre. Perché, guardate su, lo sciacallo ha mangiato quasi tutte le stelle.» Ridono là in fondo. Non è un buon segno, però. È una storia che raccontano i vecchi kel tamashek. La mancanza di stelle annuncia la presenza di sabbia nel cielo. Da qualche parte il vento sta soffiando forte.

Di pomeriggio appare il fuoristrada di Yaya. Ci aspetta lungo le tracce profonde scavate nella sabbia dalle grandi ruote. Il camion gli si ferma accanto. Yaya e il suo aiutante parlano con l'autista e il padrone. Dopo avermi riportato al confine, stavano tornando ad Agadez. «Ho bucato quattro volte» racconta Yaya guardando in alto, «ho rotto tutte le camere d'aria di scorta. Mi devo fermare qui.» Non si lascia un amico in mezzo al deserto. «L'autista mi ha detto che loro vanno in Ciad. Tu se vuoi prosegui» dice Yaya, «ti fai lasciare al prossimo pozzo. Così aspetti un camion per Agadez. Oppure ti raggiungo io.»

«No, Yaya, scendo qui.» Mohamed, il padrone, saluta con il braccio teso fuori dal finestrino. L'autista mima lo scatto di una fotografia. Poi le botte. Ride. Accelera. Le ruote affondano nella sabbia liquida. Il camion si allontana lento sotto una nuvola di fumo nero.

Riparare una ruota a cinquanta gradi è una prova di pazienza. Il mastice si scioglie come gelato. La sabbia si infila ovunque. Yaya continua a pulire e a soffiare sulla superficie di gomma della camera d'aria. «Io penso che adesso vada bene» annuncia. Manca poco al tramonto. Rigonfia lo pneumatico con il compressore. «Spostiamoci da qui» avverte, «troviamo un riparo più sicuro per la notte.»

La sera è caldissima. L'aria immobile. La luna non è ancora affiorata dalla pianura. Anche stasera dev'essere di turno il pastore lepre. Non brilla una sola stella. Il cielo è così nero che è difficile ritrovare la stuoia stesa sulla sabbia. Si va a dormire presto. Per ripartire molto presto. Il Ténéré non è mai stato così buio.

Lo schiaffo colpisce all'improvviso. Una botta sulla guancia sinistra. Non c'è nessuno intorno. L'orologio segna le 3,30. Notte fonda. Passa un respiro di vento lieve. Poi tutto si ferma. Yaya sta russando. Il deserto è ancora nero. Senza luna. La stuoia, la faccia, i capelli sono ricoperti di sabbia. Come se si fosse schiantata dal cielo. Di nuovo quel soffio lieve. E subito ritorna il silenzio. Il momento di riprovare a dormire. L'attacco è furioso. Una sinfonia di migliaia di elementi in cui tutti gli strumenti suonano insieme la stessa nota. Un sibilo assordante come il fischio di centinaia di aerei al decollo. Gli occhi si riempiono di sabbia. La bocca è piena di sabbia. Più si respira, più la sabbia entra nei polmoni. Non puoi che tossire. «Mettiamo tutto in macchina» grida Yaya.

Il vento scende dal deserto di Tafassaset con il fragore dell'acqua di una diga che crolla. Sono le 5 del mattino. «Non appena fa chiaro, andiamo via di qui» avverte Yaya. Il cielo passa dal buio alla luce senza vie di mezzo. Senza le sfumature dell'alba che finora il Ténéré ha sempre inventato. Il fuoristrada si infila nella nebbia accecante. Scosso e superato dalle nuvole di polvere che, a occhio, corrono a più di cento all'ora. «Yaya, parcheggiamo controvento e aspettiamo che passi.» «Può andare avanti cinque giorni così» risponde lui, «mi riavvicino alla pista dei camion. Poi decidiamo cosa fare.» L'ago della bussola si orienta a Nord. Dovremmo incrociare le tracce nella sabbia tra qualche chilometro. Il fuoristrada rallenta. Yaya spegne il motore e scende. «Abbiamo bucato ancora» dice il suo amico.

È la quinta foratura. Queste camere d'aria non tengono le riparazioni. È sempre la stessa ruota. La posteriore destra. Bisogna mettere il fuoristrada sul cric. Con una pala e le mani va scavata una buca sotto il copertone. Yaya toglie lo pneumatico dal cerchione. Ripete ciò che ha già fatto con la ruota di scorta che da ieri sera è fuori uso. Sfila la camera d'aria e la annoda dove è tagliata. Si riparte. Dura qualche centinaio di metri. La gomma si affloscia con uno scoppio attutito dal fragore del vento. Yaya fa prendere magliette, coperte e pantaloni dai bagagli. Tutto quanto può essere usato per riempire un copertone. «È un metodo che ho usato in guerra. Sicuramente funziona» dice con l'ottimismo di sempre. Stringe i bulloni. La sabbia è troppo molle. Il tentativo dissemina un corredo di biancheria per una ventina di metri. E qualche maglietta se ne va con la tormenta.

Yaya si inginocchia accanto alla ruota. Si rialza e ci guarda. «Siamo fottuti» dice. Si inginocchia ancora. Abbraccia la ruota. La accarezza teneramente, neanche fosse la pelle di una donna. Le parla sottovoce. «Sta scacciando i gin?»

Il suo amico annuisce. Se Yaya si rivolge alle antiche tradizioni, significa che è terrorizzato. Si alza in piedi.

«Hai un telefono satellitare?» domanda. «Questa volta sì.» «E si può fare il punto geografico?» «Credo di sì.» «Allora chiama la tua gente in Europa e dai la posizione. Qui rischiamo di rimanerci a lungo.» Anche Yaya ha un satellitare. Ma è un vecchio modello. Non calcola longitudine e latitudine. Lo prende, orienta l'antenna e parla con qualcuno. «Ho chiamato Agadez» spiega dopo, «manderanno ruote e camere d'aria di ricambio con il primo camion in partenza. Ma prima deve finire questa tempesta.»

Lei risponde assonnata. «Come mai mi chiami a quest'ora?» «Prendi carta e penna, per favore.» «Presa.» «Scrivi 18 gradi Nord, 07 primi, 15 secondi, 49. E 10 gradi Est, 05 primi, 01 secondi, 63.» «Tutto bene?» insiste lei. «Siamo bloccati per un guasto a una ruota. C'è una tempesta di sabbia che potrebbe durare giorni. Tieni conto di questa posizione solo se si scarica il satellitare e non mi senti più. Più tardi avverto la mia redazione. Se non ci sono novità, non ti chiamo per risparmiare le batterie. E non ti preoccupare, abbiamo da mangiare e da bere.» Lei ascolta e prende nota. È sempre calma e bravissima. Il problema però sono proprio i viveri.

Yaya ha pensato di saltare pozzo Speranza 400. Contava di fare rifornimento una volta superate le dune. In mezzo ci sono 343 chilometri di sabbia. Così ci ritroviamo con appena dieci litri d'acqua in tre. Sommando anche il liquido di due scatole di piselli, lo sciroppo di un barattolo di pesche e il circuito di raffreddamento del motore da far bastare magari per i prossimi cinque giorni. «Abbiamo mandarini libici» informa Yaya che ha aperto la cassa per fare l'inventario. Bisogna urlare per parlare.

Fin da subito la sabbia tenta di impossessarsi del corpo. Mitraglia la pelle. Si impasta con le lacrime. Si incrosta intorno agli occhi. Ricopre di amaro la gola. Scende nei polmoni con il suo peso lieve che continua a far tossire. Meglio non fare nulla. L'importante è non sudare. Non favorire la disidratazione. Ci si sdraia sotto la macchina. L'unica ombra. Con la testa avvolta nei tagelmust. Si dorme. Ci si sveglia. Si pensa. Si cerca di dominare la sete. Finché c'è saliva, è inutile bere. Il vento scuote il fuoristrada. Le nuvole di polvere gareggiano a folle velocità schiantandosi contro la carrozzeria. Si infilano nel nostro riparo. Proseguono, risucchiate dalle raffiche, dentro il muro di nebbia sabbiosa. Una volta fuori, si allungano sulla superficie del Ténéré in filamenti ondulati e sottili.

Il vento è rabbioso. E fa sempre più caldo. Al fragore intermittente della bufera ora si unisce un rumore costante. Sono passate quasi sette ore. Forse abbiamo dormito. «È un motore» grida Yaya. La luce intorno al nostro rettangolo d'ombra è abbagliante. La nebbia di polvere non lascia vedere molto. È il contorno di un fuoristrada. Fermo a pochi metri, è già una macchia appena più scura del muro di sabbia. Alcune sagome di uomini saltano dal cassone posteriore. Imbracciano qualcosa. Fucili. Oggi mancano solo i banditi. Yaya riconosce Hassan, un suo amico. Sono soldati di ritorno da Dirkou. Sono finiti fuori rotta. Quasi ci tamponavano. Yaya ride. «Quando ho sentito il motore» dice, «mi aspettavo di essere travolto da un camion.»

I militari offrono la loro ruota di scorta. Yaya scopre che è sgonfia. Bucata, pure quella. Prima bisogna ripararla. Il problema poi è il cric. Il loro è rotto. E per sganciare quello che Yaya ha piazzato, bisogna sollevare il fuoristrada a mano. Finalmente si riparte. La pista dei camion era a più di dieci chilometri. Hassan è salito con noi. È l'occasione per sapere cosa sia davvero successo con Abderrazak le para, l'ex legionario che voleva diventare il capo di Al Qaeda nel Sahara. Hassan conferma che per un certo periodo, quattro anni fa più o meno, Abderrazak si era accampato a pochi chilometri da Madama. Ma è rimasto poco tempo. «Io e i miei compagni gli abbiamo dato la caccia per un mese nel deserto» ammette orgoglioso. «Forse» aggiunge, «lo proteggevano i contrabbandieri di sigarette.» Non sbaglia.

A Bargout, il primo pozzo oltre le dune di sabbia, Yaya offre un tè che è il più forte, il più dolce, il più dissetante mai bevuto. Il giorno dopo, poco prima di mezzogiorno, sull'orizzonte si alza il Mesallaje. Yaya esce dalla pista. Si ferma sotto un'acacia ad ammirare da lontano il profilo di fango rosso nell'aria che ribolle. «La stessa immagine da secoli.» Yaya e il suo amico sorridono fieri della loro città.

«L'altra volta hai visitato il mercato dei cammelli?» chiede Yaya. «Non ci sono mai stato.» «Domani mattina ti porto» dice lui. «Invece avete visto che non ci sono più posti di blocco? L'altra volta ce n'erano due da queste parti. Uno a Tourayatte e l'altro proprio qua davanti.» «Ah» ride Yaya, «li avevano messi per rubare soldi agli emigranti che partivano. Adesso che li rimandano indietro, non conviene più.»

«Sei triste?» chiede all'improvviso Yaya. «Sono scoraggiato. Diciamo a pezzi.» «Il tuo mondo ha bisogno di menzogne» aggiunge lui. «La più grande menzogna è far credere che tutto questo si possa cambiare con le parole. Speravo almeno di avere notizie dei miei compagni di viaggio. Sono tornato qui apposta. Ma è come se loro non esistessero più.»

La sera, quando il telefonino riaggancia il segnale, risuonano decine di trilli. Messaggi e avvisi di telefonate andate a vuoto. Il nuovo mondo ti cerca sempre. Tra gli sms, appare sullo schermo quello di un'amica che non sento da anni. «Come stai? Dove sei?» scrive. «Ho appena sognato che sei in pericolo. Una brutta sensazione. Fammi sapere che va tutto bene.» Almeno a lei bisogna rispondere subito: «Ciao! Tutto ok. Sono all'estero, ti chiamo al ritorno. Quando mi hai sognato? Dov'ero?». Deve avere il cellulare accanto. La replica dall'Europa non si fa aspettare. «Tre notti fa. Eri in un posto vuoto, senza nulla. C'era una nebbia bianca e accecante. Si faceva fatica a respirare. Tu camminavi. Non ti voltavi. Stavi per sparire. Una sensazione bruttissima. Non chiedermi com'è finito, per la paura mi sono svegliata. Ma dove sei?» La notte del processo in mezzo al deserto. Proprio tre notti fa. La nebbia bianca e accecante del Ténéré durante la tempesta di sabbia. E lì, lo so, i miei amici a casa non sono mai stati. «La prossima volta ti consulto prima di partire. Va tutto bene. Ciao strega.» Non sono superstizioso. Non tengo mai in considerazione il panorama che va dall'oroscopo alla magoterapia. Mi convinco, come sempre, che dev'essere una razionale coincidenza.

Il mercato dei cammelli è una fiera. Vendono di tutto. Non solo dromedari. Una folla di compratori e curiosi si accalca tra gli animali. Gira intorno ai recinti. Si allunga in mezzo alle bancarelle che espongono semi di cola, zucchero, tabacco e scaglie di sale da succhiare tra i denti. Masticare sale, oltre al tabacco, è un vizio e una necessità per i carovanieri tuareg. «Io ti aspetto qui» avverte Yaya. «Ma ti stanno chiamando?» domanda. «Non credo.» «Ho sentito chiamare Fabrus» dice: «Non mi sembra un nome di Agadez». «Neppure a me. Però non vedo nessuno che conosco.»

L'anima più viva e frenetica della città rossa la si incontra proprio al mercato. Ma l'aspetto gioioso dei suoi abitanti ormai è solo apparenza. C'è sufficiente rabbia tra i tuareg per alimentare una nuova ribellione. Yaya non lo dice. Il clima però è maturo per una guerra contro l'esercito di Niamey. L'ultimo accordo di pace è stato applicato a metà. Il governo centrale sta vendendo concessioni alla Cina per estrarre petrolio dal deserto. La storia si ripete come ai tempi dell'apertura delle miniere di uranio a Nord di Agadez. È territorio dei kel tamashek, le famiglie tuareg. Ma benefici e guadagni finiscono ai soliti clan. Da una parte e dall'altra, negli ultimi anni, con il traffico di schiavi hanno incassato abbastanza soldi per comprare armi e munizioni. Aspettano soltanto l'occasione per usarle.

Dopo quasi mezz'ora Yaya è ancora seduto sul suo fuoristrada al sole. Un forno rovente con le portiere aperte. «Potevi venire anche tu.» «Ho già visto troppi dromedari in vita mia» risponde, «ma guarda che ti stanno cercando. È venuto un ragazzo.» Eccolo che ritorna.

«Fabrus? Sei tu, no?» chiede conferma. Il suo volto è leggermente ingrassato. Si è arrotondato da quando ci siamo visti l'ultima volta. Anche il suo corpo sembra più rilassato. Resta da capire se sia Daniel o suo fratello Stephen. Il solito dilemma tra gemelli, anche se non si assomigliano molto. «Sono Stephen, ti ricordi?» Yaya è sceso e osserva la scena. «Yaya aspettami.» Lui si risiede in macchina.

L'abbraccio di Stephen è strettissimo. Come quella volta, anni fa, che ho aiutato in acqua una persona che non sapeva nuotare. Si è aggrappato alle mie spalle con la stessa forza. «Cosa fai ad Agadez?» Lui si volta e indica la baracca della polizia. «Fai il poliziotto?» «No» ride, «faccio le pulizie a casa di un ispettore e qui porto in giro la posta.» «Hai i documenti adesso, sei assunto?» Stephen sorride. «No, non ho mai più avuto il passaporto. L'ispettore è un uomo gentile. Ha deciso di aiutarmi. Mi dà da dormire e da mangiare.» «Ma ti hanno espulso dalla Libia?» «No, Fabrus» sorride ancora, «ho deciso di tornare io.» «E Daniel è rimasto in Libia o è con te?» «Tu come stai, amico mio?» «Io sto bene. Ma dimmi di Daniel.» «E cosa fai qui?» domanda lui. «Sono rientrato ieri dal deserto. Ma dimmi, Daniel sta bene?»

Qualcosa nel suo sguardo nasconde il ragazzo taciturno e tenace che pur di arrivare a Londra ha attraversato il Sahel a piedi.

«Sono contento di rivederti» dice Stephen. «Vi ho scritto centinaia di email. Sia al tuo indirizzo, sia a quello di Daniel.» «Non ho più avuto un computer» spiega. «E Daniel cosa fa?» Lui scuote la testa. Abbassa lo sguardo. «Stephen, cosa è successo a Daniel?» «Daniel se n'è andato» dice usando un'espressione che in inglese non è equivoca. «Daniel è morto?» «Sì» sussurra lui.

Yaya sta aspettando ancora. «Scusami, devo restare con il mio amico. Vai pure, ci vediamo nel pomeriggio.» Stephen chiede ai suoi nuovi colleghi il permesso di assentarsi. «Andiamo a sederci da qualche parte in città.» «No» mi stringe un braccio per fermarmi, «non posso allontanarmi. Magari all'ufficio hanno bisogno di me.» Ci appoggiamo allo steccato del recinto dei dromedari. «Ti va di raccontarmi cosa è successo?»

Stephen comincia dai soldi che il pastore della sua parrocchia aveva mandato. «Poi avevamo risparmiato» rivela, «quelli che tu ci davi per mangiare. A Dirkou abbiamo dovuto prendere un camion del contrabbando. Perché senza documenti, da quella volta che a Zinder ci avevano fatto perdere i bagagli, non potevamo passare il confine a Madama. Ci avrebbero fermati. Oppure avrebbero voluto altri soldi che noi non avevamo.» È sempre così nel deserto. Quando ci sei in mezzo, il tuo viaggio è già segnato da qualcosa che è successo o non è successo prima. «A Dirkou abbiamo pagato alla polizia ottomila franchi io e ottomila franchi Daniel» racconta Stephen, «altrimenti non ci avrebbero lasciati ripartire. A Dao Timmi altri cinquemila franchi a testa. Lassù una notte ha fatto molto freddo. Avevamo solo la t-shirt, i jeans e un cappello di lana. Volevamo arrivare in Libia. Era la volta buona. Sì» si asciuga gli occhi, «era la volta buona.»

«Stephen, se vuoi fermati.» Lui non sente nemmeno. Prosegue. «Avevamo un sacchetto di gari, fatto con la cassava. Alla fine resta una farina che se la bevi nell'acqua è molto nutriente. Di acqua avevamo un solo bidone da venti litri in due. Dovevamo fare economia, avevamo venduto l'altro bidone. Ci avevano detto che ci saremmo fermati ai pozzi. Invece il camion non si è mai fermato.» «Io vi ho cercati ovunque a Dirkou, quando siete ripartiti?» «Il giorno dopo il nostro arrivo. Tre giorni più tardi abbiamo superato Madama.»

«Non siamo passati dal posto di controllo dei militari» continua Stephen. «Abbiamo percorso un lungo giro intorno. Siamo andati vicino a un accampamento di contrabbandieri. Chi aveva già fatto il viaggio diceva che lì c'era un pozzo. Ma nemmeno lì ci siamo fermati. Qualcuno era già senza acqua. Noi ne avevamo pochissima. Eravamo in cinquanta» dice Stephen. «I contrabbandieri di sigarette non caricano molti passeggeri. Hanno paura che possano ammutinarsi e rapinare camion e carico. Daniel aveva freddo. Stava già male. Si è ammalato a Dirkou. A un certo punto mi dice: "Hey brother, keep on moving, don't stop". Era il suo motto, ti ricordi? Hey fratello, continua a muoverti, non ti fermare. È l'ultima cosa che mi ha detto. Per tre ore non ha più parlato. La mattina, era ancora buio, mi ha guardato ed è morto. Aveva la schiuma alla bocca.»

«Ho gridato all'autista» racconta Stephen «non voleva fermarsi. Gli ho detto che stavo per distruggere il camion. Si è fermato. L'autista mi ha aiutato a scavare la fossa. Eravamo in mezzo alla sabbia. Altri quattro come noi erano disperati perché erano senz'acqua. Hanno detto che loro sapevano come cercarla e si sono allontanati a piedi. Quando hai sete, diventi matto. Ho visto uno di loro bere sabbia da un bicchiere. Io però non so bene cosa sia successo dopo. Ero sconvolto. Abbiamo ricoperto

Daniel. E l'autista è voluto ripartire senza aspettare che i quattro tornassero. Una donna che era con loro lo supplicava. Piangeva. Sicuramente sono morti. Eravamo fuori da qualsiasi rotta.»

Stephen guarda nel vuoto. Parla con il sole negli occhi. Ma l'abbaglio non gli dà fastidio. «Dopo sei giorni siamo arrivati a Ghat, in Libia. L'autista ha chiesto cinquemila franchi a testa per pagare la tangente ai militari. I rapporti con i militari in Libia li tengono gli autisti. I soldati non vogliono parlare con noi. Sono andato a Sebha» dice «e subito ho trovato lavoro in una piantagione. Mi davano venti dinari a settimana. Quanto fa in franchi del Niger?» «Ottomila franchi più o meno, dodici euro a settimana.» «Non era male, no? Ho anche pensato di andare in Algeria o in Marocco per raggiungere la Spagna. E poi arrivare a Londra e iscrivermi all'università. Ma dopo otto mesi ho deciso di tornare ad Agadez. In Libia mi scoppiava la testa. Mi sono accorto che rimanere, senza Daniel, mi avrebbe fatto impazzire. A volte mi hanno dato forza le tue parole. Quando ci dicevi che noi siamo eroi. Ora vorrei rimettermi a studiare. Mi piaceva tanto studiare. Ma qui, vedi, è impossibile.»

Mi guarda fisso. Si lascia stringere le mani. «Noi africani» sussurra «siamo molto individualisti quando siamo in difficoltà. Nessuno ti offre acqua. Se qualcuno la chiedeva, tutti rispondevano che non ce n'era più. E quelli che ancora ne avevano, bevevano di nascosto.» Stephen a questo punto nasconde la testa tra le spalle, si abbassa e mima l'operazione fingendo di coprire una borraccia con le mani. «Così si beve quando vedi gli altri morire di sete.»

Un uomo che corre e piange per strada non scandalizza nessuno ad Agadez. Ne hanno viste tante nella storia. Le carestie. I colpi di Stato. I morti per fame. Adesso vedono i deportati che come sopravvissuti escono dal deserto e si aggrappano disperati alla loro dignitosa povertà. Soltanto i bambini si voltano. Ma per la solita innocente cantilena. «Monsieur bonjour, monsieur cadeau.» La mente annebbiata riconosce l'insegna di un Internet cafè. Un piccolo negozio, caldo e polveroso, a metà della via che porta al château d'eau, la cisterna dell'acquedotto che la prima sera per il buio sembrava l'antico minareto. Le mani tremano. Fanno fatica a orientarsi. Scivolano sui tasti sudati. Ho bisogno di scrivere a Lei. Da quasi un mese non guardo le email. La connessione è lenta. Si aprono. Con calma. Una dopo l'altra. Joseph e James hanno risposto, finalmente.

Ciao fratello, siamo molto dispiaciuti per non averti scritto prima. Ma tutto è dovuto al modo terribile in cui le cose vanno qui. Abbiamo finalmente ottenuto i passaporti e recuperato i soldi che ci avevi mandato. Stiamo preparando il viaggio, ma ci hanno detto che hanno posto in aereo solo per una persona. Così abbiamo deciso che Joseph partirà domani e speriamo possa arrivare sabato alle 3,30, ora del Ghana. Abbiamo già i biglietti. Per quanto riguarda James, la compagnia aerea dice che c'è posto la prossima settimana. Abbiamo anche deciso di partire separati per evitare di essere catturati e deportati tutti e due. Almeno una persona può sempre aiutare l'altra a uscire da questo inferno. Ciao per adesso. Ti saremo molto grati se potrai telefonare a Joseph quando arriverà in Ghana. Scrivi appena puoi. Un abbraccio forte. Joseph e James.

Ciao fratello, spero tu stia bene. Sono appena arrivato questa mattina ad Accra, in Ghana e la mia famiglia è piena di gioia. Sono molto felici che io sia tornato. Ho trovato mio figlio molto malato, è all'ospedale ora. Spero che guarisca presto. Ci avevano detto che per Accra c'era un volo di quattro ore. Ma prima di arrivare siamo atterrati al Cairo, in Senegal e in Togo. Sono arrivato ad Accra stamattina alle quattro. Ho appena scritto a James per informarlo. All'arrivo l'ufficiale dell'immigrazione ha voluto sapere cosa ci facevo in Libia. Gli ho spiegato che siamo una famiglia fuggita dalla guerra in Libera e lui ha chiamato mia moglie per avere conferma. Ti racconterò di più nella prossima lettera. Ho proprio bisogno di farmi una dormita. Con affetto. Joseph.

Ciao fratello, spero tu stia bene. James mi ha appena scritto che sarà qui presto. Ma dice che Tripoli è diventata molto pericolosa. La polizia sta arrestando gli immigrati neri in grande quantità. Gli ho scritto di stare molto attento e di tenersi lontano dalla strada. La sua famiglia è molto preoccupata. Il vuoto che lascia qui è troppo grande per loro. Io li sto incoraggiando e sto tenendo alta la loro speranza. Sono qui per aiutarli in tutto. Fratello, la vita nel campo profughi di Buduburam è terribile. C'è tanta sofferenza e le condizioni sanitarie sono pessime per quanto riguarda latrine, cibo, farmaci, bagni e acqua. Dio è già così misericordioso che ci fa sopravvivere. Ma la vita continua e qui si aggiungono altri rifugiati dalla Liberia e dalla Sierra Leone. Sono i profughi che avevano cercato riparo in Costa d'Avorio e sono dovuti ripartire per i combattimenti con i ribelli del Nord. Il nostro campo di Buduburam è affollato a livelli di epidemia. Ti saluta mia moglie. Scrivi quando puoi. Un abbraccio forte. Joseph.

Caro fratello, spero tu stia bene. Purtroppo sono stato preso dalla polizia con tutti i soldi. Mi hanno chiuso in un campo di detenzione a Tripoli in attesa di essere deportato nel deserto in qualsiasi momento. Ma Dio può fare qualunque cosa. C'era una visita di qualche funzionario legato alle Nazioni Unite. Sono entrato in contatto con uno di loro, ho raccontato la mia fuga dalla Liberia e loro mi hanno aggiunto alla lista dei deportati da rilasciare. Adesso sono semplicemente solo sulla strada. Non è davvero facile per me. Ma grazie a Dio sopravviverò. Sia ringraziato Dio che mi ha fatto liberare dal campo. Spero di sentirti presto. James.

Ciao fratello, ho ricevuto un messaggio da James. Sta bene. Il suo volo è stato rinviato per le condizioni del tempo. Ma ieri mi ha scritto che ha avuto una sfortuna. La polizia l'ha arrestato e, con la scusa che non aveva le ricevute di cambio, gli ha preso i dollari che gli servivano per vivere fino alla partenza. James mi ha raccontato che dopo che gli hanno preso i soldi, l'hanno frustato. Dopo tre giorni l'hanno lasciato andare. Comunque il viaggio per il suo ritorno è già pagato. Lo stiamo aspettando. Ti scrivo domani. Ciao per ora. Joseph.

Ciao fratello, spero che tu stia bene. Il volo di James è stato ancora rinviato. Noi stiamo bene e teniamo duro. Un abbraccio forte. Joseph.

Ciao fratello, James sarà qui tra qualche giorno, se Dio vuole. Mi ha appena scritto per darmi conferma. Sua moglie è molto spaventata. Sta male. Io ho fatto del mio meglio per dirle che tutto sta andando bene e che lui arriverà. James mi ha anche riferito di altri arresti di massa. Gli ho consigliato di stare nascosto. La polizia gli ha chiesto di presentarsi in ufficio tutti i giorni fino alla sua partenza. Ma io, visto quello che è successo, gli ho scritto di stare alla larga da qualunque cosa sembri un ufficio di polizia. Gli ho detto di rimanere solo con se stesso fino a quando non riuscirà a decollare. Con affetto. Joseph.

Ciao fratello, spero che tu stia molto bene. James è appena arrivato questa mattina. È dimagrito, come uno che è stato molto malato. Comunque la sua famiglia è felicissima e sta festeggiando il suo ritorno. Le giornate a Buduburam sono dure come sempre. Ringraziamo Dio che ci ha conservato la vita. Un abbraccio fortissimo. Joseph e James.

Ringraziamenti

Grazie a Ettore Botti e a Paolo Chiarelli, due grandi maestri di giornalismo: questo viaggio è cominciato dai loro insegnamenti. Grazie ad Alessandra Ballerini, Oreste Flamminii Minuto, Caterina Malavenda e Manuela Minojetti per essere rimasti al mio fianco quando la legge mi ha messo sul banco degli imputati. Grazie agli abitanti di Lampedusa che mi hanno soccorso e al brigadiere dei carabinieri del battaglione di Napoli che non ha mai smesso di trattarci da uomini dentro la grande gabbia. Grazie a Nicola D'Altilia, avvocato ed ex poliziotto, per quello che ha fatto. Grazie al parroco che sta cercando di salvare Pavel. Grazie a Rocco De Benedictis e a Domenico Tambasco. Grazie a Ilias, Ahmed, Tchalud. Grazie alla grande redazione de «L'espresso», ai compagni di viaggio, a Manuela e Simona, alle amiche e agli amici che non posso nominare qui. Grazie alla Pfm per *River of life* e ai Pink Floyd per *Wish you were here*. Grazie soprattutto a Impi e a Lei, la sua splendida mamma, per l'infinita pazienza durante questi lunghi mesi di assenza.

Indice

Finito di stampare
nel mese di ottobre 2007 presso
il Nuovo Istituto di Arti Grafiche – Bergamo
Printed in Italy